MATLAB 从入门到精通

（第2版）

周建兴　岂兴明　矫津毅　张延伟　等　编著

人 民 邮 电 出 版 社

北 京

图书在版编目（CIP）数据

MATLAB从入门到精通 / 周建兴等编著. -- 2版. --
北京 : 人民邮电出版社, 2012.6（2013.7 重印）
（MATLAB 7.x应用系列丛书）
ISBN 978-7-115-28042-8

Ⅰ. ①M… Ⅱ. ①周… Ⅲ. ①Matlab软件 Ⅳ.
①TP317

中国版本图书馆CIP数据核字(2012)第069839号

内 容 提 要

本书以 MATLAB 7.x 软件为基础，系统讲解了 MATLAB 基本环境和操作方法；分章阐述了矩阵计算、数值计算、符号计算、数据可视化、数据分析、M 文件编写、Simulink 仿真、句柄图形、图形用户界面、文件读写、MATLAB 编译器、应用程序接口等内容；结合相关的函数或命令，精心编写了一些具体的示例，充分说明了具体函数和命令的使用方法。

我社网站（www.ptpress.com.cn）提供本书全部示例的源代码，可帮助读者更好地理解书中的内容并更快地掌握 MATLAB 的使用方法。

本书内容充实、结构紧凑，既可作为高校学生系统学习 MATLAB 的书籍，也可以作为广大科研和工程技术人员在工作中使用 MATLAB 的参考书。

MATLAB 7.x 应用系列丛书

MATLAB 从入门到精通（第 2 版）

◆ 编　　著　周建兴　岂兴明　矫津毅　张延伟　等
　责任编辑　刘　洋

◆ 人民邮电出版社出版发行　　北京市崇文区夕照寺街 14 号
　邮编　100061　　电子邮件　315@ptpress.com.cn
　网址　http://www.ptpress.com.cn
　北京隆昌伟业印刷有限公司印刷

◆ 开本：787×1092　1/16
　印张：31.25
　字数：742 千字　　　　2012 年 6 月第 2 版
　印数：15 801 – 16 800 册　　　　2013 年 7 月北京第 3 次印刷

ISBN 978-7-115-28042-8

定价：65.00 元

读者服务热线：(010)67132692　印装质量热线：(010)67129223
反盗版热线：(010)67171154

前言（第2版）

本书是《MATLAB 从入门到精通》的第 2 版。《MATLAB 从入门到精通》一书自 2008 年出版以来多次重印，深受广大读者的厚爱和青睐，成为许多读者学习 MATLAB 的必备参考书之一，得到广大读者的认同和认可。由于本书内容全面、示例清楚、简单易懂、系统性较强，被一些高校教师推荐为 MATLAB 学习的教材之一。在本书出版至今的 3 年多时间里，广大读者在学习使用过程中，根据实际学习情况，也提出了一些非常中肯的意见和建议，这为本书此次的修订和完善指出了方向。在此次修订中，作者对这些意见和建议均予以认真考虑，并将这些宝贵意见反映到本书的修订中，以期能够最大限度地满足广大读者的需要。

MATLAB 是美国 Mathworks 公司发布的数学商业计算软件，与 Mathematica、Maple 并称为三大数学软件。MATLAB 将数值分析、矩阵计算、科学数据可视化以及非线性动态系统的建模与仿真等诸多功能集成在视窗环境中，提供了一种高级技术的计算语言和交互环境，为科学研究、工程设计、信号处理与通信及与数值计算有关的众多科学领域提供了一种优秀的计算工具。MATLAB 可以完成数值分析、数值和符号计算、工程与科学绘图、控制系统的设计与仿真、数学图像处理技术、数字通信技术、通信系统设计与仿真、财务与金融工程等各种工作。此外，MATLAB 的附加工具箱（单独提供的 MATLAB 专用函数集）进一步扩展了 MATLAB 环境，解决计算生物学等众多技术领域的问题。本书作为一本 MATLAB 入门级教材，旨在帮助读者对 MATLAB 的基本功能进行较为全面、系统的学习，为读者精通和进一步通向更高级、更专业的应用打下坚实的基础。

MATLAB 最早起始于 20 世纪 70 年代，由美国新墨西哥大学计算机科学系主任 Cleve Moler 用 FORTRAN 语言编写而成。1984 年，Little、Moler、Steve Bangert 合作成立了 Mathworks 公司，正式把 MATLAB 推向市场，此即 MATLAB 1.0 版本。到 20 世纪 90 年代中期，MATLAB 已经成为国际控制行业的标准计算软件。2004 年，MATLAB 发布了 7.0 版本，MATLAB 软件正式进入 7.x 版本阶段，2012 年 3 月 1 日发布的最新版为 7.14 版本。自 2006 年开始，MATLAB 以 a、b 版本命名在春秋两季分别发布，如 2008 年发布了 2008a 和 2008b 两版，其余年份相同。尽管在每一新版本中，MATLAB 都进行了修订和改进，但对入门级和普通使用者而言，广泛接受和使用的仍然是 MATLAB 的基本功能，即 MATLAB 开发环境、MATLAB 数学函数库、MATLAB 语言、MATLAB 图形处理系统和 MATLAB 应用程序接口（API）五大部分的基本功能。因此，本书主要针对 7.x 版本中的基础内容进行较为全面、系统的介绍，使读者能够系统地掌握 MATLAB 的这些基本功能。

在此次出版过程中，根据读者意见，我们对全书中的插图进行了调整，使插图字号更大、字迹更清楚，帮助读者能够更为舒服地阅读相关示例。此外，针对读者提出的排版问题，我们将每页排版形式由纵向页眉改为横向页眉，使读者在阅读过程中，能够方便地在页边处批注或记笔记，更便于读者的阅读和学习。此外，本书在修订过程中还对读者提到的个别内容错漏问题一并进行了修改、完善。

本书此次修订由周建兴、岂兴明、矫津毅、张延伟等人共同完成。在修订过程中，也得到了本书编辑刘洋、清华大学有关师生的热心帮助和大力支持，在此一并表示感谢。

由于作者水平有限，书中错误和不当之处仍在所难免，敬请各位读者批评指正。读者可将意见和建议通过电子邮件发送至本书责任编辑的电子邮箱 liuyang@ptpress.com.cn。

作　者

2012 年 4 月于清华大学

前言（第1版）

MATLAB 简介

MATLAB 是美国 MathWorks 公司推出的产品，最早的版本出现在 20 世纪 70 年代，用 FORTRAN 语言编写，主要功能是实现程序库的接口功能。MATLAB 名称来自于 Matrix 和 Laboratory 两个英文单词的前 3 个字母的组合。进入 20 世纪 90 年代以后，MATLAB 发展成为国际公认的标准计算软件，在数值计算方面的功能不断增强，此时，MATLAB 的内核采用 C++语言进行编写，并且增强了数据的可视化功能。

现在，MATLAB 不断提供功能更为强大的软件包，并配以翔实丰富的帮助系统，越来越多地得到各个专业领域人员的认可和青睐。时至今日，MATLAB 已经发展为高性能的数值计算软件，并且集成了可视化功能，提供了大量的内置函数，被广泛地应用于科学计算、控制系统、信息处理等领域的分析、仿真和设计工作。

从近几年开始，MathWorks 公司每年都进行两次 MATLAB 产品发布，时间分别在每年的 3 月和 9 月，而且，每一次发布都会包含所有的产品模块，如产品的 new feature、bug fixes 和新产品模块的推出。每次，MathWorks 发布 MATLAB 的同时，也会发布 Simulink。在欧美一些国家，很多大公司在将产品投入实际使用之前都会进行仿真试验，这些公司主要使用的仿真软件就是 Simulink。MATLAB 提供了自己的编译器：全面兼容 C++以及 FORTRAN 两大语言。因此，MATLAB 成为工程师、科研工作者最易上手的编程语言、最好的工具和环境。

编写目的

MATLAB 版本在更新过程中，不断加入新的组件或功能，帮助用户在更为深入的专业仿真处理领域获得更好的体验。但对于大部分用户的使用而言，在掌握基本的 MATLAB 操作和使用方法，以及帮助系统的帮助方式以后，能够更快地进行比较专业和深入的仿真处理分析。对于比较专业的部分，如控制部分、信号处理、小波分析、金融分析等部分的仿真和分析过程，用户可以在本书介绍的基本方法和处理能力的基础上，结合这些专业的领域内的知识，来完成仿真分析的处理过程。

对于大多数的读者和用户而言，在学习软件初期迫切需要能够对 MATLAB 的基本概念和基础操作进行介绍的书籍。因此，本书以相对稳定的 MATLAB 7.x 版本为基础进行这些内容方面的介绍。本书按照一般读者的学习规律，在介绍基本知识和基本操作的基础上，对 MATLAB 进行仿真处理的各个主题方面进行详细深入的讲解。同时，便于用户能够在学习本书的基础上，接触和掌握 MATLAB 强大的文本帮助系统，以及导航器/浏览器帮助系统，从而增强读者在掌握基础知识和操作基础上，利用帮助文件系统，进行自主学习。

本书特点

和其他相关书籍相比较，本书的主要特点如下。

1．内容完整、全面

本书内容安排考虑到 MATLAB 进行仿真和运算分析时的基础知识和实践操作，从基础的变量、函数、数据类型等入手，到数学分析、图形可视化、Simulink 仿真、文件读写等，详细全面地帮助读者掌握 MATLAB 的分析方法。

2．版本更新与内容稳定并重

随着 MathWorks 公司每年两次发行 MATLAB 软件，新内容不断增加到新版本中。但相对于更新的版本，在基础编程、基础知识和基础操作方面保持了一贯的稳定性。因此，本书在编写时兼顾了版本的更新和内容的稳定。

3．内容深入，示例清楚

MATLAB 的基础内容中涉及比较多的方面。本书在对相关主题介绍的同时，将函数或命令中比较常用的部分进行重点的分析介绍。同时，通过示例对函数和命令中的一些典型知识点进行讲解，从而帮助用户掌握和深入学习。

4．精心编排，便于查阅

本书在讲述 MATLAB 功能时，精心选择了有代表性的示例。同时，将相关内容和函数命令通过表格的形式归纳总结，从而便于读者在学习的同时，翻阅查找相关部分的命令、函数。因此，非常有利于读者阅读和查阅。

本书主要内容

本书在内容安排方面遵循深入浅出的原则，通过相对独立的示例和说明作为补充。在书稿编写时，将内容比较基础和简单的部分安排在全书的前面章节，而将内容比较深入和专业的部分安排在本书的后面章节。这样，对于初级用户来讲，可以很快熟悉 MATLAB 的基础知识，掌握 MATLAB 的基础操作。此外，由于内容相对独立，因此，对于中高级用户来说，则可以跳过某些章节，直接学习所需的内容。

本书的主要内容安排如下：

第 1 章 MATLAB 7.x 概述，主要对 MATLAB 的发展和特点进行简单介绍。在此基础上，以 MATLAB 7.6 为例讲解了 MATLAB 的安装过程。在运行环境中，则详细介绍了 MATLAB 的相关工作界面和工作环境。在本章后面部分详细介绍了 MATLAB 强大的帮助系统。

第 2 章 MATLAB 基础知识，主要对 MATLAB 数值、变量、函数、表达式和数据类型进行讲解。在本章中，还对数值数据类型，如整数、浮点数、复数，以及数组、单元数组、结构体、字符串数据、关系和逻辑运算等内容进行详细阐述。

第 3 章矩阵运算，主要介绍了矩阵函数、特殊矩阵和矩阵分析。在此基础上，对和矩阵运算直接相关的线性方程组求解以及大量矩阵分解方法进行了详细讲解。

第 4 章 MATLAB 7.x 编程基础，主要介绍了 M 文件编辑器、脚本文件编写、流程控制命令、M 函数文件、程序的调试和剖析等内容。其中，对函数流程控制命令、M 函数文件等在 MATLAB 编程中常用到的内容进行了深入讲解。

第 5 章数据可视化，主要介绍了二维图形绘制、三维图形绘制、四维图形绘制、复数变量图形绘制和特殊图形绘制函数或命令。通过这些绘图命令的使用，可大大提高使用 MATLAB 进行图形数据可视化的分析和处理能力。

第 6 章数据分析，主要介绍了数据插值、曲线拟合、傅里叶分析等基本的数据分析方法。同时，对比较深入的内容，如优化问题、常微分方程、函数零点问题、数值积分、概率论和数理统计等，都做了详细分析。

第 7 章符号计算，主要介绍了符号对象、符号表达式及其操作、符号函数等与符号计算相关的基础内容。在此基础上，对符号微积分、符号积分变换、符号代数方程求解、符号微分方程求解等专业内容进行了讲解。此外，对和符号计算相关的 Maple 命令的使用以及图形化符号分析内容进行了讲解。

第 8 章 Simulink 仿真系统，主要介绍了 Simulink 基础知识，如启动、仿真、模块浏览、模型窗口界面、模型操作、信号、Sink 模块，以及仿真系统设置等内容。在此基础上，深入讲解了线性连续系统建模、非线性连续系统建模、封装子系统及受控执行、离散时间系统和混合系统的相关内容。此外，对通过命令行方式进行 Simulink 仿真系统也做了讲解。

第 9 章句柄图形，主要介绍了句柄图形体系、图形对象的创建、图形对象的设置、高级绘图对象和坐标轴对象等内容。通过这些底层命令的访问和操作，可以帮助用户创建更为丰富和细致的图形对象。

第 10 章图形用户界面，主要介绍了图形用户界面的控件、回调函数的编写，以及对话框对象、界面菜单等相关的图形用户界面对象的使用和创建。此外，对图形用户界面创建工具 GUIDE 进行了比较详细的讲解，包括启动、图形界面编辑、属性设置、创建工具等，同时也结合示例对这些内容进行了具体分析。

第 11 章文件读取 I/O，主要介绍了命令行方式工作空间数据的输出和导入、底层文件读取 I/O 命令、文件名称处理、二进制文件处理、文本文件处理、图像文件处理等内容。这些格式多样的读取方式大大增强了 MATLAB 和其他软件之间的交换能力。

第 12 章 MATLAB 7.x 的编译器，主要介绍了编译器的安装和配置、编译器的编译过程、主要的编译命令，并对编译生成独立运行的应用程序、调用 M 文件中的函数接口、编译生成共享库函数等内容通过示例来加以讲解。

第 13 章应用程序接口，主要讲解了用 C 语言和 FORTRAN 语言编写 MEX 文件、MAT 文件，以及使用 MATLAB 引擎技术在 C 或 FORTRAN 程序中调用 MATLAB，还对 MATLAB 和 Java 语言的程序接口进行了介绍和说明。

读者对象

本书主要通过对 MATLAB 基础知识、基础操作、M 文件的编程方法等方面的介绍，力求全面展示 MATLAB 的基础使用方法。同时，在对这些命令进行介绍的过程中，配合以详细的示例和注释说明，帮助读者更好地理解命令的操作方式和目的。由于在本书的编写过程中，考虑到MATLAB 版本的更新与内容的相对稳定性，因此，本书非常适合初、中级 MATLAB 学习者学习和使用，同时，本书也适合作为高校学生和广大科研工作人员的必备参考书籍。对高级用户，本书也有很好的帮助作用。

致谢

本书主要由周建兴、岂兴明、矫津毅、张延伟等人执笔完成。在编写过程中，也得到了清华大学有关师生的热心帮助和大力支持，在此一并表示感谢。

由于作者水平有限，书中错误和不当之处在所难免，敬请各位读者批评指正。读者可将意见和建议通过电子邮件发送至本书责任编辑的电子邮箱 liuyang@ptpress.com.cn。

作　者

2008 年 7 月于清华大学

目录

第 1 章 MATLAB 7.x 概述

MATLAB 是美国 MathWorks 公司推出的产品，最早的版本出现在 20 世纪 70 年代，用 FORTRAN 语言编写，主要功能是实现程序库的接口功能。MATLAB 名称由 Matrix 和 Laboratory 两个英文单词的各前 3 个字母组合得到。进入 20 世纪 90 年代以来，MATLAB 发展成为国际公认的标准计算软件，在数值计算方面的功能不断增强，此时，MATLAB 的内核采用 C 语言进行编写，并且增强了数据的可视化功能。现在，MATLAB 7.x 不断提供功能更为强大的软件包，并配以翔实丰富的帮助系统，越来越多地得到各个专业应用领域的认可和青睐。本章对 MATLAB 7.x 的基本内容进行介绍，主要包括:

- MATLAB 7.x 的安装
- MATLAB 7.x 的启动和工作环境
- MATLAB 7.x 的通用命令
- MATLAB 7.x 的帮助系统

1.1 MATLAB 简介

时至今日，MATLAB 已经发展为综合高性能的数值计算软件。现在的 MATLAB，已经将高性能的数值计算和可视化集成在一起，提供了大量的内置函数，广泛地应用于科学计算、控制系统、信息处理等领域的分析、仿真和设计工作，而且利用 MATLAB 产品的开放式结构，用户和读者可以非常容易地对 MATLAB 的功能进行扩充，从而在不断深化对问题认识的同时，不断完善 MATLAB 产品以提高产品自身的竞争能力。

1.1.1 MATLAB 的发展

从 2006 年开始，MathWorks 公司每年进行两次 MATLAB 产品发布，时间分别在每年的 3 月和 9 月，而且，每一次发布都会包含所有的产品模块，如产品的 new feature、bug fixes 和新产品模块的推出。在 R2008a（MATLAB 7.6，Simulink 7.1）中，主要更新了 10 个产品模块,增加了多达 350 个新特性，增加了对 64 位 Windows 的支持，并新推出了.net 工具箱。

MATLAB 作为和 Mathematica、Maple 并列的三大数学软件之一，其强项就是其强大的矩阵计算以及仿真能力。每次 MathWorks 发布 MATLAB 的同时，也会发布仿真工具 Simulink。在欧美国家，很多大公司在将产品投入实际使用之前都会进行仿真试验，所主要使用的仿真软件就是 Simulink。MATLAB 提供了自己的编译器，全面兼容 C++以及 FORTRAN 两大语言。因此，MATLAB 成为工程师、科研工作者手上最好的语言、最好的工具和环境之一。

MATLAB Compiler 是一种编译工具，它能够将使用 MATLAB 提供的编程语言——M 语言编写的函数文件编译生成为函数库、可执行文件、COM 组件等，扩展了 MATLAB 功能，使 MATLAB 能够与其他高级编程语言，如 C/C++，进行混合编程，取长补短，提高程序的运行效率，丰富程序开发的手段。

此外，利用 M 语言还开发了相应的 MATLAB 专业工具箱函数供用户直接使用。这些工具箱应用的算法是开放的、可扩展的，用户不仅可以查看其中的算法，还可以针对一些算法进行修改，甚至允许开发自己的算法以扩充工具箱的功能。目前，MATLAB 产品的工具箱有 40 多个，分别涵盖了数据获取、科学计算、控制系统设计与分析、数字信号处理、数字图像处理、金融财务分析以及生物遗传工程等专业领域。

Simulink 是基于 MATLAB 的框图设计环境，可以用来对各种动态系统进行建模、分析和仿真，它的建模范围广泛，可以针对任何能够用数学来描述的系统进行建模，例如航空航天动力学系统、卫星控制制导系统、通信系统、船舶及汽车等，其中包括了连续、离散，条件执行，事件驱动，单速率、多速率和混杂系统等。

Simulink 提供了利用鼠标拖放的方法建立系统框图模型的图形界面，而且 Simulink 还提供了丰富的功能块以及不同的专业模块集合，利用 Simulink 几乎可以做到不书写一行代码就完成整个动态系统的建模工作。

Stateflow 是一个交互式的设计工具，它基于有限状态机的理论，可以用来对复杂的事件驱动系统进行建模和仿真。Stateflow 与 Simulink 和 MATLAB 紧密集成，可以将 Stateflow 创建的复杂控制逻辑有效地结合到 Simulink 的模型中。

在 MATLAB 产品族中，自动化的代码生成工具主要有 Real-Time Workshop（RTW）和 Stateflow Coder，这两种代码生成工具可以直接将 Simulink 的模型框图和 Stateflow 的状态图转换成高效优化的程序代码。利用 RTW 生成的代码简洁、可靠、易读。目前 RTW 支持生成标准的 C 语言代码，并且具备了生成其他语言代码的能力。整个代码的生成、编译以及相应的目标下载过程都是自动完成的，用户需要做的仅仅是使用鼠标点击几个按钮。

MathWorks 公司针对不同的实时或非实时操作系统平台，还开发了相应的目标选项，配合不同的软硬件系统，可以完成快速控制原型（Rapid Control Prototype）开发、硬件在回路（Hardware-in-Loop）的实时仿真、产品代码生成等工作。

另外，MATLAB 开放性的可扩充体系允许用户开发自定义的系统目标，利用 Real-Time Workshop Embedded Coder 能够直接将 Simulink 的模型转变成效率优化的产品级代码。代码不仅可以是浮点的，还可以是定点的。

现在，MATLAB 开放的产品体系使 MATLAB 成为了诸多领域的开发首选软件，并且，MATLAB 还具有 500 余家第三方合作伙伴，分布在科学计算、机械动力、化工、计算机通信、汽车、金融等领域。接口方式包括了联合建模、数据共享、开发流程衔接等。

1.1.2 MATLAB 的主要特点

现在，MATLAB 已经发展成为功能强大的仿真平台和系统，在新版本的发布中，不断增加新的功能和有效的操作方法，已经得到了公认的认可和好评。本书将对 MATLAB 7.x 的一些基础内容进行系统介绍。这些内容对不断升级和更新的 MATLAB 产品而言，都是相对稳定的。需要学习最新功能的读者，可以在本书介绍的这些内容的基础上，结合 MATLAB 帮助系统，很快便能掌握。因此，本书主要内容集中在以下一些方面。

- 开发环境：MATLAB 7.x 提供了非常友好的工作环境界面支持。读者可以根据需要对这些环境进行定制和操作，还可以为自己的操作定义快捷键。
- 代码开发：支持编写各种函数，既包括 M 脚本语言编写的函数，也包括匿名函数编写的内嵌函数等。
- 数值处理：单精度算法、数值计算、矩阵代数、符号计算、微分方程等多种问题的数值求解和处理方法。
- 数据可视化：在新的绘图界面中，用户可以通过直接输入图形交互界面来完成图形的创建和编辑功能。当然，对于比较底层的开发，M 函数代码提供了功能比较强大的处理能力。
- 文件 I/O：MATLAB 7.x 支持功能强大的文件输入输出功能，与多种格式的文件之间形成交互操作，增加了程序设计的灵活性和兼容性。

1.2　MATLAB 7.x 的安装

MATLAB 是一个功能强大的数学工具软件，在适当的系统环境中安装后才能够正常运行。此处介绍 MATLAB 的安装过程。本书在介绍时，主要以 MATLAB R2008a（MATLAB 7.6，Simulink 7.1）的安装过程为例进行介绍，在对 MATLAB 的主要内容介绍时兼顾到各个版本的常用功能。

相对于 MATLAB 7.6 之前的版本，MATLAB 7.6 提供了更加个性化的安装选择。由于 MATLAB 公司现在每年两次推出新版本的 MATLAB 软件体系，因此，本书以 MATLAB 7.6 为主进行介绍，其他版本的安装方法与此基本相同，读者可以参照本书介绍的方法来完成相应的安装过程。更高级的功能，读者可以根据相应的需求参阅相关的帮助文件。此处，以 Windows XP 系统中的安装过程为例进行介绍。

在光驱中放入 MATLAB 7.6 安装盘，系统会自动弹出安装向导。如果在安装时，安装向导没有启动，则用户可以打开安装盘，双击安装目录下的 setup.exe 文件，也可以启动安装过程。系统自动将安装过程复制到内存进行安装。

MATLAB 7.6 的安装文件提供了安装方式的选择，可以通过网络安装，也可以通过手动控制、不经过网络来完成安装过程，如图 1.1 所示，此处选择使用手动方式来完成安装过程。

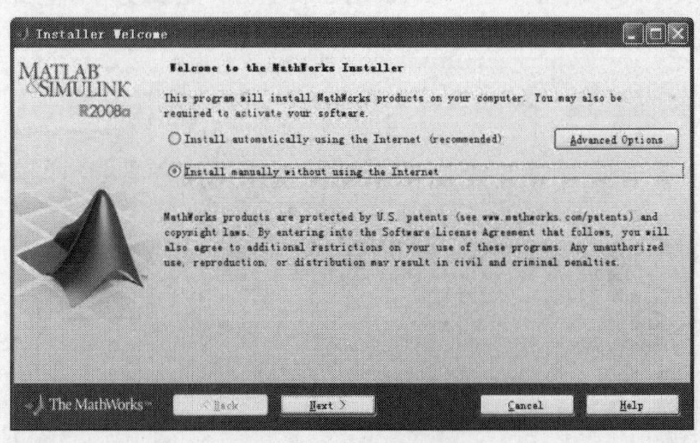

图 1.1　选择安装类型

单击 Next 按钮后，系统弹出如图 1.2 所示的软件协议界面。选择接受协议要求后，单击 Next

按钮弹出如图 1.3 所示的安装提示界面。此时，用户需要输入安装序列号后再进行下面的安装。

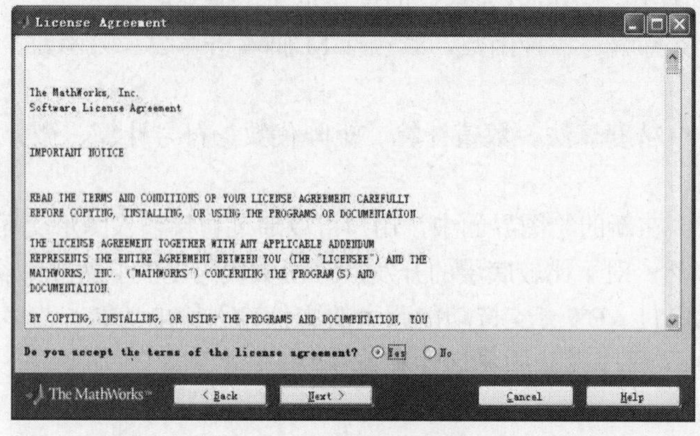

图 1.2　阅读软件协议

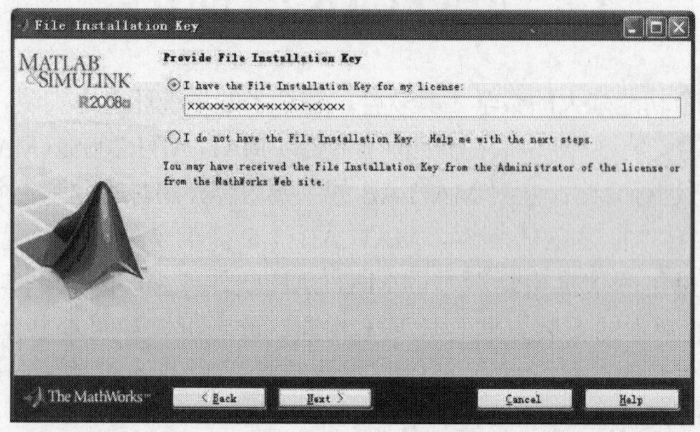

图 1.3　输入安装序列号

此时，系统弹出的安装选项如图 1.4 所示。此时，需要用户选择 Typical（典型安装）还是 Custom（自定义安装）方式。如果选择典型安装，那么，系统安装程序将按照典型的安装设置来选择相应的组件进行安装；如果选择自定义安装方式，那么在下一步骤中用户可以根据自己的要求和任务，选择满足自己要求的安装组件包和控件。对于初学者，建议使用典型安装选项进行安装；对于高级用户，可以选择自定义方式进行定制安装，满足自己对于比较高级的仿真要求和任务。

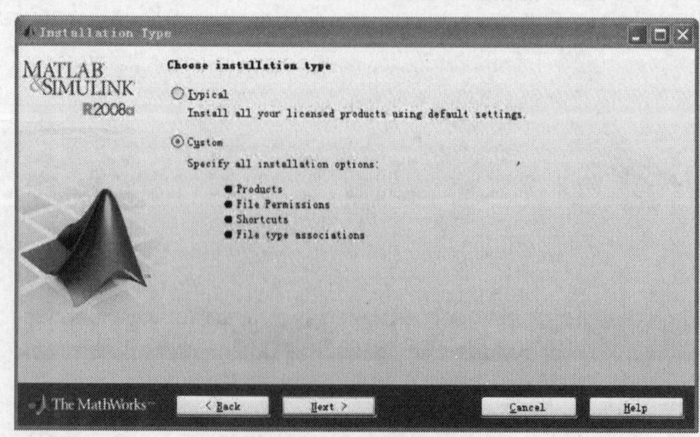

图 1.4　选择自定义安装

此处，以选择自定义方式进行软件安装为例来进行介绍。单击 Next 按钮进入下一步骤，如图 1.5 所示，安装程序提示用户指定或选择安装路径。单击 Next 按钮，进入下一安装步骤，安装程序显示 R2008a（MATLAB 7.6，Simulink 7.1）版本软件提供的所有软件包和组件，而且都显示在本安装面板的列表框中。滑动列表框右侧的滑块，可以查看所有的安装选项。在本列表框中，显示了所有的安装组件及其相应的版本号。

图 1.5　指定安装路径

需要注意的是，默认情况下，系统安装程序会将 MATLAB 程序安装在系统盘。由于 MATLAB 自身安装所占的空间加大，对资源的要求比较高；同时，如果经常使用 MATLAB，系统会产生很多临时文件，如 M 文件、Simulink 仿真文件以及编译产生的中间文件等，这些文件的存在会给系统盘的运行带来较大的负担，因此可以选择安装在其他盘。

在图 1.6 所示的安装步骤中，可以选择的组件包及其相应的版本号说明了组件相对于以前版本的更新情况。用户可以选择相应的组件包前的复选框，选中该组件包完成安装。默认情况下，安装程序会选择所有的组件进行安装。但其中的一些组件包专业性非常强，涉及某一专业领域内比较深入的内容和要求。这些部分对于一般用户来讲不太必要，因此，这些专业性较强的组件可以选择不安装，在必要的时候再进行安装。此处选择安装的软件包，是使用比较常见的 MATLAB 7.6 功能，选择的组件包如表 1.1 所示。

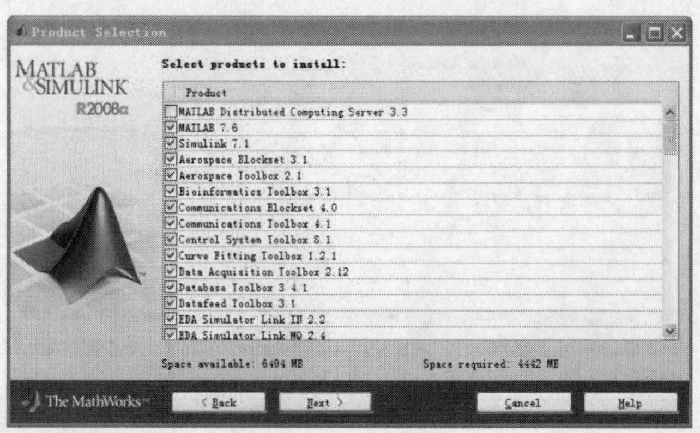

图 1.6　选择安装组件

表 1.1　　　　MATLAB 7.6 安装选择的典型组件

组件名称	说　明
MATLAB	必须选择的安装组件，这是 MATLAB 7.x 得以运行和工作的基本环境，是 MATLAB 7.x 运行的核心，在此软件包内可以进行各类数据（除符号运算外）的操作运算、操作和数据可视化
Symbolic Math	符号运算的软件包，可以完成符号数据的运算和操作
Simulink	提供图形化的仿真和建模功能；此外，使用该软件包所提供的功能，可以完成微分方程和差分方程描述的非线性动态系统
Optimization	软件的优化和求解组件包，包括求函数零点、极值、规划等问题
MATLAB Complier	把 MATLAB 中编写的 M 文件编译成为 DLL 动态链接库文件或可执行的 EXE 独立运行程序
MATLAB C/C++ Math Library	提供 C/C++的数学函数库，和编译器配合使用
MATLAB C/C++ Graphic Library	提供 C/C++的图形函数库，和编译器配合使用
Control System	MATLAB 软件中和控制相关的组件包，是解决控制问题最基本的软件包，因此，组件包在进行控制分析时是必选的。此外，还有一些相关的控制组件包，用户可以根据专业需求选择
Signal Processing	MATLAB 信号处理组件包
Spline	样条函数和插值函数相关的组件包
Statistics	使用该组件包，可以完成复杂统计分析的功能和需求
Stateflow	和 Simulink 配合使用，用于较大型、复杂的离散事件动态系统建模、分析、仿真
System Identification	根据时域信号进行动态系统辨识

当然，随着用户对 MATLAB 软件使用的要求以及处理的专业问题的变化，可以对所安装的组件包进行升级安装或进一步安装。此时，用户可以随时选择 MATLAB 软件提供的工具箱选择相应的组件进行安装。

当选择完 MATLAB 的安装组件之后，单击组件选择界面的 Next 按钮，安装系统弹出如图 1.7 所示的界面，可以选择设置 MATLAB 软件桌面图标和快捷键。在此界面上，用户可以选择设置密码复选框，选择该选项后可以设置软件的使用密码；同时，可以选择快捷方式添加位置，可选项包括桌面快捷方式、启动菜单和快速启动栏 3 个位置。此外，还可以设置关联文件选项，用户选择这些关联选项后，当再次打开这些文件时，可以在 MATLAB 中直接单击打开。

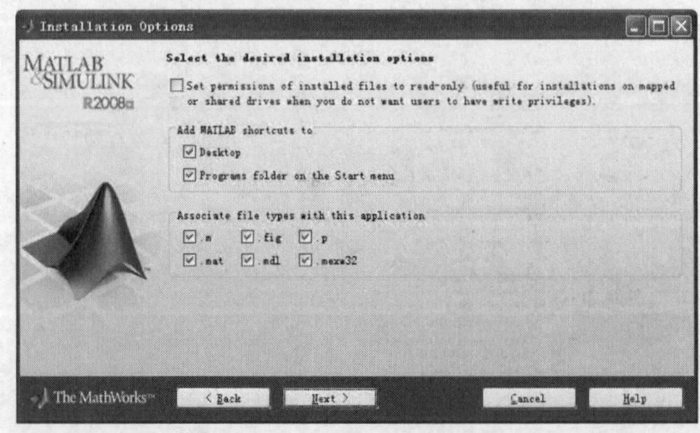

图 1.7　MATLAB 使用选项界面

单击 Next 按钮进行下一安装步骤，如图 1.8 所示，此时出现安装选项的汇报界面。单击 Install 按钮后，安装程序按照所选择的安装选项进行软件安装，同时，进度条将会显示安装进度。

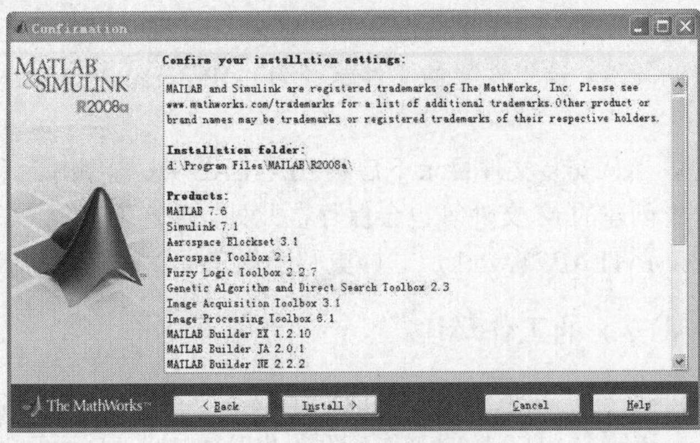

图 1.8 安装选项汇报界面

1.3 MATLAB 7.x 的运行环境

完成 MATLAB 7.x 的安装后，如果在安装过程中选择创建启动的快捷方式，那么可以通过多种方式启动 MATLAB 7.x 软件，进入软件的工作环境。

1.3.1 MATLAB 7.x 的启动

如果在安装过程中选择创建快捷方式，那么可以从桌面快捷方式进入工作环境。或者从启动位置打开 MATLAB 7.x 的启动选项，如图 1.9 所示。对于多次使用的用户，在 Windows 的常用软件启动位置也会出现 MATLAB 7.x 的启动图标。

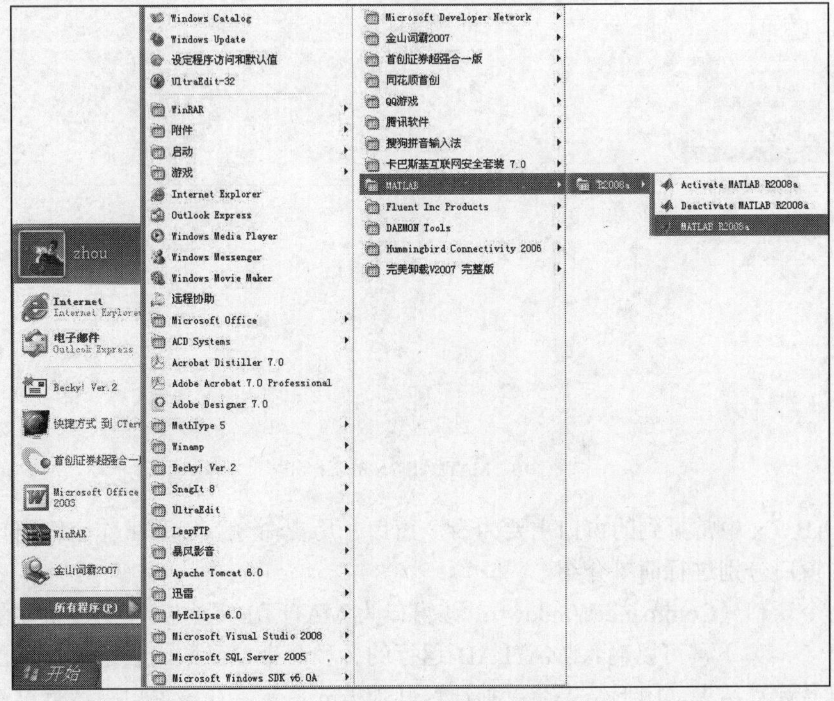

图 1.9 从程序中启动 MATLAB 7.x

如果用户在安装过程中未选中常见快捷方式，那么，可以从安装文件所在的文件夹中通过双击 matlab.exe 来启动软件。这里选择的文件路径为 D:\Program Files\MATLAB71\bin\win32\MATLAB.exe。

但需要注意的是，当从安装文件目录下启动 MATLAB 7.x 程序时，系统将会自动将该文件夹作为当前路径，所创建的 M 文件等也会保存在此处。而选择其他方式时，当前工作目录则为 D:\Program Files\MATLAB71\work，这样更利于创建文件的管理和保存。

1.3.2　MATLAB 7.x 的工作环境

当 MATLAB 7.x 运行时，在系统中会形成一个或多个窗口，其中标题为 MATLAB 的窗口为 MATLAB 窗口，既是 MATLAB 的工作界面，也是 MATLAB 运行的主窗口。当然其他还有一些窗口不可见。但可以在 MATLAB 工作界面的启动按钮处全部看到，如图 1.10 所示。

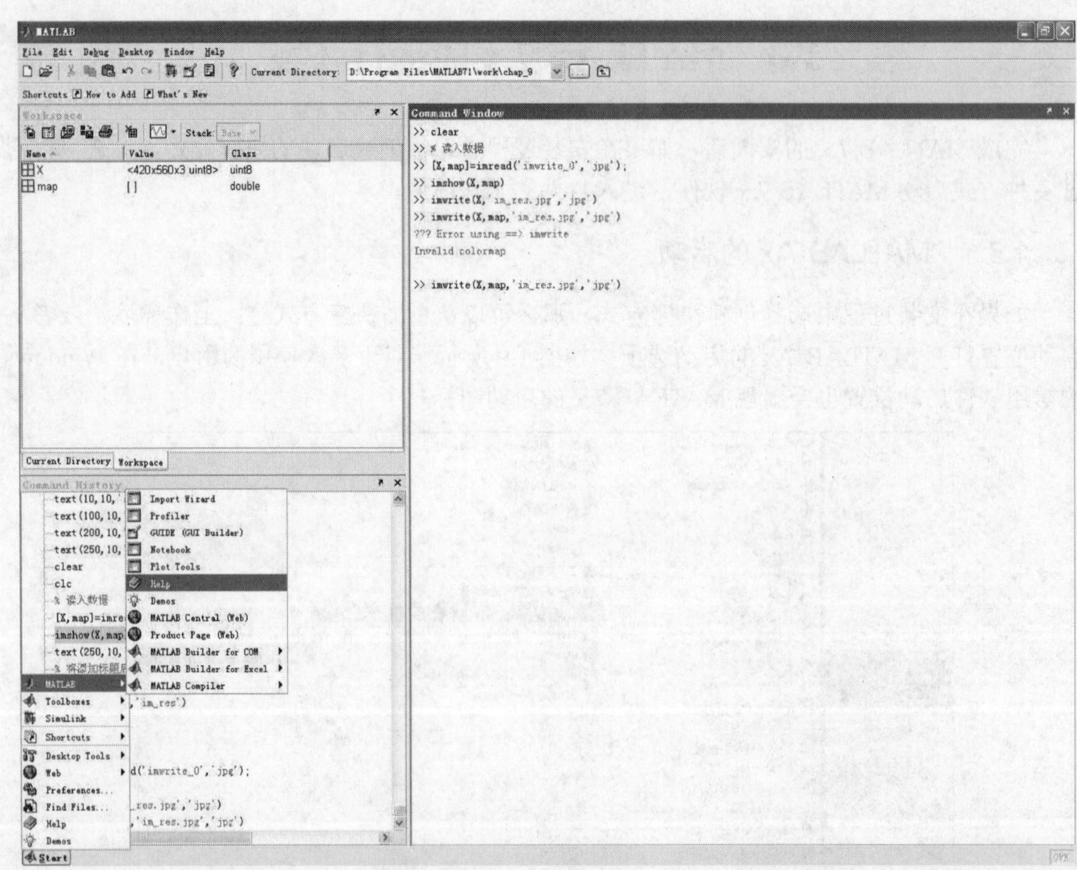

图 1.10　MATLAB 7.x 的工作环境

MATLAB 7.x 中常见到的窗口主要为命令窗口、历史命令窗口和工作空间窗口。下面对比较常用的窗口分别进行简单介绍。

（1）命令窗口（Command Window）：该窗口为 MATLAB 进行操作的最主要的窗口。在命令提示符（>>）下，可以输入 MATLAB 运行的各种命令、函数、表达式，并能显示运行的数值或符号计算结果，图形结果会单独通过其他方式显示。在该窗口中运行过程函数或命令将会在历史命令窗口中保留下来，变量结果则会保存在工作空间窗口中。

（2）历史命令（History Command）窗口：在该窗口中将会保留在命令窗口中执行过的函数、命令、表达式和注释等。同时在历史命令窗口中，会将每次 MATLAB 7.x 启动的时间记录下来，所有记录的命令、函数、表达式和注释等均以目录树的形式显示。在该窗口中，用户可以选择其中的一些命令或函数编写为 M 文件，或重新执行得到结果。

（3）当前目录浏览器（Current Directory Browser）窗口：显示当前工作目录下的 M 文件、MDL 文件等。在该窗口内，可以对 M 文件进行复制、编辑和运行；也可以导入 MAT 文件。默认情况下，该窗口置于后台。

（4）工作空间浏览器（Workspace Browser）窗口：在该窗口中，可以显示命令窗口中运行时产生的变量，能够详细显示所有的变量名、变量大小和字节数。同时，可以单击变量进行观察、编辑、提取和保存。

（5）数组编辑器（Array Editor）：当对数组进行编辑或查看时，该编辑器将会自动弹出，并显示数组中的相关数组元素和内容。

（6）开始（Start）按钮：单击该按钮后，会弹出 MATLAB 7.x 的现场菜单，包括各种交互界面的选择，以及帮助文件查看、窗口设置等。

（7）M 文件编辑器/调试器（Editor/Debugger）：默认情况下该界面并不显示。只有当用户需要编写 M 文件时，选择“打开文件”等操作时，该窗口才会弹出。

（8）帮助导航/浏览器（Help Navegator/Browser）：该窗口只有在选择使用帮助文件时，才会弹出。在该窗口中，用户可以通过单击超链接获得相关命令或函数的帮助和说明。

此外，在 MATLAB 7.x 的工作环境中，还提供了工具栏，如图 1.11 所示。该工具栏中提供了一些常见的命令选项，如新建、打开、保存等。同时，还可以在该工具栏中看到当前的工作路径，如果需要更改工作路径，则可以在下拉菜单中选择或单击下拉菜单右侧的按钮来选择当前的工作路径。

图 1.11 MATLAB 7.x 的工具栏

1.3.3 命令窗口（Command Window）

命令窗口是 MATLAB 7.x 的主要工作界面。在默认情况下，命令窗口提供>>提示符，用户可以在此处输入函数、命令、表达式进行运算和操作。当用户单击 Undock Command Window 按钮时，命令窗口将会成为单独脱离的窗口。命令窗口的形式如图 1.12 所示。

如果用户需要对命令窗口中的一些属性进行设置，则可选择 File/Preference 菜单项，弹出预设值对话框，对命令窗口中的一些显示风格、大小等进行设置，如图 1.13 所示。

在图 1.13 所示的命令窗口预设值对话框中，对命令窗口的字体风格、大小、颜色和数值计算结果的显示格式都可以进行设置。进行设置后，单击 OK 按钮，这些设置将会立即生效，并且将这些设置永久保存下来，不会因为 MATLAB 7.x 的关闭和开启而改变。

在 MATLAB 7.x 中，数值计算的默认类型格式为双精度类型（double），但数据的显示格式可以设置不同的格式。在该栏目中的 Numeric format 和 Numeric display 下拉列表中可以选择数据的显示位数和显示格式。此处以圆周率 pi 的显示为例，对这些显示位数和显示格式进行小结和介绍，如表 1.2 所示。

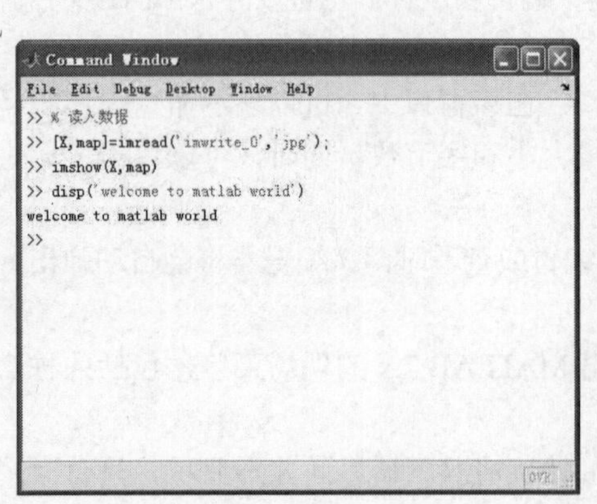

图 1.12 单独显示的命令窗口

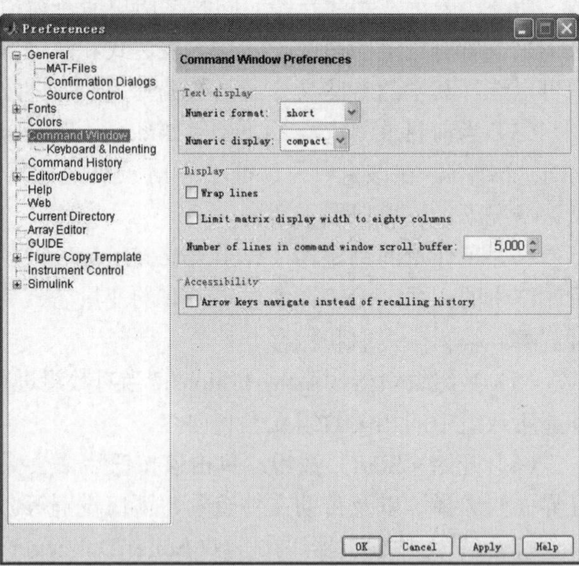

图 1.13 命令窗口风格预设值

表 1.2 数据显示格式设置

格　式	示　例	说　明
format short	3.1416	小数点后保留 4 位，最多不超过 7 位；对大于 1000 的实数，用 5 位小数的科学计数法表示
format long	3.14159265358979	用 15 位数字表示
format short e	3.1416e+000	用 5 位科学计数法表示
format long e	3.141592653589793e+000	用 15 位科学计数法表示
format short g	3.1416	从 format short 和 format short e 中选最佳方式
format long g	3.14159265358979	从 format long 和 format long e 中选最佳方式
format hex	400921fb54442d18	用十六进制表示
format bank	3.14	（金融）数据表示
format +	+	大矩阵数据表示，正数、负数和零用+、-和空格表示
format rat	355/113	近似有理数表示
format compact	—	紧凑格式表示，显示变量之间没有空行
format loose	—	松格式显示，在显示变量的行之间加入空行

例 1.1 MATLAB 7.x 运行程序示例。

```
>> format compact
>> format short,pi,sqrt(2)
ans =
    3.1416
ans =
    1.4142
```

1.3.4　历史命令（History Command）窗口

在命令窗口中输入函数、命令或表达式等进行处理时，可以将这些执行过的命令在历史窗口中保存下来，以便用户在进行运行过程中能够返回执行命令或进行重复操作。这些命令也可以通过命令记录工具 diary 记录下来。

历史命令窗口位于工作界面的左下角，可以单击 Undock 按钮后解除附着。在历史窗口中可以完成多种操作。单击鼠标右键，在弹出菜单中可以选择相应的操作来进行。图 1.14 所示为历史命令窗口中的选择操作命令。

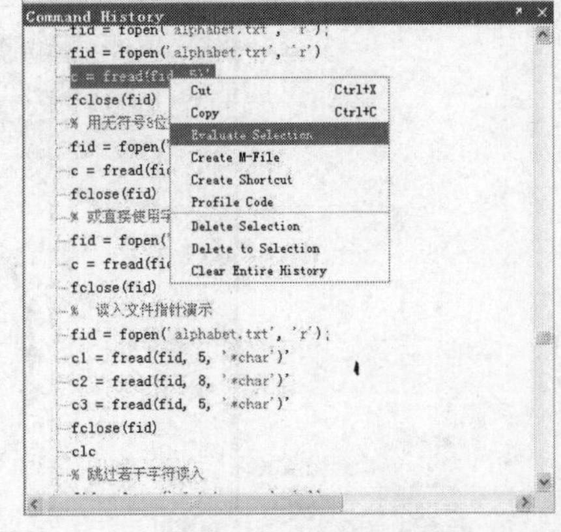

图 1.14　历史命令窗口中的操作

1．复制和粘贴命令

选中历史命令窗口中的一行或多行命令，历史命令窗口将会高亮显示这些命令。单击鼠标右键，在弹出菜单中选择 Copy 菜单项，可以完成复制操作。复制后的命令行文本可以粘贴在工作空间中运行或在其他文本编辑器中。图 1.15 所示为复制历史命令行操作。

2．运行历史命令行

如果用户需要运行历史命令窗口中的若干行命令或单行命令，此时选择该命令行后，从右键快捷菜单中选择 Evaluate Selection 菜单项就可以完成对命令行的重新执行。图 1.16 所示为选择命令行进行执行操作。在命令窗口执行后，即可完成对历史命令的重新执行和操作结果，图 1.17 所示为执行后的显示结果。

图 1.15　复制历史命令行

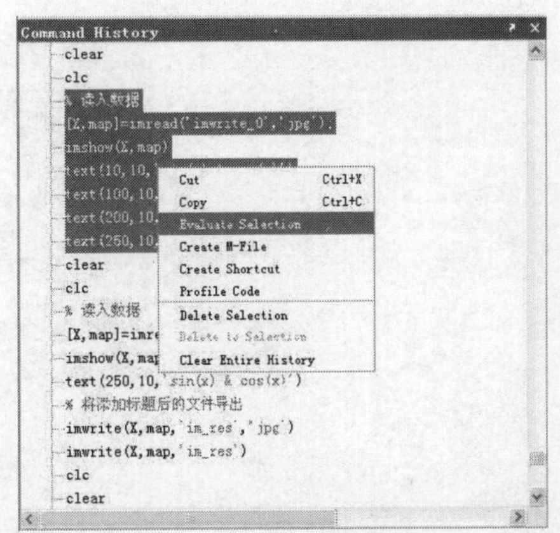

图 1.16　选择执行历史命令

3．创建 M 文件

对于所执行的历史命令，如果有必要也可以编写为 M 脚本文件或函数文件。此时，可以在历史命令窗口中选中需要创建的命令后，单击鼠标右键，在弹出菜单中选择 Create M-File 菜单项，即可将所执行的历史命令中的一部分创建为 M 文件。选择创建的过程如图 1.18 所示。

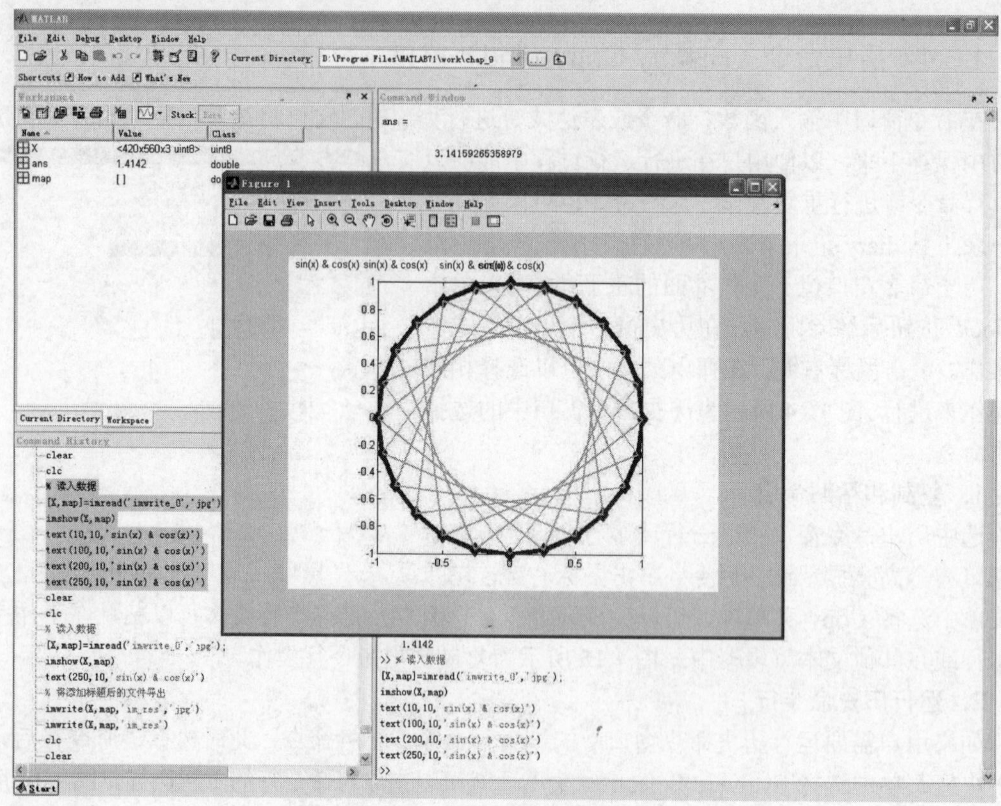

图 1.17　执行历史命令后的结果

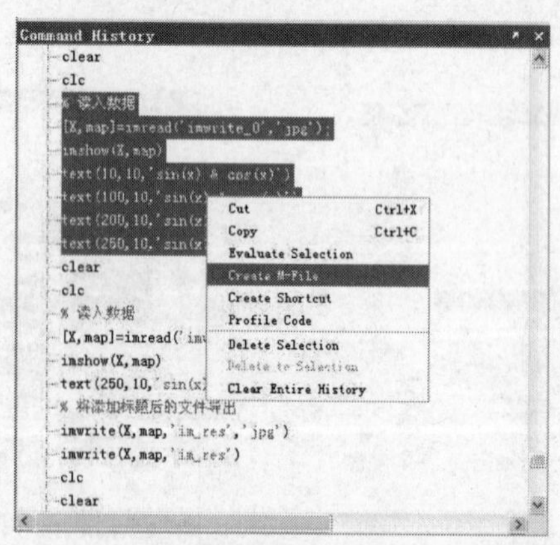

图 1.18　创建 M 文件

当选择该菜单项后，系统弹出 M 文件编辑器，将所选择的命令作为 M 文件的一部分内容自动输入到 M 文件编辑器中，如图 1.19 所示。此时，可以按照 M 文件保存、执行和调试。

4．日志文件创建

在命令行中，输入 diary 命令，可以将当前命令窗口中的所有内容都写入日志，包括命令和计算结果等。文件的保存格式为 ASCII 码形式，因此，可以很容易使用文本文件阅读器阅读这些文件。默认情况下，diary 保存的日志文件路径为当前的工作目录。下面使用该命令创建 diary 日志。

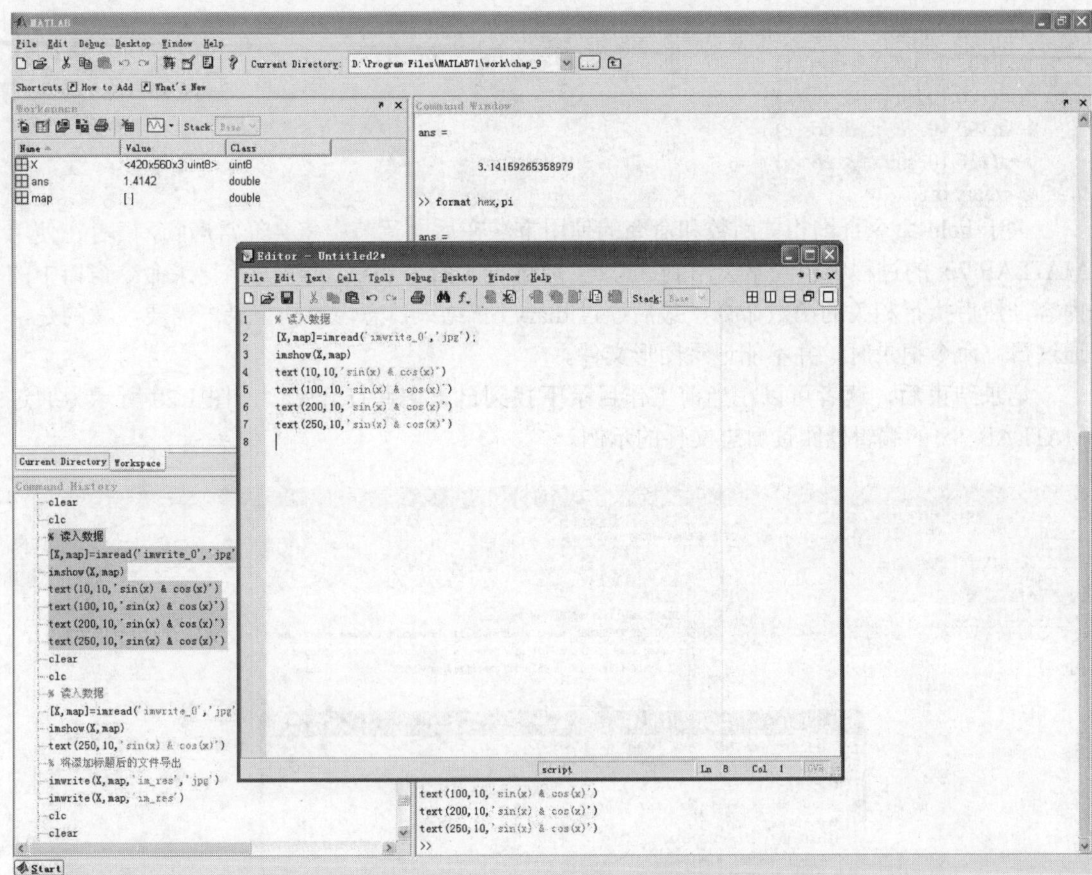

图 1.19 创建编写的 M 文件

例 1.2 保存日志文件。

```
>> help diary
 DIARY Save text of MATLAB session.
    DIARY FILENAME causes a copy of all subsequent command window input
    and most of the resulting command window output to be appended to the
    named file.  If no file is specified, the file 'diary' is used.

    DIARY OFF suspends it.
    DIARY ON turns it back on.
    DIARY, by itself, toggles the diary state.

    Use the functional form of DIARY, such as DIARY('file'),
    when the file name is stored in a string.

    See also save.
    Reference page in Help browser
       doc diary
>> diary log0
>> % 读入数据
[X,map]=imread('imwrite_0','jpg');
```

```
imshow(X,map)
text(10,10,'sin(x) & cos(x)')
text(100,10,'sin(x) & cos(x)')
text(200,10,'sin(x) & cos(x)')
text(250,10,'sin(x) & cos(x)')
>> diary off
```

关于 help 命令查询相关函数和命令的使用方法在后面章节中将会经常遇到，读者在使用 MATLAB 7.x 的过程中也经常会用到。此处，通过日志命令 diary log0 开始记录命令窗口中的内容，然后执行相关的函数命令，最后通过 diary off 结束日志内容的记录。需要注意的是，通过日志命令记录时，并不能记录图形文件。

记录结束后，读者可以在当前工作目录下找到日志文件打开阅读。图 1.20 所示为通过 MATLAB 7.x 的编辑器阅读日志文件的示例。

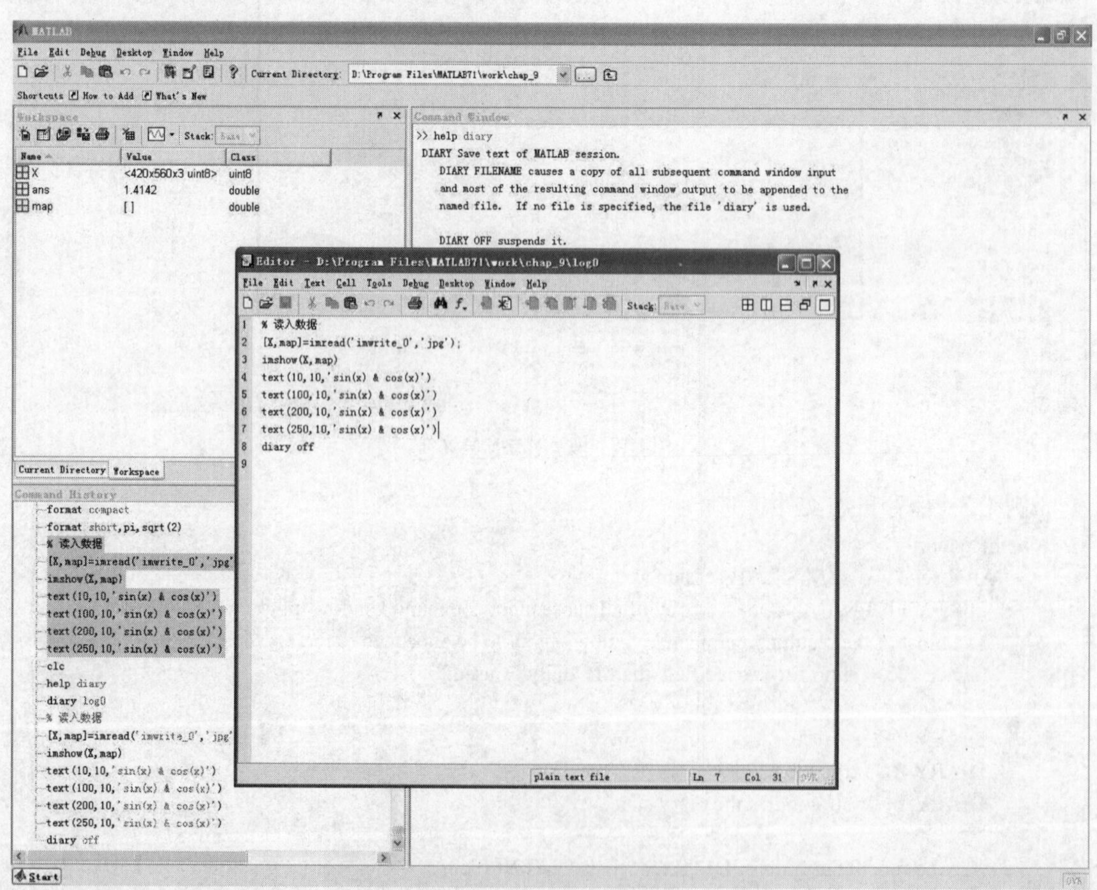

图 1.20　阅读日志文件

1.3.5　目录和文件管理

在使用 MATLAB 7.x 进行大量的运算和操作后，将会产生大量的函数或数据库。如何更好地管理文件目录和文件，即如何搜索到相应的函数和数据、有效管理这些函数和数据库的路径、提高搜索效率，对 MATLAB 7.x 的运行影响也比较大。为此，在 MATLAB 7.x 中提供了目录管理器和文件管理。

1. 当前目录管理

当前目录（Current Directory）管理器位于 MATLAB 7.x 的工作后台，当用户在运行环境中选择 Current Directory 选项卡后，可以显示目录管理器的界面。如果用户单击 Undock（解除停靠）按钮后，该窗口界面将会作为单独的弹出界面显示，如图 1.21 所示。

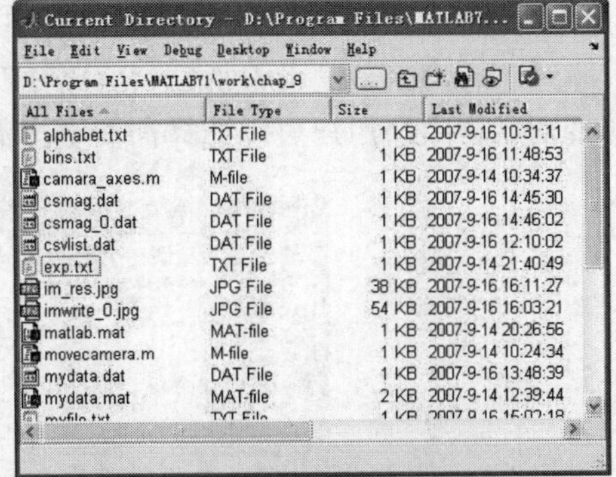

图 1.21　当前目录管理器界面

当解除该命令窗口的停靠后，将显示独立的管理界面。在该界面中包括菜单栏、工具栏以及文件的详细列表。在文件详细列表中，可以选择运行 M 文件、装载 MAT 数据文件、编辑文件等功能。进行操作时，在需要进行处理的文件上单击鼠标右键，将会弹出快捷菜单。在该菜单中选择相应的菜单命令即可完成操作，选择 Run 可以执行 M 文件，选择 Open 可以打开这些文件。如果需要输入 MAT 文件，则可以选择 Import Data 菜单项，在出现的数据导入向导中导入数据。图 1.22 所示为运行 M 文件的示例。

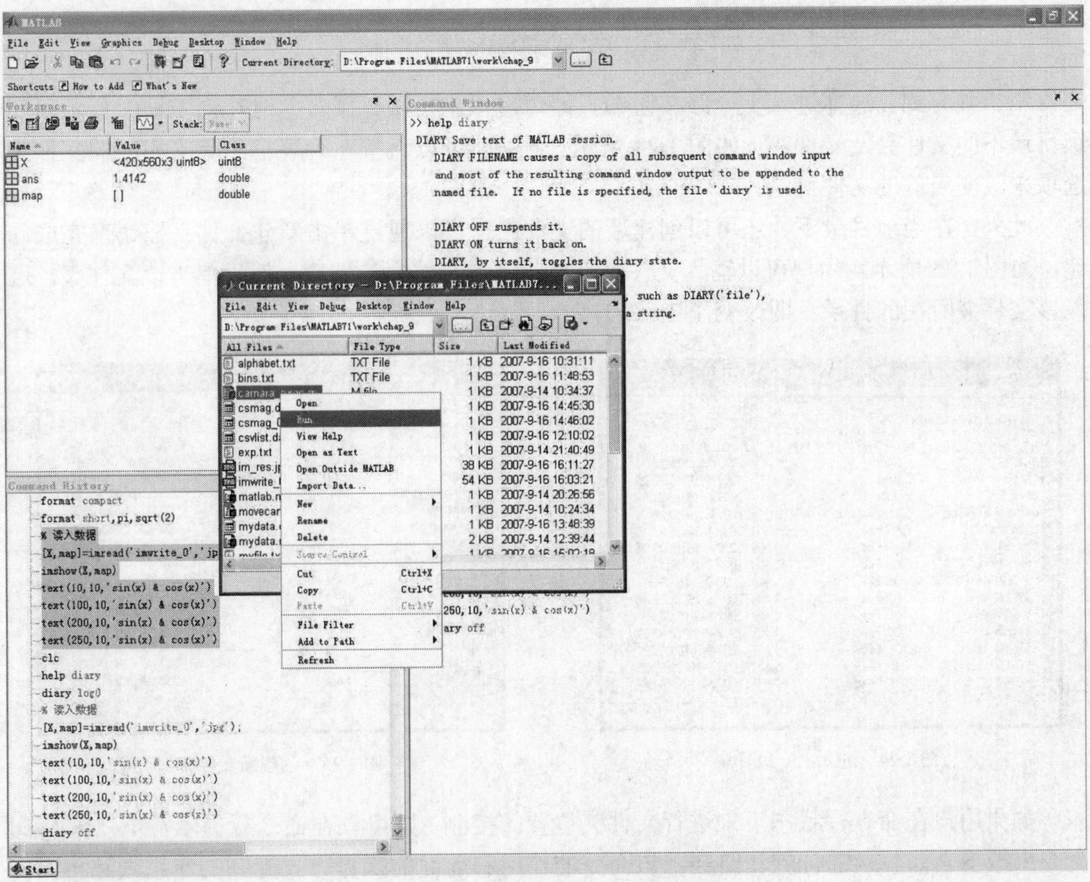

图 1.22　从当前目录管理器中运行 M 文件

2. 设置当前目录

默认情况下，MATLAB 7.x 启动后的工作目录将会在 MATLAB71\work 目录下。在该文件夹中，用户可以在保存 M 文件结果、输出数据等时都将以此为当前目录进行处理。以此为工作目录对正常运行文件、管理文件比较有利。

如果用户需要更改当前目录，则可以通过以下两种方式。

第一种方式，单击工具栏当前路径右侧的按钮[...]，系统弹出路径选择对话框，在该路径选择对话框中，用户可以选择需要更改的路径和位置，如图 1.23 所示。

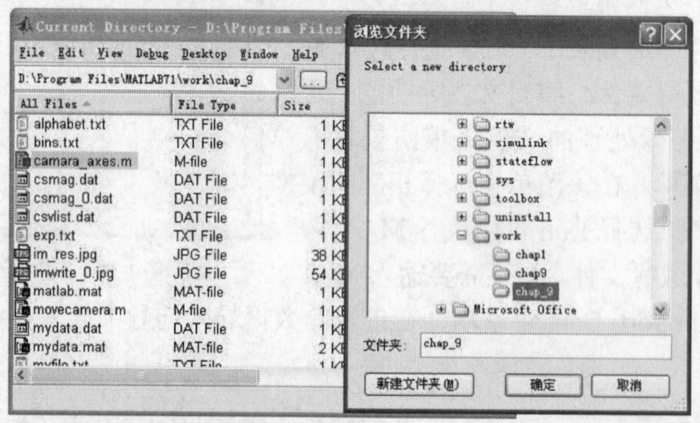

图 1.23　通过浏览文件夹选择新的工作目录

第二种方式，选择进入上一级按钮，即可进入上一级目录。此时在列表框中显示新一级目录下的文件夹及文件等，如图 1.24 所示。此时，可以直接在列表框中单击相应的文件夹选项来改变当前的文件目录。

此外，在当前目录下，还可以创建新的文件夹，可以通过单击新建文件夹按钮来完成创建，如图 1.25 所示，用户可以输入文件夹名称，完成文件夹的创建。然后单击该文件夹，进入该文件夹所在的目录，即改变了当前的目录。

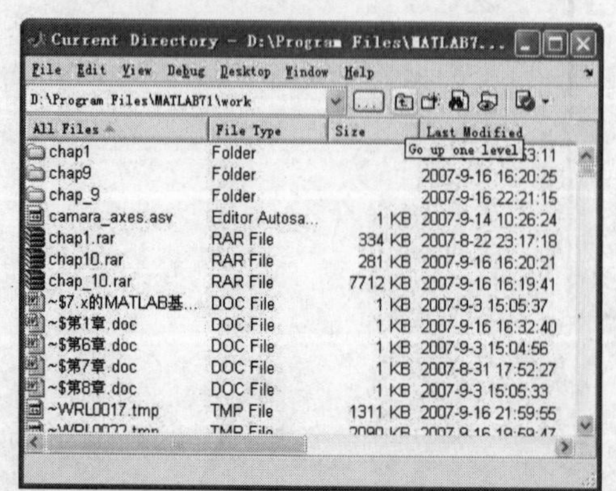

图 1.24　进入上一级目录

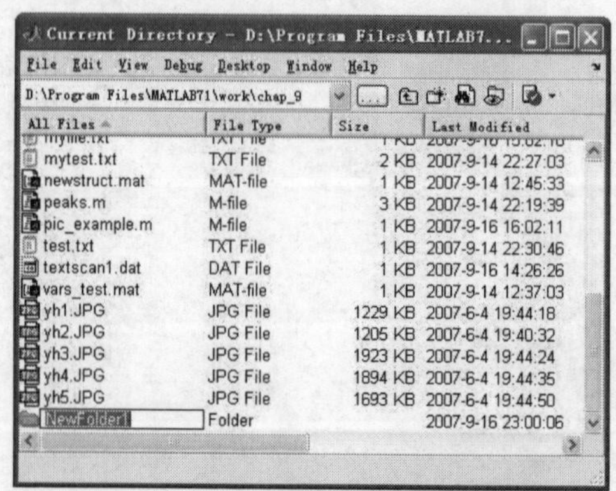

图 1.25　创建新文件夹

如果用户在命令行状态下来进行文件夹位置的控制，则可以在命令行提示符下，输入 cd 命令来改变当前目录的位置和路径。该命令的作用和前面的操作方式起到的作用大致相同。习惯命令行方式工作的用户可以使用该命令。

1.3.6　搜索路径管理

在 MATLAB 7.x 中，所有的文件都通过一组比较严谨的目录文件夹结构进行管理。在进行文件、函数和数据搜索时，MATLAB 7.x 系统将会按照已经设定的搜索路径进行搜索。检查的次序大致为：首先检查搜索的内容是否为变量；如果不是变量，那么检查是否是内置函数；如果不是内置函数，那么检查当前目录中是否有 M 文件形式的搜索目标；如果没有，则将在 MATLAB 7.x 设置的其他搜索路径中进行搜索。

如果用户有多个文件需要和 MATLAB 7.x 系统进行信息交换，或经常需要进行数据交换，那么可以将这些文件放在 MATLAB 7.x 的搜索路径上，保证这些文件可以在搜索路径上被调用。如果某个目录需要运行产生的数据和文件，那么还需要将该目录设置为当前目录。实际运行时，如果运行环境和当前目录不一致，那么系统会提示进行路径修改。

如果用户需要设置新的修改路径，就可以在命令窗口中输入 pathtool 命令，或从菜单栏中选择 File/Set Path 来设置路径中的各个参数。输入命令或选择菜单项后，弹出如图 1.26 所示的路径设置对话框。

在该对话框中，用户可以单击 Add Folder 按钮将新的路径加入到搜索路径中。如果需要搜索的路径还包括子文件夹，那么可以单击 Add with Subfolders 按钮将该路径加入到搜索路径中。图 1.27 所示为添加新的路径的对话框。

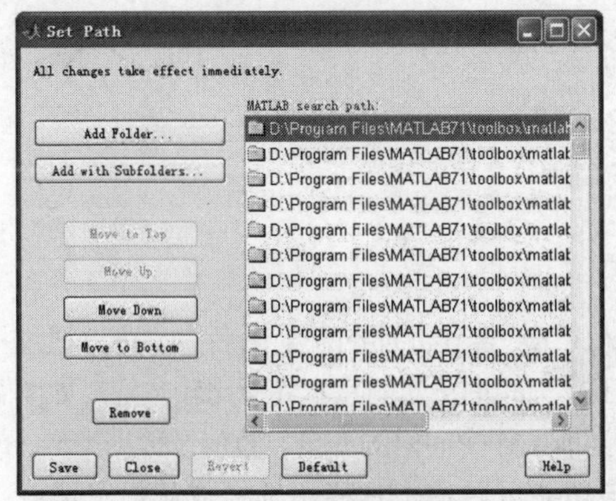

图 1.26　设置路径对话框

图 1.27　添加新文件夹到搜索路径

如果需要对已经加入到搜索路径中的文件夹的搜索顺序进行调整，则在选中该文件夹后，单击移动按钮，即 Move to Top、Move Up、Move Down、Move to Bottom 4 个按钮来移动文件夹的位置。

如果用户需要将默认搜索路径删除，那么在可以选中该文件夹后，单击 Remove 按钮将删除该文件夹。

当通过以上的操作完成对文件夹的操作之后，可以单击 Save 按钮保存路径。需要注意的是，通过 Save 按钮保存后的文件夹路径信息，将会成为永久修改的选项，即关闭 MATLAB 7.x 后，再次运行时，该修改路径仍然有效。

在 MATLAB 7.x 中，还可以通过 path 命令来修改路径，也可以通过该命令来查询当前设置的文件夹搜索路径，如图 1.28 所示。

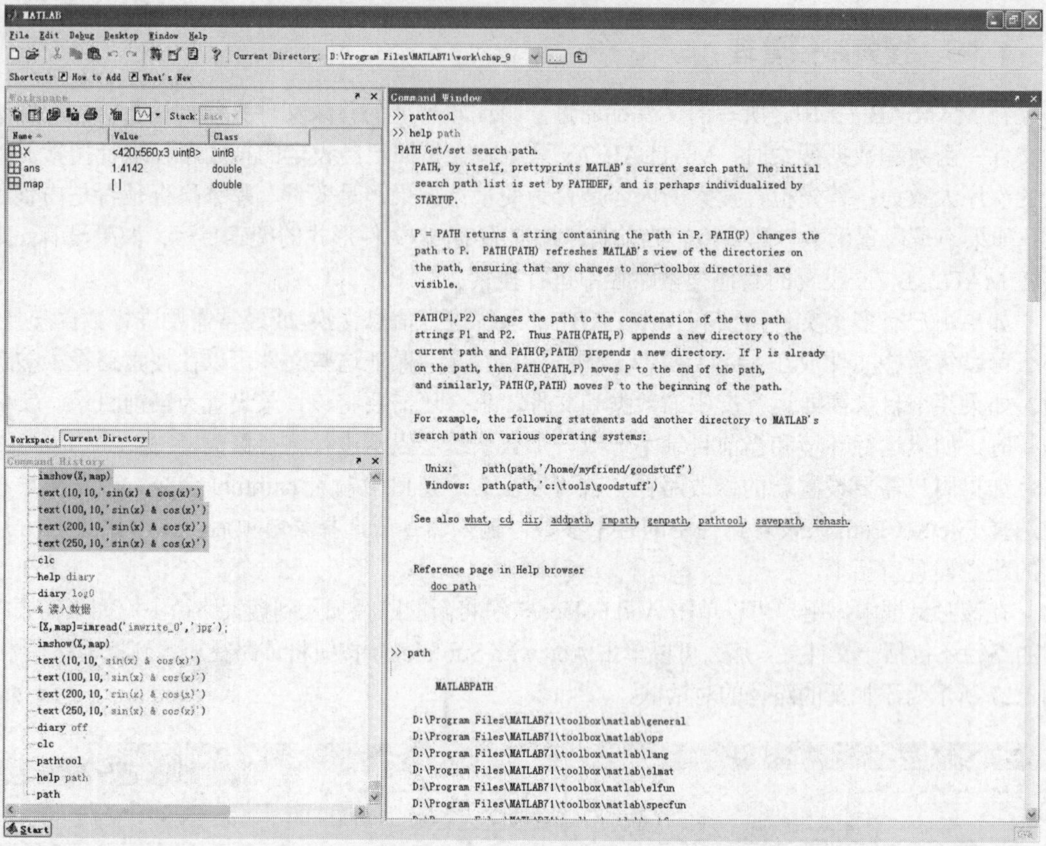

图 1.28　通过 path 命令查询路径

1.3.7　工作空间和数组编辑器

工作空间浏览器（Workspace Browser）在 MATLAB 7.x 操作界面的左上侧后方，可以通过 Undock 按钮使该浏览器界面脱离附着进行数据查看。工作空间浏览器的基本界面比较友好，如图 1.29 所示。在该工作空间浏览器中，可以很方便地查看当前工作空间内的变量、数值及数据类型。

在工作空间浏览器中，增加了图形绘制功能。该功能可以在工具栏中选择或从弹出菜单中选择相应的图形绘制方法，都可以用于对相关数据的图形化查看，如图 1.30 所示。

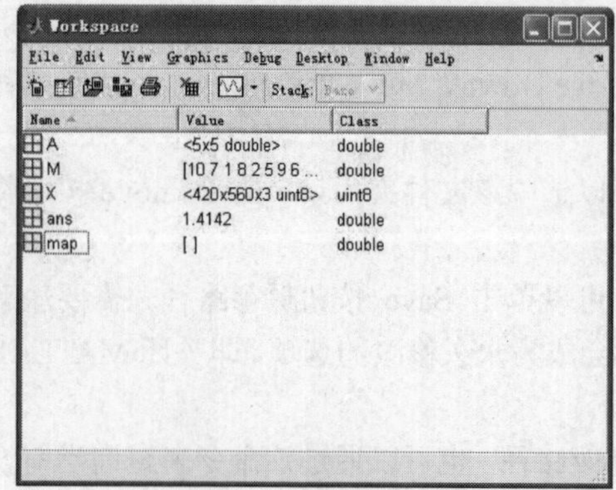

图 1.29　工作空间浏览器

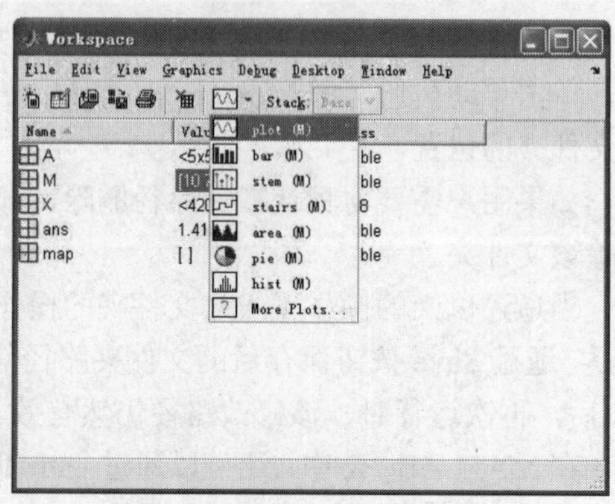

图 1.30　图形化查看数据文件

在上面的示例中，提供了常见的图形查看和处理功能，如果用户需要其他更为复杂的图形查看功能或进行更为复杂的处理，可以在图 1.30 所示的图形化处理下拉列表中选择 More Plots 选项，系统将弹出如图 1.31 所示的对话框，在此可以选择更多的图形化处理功能。这些图形处理函数对数据变量的可视化显示提供了更为直接的方式。

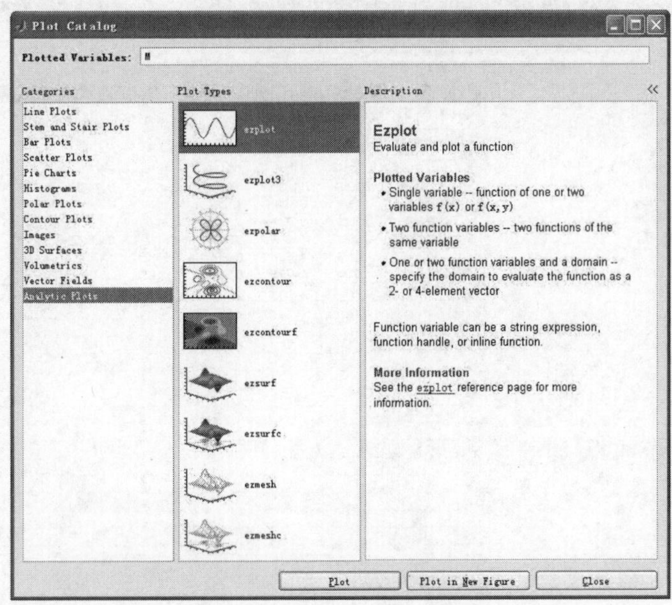

图 1.31 更多的分类图形处理方法

在图 1.31 所示的对话框中，左侧为分类（Categories），中间为对应于分类的绘图类型，最右侧则为对应于该绘图函数的简单说明。此处，选择矩阵 A 进行图形化处理，选择 3D Surfaces 类别下 surfc 绘图函数进行绘图处理。绘图处理后的图形如图 1.32 所示。

除以上提到的图形化查看功能之外，在工作空间浏览器中，还可以对数据进行其他方面的操作和处理，如数据的复制、编辑、删除等。具体而言，当用户在需要处理的变量上单击右键，从弹出菜单中选择相应的处理方法，就可以完成这些功能的操作。图 1.33 所示为直接在工作空间浏览器中进行数据处理的示例。

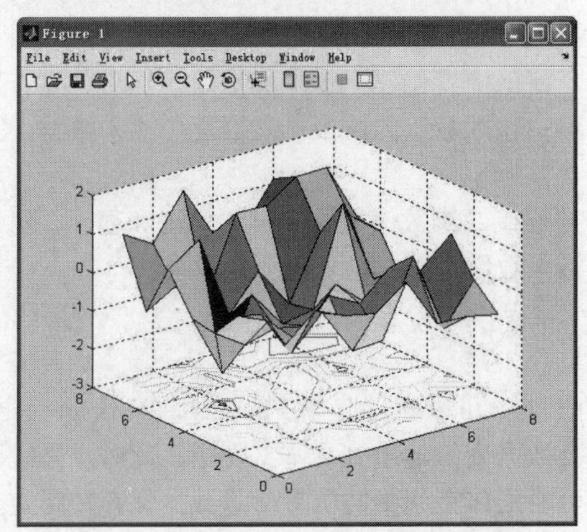

图 1.32 使用 surfc 函数来观察图形化结果

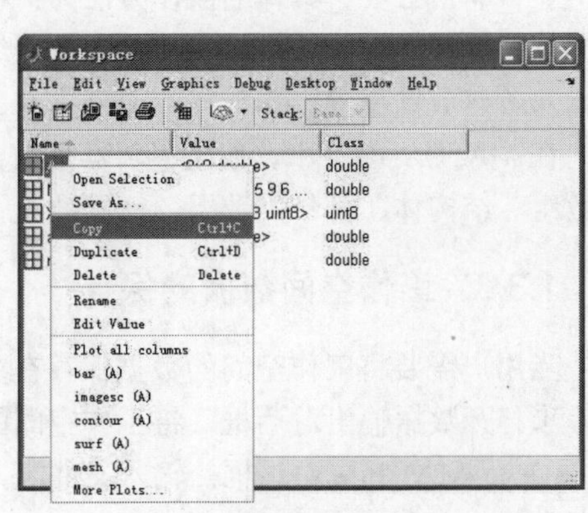

图 1.33 数据变量的编辑等

如果在工作空间中进行数组的查看，还可以通过数组编辑器来完成这方面的功能和任务。在工作空间中双击该变量，或者选中该变量后右键单击，从弹出菜单中选择 Open Selection 菜单项都可以打开数组编辑器，如图 1.34 所示。

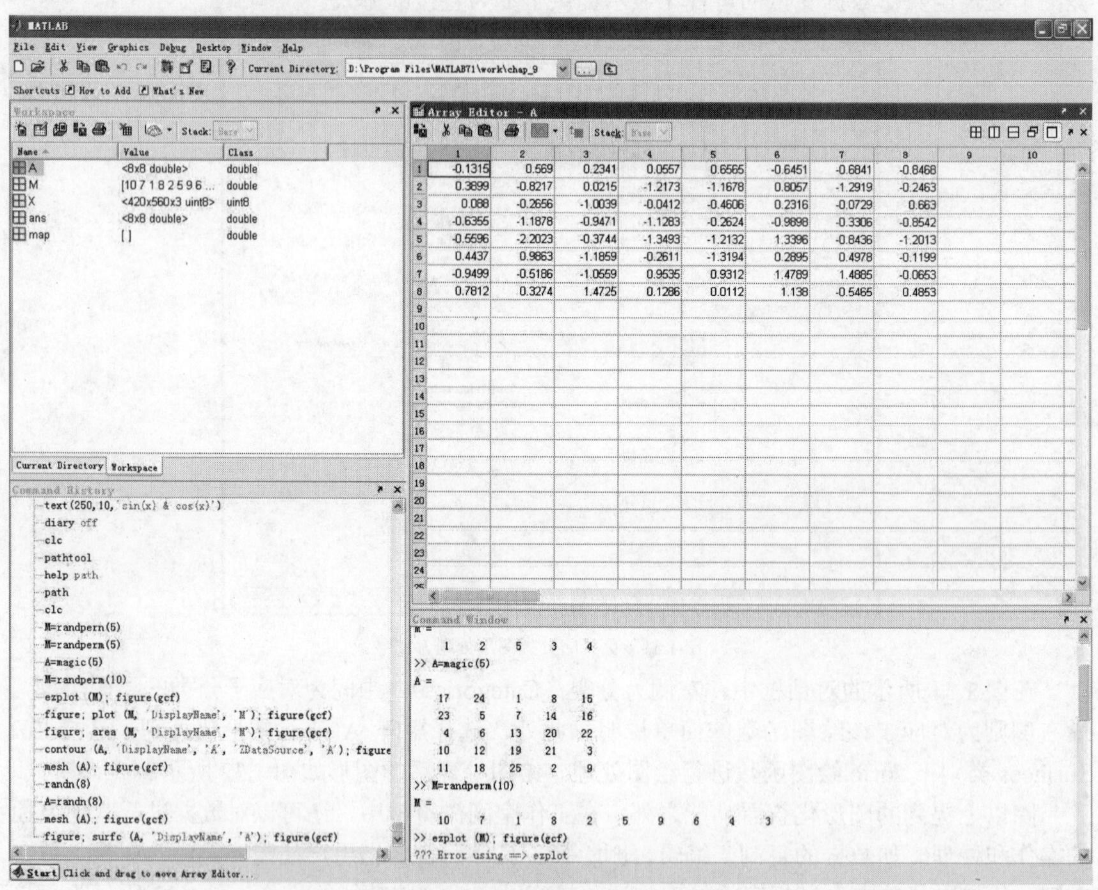

图 1.34　数组编辑器查看数据变量

此外，在数组编辑器中也可以输入大量的数组。这对于需要进行大量数据输入的数组来说，显得非常必要。具体的操作方法为：在命令窗口中，创建一个空的数组，然后从工作空间浏览器中双击打开该数组变量，在数组编辑器中输入数组的维数，然后逐个输入数据，直至输入所有数据位置。

在 MATLAB 7.x 中，数组编辑器目前支持一维或二维数值数组的编辑修改和显示，对单元数组、结构体、符号类数组、三维数组、字符串数组等形式的数组则不支持。

1.3.8　工作空间数据的保存

当用户需要将工作空间的数据保存在文件中时，可以通过选择 File/Save Workspace As 菜单项打开数据输出对话框，将工作空间的所有数据变量输出到文本文件中。此时，系统弹出 Save to MAT-File 对话框，输入文件名，即可将工作空间中的所有变量数据保存在指定文件名的.mat 文件中。

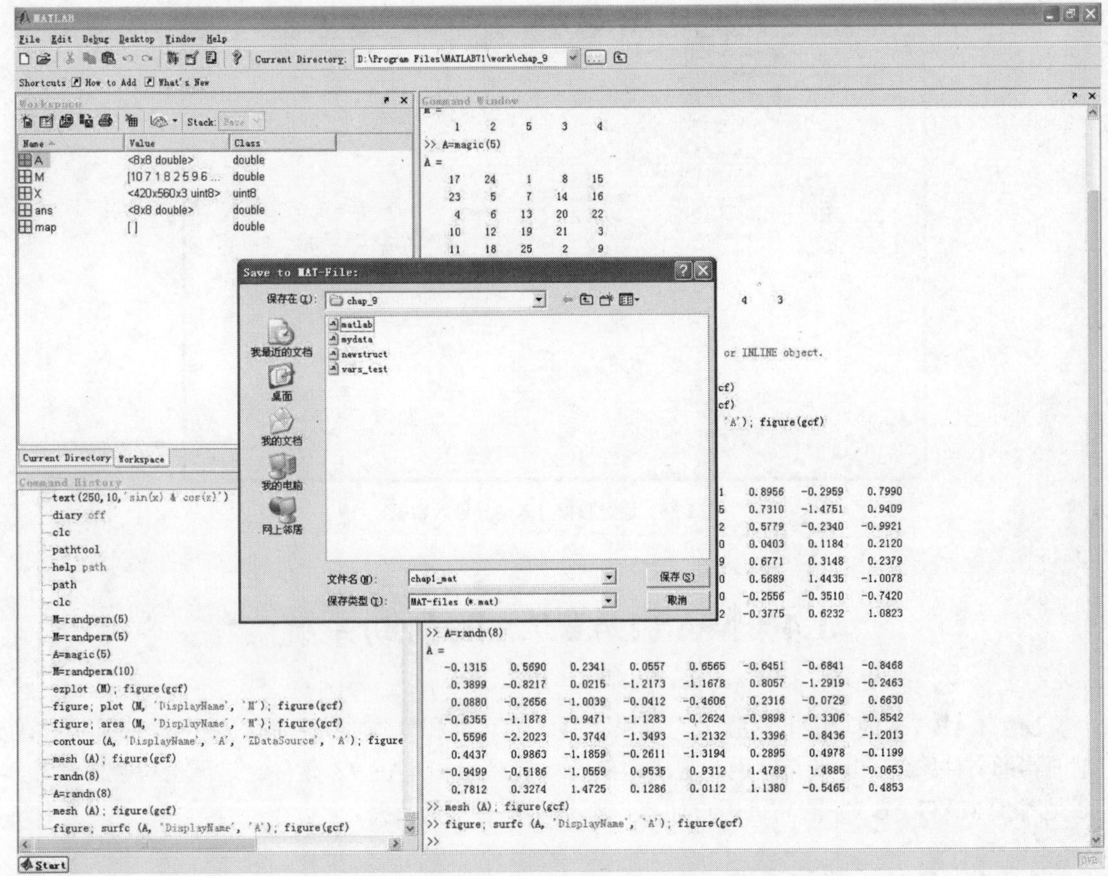

图 1.35　工作空间的数据保存

如果用户需要将保存在工作目录下的数据文件读入到 MATLAB 7.x 工作环境中，那么可以选择 File/Open 菜单项，打开数据加载对话框；也可以选择 File/Import Data 菜单项，打开数据输入向导，通过该向导可以按照一定的格式导入数据，导入过程如图 1.36 所示。

从导入对话框中选择需要导入的数据文件名称。打开文件后，所有保存的数据变量都显示在导入向导的左侧。对于数据规模比较小的数组，在导入向导的右侧可以显示数组的内容。而对规模比较大的数组，不能在该向导中进行显示。

从该向导中用户可以选择导入全部数据变量或者部分数据变量，只要在相应变量前方的复选框中单击选中即可导入。当选择完毕后，可以单击 Finish 按钮，完成所有数据变量的导入过程。

以上介绍了工作空间变量数据的导出以及通过数据导入向导导入数据的过程。这两个过程都通过图形化界面交互完成，对于更一般的通过命令行方式完成的数据保存和导入，可以通过 save 和 load 函数来进行。关于这两个函数的使用，读者可以参阅本书第 10 章的介绍，也可以在命令窗口中输入 help 命令来查询调用格式和说明。

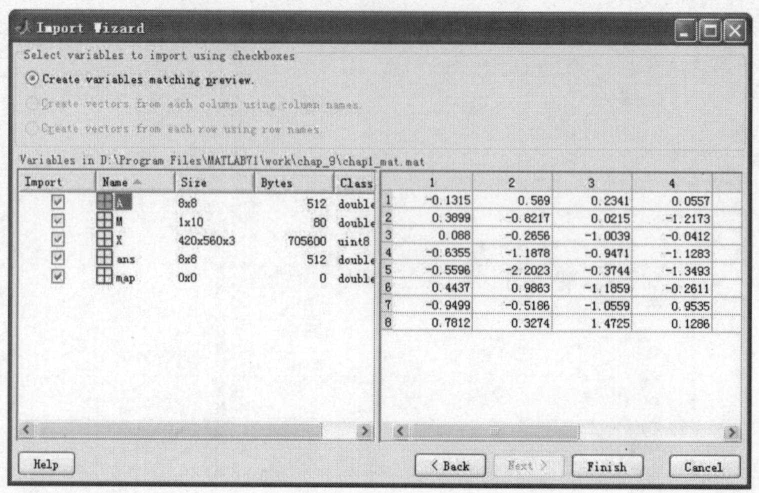

图 1.36　通过数据导入向导导入数据

1.4　MATLAB 7.x 的帮助系统

MATLAB 7.x 的功能非常强大，提供了强大的运算和处理能力；同时，也提供了非常详细的帮助文件系统，能够帮助用户更快地熟悉和掌握 MATLAB 7.x 软件。这无论对于初学者，还是对于 MATLAB 7.x 的高级用户而言，都是非常有力的支持。

1.4.1　命令行帮助查询

在 MATLAB 7.x 的命令空间运行时，读者可以通过 help 命令能够获得关于命令和函数非常详细的帮助和说明。这些命令和函数的 M 源文件在编写时都提供了非常翔实的注释，并通过纯文本形式显示，如函数的调用格式、可选参数、输入参数、输出参数的含义等。这些帮助文件是最原始的帮助文件的一部分，随着 MATLAB 7.x 版本的升级和提高，这些帮助文件也相应地进行更新。

例 1.3　MATLAB 7.x 命令行帮助文件查询。

在命令行中输入 help help 命令，在文本框中会输出关于如何使用命令行 help 命令的详细说明，如图 1.37 所示。

如果直接在命令行中输入 help 命令，那么，可以获得关于 help 帮助的所有主题。图 1.38 所示为显示的 help 的帮助主题。

从图 1.38 所示的所有帮助主题中选择一个帮助主题，此处选择查询其中的函数命令。输入 help funfun 后，可以显示该帮助主题下的所有命令，如图 1.39 所示。

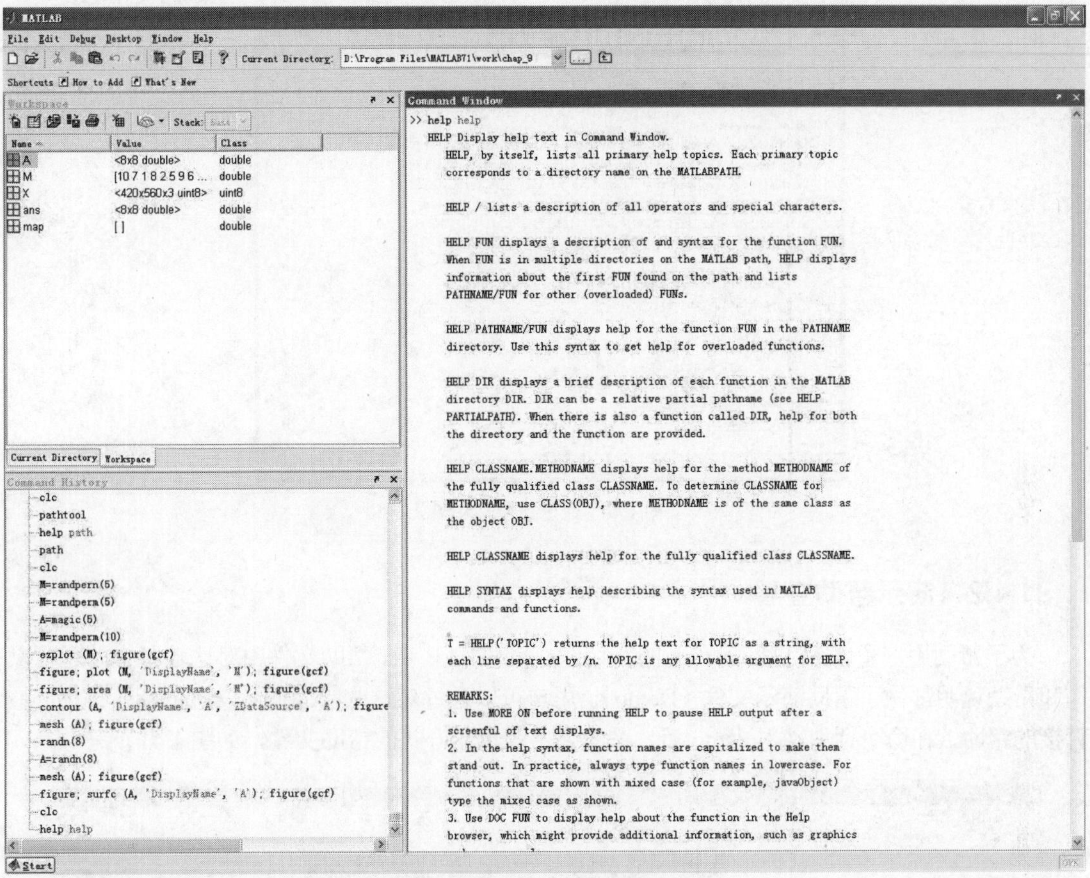

```
>> help help
  HELP Display help text in Command Window.
    HELP, by itself, lists all primary help topics. Each primary topic
    corresponds to a directory name on the MATLABPATH.

    HELP / lists a description of all operators and special characters.

    HELP FUN displays a description of and syntax for the function FUN.
    When FUN is in multiple directories on the MATLAB path, HELP displays
    information about the first FUN found on the path and lists
    PATHNAME/FUN for other (overloaded) FUNs.

    HELP PATHNAME/FUN displays help for the function FUN in the PATHNAME
    directory. Use this syntax to get help for overloaded functions.

    HELP DIR displays a brief description of each function in the MATLAB
    directory DIR. DIR can be a relative partial pathname (see HELP
    PARTIALPATH). When there is also a function called DIR, help for both
    the directory and the function are provided.

    HELP CLASSNAME.METHODNAME displays help for the method METHODNAME of
    the fully qualified class CLASSNAME. To determine CLASSNAME for
    METHODNAME, use CLASS(OBJ), where METHODNAME is of the same class as
    the object OBJ.

    HELP CLASSNAME displays help for the fully qualified class CLASSNAME.

    HELP SYNTAX displays help describing the syntax used in MATLAB
    commands and functions.

    T = HELP('TOPIC') returns the help text for TOPIC as a string, with
    each line separated by /n. TOPIC is any allowable argument for HELP.

    REMARKS:
    1. Use MORE ON before running HELP to pause HELP output after a
    screenful of text displays.
    2. In the help syntax, function names are capitalized to make them
    stand out. In practice, always type function names in lowercase. For
    functions that are shown with mixed case (for example, javaObject)
    type the mixed case as shown.
    3. Use DOC FUN to display help about the function in the Help
    browser, which might provide additional information, such as graphics
```

图 1.37 命令行 help 的使用说明

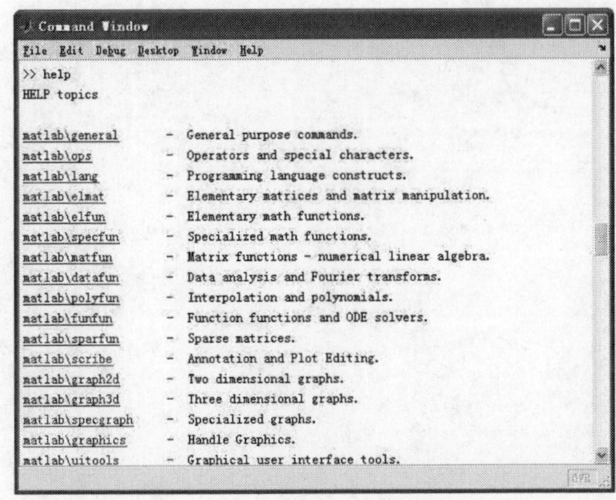

图 1.38 帮助 help 的所有主题

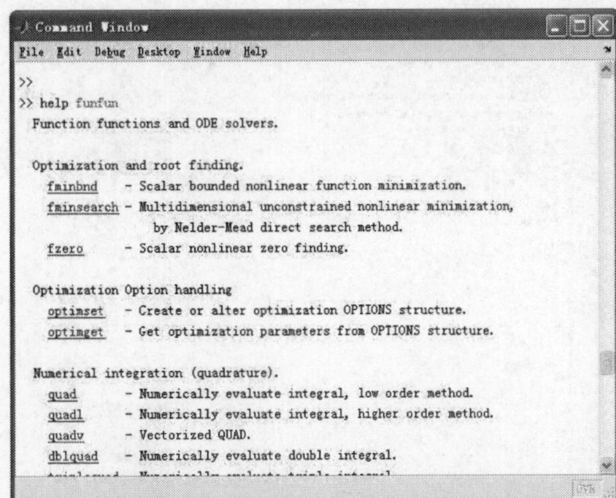

图 1.39 命令行获取帮助文件

如果需要查询其中的某个函数或命令，可以在命令行中输入 help 和命令或函数后即可得到相应的帮助，如图 1.40 所示。如果需要查询该函数出现的文件，则可以选择 lookfor 命令来查询。在以上帮助文件的显示中都出现超链接。如果用户单击这些超链接，则会显示浏览器方式的帮助文件。对于函数帮助文件，如 doc jacobian 超链接可以显示该命令的浏览器帮助说明。

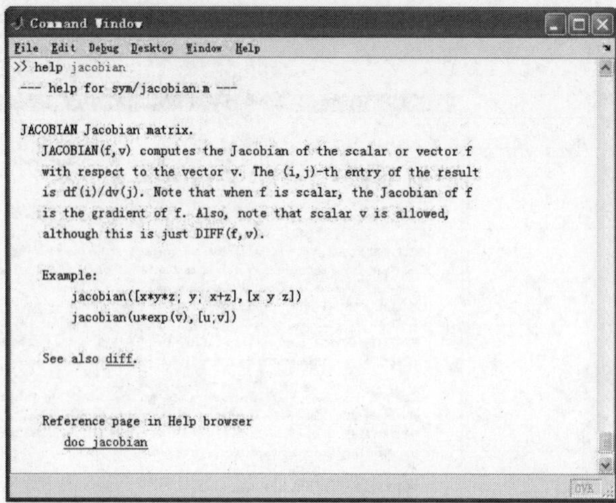

图 1.40　命令行查询函数

1.4.2　演示帮助查看

为了帮助用户了解 MATLAB 7.x 的新功能，MATLAB 7.x 帮助文件中对比较基本的运行操作和帮助说明都做了帮助演示文件（Demo）。用户可以通过对这些帮助演示文件的阅读，获得最直接的帮助。在命令行中输入 demo 后，系统弹出浏览器方式的帮助文件，如图 1.41 所示。

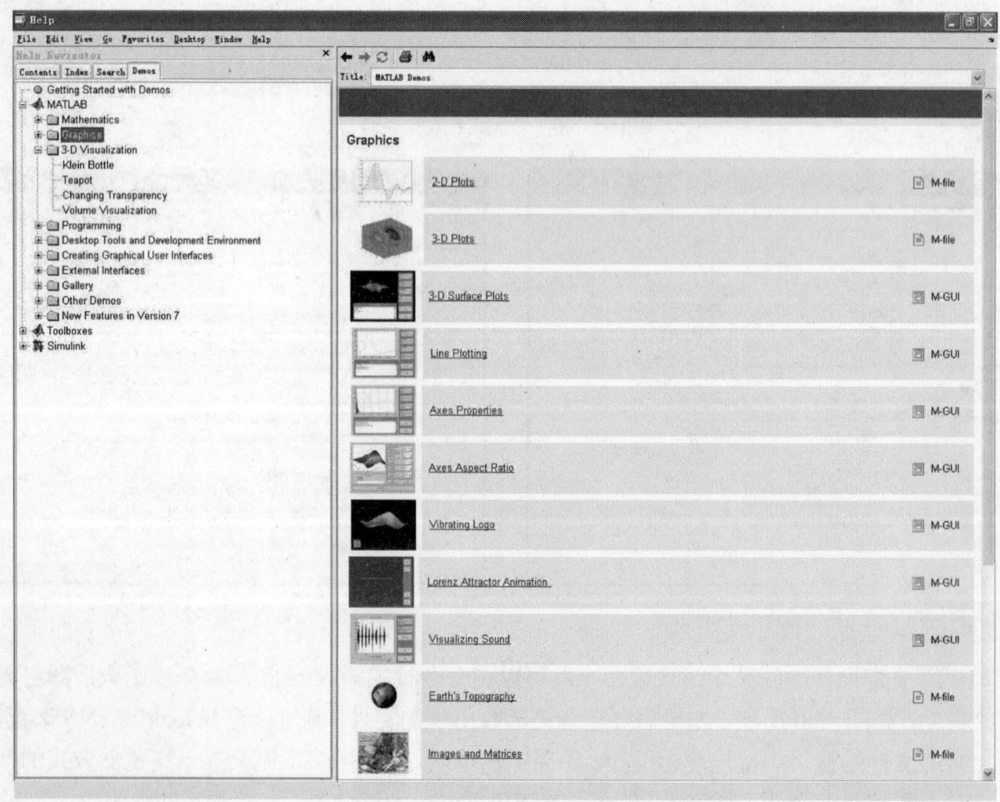

图 1.41　MATLAB 7.x 演示程序浏览

用户可以选择感兴趣的演示程序，和程序进行交互，或查看与程序相关的 M 文件代码。

1.4.3　内容帮助浏览

在 MATLAB 7.x 中，专门提供导航/浏览器方式的帮助文件查询系统和方式。在该方式中，内容通过导航和浏览器两个部分进行显示和说明。这部分帮助功能和命令窗口中的纯文本帮助文件的帮助方式之间是独立的两套帮助系统。但在命令行帮助中，单击超链接后可以进入导航和浏览器帮助系统中。

在导航和浏览器帮助文件系统左侧的导航栏中选择 Contents 选项页，可以选择主题帮助方式来阅读相应的帮助文件系统。用户可以从这些系统中获得非常详细和深入的帮助和说明。在这种帮助文件形式下，所有的帮助内容都通过目录树的形式列出和展开。如果用户需要获得关于某个帮助主题的内容，那么可以单击相关的目录条，将会展开与此相关的.html 格式的帮助内容和主题。

内容帮助窗口提供了全方位的 MATLAB 7.x 帮助内容，层次清楚，功能划分规范，用户可以根据需要查询的主题来获得响应的帮助主题。如需要查询和数学相关的主题，则可以单击目录树依次找到该选项。

以上面所述的查找内容为例，使用内容帮助浏览方式进行帮助内容的浏览时，运行界面如图 1.42 所示。

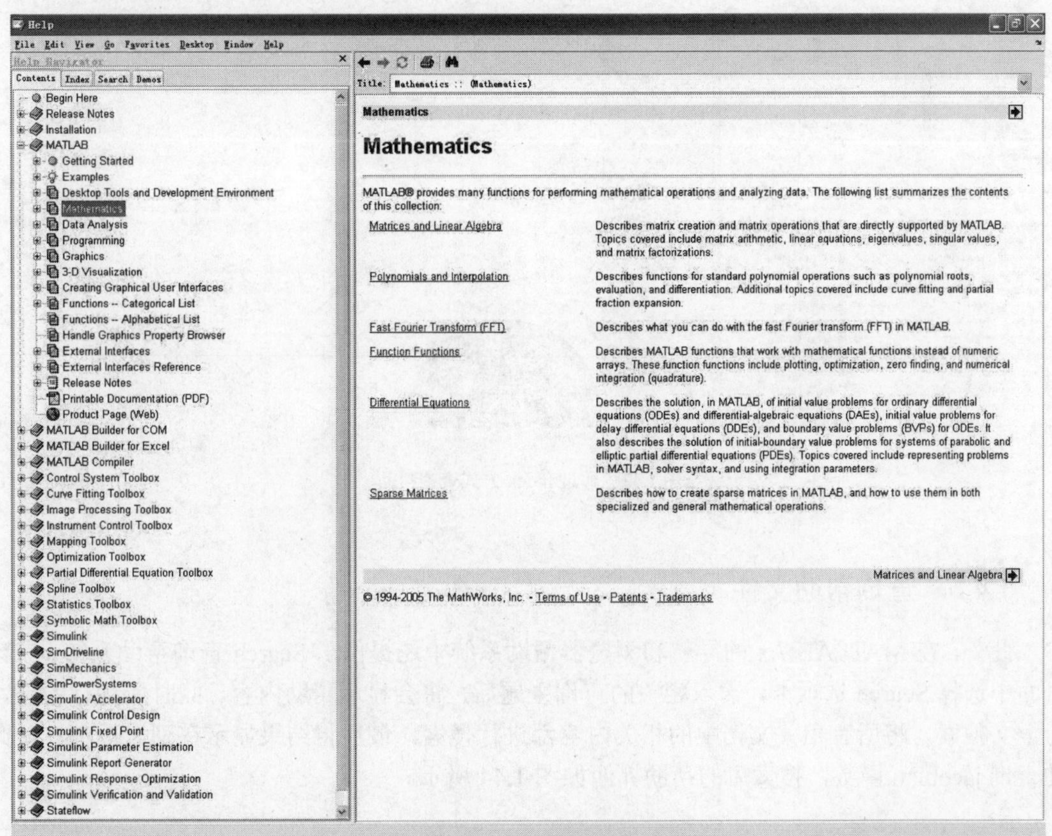

图 1.42　查询帮助文件主题

1.4.4 索引方式查询帮助文件

通过索引方式查询帮助文件可以帮助用户更快地找到相关命令和主题，在帮助系统的导航和浏览器页面选择 index 选项页，则会出现该形式的帮助选择。在 Search index for 文本框中输入查询关键词，即可列出所有相关的帮助内容。如此处对 surf 函数进行查询，查询后点击相应的主题，则会列出内容，如图 1.43 所示。

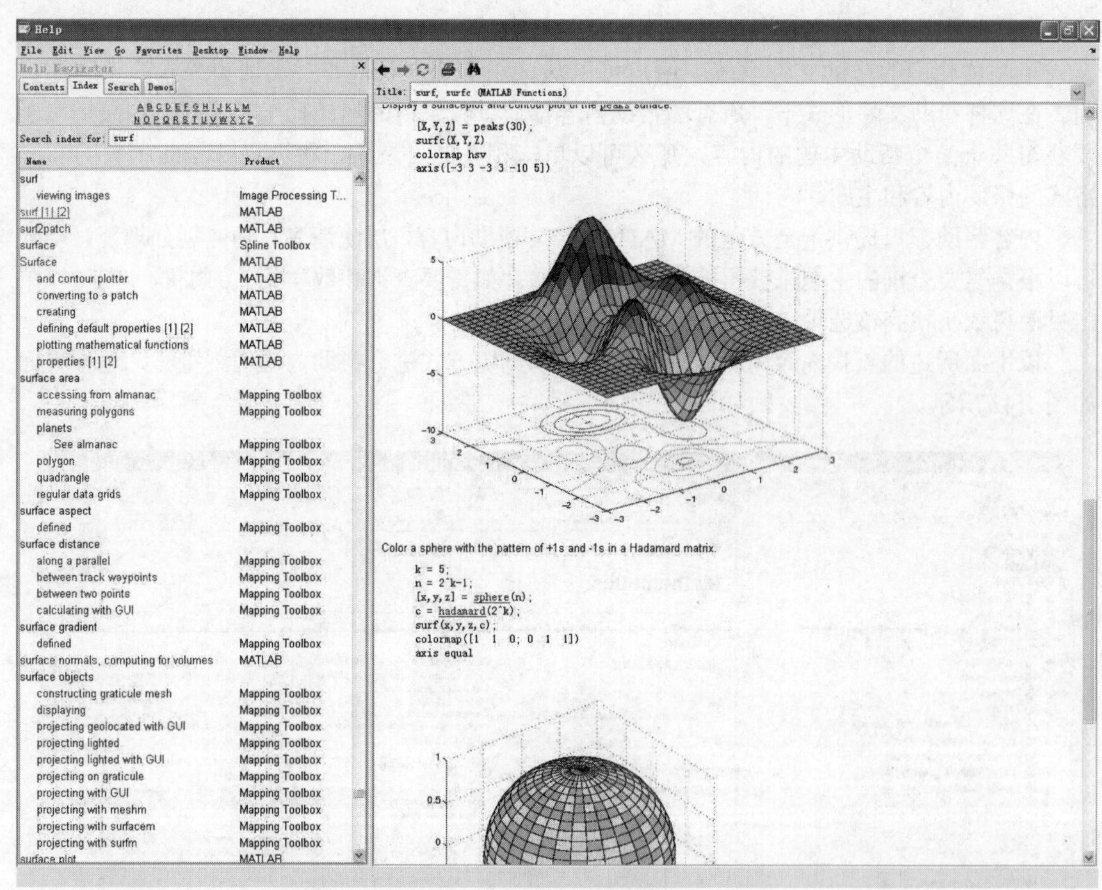

图 1.43 通过 index 方式查询帮助

1.4.5 查询帮助文件

此外，在 MATLAB 7.x 的导航和浏览器帮助系统中还提供了 Search 查询帮助系统。在该页面中选择 Search 选项卡，输入相关的查询主题后，将会显示帮助内容。此时所进行的搜索为全文搜索，将所有相关文档中的相关内容都进行搜索，最后将结果显示在列表框中。如此处查询 jacobian 函数，搜索后的帮助界面如图 1.44 所示。

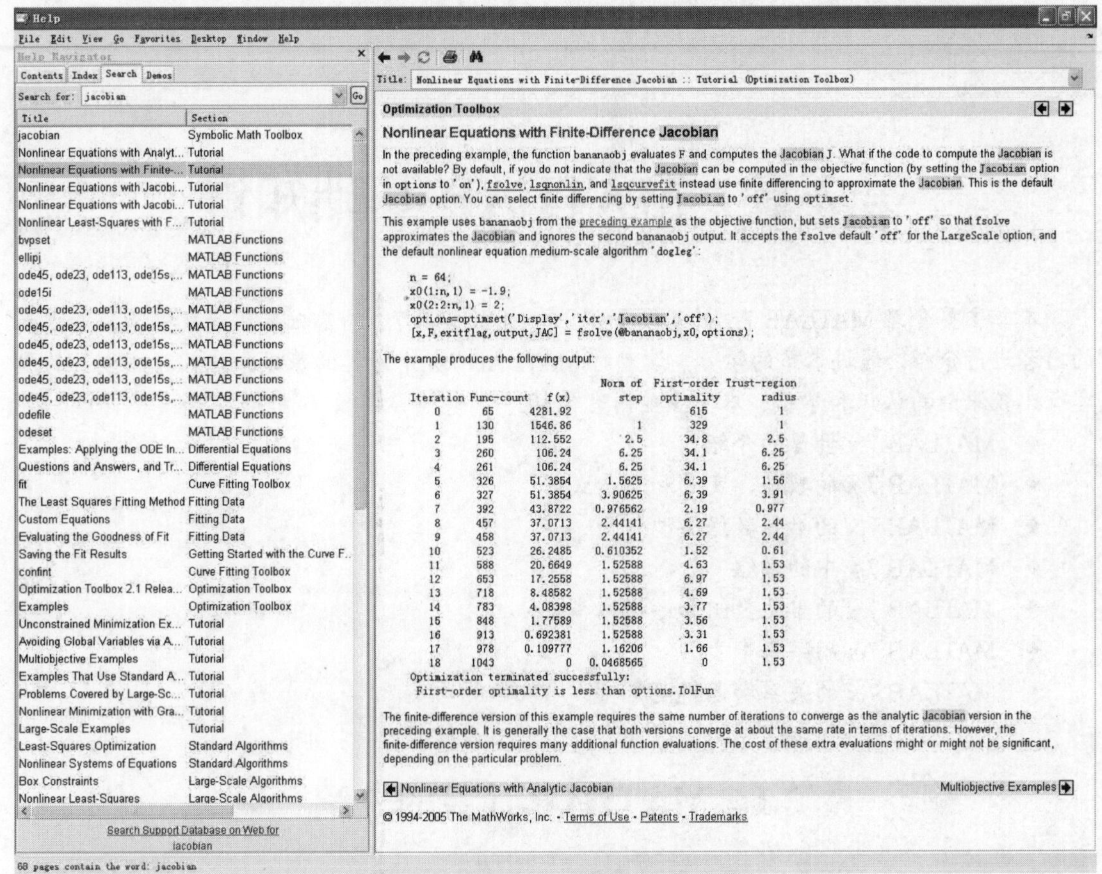

图 1.44　通过 Search 方式来查询帮助文件

1.5　本 章 小 结

本章主要介绍了 MATLAB 的发展过程及其主要特点。在此基础上，对本书所要介绍的 MATLAB 7.x 的安装过程、工作环境以及帮助系统作了比较详细的介绍。其中，对运行环境的启动、工作环境、命令窗口、历史命令窗口、目录和文件管理、搜索路径管理、工作空间和数据编辑器及工作空间数据的保存等内容作了全面的介绍。通过这些内容的介绍，读者可以较快地熟悉 MATLAB 7.x 的工作和运行环境，为深入学习本书后面章节打下良好的基础。

第 2 章　MATLAB 基础知识

本章主要介绍 MATLAB 7.x 的基本知识，对 MATLAB 7.x 的基础知识和数据类型等方面的内容进行介绍。通过本章的学习，读者对 MATLAB 7.x 中计算的基础知识及数据方面的内容有比较深刻的认识和学习。本章主要内容包括：

- MATLAB 7.x 计算的介绍
- MATLAB 7.x 的数值、变量和表达式
- MATLAB 7.x 的数值数据类型
- MATLAB 7.x 中的数组
- MATLAB 7.x 的单元数组和结构体
- MATLAB 7.x 的字符串
- MATLAB 7.x 的关系和逻辑运算

2.1　MATLAB 计算的介绍

MATLAB 7.x 的计算功能强大，主要的工作环境和系统在第 1 章已经做过一些介绍。本节将对 MATLAB 7.x 的计算方法及相关的一些基本知识进行简单介绍。

2.1.1　简单的计算示例

运行 MATLAB 7.x 后，在工作空间中出现多个对话窗口，其中命令窗口 command window 为用户和 MATLAB 7.x 进行交互操作的工作区域。在命令区中窗口显示命令提示符“>>”，当命令窗口处于激活状态时，提示符后出现一提示光标，在 MATLAB 7.x 进行计算时，可以通过两种方式进行数值计算，即可直接输入数值进行计算或通过定义变量的方法来进行数值计算。

例 2.1　用 MATLAB 7.x 计算梯形面积（上下底及高分别为 10、30、15）。

```
>> % 直接输入法计算
>> (10+30)*15/2
ans =
   300
>> % 定义变量方法计算
>> a=10
a =
    10
>> b=30
b =
    30
>> h=15
```

```
h =
    15
>> s=(a+b)*h/2
s =
    300
```

可以看出，如果没有定义变量名称，系统将计算结果暂时存储在 ans（answers 的缩写）这个临时变量中。采用定义变量的方法来进行数值计算，变量的意义明显，计算过程一目了然。在 MATLAB 7.x 中，系统会自动忽略变量或计算符号之间的空格，因此，可以在变量及计算符号之间添加空格以便于阅读。

例 2.2 绘制衰减曲线 $y = \mathrm{e}^{-t/2.5}\sin 3t$，其中 t 的取值范围为 $[0,4\pi]$。

```
>> t=0:pi/50:5*pi;
>> t=0:pi/50:5*pi;              % 定义自变量 t 的取值数组
>> y=exp(-t/2.5).*sin(3*t);% 计算对应于自变量数组的 y 数组，注意为点乘方式
>> plot(t,y,'-b','LineWidth',2) % 绘制曲线
>> axis([0,5*pi,-1,1])
>> xlabel('t/s'),ylabel('y')
>> title('y-t curve')
```

程序执行后显示的衰减振荡曲线如图 2.1 所示。

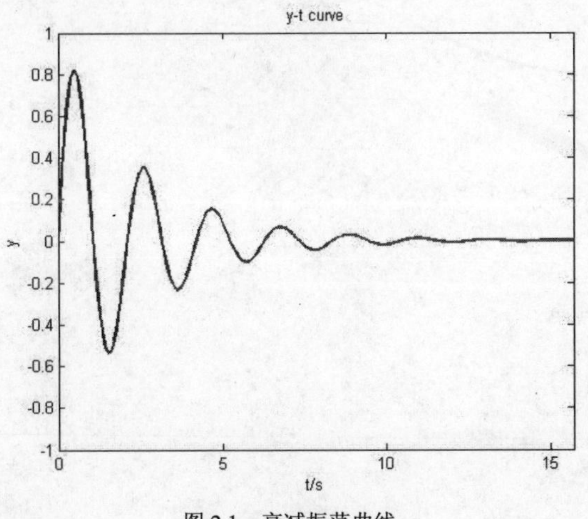

图 2.1 衰减振荡曲线

例 2.2 表示的是用 MATLAB 7.x 来绘制函数曲线。可以看出，通过 MATLAB 7.x 提供的绘图函数可以很容易实现函数曲线的计算和绘制。

MATLAB 7.x 中进行数学处理时的优先级顺序和通常进行数学处理的优先级顺序相同。即表达式按照从左向右的顺序进行运算；指数运算的优先级最高；乘、除次之，且两者之间具有同样的优先级顺序；加、减优先级最低，两者优先级顺序相同。但是，圆括号会改变数学计算的优先级顺序，按照从内向外的原则优先级依次降低，同一层次的括号内的优先级次序与前面介绍的原则相同。

关于优先级的其他次序，读者可以在命令窗口中输入 help precedence 来查看。

2.1.2 基本的数学运算符号

在 MATLAB 7.x 中提供了各种数学运算符号，这些运算符号是 MATLAB 7.x 中进行计算的基础，主要包括以下一些基本的运算符号，如表 2.1 所示。

表 2.1 基本的数学运算符号

符 号	功 能	符 号	功 能
+	加法	−	减法
*	矩阵乘法	.*	乘，点乘，即数组乘法
/	右除	./	数组右除
\	左除	.\	数组左除
^	乘方	.^	数组乘方
‘	矩阵共轭转置	.’	矩阵转置

下面的例子是对以上的基本运算简单示例。

例 2.3 矩阵的乘除及乘方。

```
>> % 定义矩阵 A 和矩阵 B
>> A=round(rand(3)*10)
A =
     9     4     4
     7     9     9
     2     9     1
>> B=magic(3)
B =
     8     1     6
     3     5     7
     4     9     2
>> % 矩阵的叉乘和点乘
>> C1=A*B
C1 =
   100    65    90
   119   133   123
    47    56    77
>> C2=A.*B
C2 =
    72     4    24
    21    45    63
     8    81     2
>> % 矩阵的左除和右除
>> D1=A./B
D1 =
    1.1250    4.0000    0.6667
    2.3333    1.8000    1.2857
    0.5000    1.0000    0.5000
>> D2=A.\B
D2 =
    0.8889    0.2500    1.5000
    0.4286    0.5556    0.7778
```

```
    2.0000    1.0000    2.0000
>> % 矩阵的乘方
>> E1=A.^2
E1 =
    81    16    16
    49    81    81
     4    81     1
>> E2=A^2
E2 =
   117   108    76
   144   190   118
    83    98    90
```

从例 2.3 可以看出，无论哪种运算方法（乘法、除法以及乘方），带“.”的运算方式表示对矩阵的元素进行运算。对于矩阵而言，矩阵的右除是一般意义的除法，而左除则具有对称意义，即 $A./B=B.\backslash A$。

2.1.3 命令行中的常用标点

在 MATLAB 7.x 的命令窗口中进行常用的操作过程时，有一些常用标点有比较重要的意义。同时，在编写 MATLAB 7.x 的 M 文件时，这些标点符号也同样可以使用，且具有相同的意义。下面将这些标点的意义简单进行归纳，如表 2.2 所示。

表 2.2 MATLAB 7.x 常用标点的意义

标点符号	名　称	作用和意义
	空格	输入量之间的分隔符（命令窗口会忽略变量之间的这些空格）；输入数组元素之间的分隔符
,	逗号	要显示计算结果与其他命令之间的分隔；输入量之间的分隔符或数组元素之间的分隔符
.	点	在数值计算中，可以作为小数点来使用；在数组运算过程中，可以作为元素运算的标示
;	分号	在命令行末尾表示在计算结束后不显示计算结果；或在输入数组时，作为数组行之间的分隔符号
:	冒号	在生成一维数组时，可以作为分隔符；用作单下标引用时的全部元素构成的全部数列；循环运算过程中的分隔符
%	百分号	位于命令行的开头，表示该行为注释行，增加所输入或变形的文件的可读性，百分号之后的都作为注释内容，命令窗口对这些内容不进行编译和显示
‘’	单引号对	用于定义字符串
()	圆括号	改变运算过程中的优先级次序；在函数调用时使用；作为数组的索引
[]	方括号	定义矩阵
{}	花括号	定义单元数组，图形中被控特殊字符括号
_	下划线	定义变量、函数或文件时使用的连字符；图形中被控下角标的前导符号
…	续行号	当输入命令窗口的命令较长时，可以在第一行输入 3 个以上的点号，在下一行继续输入该命令，完成较长命令的输入和执行
@	“At”号	放在函数名称前，形成函数句柄；作为匿名函数的前导符
!	感叹号	调用操作系统运算

2.1.4 命令窗口中的常用操作和编辑命令

在 MATLAB 7.x 命令窗口中，还有一些常用的操作命令和编辑命令，可以帮助用户更快地执行和完成操作。有些命令或指令可以通过菜单项或右键快捷菜单项来实现，但对于编写

M 文件或进行交互操作时，这些命令是很有必要的，如在命令窗口中使用 cd 和 dir 命令，可以代替 MATLAB 7.x 中的浏览器（Browser）菜单。掌握这些常用的操作命令和编辑命令可以更快地进行操作的执行。

此外，这些命令在 MATLAB 的不同版本中都可以使用，是 MATLAB 不同版本操作过程中最基本的一些命令。表 2.3 和表 2.4 分别为常用的一些操作命令和编辑命令，希望读者能够掌握这些命令。详细的命令选项读者可以通过 help 方式来翻阅 MATLAB 7.x 的帮助文件，这样可以很快得到相应的帮助。

表 2.3　　MATLAB 7.x 中常见的操作命令

命　令	功能和意义	命　令	功能和意义
cd	显示或改变工作目录	pack	整理内存碎片
clc	清空命令窗口	path	显示搜索目录
clear	清空工作区中的变量	quit	退出 MATLAB
clf	清空图形窗口	save	保存内存变量
diary	日志文件命名	type	显示文件内容
dir	显示当前目录下的文件	what	列出所在目录 MATLAB 文件
disp	显示变量或文字的内容	which	定位 MATLAB 文件的路径
echo	命令窗口信息显示开关	who	列出工作空间的变量
hold	图形保持命令	whos	详细列出工作空间的变量
load	加载指定文件中的变量		

例 2.4　MATLAB 操作命令演示。

```
>> who
Your variables are:
A    B    C1   C2   D1   D2   E1   E2
>> whos
  Name      Size                    Bytes  Class
  A         3x3                        72  double array
  B         3x3                        72  double array
  C1        3x3                        72  double array
  C2        3x3                        72  double array
  D1        3x3                        72  double array
  D2        3x3                        72  double array
  E1        3x3                        72  double array
  E2        3x3                        72  double array
Grand total is 72 elements using 576 bytes
>> what
M-files in the current directory d:\Program Files\MATLAB71\work
cplxmap       intexp3       m4simu13      optfun        updown1
flow1         m4_simu14     mysource      tmps          updown2
MEX-files in the current directory d:\Program Files\MATLAB71\work
fact          mycalc
MDL-files in the current directory d:\Program Files\MATLAB71\work
signa9                      simu3
signa10                     simu4
simu1                       simu5
simu11                      simu6
```

```
simu12                         simu7
simu13                         simu8
simu13_state_space             simu_15
simu13_transfer_function       simu_continuous0
simu14_nonlinear               simu_continuous1
simu2
>> clear
```

表 2.4　　MATLAB 7.x 常用编辑快捷键

快　捷　键	功能和意义	快　捷　键	功能和意义
↑(Ctrl+p)	调用前一命令	Home(Crtl+a)	移动到命令行开头
↓(Ctrl+n)	调用后一命令	End(Crtl+e)	移动到命令行末尾
←(Ctrl+b)	光标左移一个字符	Crtl+Home	移动到命令窗顶部
→(Ctrl+f)	光标右移一个字符	Crtl+End	移动到命令窗底部
Ctrl+ ←	光标左移一个单词	Shift+Home	选中位于光标和表达式开头间的内容
Ctrl+ →	光标右移一个单词	Shift+End	选中位于光标和表达式结尾间的内容
Esc	取消当前的输入行	Ctrl+k	剪切光标和表达式之间的内容
PageDown	向前翻阅命令窗口	Delete	删除光标右边的字符
PageUp	向后翻阅命令窗口	Backspace	删除光标左边的字符

2.1.5　命令窗口的显示

MATLAB 7.x 及其以后的版本，在命令窗口中输入的字符、数值等采用不同颜色的分类方式进行显示，如输入 if、for、end 等命令关键词时，MATLAB 7.x 自动采用蓝色来表示；在命令窗口中输入的其他非命令字符、数码等都采用黑色来表示；输入的字符串数据采用紫色来表示。当输入的命令经过执行后，输出结果采用黑色来表示，而实际运行过程中的警告信息和出错信息则通过红色来进行显示。

在 MATLAB 7.x 中，默认输出采用双精度的格式，默认采用 format short g 方式来进行显示。如果需要采用其他的输出格式进行数据显示，那么用户可以通过设置输出格式来进行表示。在 MATLAB 7.x 中，可以设置的数据显示格式命令如表 2.5 所示。

表 2.5　　输出数据显示格式命令

格 式 命 令	含　义
format short	小数点后包括 4 位有效数字，最多不超过 7 位有效数字；如果数值大于 1000，那么按照科学计数法来表示
format long	用 15 位数字来表示
format short e	5 位科学计数法表示
format long e	15 位科学技术法表示
format short g	从 format short 和 format short e 中自动选择最佳的数值表示方法
format long g	从 format long 和 format long e 中自动选择最佳的数值表示方法
format rat	采用近似有理数来表示
format hex	十六进制表示
format +	用+、−和空格来分别表示正数、负数和零，复数中的虚部不表示
format bank	金融表示方法，元、角、分等
format compact	显示变量之间没有空格
format loose	显示变量之间有空格

需要注意的是，以上所有的设置格式在 MATLAB 7.x 当前的工作空间内有效，而在该执行过程之后，这些格式都不再起作用，即当关闭工作空间后，这些设置结果都不再起作用。对于 format 的具体意义，读者还可以通过在命令窗口中输入 help format 来查询。

例 2.5 数据格式的显示。

```
>> format short, pi
ans =
     3.1416
>> format long, pi
ans =
    3.14159265358979
>> format long e, pi
ans =
     3.141592653589793e+000
>> format hex, intmax('uint64')
ans =
     ffffffffffffffff
```

MATLAB 7.x 中的颜色显示方式和数值格式显示方式都可以通过预设置选项来进行设置。单击 File/Precedence 菜单项，此时，系统弹出默认设置对话框，在该对话框中，可以设置各个显示或其他选项。如需要对命令窗口中的颜色显示方式进行设置，那么，可以通过对话框左侧的 Colors 选项进行设置，如图 2.2 所示。

当然，对数值显示格式的显示方式则可以通过 Command Window 选项面板进行设置。在该选项面板上，读者可以设置在命令窗口中的数值显示格式或显示风格，如图 2.3 所示。其中，在 Numeric format 的下拉列表中，可以选择数值格式的显示方式，可选格式如表 2.5 所示。而对于 Numeric display 文本框而言，有两个选项，分别为 Compact 和 Loose 选项。如果选择 Loose 选项，那么在命令窗口显示数值结果时，系统将会在不同的显示行之间加入空行；如果选择 Compact 选项，那么输出结果在显示时，不会在不同的显示行之间加入空行，因此结构较为紧凑。

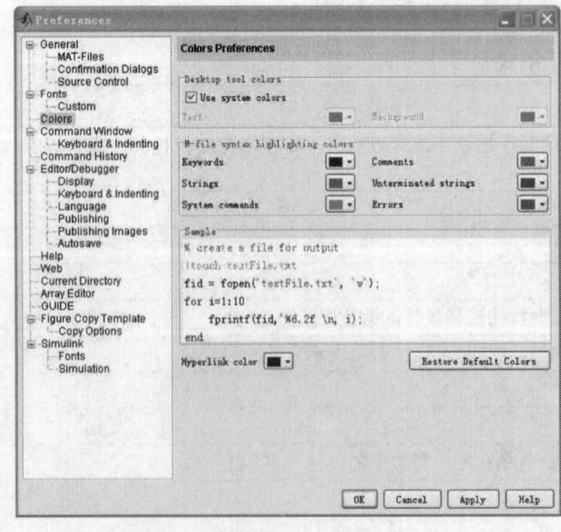

图 2.2 命令窗口显示的颜色设置

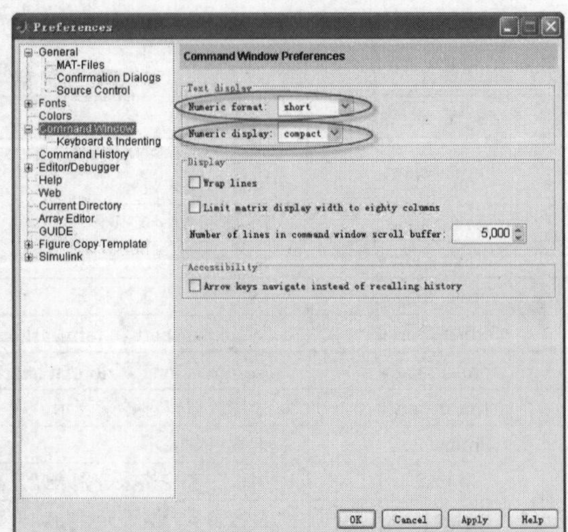

图 2.3 设置数值显示格式和方式

2.2　数值、变量和表达式

在 MATLAB 7.x 中进行数值、变量或表达式的定义或书写时，和其他的编程语言一样，也需要注意一般的命名规则，这些命名规则可以总结如下。

- 变量名对大小写敏感，即区分大小写，如 myValue、MYValue、myVALUE 等是不同的变量名。
- 变量名必须以字母开头，后面可以采用数字、下划线和字母，但不能使用空格、标点符号和运算符。如 new_investment_value 是合法的变量名称。
- 变量名最长可以采用 63 个字符，之后的字符串都将被忽略。

除以上变量命名的一般规则之外，还有一些需要注意的特殊规定，如 MATLAB 7.x 中的关键字（或成为保留字）不能作为 MATLAB 7.x 的变量名称。这些保留字可以通过在命令窗口中输入 iskeyword 命令来查询。如果用户使用关键字作变量名，那么系统会出现警告。当然用户还可以通过 isvarname 来查询所定义的变量名是否为 MATLAB 7.x 的关键字。

例 2.6　通过 iskeyword 查询关键字。

```
>> iskeyword
ans =
     'break'
     'case'
     'catch'
     'continue'
     'else'
     'elseif'
     'end'
     'for'
     'function'
     'global'
     'if'
     'otherwise'
     'persistent'
     'return'
     'switch'
     'try'
     'while'
>> for=0
??? for=0
           |Error: The expression to the left of the equals sign is not a valid target for an assignment.
```

在 MATLAB 7.x 中，数值都习惯采用十进制来表示，和一般的数学表示方法一致。如 5，−10，0.001，3.1415926，3.0e+010 等。MATLAB 7.x 变量的数值都是默认按照双精度类型的数据来表示的。

此外，在 MATLAB 7.x 中，系统还预定义了一些变量，这些变量在 MATLAB 7.x 程序启动之后，就已经自动定义，具有特殊的含义和意义，如表 2.6 所示。

表 2.6 MATLAB 7.x 中的预定义变量

预定义变量	变量的意义
ans	默认的计算结果变量名，answers 的缩写形式
beep	计算机自动发出声音
pi	圆周率 π
eps	浮点数的精度（2.2204e−016），MATLAB 7.x 中的最小数值，和数值相加后，产生大于该数值的最小的那个数
inf	无穷大数的表示（1/0 产生）
NaN	数值不能确定，不是一个数（Not a Number），通常由 0/0、∞/∞等不能确定数值的时候产生
i 或 j	虚数的单位，即 $i = j = \sqrt{-1}$
nargin	在调用函数时，函数变量的输入个数
nargout	函数调用时，由函数输出的变量个数
realmin	可用的最小正实数
realmax	可用的最大正实数
bitmax	可用的最大正整数（用双精度数来表示，9.0072e+015）
varargin	函数输入的变量中，可变变量的输入个数
varargout	可变的函数输出个数

在定义变量时还需要注意，如果用户对预定义的特殊变量赋值，那么该特殊变量的数值将会临时被覆盖。当用 clear 命令清除变量数值或重新启动 MATLAB 7.x 之后，预定义变量的数值可以恢复到初始值而不会发生变化；此外，在 MATLAB 7.x 中，在进行运算过程中，被 0 除不会导致程序的终止，系统会根据情况给出警告信息，并相应地用 Inf 或 NaN 来表示这些计算结果。

至于 MATLAB 7.x 中的表达式，和一般的数学表达式的书写原则相同，但对于数组运算而言，则需要注意数组元素的运算和数组的计算是不同的。关于表达式的计算和书写，以及运算过程中的优先级原则，请读者参阅本章 2.1.1 小节和 2.1.2 小节的内容，此处不再赘述。

2.3 数值数据类型

数字作为 MATLAB 7.x 中数学运算的最基本对象。在 MATLAB 7.x 中，主要包括各种有无符号的整数型数据、双精度型（double）和单精度型的数据。在 MATLAB 7.x 以后的版本中，数据计算可以直接根据这些数据类型进行计算、转换和处理。本节主要对这些数值数据类型进行介绍。

2.3.1 整数

在 MATLAB 7.x 中，支持表 2.7 所示的各种整数型数据类型，主要包括 8 位、16 位、32 位和 64 位的有符号和无符号类型的整数数据类型。由于 MATLAB 7.x 中默认的数据类型是双精度型的数据，因此，在定义整型数据变量时，需要指定变量的数据类型。

表 2.7 MATLAB 7.x 中的整数类型

数 据 类 型	说　明
uint8	8 位无符号整数，数值范围为 0～255（$0 \sim 2^8-1$）
int8	8 位有符号整数，数值范围为−128～127（$-2^7 \sim 2^7-1$）

续表

数据类型	说　明
uint16	16 位无符号整数，数值范围为 0～65 535（$0\sim2^{16}-1$）
int16	16 位有符号整数，数值范围为−32 768～32 767（$-2^{15}\sim2^{15}-1$）
uint32	32 位无符号整数，数值范围为 0～4 294 967 295（$0\sim2^{32}-1$）
int32	32 位有符号整数，数值范围为−2 147 483 648～2 147 483 647（$-2^{31}\sim2^{31}-1$）
uint64	64 位无符号整数，数值范围为 0～18 446 744 073 709 551 615（$0\sim2^{64}-1$）
int64	64 位有符号整数，数值范围为 − 9 223 372 036 854 775 808～9 223 372 036 854 775 807（即$-2^{63}\sim2^{63}-1$）

需要说明的是，表 2.7 中定义的整数数据类型不同，但是这些类型的数据具有相同的性质。每种类型的数据都可以通过函数 intmax 和 intmin 来查询此种数据类型的上下限。

例 2.7　整型数据的定义。

```
>> x1=int16(20)
x1 =
      20
>> intmin('int16')
ans =
  -32768
>> intmax('int16')
ans =
   32767
>> class(x1)
ans =
int16
>> y1=35
y1 =
     35
>> class(y1)
ans =
double
```

以上代码中，显示出 MATLAB 7.x 中的整型数据定义方法及其默认的数据类型，同时通过 intmin 和 intmax 来获取整型数据的上下限。此外，class 函数可以获取所定义变量的数据类型。

例 2.8　整型数据运算。

```
>> a=int8(1:9)
a =
     1     2     3     4     5     6     7     8     9
>> b=int8(randperm(9))
b =
     1     8     9     3     4     7     5     2     6
>> a+b
ans =
     2    10    12     7     9    13    12    10    15
>> a-b
ans =
0    -6    -6     1     1    -1     2     6     3
>> a.*b       % multiplication for each element in the two vectors
```

```
ans =
     1    16    27    12    20    42    35    16    54
>> a./b      % division for each element in the two vectors
ans =
1    0    0    1    1    1    1    4    2
```

在例子中，通过两种方式定义了两个 int8 类型的整型向量，这两个向量的元素之间进行加减乘除运算。其中，randperm(9)函数随机生成 1～9 的随机向量。在进行乘除运算时，在向量后加“.”表示两个向量之间进行元素间的乘除运算。需要注意的是，在进行除法运算时，MATLAB 7.x 首先将向量中的整数元素作为双精度类型的数据进行运算，然后根据四舍五入原则得到整型数据相除的结果。

例 2.9 整型数据的转化。

```
>> b
b =
     1     8     9     3     4     7     5     2     6
>> class(b)
ans =
int8
>> c=cast(b,'uint16')
c =
         1         8         9         3         4         7         5         2         6
>> b+c
??? Error using ==> plus
Integers can only be combined with integers of the same class, or scalar doubles.
>> c+5
ans =
         6        13        14         8         9        12        10         7        11
>> class(ans)
ans =
uint16
```

从上面的例子可以看出，不同类型的整型数据之间不能进行数学运算。但是，MATLAB 7.x 支持双精度标量和整型数据之间的数学运算，原因在于 MATLAB 7.x 将双精度类型的标量数据转化成整型数据再进行计算。

例 2.10 整型数据运算的溢出。

```
>> a=int8(randperm(8))
a =
     7    1    3    6    2    5    4    8
>> a=a+120
a =
   127  121  123  126  122  125  124  127
>> b=cast(a,'uint8')
b =
   127  121  123  126  122  125  124  127
>> b-125
ans =
     2    0    0    1    0    0    0    2
```

在 MATLAB 7.x 的整型数据中，每种类型的整型数据都存在一定的数值范围，因此数学运算过程中会产生结果溢出问题。当运算过程中产生溢出问题时，MATLAB 7.x 采用饱和处理问题的方式处理，即将计算结果设定为溢出方向的上下限数值。在进行混合数据计算时，MATLAB 7.x 仅支持双精度标量和一个整型数据之间进行计算。由于对整型数据之间的运算关系，MATLAB 7.x 只支持同种类型的整型数据的运算，因此，除 64 位的整型数据之外，整型数据的存储比双精度数据的存储速度要快很多。

2.3.2 浮点数

双精度类型（double）的数据是 MATLAB 7.x 的默认数据类型。有时为节省存储空间，MATLAB 7.x 也支持单精度类型（single）的数组。单精度和双精度类型的取值范围可以选择用函数 realmin、realmax 来得到。单精度类型浮点数的精度可以通过函数 eps 来得到。

例 2.11 单、双精度浮点数的数值范围和精度。

```
>> realmin('single')
ans =
   1.1755e-038
>> realmax('single')
ans =
   3.4028e+038
>> realmin('double')
ans =
   2.2251e-308
>> realmax('double')
ans =
   1.7977e+308
>> eps
ans =
   2.2204e-016
```

此外，需要注意对于单精度的数据变量，创建方法和整型数据的创建方法相同。而对于单精度数据和双精度数据之间的混合运算，处理结果为单精度的数据结果。

例 2.12 单精度数据创建及混合运算。

```
>> a=single(1:8)
a =
     1     2     3     4     5     6     7     8
>> b=ones(1,4,'single')
b =
     1     1     1     1
>> class(a)
ans =
single
>> class(b)
ans =
single
>> c=rand(1,8)
c =
    0.9318    0.4660    0.4186    0.8462    0.5252    0.2026    0.6721    0.8381
>> class(c)
ans =
double
```

```
>> d=a+c
d =
    1.9318    2.4660    3.4186    4.8462    5.5252    6.2026    7.6721    8.8381
>> class(d)
ans =
single
```

和整型数据不同的是，在双精度类型的数据中，MATLAB 7.x 中存在特殊的浮点数 Inf 和 NaN，分别表示无穷大和被零除。

例 2.13　特殊的双精度数。

```
>> a=rand(1,8)
a =
    0.1897    0.1934    0.6822    0.3028    0.5417    0.1509    0.6979    0.3784
>> b=rand(1,8)
b =
    0.8600    0.8537    0.5936    0.4966    0.8998    0.8216    0.6449    0.8180
>> b(1:2:end)=0
b =
         0    0.8537         0    0.4966         0    0.8216         0    0.8180
>> a./b      % dividied by zeros
Warning: Divide by zero.
ans =
       Inf    0.2266       Inf    0.6097       Inf    0.1836       Inf    0.4626
>> b./b        % 0/0
Warning: Divide by zero.
ans =
   NaN     1   NaN     1   NaN     1   NaN     1
```

2.3.3　整型浮点数间的操作函数

MATLAB 7.x 中提供了大量的数据操作函数，可以进行不同数据类型变量的创建或数据之间的转化处理。表 2.8 所示为其中的一部分数据操作函数，主要实现整型变量或数据与双精度类型变量或数据之间的转换操作。

表 2.8　　MATLAB 7.x 中常见的数值数据函数

函 数 名 称	描　述
double	创建或转化为双精度类型的数据
single	创建或转化为单精度数据
int8, int16, int32, int64	创建或转化为有符号的整型数据
uint8, uint16, uint32, uint64	创建或转化为无符号的整型数据
isnumeric	数据类型判断函数，如果为整型数据或浮点数，那么函数返回 true
isinteger	整型数据判断函数，如果为整型数据，则返回 true
isfloat	浮点数类型判断函数，如果为单精度或双精度数据，则返回 true
isa(x, 'type')	判断 x 是否为指定的 type 类型数据，若是则返回 true
cast(x, 'type')	将 x 的数据类型转化为 type 类型的数据
intmax('type')	返回整型数据的最大数值
intmin('type')	返回整型数据的最小数值

续表

函数名称	描　述
realmax('type')	返回浮点数的最大数值
realmin('type')	返回浮点数的最小数值
eps('type')	返回 type 类型数据的 eps 数值（浮点数值，即精度）
eps('x')	x 的 eps 数值

表中，type 为 numeric、integer、float 及其他类型的数据类型。

2.3.4　复数

MATLAB 7.x 的一个比较强大的功能是能够直接在复数域上进行运算，而不用进行任何特殊的操作。而有些编程语言，在定义复数的时候，需要进行特殊的处理。在 MATLAB 7.x 中，复数的书写方法和运算表达形式与数学中复数的书写方法和运算表达形式相同，复数单位可以通过 i 或 j 来表达。

在 MATLAB 7.x 中，可以采用提供的命令来进行复数的极坐标形式和直角坐标形式之间的转化。通过欧拉恒等式，可以将复数的极坐标形式和直角坐标形式联系起来，即可以表示为 $M\angle\theta = M\mathrm{e}^{\mathrm{i}\theta} = a + b\mathrm{i} = z$ 。在 MATLAB 7.x 中，利用系统所提供的内置转换命令，可以很方便地得到复数的一些基本数值。例如：

real(z)　　计算复数的实部 $z = r\cos\theta$

imag(z)　　计算复数的虚部 $z = r\sin\theta$

abs(z)　　计算复数的模 $\sqrt{a^2 + b^2}$

angle(z)　　以弧度为单位给出复数的幅角 $\arctan\dfrac{b}{a}$

例 2.14　复数的表达和书写。

```
>> z1=5+4i        % 一般的表达形式
z1 =
   5.0000 + 4.0000i
>> z2=3+5*i       % 通过运算符的直角坐标形式来定义
z2 =
   3.0000 + 5.0000i
>> z3=2*exp(i*pi/3)      % 极坐标形式表达复数
z3 =
   1.0000 + 1.7321i
>> c0=complex(1,2)       % 通过函数定义复数
c0 =
   1.0000 + 2.0000i
>> c1=sqrt(-3)           % 运算得到复数
c1 =
        0 + 1.7321i
>> c2=9+sin(0.5)i
??? c2=9+sin(0.5)i
Error: Unexpected MATLAB expression.
>> c2=9+sin(0.5)*i       % 符号函数定义
c2 =
   9.0000 + 0.4794i
```

```
>> z=z1*z2/z3
z =
  14.7715 +11.4151i
```

从例 2.14 可以看出，复数可以通过以下几种方式来进行定义。

（1）直接定义法，即根据复数经典的直角坐标和极坐标方式来进行定义。

（2）通过函数 complex 来进行定义。

（3）在数值运算过程中产生复数。

（4）在定义过程中，如果复数单位 i 和 j 直接和表达式相连接，则不能够进行复数的定义，只有通过相乘方式才能够进行定义。

（5）在例 2.14 的第一个定义方式中，复数通过“数值标量”的方式进行了定义，不适用于“数值矩阵”形式，因此，建议在定义过程中少用或者不用。

例 2.15 复数的实部、虚部、模和幅角的计算。

```
>> z=1+2*i
z =
   1.0000 + 2.0000i
>> real_z=real(z)            % 实部
real_z =
      1
>> imag_z=imag(z)            % 虚部
imag_z =
      2
>> mag_z=abs(z)              % 模
mag_z =
    2.2361
>> angle_z=angle(z)          % 幅角（弧度）
angle_z =
    1.1071
>> angle_z=angle(z)*180/pi         % 幅角（角度）
angle_z =
   63.4349
```

例 2.16 用 MATLAB 7.x 求解复数的根：$\sqrt[5]{-16}$，并将这些根用图形表达出来。

```
>> % 直接求解复数的根
>> c=-16;
>> res_c=c^(1/5)
res_c =
   1.4086 + 1.0234i
>> % 构造多项式求解所有根
>> % p(r)=r^5-c
>> p=[1,0,0,0,0,-c];
>> r=roots(p)
r =
  -1.7411
  -0.5380 + 1.6559i
  -0.5380 - 1.6559i
   1.4086 + 1.0234i
   1.4086 - 1.0234i
>> % 通过图形表示根
```

```
>> mag=abs(r(1));
>> mag=abs(r(1));                % 计算复数的模
>> t=0:pi/30:2*pi;               % 产生 0~2π之间的参变量采样点
>> x=mag*sin(t);
>> y=mag*cos(t);
>> plot(x,y,'b'), grid on                % 绘制一个半径为 mag 的圆
>> hold on
>> plot(r(4),'.','MarkerSize',30,'color','r')      % 绘制第一个根
>> plot(r([1,:3, 5]),'o','MarkerSize',15,'color','b')      % 绘制其他根
>> axis([-3,3,-3,3]),axis square    % 图形按照 x 和 y 等比例绘制
>> hold off
```

例 2.16 表明，直接求解−16 的 5 次方根得到的是第一象限内的根。为得到−16 的 5 次方根的全部 5 个根，在例 2.16 中构造多项式函数得到了所有根。最后，通过使用 MATLAB 7.x 提供的绘图函数表示了得到的 5 个根，如图 2.4 所示。

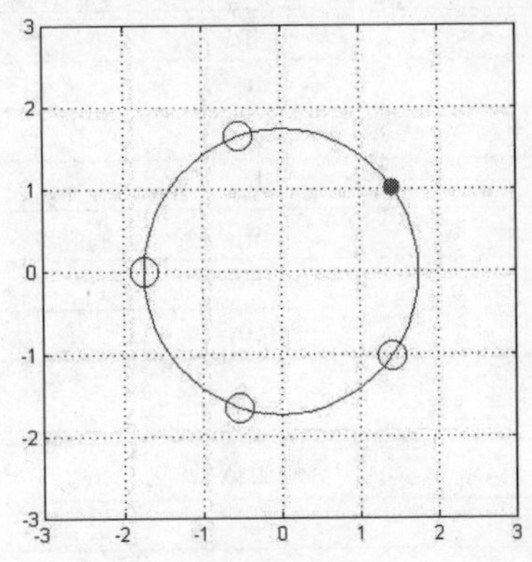

图 2.4　−16 开 5 次方根后的全部 5 个根的表示

2.3.5　常见的数学函数

MATLAB 7.x 提供了大量的数学函数，这些数学函数和大多数的数学函数的书写形式相同。需要注意的是，在利用这些数学函数求解时，角度都用弧度来表示。表 2.9～表 2.15 所示为常用的一些数学函数。

表 2.9　三角函数表

三角函数名	说　明
acos	反余弦函数
acosh	反双曲余弦函数
acot	反余切函数
acoth	反双曲余切函数
acsc	反余割函数
asec	反正割函数
asin	反正弦函数
asinh	反双曲正弦函数
atan	反正切函数
atan2	4 个象限内反正切
atanh	反双曲正切函数
cos	余弦函数
cosh	双曲余弦函数
cot	余切函数
coth	双曲余切函数
csc	余割函数
csch	双曲余割函数
sec	正割函数
sech	双曲正割函数

续表

三角函数名	说　明
Sin	正弦函数
sinh	双曲正弦函数
tan	正切函数
tanh	双曲正切函数

表 2.10　　指数函数表

指数函数名	说　明
^	乘方
exp	幂
ln	自然对数
lg	以 10 为底的对数
lb	以 2 为底的对数，分割浮点数
pow2	以 2 为底的幂，比例浮点数
sqrt	平方根
nextpow2	最小的 P，使得 2^P 不小于给定的 N

表 2.11　　复数函数表

复数函数名	说　明
abs	绝对值或复数的模
angle	用弧度表示的相角度
conj	共轭复数函数
imag	虚部
real	实部
unwrap	相角展开
isreal	如果是实数，则返回 true
cplxpair	将矢量按共轭复数对重新排列
complex	由实部和虚部组成复数

表 2.12　　舍入和余数函数表

舍入和余数函数名	说　明
fix	向 0 舍入
floor	向负无穷舍入
ceil	向正无穷舍入
round	向最接近的整数舍入
mod	模数取余
rem	对数法取余数
sign	符号函数

表 2.13　　坐标变换函数表

坐标变换函数名	说　明
cart2sph	笛卡尔坐标到球坐标变换函数
cartpol	笛卡尔坐标到柱坐标或极坐标变换函数
pol2cart	柱坐标或极坐标到球坐标转换函数
sph2cart	球坐标到笛卡尔坐标的变换函数

表 2.14　　数理函数表

数理函数名	说　明
factor	质数因子
isprime	如果是质数，则返回 true
primes	产生质数列数
gcd	最大公因子
lcm	最小公倍数
rat	有理逼近
rats	有理数输出
perms	所有可能的组合
nchoosek	从 *N* 个元素中一次取 *K* 个的所有组合数

表 2.15　　专用函数表

专用函数名	说　明
airy	airy 函数
besselj	第一类贝塞尔函数
bessely	第二类贝塞尔函数
besselh	第三类贝塞尔函数
besseli	经过修正后的第一类贝塞尔函数
besselk	经过修正后的第二类贝塞尔函数
beta	beta 函数
betainc	不完全 beta 函数
betaln	beta 函数的对数
ellipj	Jacobi 椭圆函数
ellipke	完全椭圆积分
erf	误差函数
erfc	互补误差函数
erfinv	比例互补误差函数
expint	误差函数的逆函数
gamma	gamma 函数
gammainc	不完全 gamma 函数
gammaln	gamma 函数的对数
legendre	legendre 伴随函数
cross	向量叉乘
dot	向量点乘

2.4　数　组

数组是 MATLAB 7.x 进行计算和处理的核心内容之一，出于快速计算的需要，MATLAB 7.x 总把数组看作存储和运算的基本单元，标量数据也被看作是（1×1）的数组。因此，数组的创建、寻址和操作就显得非常重要。MATLAB 7.x 提供了各种数组创建的方法和操作方法，使得 MATLAB 7.x 的数值计算和操作更加灵活和方便。数组创建和操作是 MATLAB 7.x 运算和操作的基础，针对不同维数的数组，MATLAB 7.x 提供了各种不同的数据创建方法，甚至还可以通过创建低维数组来得到高维数组。

2.4.1　一维数组的创建

概括而言，创建一维数组时，可以通过以下几种方法来进行。

（1）直接输入法：此时，可以直接通过空格、逗号和分号来分隔数组元素，在数组中输入任意的元素，生成一维数组。

（2）步长生成方法：*x=a:inc:b*，在使用这种方法创建一维数组时，*a* 和 *b* 为一维向量数组的起始数值和终止数值，*inc* 为数组的间隔步长；如果 *a* 和 *b* 为整数时，省略 *inc* 可以生成间隔为 1 的数列。根据 *a* 和 *b* 的大小不同，*inc* 可以采用正数，也可以采用负数来生成一维向量数组。

（3）等间距线形生成方法：*x*=linspace(*a*,*b*,*n*)，这种方法采用函数在 *a* 和 *b* 之间的区间内得到 *n* 个线形采样数据点。

（4）等间距对数生成方法：*x*=logspace(*a*,*b*,*n*)，采用这种方法时，在设定采样点总个数 *n* 的情况下，采用常用对数计算得到 *n* 个采样点数据值。

例 2.17　一维数组的创建。

```
>> A1=[0 pi 0.5*pi 0.7 1.5]          % 直接输入数据生成数组
A1 =
          0    3.1416    1.5708    0.7000    1.5000
>> A2=0:0.5:3                         % 步长生成方法
A2 =
          0    0.5000    1.0000    1.5000    2.0000    2.5000    3.0000
>> A3=linspace(1,6,7)                 % 等间距线形生成方法
A3 =
    1.0000    1.8333    2.6667    3.5000    4.3333    5.1667    6.0000
>> A4=logspace(1,6,7)                 % 等间距对数生成方法
A4 =
  1.0e+006 *
    0.0000    0.0001    0.0005    0.0032    0.0215    0.1468    1.0000
```

当创建数组后，对单个元素的访问，可以直接通过选择元素的索引来加以访问；如果访问数组内的一块数据，则可以通过冒号方式来进行访问；如果访问其中的部分数值，则可以通过构造访问序列或通过构造向量列表来加以访问。在访问数组元素的过程中，访问的索引数组必须是正整数，否则，系统将会提示一条警告信息。

例 2.18　访问数组的内容。

```
>> x=linspace(1,6,7)        % 创建一维数组
x =
    1.0000    1.8333    2.6667    3.5000    4.3333    5.1667    6.0000
>> x(5)      % 索引访问数组元素
ans =
    4.3333
>> x(1:5)   % 访问一块数据
ans =
    1.0000    1.8333    2.6667    3.5000    4.3333
>> x(3:end) % 访问一块数据
```

```
ans =
     2.6667    3.5000    4.3333    5.1667    6.0000
>> x(1:2:7) % 构造访问数组
ans =
     1.0000    2.6667    4.3333    6.0000
>> x([1 4 6 3 2 2])    % 直接构造访问数组
ans =
     1.0000    3.5000    5.1667    2.6667    1.8333    1.8333
>> x(3.2)
??? Subscript indices must either be real positive integers or logicals.
```

一维数组可以是一个行向量，也可以是一列多行的列向量。在定义的过程中，如果元素之间通过“;”分隔元素，那么生成的向量是列向量；而通过空格或逗号分隔的元素则为行向量。当然列向量和行向量之间可以通过转置操作“'”来进行相互之间的转化过程。但需要注意的是，如果一维数组的元素是复数，那么经过转置操作“'”后，得到的是复数的共轭转置结果，而采用点—共轭转置操作时得到的转置数组，并不进行共轭操作。

例 2.19 一维数组的方向。

```
>> A=[1;2;3;4;5]          % 生成列向量
A =
     1
     2
     3
     4
     5
>> B=A'                   % 生成 A 的转置向量
B =
     1     2     3     4     5
>> C=linspace(1,10,5)' % 生成新的列向量
C =
    1.0000
    3.2500
    5.5000
    7.7500
   10.0000
>> Z=A+C*i                % 生成复数向量
Z =
   1.0000 + 1.0000i
   2.0000 + 3.2500i
   3.0000 + 5.5000i
   4.0000 + 7.7500i
   5.0000 +10.0000i
>> Z1=Z'                  % 复数向量的共轭转置
Z1 =
  Columns 1 through 4
   1.0000 - 1.0000i   2.0000 - 3.2500i   3.0000 - 5.5000i   4.0000 - 7.7500i
  Column 5
   5.0000 -10.0000i
>> Z2=Z.'                 % 点—共轭转置
Z2 =
```

```
Columns 1 through 4
  1.0000 + 1.0000i    2.0000 + 3.2500i    3.0000 + 5.5000i    4.0000 + 7.7500i
Column 5
  5.0000 +10.0000i
```

2.4.2 多维数组的创建

对于二维数组和三维数组而言，创建方法和一维数组的创建方法不同。

二维数组（即矩阵）可以通过以下 3 种方法来创建。

（1）直接输入二维数组的元素来创建，此时，二维数组的行和列可以通过一维数组的方式来进行创建，不同行之间的数据可以通过分号进行分隔，同一行中的元素可以通过逗号或空格来进行分隔。

（2）通过 MATLAB 7.x 的 Array Editor 来输入二维数组。创建方法为，点击 New Variable 创建图标，此时系统在工作空间的变量列表中出现新的矩阵变量，用户可以改变该变量的名称。同时，在 MATLAB 7.x 的工作空间出现矩阵编辑器表格，可以直接输入矩阵的数据，如图 2.5 所示。

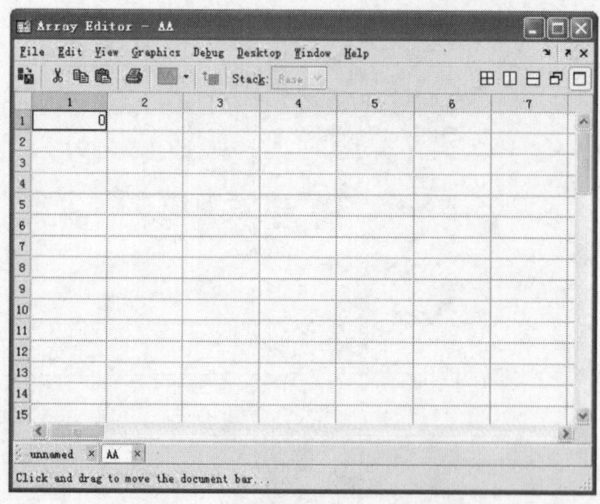

图 2.5　矩阵编辑器输入矩阵元素

（3）对于大规模的数据，可以通过数据表格方式来输入，此时可以单击选择工作空间的 Import Data 图标，选中已经编写好的矩阵数据文件后，导入到工作空间中。

（4）可以通过 MATLAB 7.x 所提供的其他函数来生成二维数组。

例 2.20　创建二维数组。

```
>> % 通过一维数组创建方法来创建二维数组
>> A=[1 2 3 4;linspace(0,5,4);1:2:7;3:6]
A =
    1.0000    2.0000    3.0000    4.0000
         0    1.6667    3.3333    5.0000
    1.0000    3.0000    5.0000    7.0000
    3.0000    4.0000    5.0000    6.0000
>> A=[1 2 3 4;linspace(0,5,4);1:2:7;3:7]
??? Error using ==> vertcat
All rows in the bracketed expression must have the same
number of columns.
```

```
>> B=[1 2 3
      4 5 6
      7 8 9]
B =
      1     2     3
      4     5     6
      7     8     9
```

在创建二维数组的过程中，需要严格保证所生成矩阵的行和列的数目相同。如果两者的数目不同，那么系统将会出现错误提示。此外，在直接生成矩阵的过程中，也可以通过按回车键来保证矩阵生成另一行元素。

多维数组（*n* 维数组），如在三维数组中存在行、列和页这样三维，即三维数组中的第三维称为页。在每一页中，存在行和列。在 MATLAB 7.x 中，可以创建更高维的 *n* 维数组。但实际上主要用到的还是三维数组。三维数组的创建方法有以下几种。

（1）直接创建方法。在生成过程中，可以选择使用 MATLAB 7.x 提供的一些内置函数来创建三维数组，如 zeros、ones、rand、randn 等。

（2）通过直接索引的方法进行创建。

（3）使用 MATLAB 7.x 的内置函数 reshape 和 repmat 将二维数组转换为三维数组。

（4）使用 cat 函数将低维数组转化为高维数组。

例 2.21 三维数组的创建。

```
>> A=zeros(3,4,2)          % 通过内置函数直接创建
A(:,:,1) =
      0     0     0     0
      0     0     0     0
      0     0     0     0
A(:,:,2) =
      0     0     0     0
      0     0     0     0
      0     0     0     0
>> % 通过直接索引方法创建
>> B=zeros(2,3)                       % 通过创建二维数组来扩展
B =
      0     0     0
      0     0     0
>> B(:,:,2)=ones(2,3)          % 向二维数组中添加二维数组来增加页
B(:,:,1) =
      0     0     0
      0     0     0
B(:,:,2) =
      1     1     1
      1     1     1
>> B(:,:,3)=4                         % 通过标量扩展得到三维数组的另外一页
B(:,:,1) =
      0     0     0
      0     0     0
B(:,:,2) =
      1     1     1
      1     1     1
```

```
B(:,:,3) =
     4     4     4
     4     4     4
>> % 通过 reshape 函数来创建或改变
>> C=reshape(B,2,9)              % 得到二维数组
C =
     0     0     0     1     1     1     4     4     4
     0     0     0     1     1     1     4     4     4
>> C=[B(:,:,1) B(:,:,2) B(:,:,3)]       % 直接扩展得到二维数组
C =
     0     0     0     1     1     1     4     4     4
     0     0     0     1     1     1     4     4     4
>> reshape(C,2,3,3)                             % 将得到的二维数组重新生成三维数组
ans(:,:,1) =
     0     0     0
     0     0     0
ans(:,:,2) =
     1     1     1
     1     1     1
ans(:,:,3) =
     4     4     4
     4     4     4
>> reshape(C,[3,2,3])                           % 替换的转换方法
ans(:,:,1) =
     0     0
     0     0
     0     0
ans(:,:,2) =
     1     1
     1     1
     1     1
ans(:,:,3) =
     4     4
     4     4
     4     4
>> % 通过 repmat 方法来创建三维数组
>> D=ones(3,2)              % 创建二维数组
D =
     1     1
     1     1
     1     1
>> repmat(D,[1,2,3])     % 得到高维数组
ans(:,:,1) =
     1     1     1     1
     1     1     1     1
     1     1     1     1
ans(:,:,2) =
     1     1     1     1
     1     1     1     1
     1     1     1     1
```

```
ans(:,:,3) =
     1     1     1     1
     1     1     1     1
     1     1     1     1
>> % 通过 cat 方法生成高维数组
>> X=zeros(2)
X =
     0     0
     0     0
>> Y=ones(2)
Y =
     1     1
     1     1
>> Z=repmat(2,2,2)
Z =
     2     2
     2     2
>> AA=cat(3,X,Y,Z)          % 在第三维上合并低维数组
AA(:,:,1) =
     0     0
     0     0
AA(:,:,2) =
     1     1
     1     1
AA(:,:,3) =
     2     2
     2     2
>> AA=cat(2,X,Y,Z)          % 在第二维上合并数组
AA =
     0     0     1     1     2     2
     0     0     1     1     2     2
>> AA=cat(1,X,Y,Z)          % 在第一维上合并数组
AA =
     0     0
     0     0
     1     1
     1     1
     2     2
     2     2
```

通过例 2.21 可以看出，三维数组可以通过多种方法进行创建。在利用内置函数创建过程中，关于这些函数的其他用法，读者可以通过 help 命令查找相应的帮助文件。

2.4.3　数组的运算

数组的运算包括数组和标量之间的运算，以及数组和数组之间的运算。对于数组和标量之间的运算，是标量和数组的元素之间直接进行数学运算，比较简单。对于数组和数组之间的运算关系，尤其是对于乘除运算和乘方运算，如果采用点方式进行计算，表明是数组的元素之间的运算关系，而如果是直接进行乘、除、乘方运算，那么则是向量或矩阵之间的运算关系。两者的意义完全不同。

此外，还需要注意的是，对于向量的除法运算，左除（\）和右除（/）的意义不同。两者之间除数和被除数是不同的。

例 2.22 二维数组的运算。

```
>> % 创建两个数组
>> A=[1:4;5:8;9:12]
A =
     1     2     3     4
     5     6     7     8
     9    10    11    12
>> B=[1 1 1 1;2 2 2 2;3 3 3 3]
B =
     1     1     1     1
     2     2     2     2
     3     3     3     3
>> % 矩阵元素点运算
>> A.*B
ans =
     1     2     3     4
    10    12    14    16
    27    30    33    36
>> A./B
ans =
    1.0000    2.0000    3.0000    4.0000
    2.5000    3.0000    3.5000    4.0000
    3.0000    3.3333    3.6667    4.0000
>> A.\B
ans =
    1.0000    0.5000    0.3333    0.2500
    0.4000    0.3333    0.2857    0.2500
    0.3333    0.3000    0.2727    0.2500
>> % 矩阵运算
>> A/B
Warning: Rank deficient, rank = 1,   tol = 5.3291e-015.
ans =
         0         0    0.8333
         0         0    2.1667
         0         0    3.5000
>> A\B
Warning: Rank deficient, rank = 2,   tol = 1.3293e-014.
ans =
   -0.0000   -0.0000   -0.0000   -0.0000
         0         0         0         0
         0         0         0         0
    0.2500    0.2500    0.2500    0.2500
>> % 矩阵乘方运算
>> A=[1 2 3;2 4 7;3 5 9]
A =
     1     2     3
     2     4     7
```

```
     3     5     9
>> A.^2
ans =
     1     4     9
     4    16    49
     9    25    81
>> A^2
ans =
    14    25    44
    31    55    97
    40    71   125
```

对于矩阵的加减运算以及其他点运算，都是针对矩阵的元素进行的。而对于乘、除、乘方运算则通过矩阵计算进行，关于更详细的数组和矩阵运算方面的内容，读者可以查阅矩阵运算方面的数学理论书籍。

2.4.4 常用的标准数组

MATLAB 7.x 中提供了一些函数，用来创建常见的标准数组。常用到的标准数组包括全 0 数组、全 1 数组、单位矩阵、随机矩阵、对角矩阵以及元素为指定常数的数组等。

表 2.16　　MATLAB 7.x 标准数组生成函数

函　数	说　明	用　法	备　注
eye	生成单位矩阵	y=eye(n) y=eye(m, n) y=eye(size(A)) eye(m, n, classname) eye([m, n], classname)	适用于生成二维矩阵
ones	生成全 1 数组	y=ones(n) y=ones(m, n) y=ones([m, n]) y=ones(m, n, p⋯) y= ones([m, n, p,⋯]) y=ones(size(A)) y=ones(m, n, ⋯, classname) y=ones([m, n, ⋯] , classname)	classname 用于指定生成数组的数据类型，可以选择 MATLAB 7.x 中的任何数据类型
rand	生成随机数组，数组元素均匀分布	y=rand y=rand(n) y=rand(m, n) y=rand([m, n]) y=rand(m, n, p,⋯) y=rand([m, n, p,⋯]) y=rand(size(A)) rand(method, s) s=rand(method)	method 用于指定函数所采用的方法，可以选择 state、seed、twister
randn	生成随机数组，数组元素服从正态分布	y=randn y=randn(n) y=randn(m, n) y=randn([m, n]) y=randn(m, n, p,⋯) y=randn([m, n, p,⋯]) y=randn(size(A)) randn(method, s) y=randn(method)	—

续表

函数	说明	用法	备注
zeros	生成全 0 数组	y=zeros(n) y=zeros(m, n) y=zeros([m, n]) y=zeros(m, n, p,…) y=zeros([m, n, p,…]) y=zeros(size(A)) zeros(m, n,…, classname) zeros([m, n,…], classname)	—

例 2.23 标准函数生成。

```
>> a=eye(3)
a =
     1     0     0
     0     1     0
     0     0     1
>> b=randn(3)
b =
   -0.4326    0.2877    1.1892
   -1.6656   -1.1465   -0.0376
0.1253    1.1909    0.3273
>> % 创建一维数组
>> A=1:4
A =
     1     2     3     4
>> % 创建二维对角数组
>> diag(A,1)
ans =
     0     1     0     0     0
     0     0     2     0     0
     0     0     0     3     0
     0     0     0     0     4
     0     0     0     0     0
>> diag(A,-2)
ans =
     0     0     0     0     0     0
     0     0     0     0     0     0
     1     0     0     0     0     0
     0     2     0     0     0     0
     0     0     3     0     0     0
     0     0     0     4     0     0
```

2.4.5 低维数组的寻址和搜索

数组中包含多个元素，在对数组的单个元素或多个元素进行访问时，需要对数组进行寻址操作。MATLAB 7.x 提供了强大的功能函数，可以用于确定感兴趣的数组元素的脚标，插入、提取和重排数组的子集。这些寻址技术参见表 2.17。

表 2.17 数组寻址技术

寻址方法	说明
A(r, c)	用定义的 r 和 c 索引向量来寻找 A 的子数组
A(r, :)	用 r 向量定义的行和对应于行的列得到 A 的子数组
A(:, c)	用 c 向量定义的列和对应于列的行得到 A 的子数组
A(:)	用列向量方式来依次寻址数组 A 的所有元素。如果 A(:)出现在等号的左侧，表明用等号右侧的元素来填充数组，而 A 的形状不发生变化
A(k)	用单一索引向量 k 来寻找 A 的子数组
A(x)	用逻辑数组 x 来寻找 A 的子数组，x 的维数和 A 的维数必须一致

下面通过例子来说明这些寻址技术的用法。

例 2.24 数组的寻址。

```
>> % 创建二维数组
>> A=[1 2 3 4;5 6 7 8;9 10 11 12]
A =
     1     2     3     4
     5     6     7     8
     9    10    11    12
>> A(3,3)=0          %设置二维数组的元素数值
A =
     1     2     3     4
     5     6     7     8
     9    10     0    12
>> A(:,3)=4          % 改变二维数组的一列元素数值
A =
     1     2     4     4
     5     6     4     8
     9    10     4    12
>> B=A(3:-1:1,1:3)      % 通过寻址方式创建新的二维数组
B =
     9    10     4
     5     6     4
     1     2     4
>> C=A([1 3],1:2)       % 通过列向量来创建二维数组
C =
     1     2
     9    10
>> D=A(:)                       % 通过提取 A 的各列元素延展成列向量
D =
     1
     5
     9
     2
     6
    10
     4
     4
     4
     4
```

```
     8
     12
>> X=reshape(A,2,6)      % 通过 reshape 函数生成新的数组
X =
     1     9     6     4     4     8
     5     2    10     4     4    12
>> B(:,2)=[]             % 通过空赋值语句删除数组元素
B =
     9     4
     5     4
     1     4
```

排序是数组操作的一个重要方面。MATLAB 7.x 提供了 sort 函数来进行排序。对于 sort 函数的具体使用方法，读者可以通过 help sort 语句来加以查询。在进行一维数组排序时，默认的排序方式为升序排列。如果需要降序排列，则可以在 sort 函数的第二个参数处以 descend 来代替。

例 2.25 一维数组排序。

```
>> % 一维数组排序
>> A=randn(1,8)
A =
   -0.4326   -1.6656    0.1253    0.2877   -1.1465    1.1909    1.1892   -0.0376
>> [As,idx]=sort(A,'ascend')          % 升序排列
As =
   -1.6656   -1.1465   -0.4326   -0.0376    0.1253    0.2877    1.1892    1.1909
idx =
     2     5     1     8     3     4     7     6
```

在二维数组进行排序时，sort 函数只对数组的列进行排序。一般情况下，用户只关心对某一列的排序问题，此时可以通过一定的方式来进行重新排序。如果对行进行排序，则需要为 sort 函数提供第二个参数 2。

例 2.26 二维数组的排序。

```
>> % 二维数组排序
>> A=randn(3,4)
A =
    0.3273    0.7258   -0.1364    0.0593
    0.1746   -0.5883    0.1139   -0.0956
   -0.1867    2.1832    1.0668   -0.8323
>> [As,idx]=sort(A)
As =
   -0.1867   -0.5883   -0.1364   -0.8323
    0.1746    0.7258    0.1139   -0.0956
    0.3273    2.1832    1.0668    0.0593
idx =
     3     2     1     3
     2     1     2     2
     1     3     3     1
>> % 对某一列进行排序
>> [tmp,idx]=sort(A(:,3));       % 第三列进行排序
>> As=A(idx,:)                    % 利用 idx 向量来重新排序
As =
    0.3273    0.7258   -0.1364    0.0593
```

```
    0.1746   -0.5883    0.1139   -0.0956
   -0.1867    2.1832    1.0668   -0.8323
>> % 对行进行排序
>> As=sort(A,2)
As =
   -0.1364    0.0593    0.3273    0.7258
   -0.5883   -0.0956    0.1139    0.1746
   -0.8323   -0.1867    1.0668    2.1832
```

在 MATLAB 7.x 中，子数组搜索功能可以通过系统提供的 find 函数来搜索，可以返回符合条件的数组的索引数值，对于二维数组可以返回两个下标数值。关于搜索的其他命令，用户可以通过 help find 来查询。下面的例子对其中一些搜索方法进行介绍。

例 2.27 子数组搜索。

```
>> % 一维数组搜索
>> A=-3:3
A =
    -3    -2    -1     0     1     2     3
>> k=find(A>0)       % 搜索元素数值大于 0 的元素
k =
     5     6     7
>> % 二维数组搜索
>> B=[1 2 3;4 5 6;7 8 9]
B =
     1     2     3
     4     5     6
     7     8     9
>> [i,j]=find(B>5)  % 按照双索引值搜索大于 5 的元素
i =
     3
     3
     2
     3

j =
     1
     2
     3
     3
>> k =find(B>5)    % 按照单一索引值来搜索
k =
     3
     6
     8
     9
>> % 其他搜索命令
>> x=randperm(8)
x =
     8     2     7     4     3     6     5     1
>> find(x>5)
ans =
     1     3     6
```

```
>> find(x>5,1)      % 搜索第一个大于 5 的元素
ans =
     1
>> find(x>5,2,'last')   % 搜索后两个数值大于 5 的元素
ans =
     3     6
```

如果搜索最大最小值，那么可以使用 max 和 min 函数来进行搜索。如果搜索的是二维数组，那么这两个函数返回每一列的最大值或最小值。

例 2.28　搜索最大最小值。

```
>> % 搜索二维数组的最大最小值
>> A=rand(4,5)
A =
    0.8214    0.9218    0.9355    0.0579    0.1389
    0.4447    0.7382    0.9169    0.3529    0.2028
    0.6154    0.1763    0.4103    0.8132    0.1987
    0.7919    0.4057    0.8936    0.0099    0.6038
>> [mx,rx]=max(A)             % 搜索每一列的最大值
mx =
    0.8214    0.9218    0.9355    0.8132    0.6038
rx =
     1     1     1     3     4
>> [mn,rx]=min(A)             % 搜索每一列的最小值
mn =
    0.4447    0.1763    0.4103    0.0099    0.1389
rx =
     2     3     3     4     1
```

2.4.6　低维数组的处理函数

低维数组的处理函数如表 2.18 所示。表中的一些函数在前面的章节中已经作过一些介绍，如 reshape、repmat 等。

表 2.18　低维数组的处理函数

函　数	说　明
fliplr	以数组的垂直中线为对称轴，交换左右对称位置上的数组元素
flipud	以数组的水平中线未对称轴，交换数组上下对称位置上的数组元素
rot90	按逆时针对数组进行旋转
circshift	循环移动数组的一行或一列
reshape	结构变换函数，交换前后函数的元素个数相等
diag	对角线元素提取函数
triu	保留方阵的上三角，构成上对角方阵
tril	保留方阵的下三角，构成下对角方阵
kronecker	两个数组的 kronecker 乘法，构成新的数组
repmat	数组复制生成函数

例 2.29　矩阵的形式转换。

```
>> % 数组的形式转换
>> A=[1:4;5 6 7 8;9:12]
```

```
A =
     1     2     3     4
     5     6     7     8
     9    10    11    12
>> B=fliplr(A)      % 左右对称变换
B =
     4     3     2     1
     8     7     6     5
    12    11    10     9
>> C=flipud(A)      % 上下对称变换
C =
     9    10    11    12
     5     6     7     8
     1     2     3     4
>> D=rot90(A)       % 旋转 90°
D =
     4     8    12
     3     7    11
     2     6    10
     1     5     9
>> E=rot90(D)       % 旋转 90°
E =
    12    11    10     9
     8     7     6     5
     4     3     2     1
>> % 循环移动行或列
>> circshift(A,1)          % 循环移动第一行
ans =
     9    10    11    12
     1     2     3     4
     5     6     7     8
>> circshift(A,[0 1])          % 循环移动第一列
ans =
     4     1     2     3
     8     5     6     7
    12     9    10    11
>> circshift(A,[-1 1])          % 循环移动行和列
ans =
     8     5     6     7
    12     9    10    11
     4     1     2     3
>> % 选取对角元素
>> diag(A,1)
ans =
     2
     7
    12
>> % 选取上三角矩阵
>> tril(A)
ans =
```

```
        1     0     0     0
        5     6     0     0
        9    10    11     0
>> tril(A,1)
ans =
        1     2     0     0
        5     6     7     0
        9    10    11    12
>> % 选取下三角矩阵
>> triu(A)
ans =
        1     2     3     4
        0     6     7     8
        0     0    11    12
>> triu(A,2)
ans =
        0     0     3     4
        0     0     0     8
        0     0     0     0
```

在后面的选取对角元素和上、下三角矩阵时，所定义的第二个参数是以对角线为 k=0 的起始对角线，向上三角方向移动时，k 的数值增大；而向下三角方向移动时，k 的数值减小。此外，对于非方阵的矩阵，对角线以过第一个元素的方阵的对角线为对角线的起始位置。

例 2.30 矩阵的 kronecker 乘法。

```
>> % kronecker 乘法
>> A=[1 2;3 4]
A =
        1     2
        3     4
>> I=eye(3)
I =
        1     0     0
        0     1     0
        0     0     1
>> kron(A,I)
ans =
        1     0     0     2     0     0
        0     1     0     0     2     0
        0     0     1     0     0     2
        3     0     0     4     0     0
        0     3     0     0     4     0
        0     0     3     0     0     4
>> kron(I,A)
ans =
        1     2     0     0     0     0
        3     4     0     0     0     0
        0     0     1     2     0     0
        0     0     3     4     0     0
        0     0     0     0     1     2
        0     0     0     0     3     4
```

对于 kron 函数执行的是 kronecker 的张量乘法运算，即将第一个参数数组的每一个元素和第二个参数数组相乘，形成一个分块矩阵。上面的例子同样也说明 kronecker 张量乘法具有不可交换性。

2.4.7 高维数组的处理和运算

随着数组的维数增加，数组的运算和处理就会变得越来越困难，在 MATLAB 7.x 中提供了一些函数可以进行这些高维数组的处理和运算。此处对高维数组（主要介绍三维数组）的一些处理和运算函数进行介绍。常见的高维数组处理和运算函数如表 2.19 所示。

表 2.19 高维数组的处理和运算函数

函 数	说 明
squeeze	用此函数来消除数组中的“孤维”，即大小等于 1 的维，从而起到降维作用
sub2ind	将下标转换为单一索引数值
ind2sub	将数组的单一索引数值转换为数组的下标
flipdim	沿着数组的某个维轮换顺序，第二个参数为变换的对称面
shiftdim	维序号循环轮换移动
permute	对多维数组进行广义共轭转置操作
ipermute	取消转置操作
size	获取数组的维数大小数值

例 2.31 高维数组的处理和操作。

```
>> % 高维数组的降维操作
>> A=[1 2 3 4;5 6 7 8;9 10 11 12]
A =
     1     2     3     4
     5     6     7     8
     9    10    11    12
>> B=reshape(A,[2 2 3]);
>> C=cat(4,B(:,:,1),B(:,:,2),B(:,:,3))
C(:,:,1,1) =
     1     9
     5     2
C(:,:,1,2) =
     6     3
    10     7
C(:,:,1,3) =
    11     8
     4    12
>> D=squeeze(C)                    % 降维操作
D(:,:,1) =
     1     9
     5     2
D(:,:,2) =
     6     3
    10     7
D(:,:,3) =
    11     8
```

```
     4    12
>> % 索引转换
>> sub2ind(size(D),1,2,3)
ans =
    11
>> [i,j,k]=ind2sub(size(D),11)
i =
     1
j =
     2
k =
     3
>> % flipdim 函数操作
>> D
D(:,:,1) =
     1     9
     5     2
D(:,:,2) =
     6     3
    10     7
D(:,:,3) =
    11     8
     4    12
>> flipdim(D,1)          % 按行进行翻转
ans(:,:,1) =
     5     2
     1     9
ans(:,:,2) =
    10     7
     6     3
ans(:,:,3) =
     4    12
    11     8
>> flipdim(D,2)          % 按列进行翻转
ans(:,:,1) =
     9     1
     2     5
ans(:,:,2) =
     3     6
     7    10
ans(:,:,3) =
     8    11
    12     4
>> flipdim(D,3)          % 按页进行翻转
ans(:,:,1) =
    11     8
     4    12
ans(:,:,2) =
     6     3
    10     7
```

```
ans(:,:,3) =
     1     9
     5     2
>> % shiftdim 函数的操作
>> shiftdim(D,1)          % 移动一维
ans(:,:,1) =
     1     6    11
     9     3     8
ans(:,:,2) =
     5    10     4
     2     7    12
>> % permute 函数和 ipermute 函数操作
>> E=permute(D,[3 2 1])
E(:,:,1) =
     1     9
     6     3
    11     8
E(:,:,2) =
     5     2
    10     7
     4    12
>> F=ipermute(E,[3,2,1])
F(:,:,1) =
     1     9
     5     2
F(:,:,2) =
     6     3
    10     7
F(:,:,3) =
    11     8
     4    12
```

2.5 单元数组和结构体

单元数组（cell array）和结构体（structure）都可以将不同类型的相关数据集成到一个单一的变量中，使得大量的相关数据的处理变得非常简单而且方便。但是，需要注意的是，单元数组和结构体只是承载其他数据类型的容器，大部分的数学运算则只针对两者之中具体的数据进行，而不是针对单元数组或结构体本身而进行。

单元数组中的每一个单元是通过一个数字来进行索引的，但用户需要加入到一个单元中或者从一个单元中提取数据时，需要给出单元数组中该单元的索引。结构体和单元数组十分相似，两者之间的主要区别在于，结构体中的数据存储并不是由数字来标示的，而是通过结构体中的名称来进行标示的。

2.5.1 单元数组的创建和操作

单元数组中的每一个元素称为单元（cell），单元中可以包含任何类型的 MATLAB 数据，

即可以是数组、字符、符号对象、单元数组或结构体等。理论上，单元数组可以创建任意维数的单元数组，大多数情况下，为简单起见，创建简单的单元数组（如一维单元数组）。单元数组的创建方法可以分为两种，通过赋值语句直接创建；或通过 cell 函数首先为单元数组分配内存空间，然后再对每个单元进行赋值。如果在工作空间内的某个变量名与所创建的单元数组同名，那么此时则不会对单元数组赋值。

直接通过赋值语句创建单元数组时，可以采用两种方法来进行，即按单元索引法和按内容索引法。按单元索引法赋值时，采用标准数组的赋值方法，赋值时赋给单元的数值通过花括号（{}）将单元内容括起来。按内容索引法赋值时，将花括号写在等号左边，即放在单元数组名称后。下面通过例子说明这两种赋值方法。

例 2.32　单元数组的创建。

```
>> clear A   % 保证赋值的单元数组名称不重名
>> % 按单元索引法赋值
>> A(1,1)={[1 3 5;2 4 6;1 4 7]};
>> A(1,2)={3+5i};
>> A(2,1)={'Tsinghua in Beijing'};
>> A(2,2)={0:pi/5:pi};
>> A
A =
                 [3x3 double]      [3.0000 + 5.0000i]
     'Tsinghua in Beijing'              [1x6 double]
>> % 按内容索引法赋值
>> B{1,1}=[1 2 3;4 5 6;7 8 9];
>> B{1,2}=2+3i;
>> B{2,1}='Beijing Univ.';
>> B{2,2}=1:2:13;
>> B
B =
        [3x3 double]      [2.0000 + 3.0000i]
     'Beijing Univ.'              [1x7 double]
```

按单元索引法和按内容索引法所创建的单元数组是等效的。但需要注意的是，用花括号可以访问单元数组单元的内容，而圆括号则只用于表示单元数组的单元而不显示单元数组单元的内容。如果需要将单元数组的所有内容都显示出来，则可以采用 celldisp 函数来强制显示单元数组的所有内容。

例 2.33　单元数组内容的显示。

```
>> B{2,2}
ans =
     1     3     5     7     9    11    13
>> B(2,2)           % 圆括号只用于表示单元而不显示内容
ans =
    [1x7 double]
>> B{2,2}           % 花括号可以显示单元的内容
ans =
     1     3     5     7     9    11    13
>> A{2,:}           % 显示第二行的单元内容
ans =
Tsinghua in Beijing
```

```
ans =
            0      0.6283      1.2566      1.8850      2.5133      3.1416
>> A(2,:)
ans =
    'Tsinghua in Beijing'       [1x6 double]
```

单元数组创建的另一种方法是通过 cell 函数来进行创建。在创建时，可以采用 cell 函数生成空的单元数组，为单元数组分配内存，然后，再向单元数组内存储内容。存储数据时，可以采用按内容赋值法或采用按单元索引法来进行赋值。使用方法和前面的介绍相同。

例 2.34　通过 cell 函数为单元数组赋值。

```
>> D=cell(2,3)
D =
     []      []      []
     []      []      []
>> D{1,1}=randperm(5)
D =
    [1x5 double]      []    []
              []      []    []
>> D{1,2}='Peking University'
D =
    [1x5 double]    'Peking University'    []
              []                     []    []
>> D(2,3)={[1 2;3 4]}
D =
    [1x5 double]    'Peking University'               []
              []                     []     [2x2 double]
```

单元数组还可以通过扩展的方法来得到进一步的扩展。如利用方括号将多个单元数组组合在一起，从而形成维数更高的单元数组。如果想要获得单元数组子单元的内容，则可以利用数组索引的方法，将一个数组的子集提取出赋予新的单元数组。删除单元数组中的某一部分内容时，可以将这部分内容设置为空数组，即可删除单元数组中的这部分内容。

例 2.35　单元数组的操作。

```
>> A                  % 显示前面定义的单元数组内容
A =
              [3x3 double]      [3.0000 + 5.0000i]
    'Tsinghua in Beijing'             [1x6 double]
>> B                  % 显示前面定义的单元数组 B 的内容
B =
        [3x3 double]     [2.0000 + 3.0000i]
    'Beijing Univ.'            [1x7 double]
>> C=[A;B]            % 合并得到更大的单元数组
C =
              [3x3 double]      [3.0000 + 5.0000i]
    'Tsinghua in Beijing'             [1x6 double]
              [3x3 double]      [2.0000 + 3.0000i]
          'Beijing Univ.'             [1x7 double]
>> E=C([1 4],:)          % 由第一行和第四行得到新的单元数组
E =
        [3x3 double]     [3.0000 + 5.0000i]
    'Beijing Univ.'            [1x7 double]
```

```
    >> C(3,:)=[]                      % 删除第三行的内容
C =
            [3x3 double]      [3.0000 + 5.0000i]
    'Tsinghua in Beijing'           [1x6 double]
          'Beijing Univ.'           [1x7 double]
```

在单元数组的操作中，可以利用 reshape 函数来改变单元数组的结构。经过 reshape 函数对单元数组进行处理后，单元数组的内容并不增加或减小，即单元数组改变前后的总单元数目并不发生变化。

另一个可以对单元数组进行处理的函数是 repmat，该函数用于复制单元数组。

例 2.36 改变单元数组的结构。

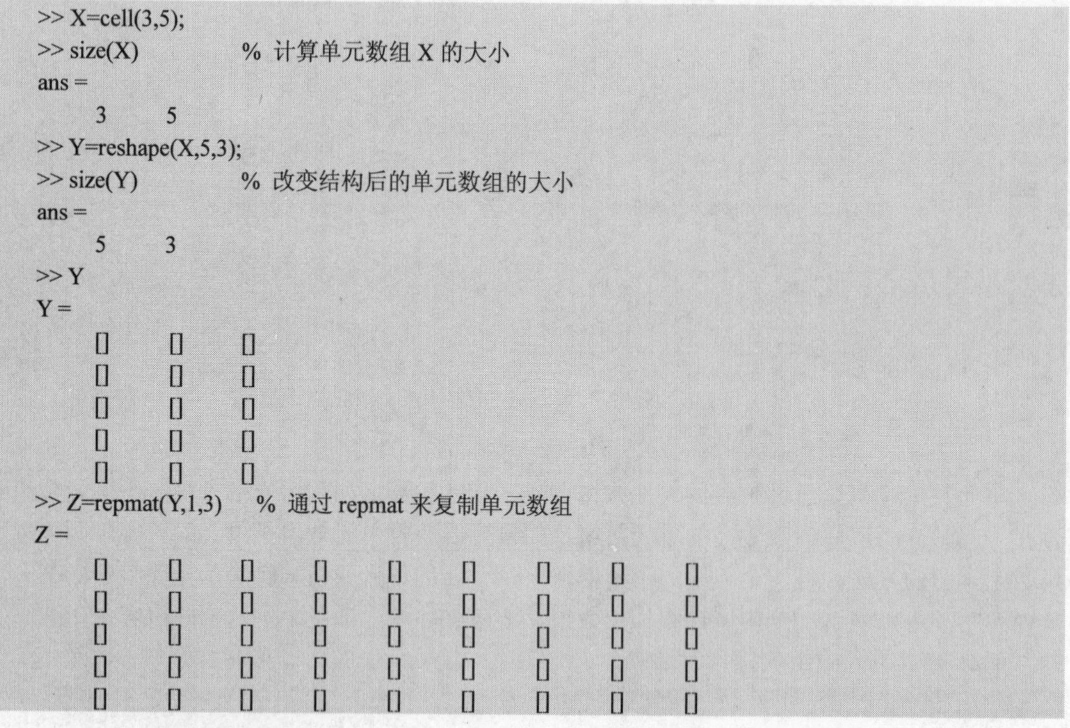

```
>> X=cell(3,5);
>> size(X)              % 计算单元数组 X 的大小
ans =
     3     5
>> Y=reshape(X,5,3);
>> size(Y)              % 改变结构后的单元数组的大小
ans =
     5     3
>> Y
Y =
     []     []     []
     []     []     []
     []     []     []
     []     []     []
     []     []     []
>> Z=repmat(Y,1,3)      % 通过 repmat 来复制单元数组
Z =
     []     []     []     []     []     []     []     []     []
     []     []     []     []     []     []     []     []     []
     []     []     []     []     []     []     []     []     []
     []     []     []     []     []     []     []     []     []
     []     []     []     []     []     []     []     []     []
```

2.5.2 单元数组函数

MATLAB 7.x 提供了单元数组的处理函数，下面对其中的一些进行简单的归纳和介绍，如表 2.20 所示。

表 2.20　　单元数组函数

函　数	说　明
cell	生成一个空的单元数组，然后再向其中添加数据
celldisp	显示单元数组的所有单元的内容
iscell	判断是否为单元数组
isa	判断是否为单元数组的一个单元
deal	将多个单元的数据取出来后赋予一个独立的单元数组变量
cellfun	将一个指定的函数应用到一个单元数组的所有单元
num2cell	从一个数组中提取指定元素，填充到单元数组

例 2.37　单元数组函数示例。

```
>> % 单元数组函数
>> B={[1 2],'Piao Ying';3+3*i,5}
B =
     [1x2 double]     'Piao Ying'
     [1x4 double]     [          5]
>> y=B(2,2)
y =
     [5]
>> iscell(y)          % 单元数组函数
ans =
      1
>> isa(y,'cell')      % 单元数组函数
ans =
      1
>> isa(y,'double')   % isa 函数
ans =
      0
>> a=ones(2,3);
>> b=zeros(2,1);
>> c=(5:6)';
>> F={a b c}
F =
     [2x3 double]     [2x1 double]     [2x1 double]
>> celldisp(F)        % 显示单元数组的内容
F{1} =
      1     1     1
      1     1     1
F{2} =
      0
      0
F{3} =
      5
      6
>> [r,s,t]=deal(F{:})      % deal 函数操作
r =
      1     1     1
      1     1     1
s =
      0
      0
t =
      5
      6
>> cellfun('isreal',F)      % cellfun 函数操作
ans =
      1     1     1
>> % num2cell 函数
>> a=randn(3,4)
a =
```

```
   -0.4326      0.2877      1.1892      0.1746
   -1.6656     -1.1465     -0.0376     -0.1867
    0.1253      1.1909      0.3273      0.7258
>> b=num2cell(a,1)
b =
    [3x1 double]    [3x1 double]    [3x1 double]    [3x1 double]
>> c=num2cell(a)
c =
    [-0.4326]    [ 0.2877]    [ 1.1892]    [ 0.1746]
    [-1.6656]    [-1.1465]    [-0.0376]    [-0.1867]
    [ 0.1253]    [ 1.1909]    [ 0.3273]    [ 0.7258]
```

2.5.3 结构体创建

结构体（structure）和单元数组非常相似，也是将不同类型的数据集中在一个单独变量中，结构体通过字段（fields）来对元素进行索引，在访问时只需通过点号来访问数据变量。结构体可以通过两种方法进行创建，即通过直接赋值方式创建或通过 struct 函数来创建。

例 2.38 创建结构体。

```
>> % 直接赋值方法创建结构体
>> circle.radius=3.0;
>> circle.center=[0 0];
>> circle.color='red';
>> circle.linestyle='--'
circle =
         radius: 3
         center: [0 0]
          color: 'red'
      linestyle: '--'
>> % 添加第二个结构体元素使之成为结构体数组
>> circle(2).radius=5.0;
>> circle(2).center=[1 1];
>> circle(2).color='blue';
>> circle(2).linestyle='...'
circle =
1x2 struct array with fields:
    radius
    center
    color
    linestyle
>> % 为结构体添加新的字段，其他元素自动获得该字段，但需要赋值
>> circle(1).filled='yes'
circle =
1x2 struct array with fields:
    radius
    center
    color
    linestyle
    filled
>> % 显示 filled 字段的内容
>> circle.filled
```

```
ans =
yes
ans =
    []
>> % 用 struct 函数创建
>> data1={3.0,5.0,'sqrt(7)'};
>> data2={[0,0] [1 1] [3 5]};
>> data3={'--' '...' '-.-.'};
>> data4={'red' 'blue' 'yellow'};
>> data5={'yes' 'no' 'no'};
>> circle=struct('radius',data1,'center',data2,'linestyle',data3,...
                 'color',data4,'filled',data5)
circle =
1x3 struct array with fields:
     radius
     center
     linestyle
     color
     filled
```

2.5.4 结构体函数

结构体函数作为一种特殊的数组类型，具有和数值型数组和单元数组相同的处理方式。通过这些结构体处理函数，可以很方便地对结构体数据进行处理。MATLAB 7.x 中提供了一些常用的处理函数，如表 2.21 所示。

表 2.21　　结构体函数

函　数	说　明
,	获取多个结构体数组元素的值
cat	提取结构体数据后依次排列
deal	提取多个元素的数值赋予不同的变量，或对结构体字段赋值
fieldnames	返回结构体的字段名
isfield	判断一个字段名是否为指定结构体中的字段名
class	判断一个变量是否为结构体变量，输出类型名
isstruct	和 class 一样，判断一个变量是否为结构体变量，输出逻辑值
rmfield	删除结构体的字段
orderfield	对结构体的字段进行排序

例 2.39　结构体函数示例。

```
>> % 结构体函数示例（采用前面的结构）
>> circle
circle =
1x3 struct array with fields:
     radius
     center
     linestyle
     color
     filled
>> center=cat(1,circle.center)          % cat 函数
```

```
center =
     0     0
     1     1
     3     5
>> [c1,c2,c3]=deal(circle.color)    % 提取结构体中的元素
c1 =
red
c2 =
blue
c3 =
yellow
>> [circle.radius]=deal(13,27,36)   % 为结构体的字段赋值
circle =
1x3 struct array with fields:
    radius
    center
    linestyle
    color
    filled
>> circle.radius
ans =
    13
ans =
    27
ans =
    36
>> fieldnames(circle)               % 获取字段名
ans =
    'radius'
    'center'
    'linestyle'
    'color'
    'filled'
>> isfield(circle,'radius')         % 判断是否为字段
ans =
     1
>> orderfields(circle)              % 字段排序
ans =
1x3 struct array with fields:
    center
    color
    filled
    linestyle
    radius
>> circle_new=rmfield(circle,'filled')     % 删除字段
circle_new =
1x3 struct array with fields:
    radius
    center
    linestyle
    color
```

2.6 字　符　串

在 MATLAB 7.x 中，字符串是用单引号对括起来的一系列字符的组合，其中每个字符都是字符串的一个元素，通常通过两个字节来存储。

2.6.1 字符串创建和简单操作

字符串的创建比较简单，通过一对单引号括起来一系列字符串即可。在字符串的操作和创建中有一些常用的函数，对于字符串的操作非常有用，如表 2.22 所示。

表 2.22　　字符串常见操作函数

函　数	说　明
size	查看字符串的大小
whos	可以查看工作空间内的所有变量，包括字符串的详细信息
double, abs	查看字符串的 ASCII 值大小
char	将字符串的 ASCII 值转化为字符，生成字符串数组
disp	显示字符串的内容
strvcat	生成字符串数组，忽略输入的空字符
strcat	如果字符串行数相同，水平方向连接字符串，较短的补充空格保证相等
deblank	消除所提取字符串中的空格符号

例 2.40　字符串创建和简单操作。

```
>> % 创建字符串数组
>> t='pku is a famous university.'
t =
pku is a famous university.
>> size(t)          % 显示字符串大小
ans =
     1    27
>> whos              % 显示工作空间的变量信息
  Name         Size                    Bytes  Class
  ans          1x2                        16  double array
  t            1x27                       54  char array
Grand total is 29 elements using 70 bytes
>> % 显示字符串的 ASCII 码
>> u=double(t)
u =
  Columns 1 through 18
   112   107   117    32   105   115    32    97    32   102    97   109   111   117
115    32   117   110
  Columns 19 through 27
   105   118   101   114   115   105   116   121    46
>> abs(t)
ans =
  Columns 1 through 18
```

```
    112   107   117    32   105   115    32    97    32   102    97   109   111   117
115    32   117   110
   Columns 19 through 27
    105   118   101   114   115   105   116   121    46
>> % 将字符串的 ASCII 码转化为字符
>> char(u)
ans =
pku is a famous university.
>> % 显示字符串内容
>> disp(t)
pku is a famous university.
>> % 字符串数组
>> char('apple','banana','pear','','orange')
ans =
apple
banana
pear

orange
>> strvcat('apple','banana','pear','','orange')
ans =
apple
banana
pear
orange
```

在字符串的常用操作中，常常需要将一个数值数组转化为一个字符串，或反之将字符串转化为一个数值数组。MATLAB 7.x 提供了一些操作函数，如表 2.23 所示。

表 2.23　　数字和字符串转换函数

函　数	说　明
int2str	将整数数组转换为字符数组
num2str	将非整数数组转换为字符数组
mat2str	将输入转换为 MATLAB 7.x 的输入语法形式
fprintf	将数值结果转化为 ASCII 字符格式，输出到指定数据文件，否则输出到命令窗口中显示
sprintf	和 fprintf 函数一样，但生成一个字符串数组
sscanf	和 sprintf 的操作相反，根据格式指示符从字符串中读取数据
str2num	可以实现字符串到数字的转换，但是转化效率稍低。如果字符串中包含变量名，那么不能进行转换
str2double	将一个字符串转化为一个双精度数值，限制数值的范围

例 2.41　数字和字符串间的转换。

```
>> % 字符串转化函数（以 mat2str 函数为例）
>> u=mat2str(pi*eye(2))
u =
[3.14159265358979 0;0 3.14159265358979]
>> size(u)
ans =
     1    39
>> % frpintf 函数
```

```
>> fprintf('%.5e',pi^2);
9.86960e+000
>> % sprintf 函数
>> i=9;
>> jobNo=sprintf('work%.0f.dat',i)
jobNo =
work9.dat
>> % sscanf 函数从字符串中提出数值
>> v=version              % 获取版本号
v =
7.1.0.246 (R14) Service Pack 3
>> sscanf(v,'%f')
ans =
    7.1000
         0
    0.2460
>> sscanf(v,'%d')
ans =
     7
>> % str2double
>> str2double('2.4-3.7*j')
ans =
   2.4000 - 3.7000i
>> % str2num 函数
>> x=sqrt(3);
>> s='[sqrt(7) j; exp(1) x-pi]' % 带变量的字符串
s =
[sqrt(7) j; exp(1) x-pi]
>> str2num(s)
ans =
     []
>> s='[sqrt(7) j; exp(1) sqrt(7)-pi]' % 带变量的字符串
s =
[sqrt(7) j; exp(1) sqrt(7)-pi]
>> str2num(s)
ans =
   2.6458                  0 + 1.0000i
   2.7183            -0.4958
```

在使用 fprintf、sprintf 时，需要指定字符串的转换格式，读者可以通过在命令窗口输入 help sprintf 来查询相关的格式，表 2.24 中给出了一些简单的格式示例。

表 2.24　　数值数据的格式

函数命令	输出结果	说明
sprintf('%.5e',sqrt(5))	2.23607e+000	科学计数法，%.xe 表示小数点后 x 位小数
sprintf('%.5f',sqrt(5))	2.23607	浮点数表示，%.xf 表示小数点后 x 位小数
sprintf('%.5g',sqrt(5))	2.2361	e 和 f 格式表示的数据中位数较小者，%.xg 表示 x 位有效数字表示
sprintf('%8.5g',sqrt(5))	2.2361	格式中，%y.xg，y 表示数值格式的宽度为 y 位，小数点后保留 x 位数据，如果小数点后的位数超过数值格式的宽度，则忽略小数点位数的显示

字符串比较和判断是字符串操作中一项比较重要的内容。此处对 MATLAB 7.x 所提供的这些函数进行小结和介绍。表 2.25 所示为常用的一些字符串比较和判断函数。

表 2.25　字符串比较和判断函数

函　数	说　明
ischar(s)	判断 s 是否是字符串，返回逻辑值 true 或 false
iscellstr(c)	判断 c 是否是字符串单元数组，返回逻辑值 true 或 false
isletter(s)	判断 s 是否是字母，返回逻辑值 true 或 false
isspace(s)	判断 s 是否是空格，返回逻辑值 true 或 false
isstrprop(s, 'property')	判断 s 是否为给定属性，返回逻辑值 true 或 false
strcmp(s1, s2)	判断两个字符串 s1 和 s2 是否相同，返回 true 或 false
strncmp(s1, s2, n)	判断两个字符串 s1 和 s2 的前 n 个字符串是否相同，返回 true 或 false
strncmpi(s1, s2)	判断两个字符串是否相同（忽略大小写），返回 true 或 false
strncmpi(s1, s2, n)	判断两字符串前 n 个字符是否相同（忽略大小写），返回 true 或 false
findstr(s1, s2)	在字符串 s1 中查找较短的字符串 s2
strfind(s1, s2)	在字符串 s1 中查找字符串 s2
strjust(s1, type)	按指定的 type 方式来调整字符串数组
strmatch(s1, s2)	查找符合要求的字符串下标

2.6.2　正则表达式搜索字符串

利用标准字符串函数，如 findstr，可以在一个字符串中查找指定的字符串序列。但如果进行比较复杂的查找，那么可以选择使用正则表达式来查找。MATLAB 7.x 支持强大的正则表达式查找方式。

表 2.26 给出利用正则表达式查找单个字符的表达式形式，可以方便地进行查找。

表 2.26　查找单个字符串的表达式

正则表达式	说　明
.	查找任意单个字符，包括空格
[]	查找方括号内给出的字符和数字
[a-zA-Z]	查找任意的字母和字母组合，包括大小写字母，-表示范围
[^aeiou]	查找除方括号内字符串的所有字符，^表示取集合的反
\s	查找所有的空白字符，相当于[\t\r\n\f\v]
\S	查找任意非空白字符，相当于[^ \t\r\n\f\v]
\w	查找任意的文字符号，相当于[a-z_A-Z0-9]
\W	查找任意的非文字符号，相当于[^a-z_A-Z0-9]
\d	查找任意数字，相当于[0-9]
\D	查找任意的非数字字符，相当于[^0-9]
\xN 或\x[N]	查找十六进制的 N 字符
\oN 或\o[N]	查找八进制的 N 字符
\a	警告、提示或发声字符
\b	查找退格字符
\t	查找横向制表符
\n	查找换行符

续表

正则表达式	说　明
\v	查找纵向制表符
\f	查找换页符
\r	查找回车符号
\e	查找退出符号
\	查找单个反斜杠后的字符，即查找具有特殊意义的字符

在书写正则表达式时，还有一些修正字符，使正则表达式的字符意义发生变化，表 2.27 对这些修正字符进行了小结。

表 2.27　　正则表达式的字符修正符

字符修正符	说　明
?	查找零次或一次此修正符前匹配元素的字符
*	查找零次或多次此修正符前匹配元素的字符
+	查找一次或多次此修正符前匹配元素的字符
{n,m}	查找 n 次此修正符号前匹配元素的字符，但次数不超过 m 次

书写正则表达式还有一些逻辑操作符，也能够改变正则表达式的查找方式。表 2.28 所示为这些常见的逻辑操作符号的意义和说明。

表 2.28　　逻辑操作符号

逻辑操作符	说　明
(p)	符合括号内表达式的所有字符
p|q	查找符合 p 或 q 表达式的字符
^p	查找出现在字符串开始位置、满足表达式 p 的字符串
p$	查找出现在字符串末尾、满足表达式 p 的字符串
\<p	查找出现在单词开始位置、符合表达式 p 的字符串
\>p	查找出现在单词末尾、符合表达式 p 的字符串

在 MATLAB 7.x 也提供了一些常见的标记表达式，如表 2.29 所示。

表 2.29　　MATLAB 7.x 的标记表达式

标记表达式	说　明
(p)	查找符合表达式 p 的所有字符
(?:p)	将符合表达式 p 的字符串组合在一起，但不保存在一个标记中
(?>p)	逐个元素进行组合，但不保存在一个标记中
(?#A Comment)	在表达式中插入注释
\N	与表达式中的第 N 个标记相同
$N	在一个替换字符中插入一个与第 N 个标记相匹配的字符串
(?<name>p)	查找符合标记中表达式 p 的所有字符，并命名为 name
\k<name>	与名为 name 的标记相匹配
(?(T)p)	如果 T 标记已经产生，则查找符合 p 的字符串
(?(T)p|q)	如果 T 标记已经产生，则查找符合 p 的字符串，否则查找符合 q 的字符串

在 MATLAB 7.x 中提供了 3 个和正则表达式相关的函数，即 regexp、regexpi 和 regexprep。

它们 3 个的意义分别为：repexp 表示使用正则表达式查找字符串；regexpi 表示在查找时忽略大小写；regexprep 表示用正则表达式查找并替换字符串。

例 2.42 用正则表达式查找字符串。

```
>> % 使用正则表达式查找
>> s='Public property prohibited to prolong the poping';
>> regexp(s,'[A-Z]')     % 查找大写字符
ans =
     1
>> regexp(s,'\w+','match')     % 查找所有的单词
ans =
     'Public'     'property'     'prohibited'     'to'     'prolong'     'the'     'poping'
>> regexp(s,'p.*g','match')     % 查找以 p 开头，以 g 结尾的任意长字符串
ans =
     'property prohibited to prolong the poping'
>> regexp(s,'\w*(it|ih|in)\w*','match')          % 查找含有 it，ih 或 in 的单词
ans =
     'prohibited'     'poping'
```

2.7 关系和逻辑运算

关系和逻辑运算在 MATLAB 7.x 的运算中应用非常普遍，尤其在执行 M 文件的流程控制和指令执行时，都会用到关系和逻辑判断结果。当 MATLAB 7.x 对一个数组执行关系和逻辑判断时，所有的非 0 数值都视为 true，而 0 视为 1；当执行关系和逻辑判断时，返回 true 或 false。

2.7.1 关系运算符

和其他的编程语言一样，MATLAB 7.x 包括比较常见的比较运算符，如表 2.30 所示。

表 2.30 关系运算符号

关系运算符	说　明	关系运算符	说　明
<	小于	>=	大于或等于
<=	小于或等于	==	等于
>	大于	～=	不等于

MATLAB 7.x 中的关系运算符主要用于比较两个同维数的数组的大小，或者比较数组和标量的大小。在与标量进行比较时，将标量扩展为一个与数组同样维数的数组后，逐个元素进行比较。需要注意的是，如果进行两个浮点数之间的比较，那么由于精度的限制，有时会出现不同的结果。

例 2.43 关系运算符示例。

```
>> % 关系运算符号的示例
>> A=3:10,B=15-A
A =
     3     4     5     6     7     8     9    10
```

```
B =
    12    11    10     9     8     7     6     5
>> tf=(A>B)          % 关系运算符比较，将结果赋予 tf
tf =
     0     0     0     0     0     1     1     1
>> tf=(A>B)          % 关系运算符比较，将结果赋予 tf
tf =
     0     0     0     0     0     1     1     1
```

2.7.2　逻辑运算符

MATLAB 7.x 中的逻辑运算符如表 2.31 所示。逻辑运算符将多个表达式组合在一起，进行逻辑判断和操作。

表 2.31　　逻辑运算符

逻辑运算符	说　明
&	在两个逻辑数组之间逐个元素进行逻辑与操作
|	在两个逻辑数组之间逐个元素进行逻辑或操作
~	对一个逻辑数组进行取反操作
&&	在标量表达式之间进行避绕式（Short circuiting）与操作
||	在标量表达式之间进行避绕式（Short circuiting）或操作

例 2.44　逻辑运算符示例。

```
>> % 逻辑运算符示例
>> A=1:9;B=9-A;
>> tf=A>4        % 关系运算
tf =
     0     0     0     0     1     1     1     1     1
>> tf=~(A>4)   % 逻辑反操作
tf =
     1     1     1     1     0     0     0     0     0
>> tf=(A>2)&(A<6)          % 逻辑与操作
tf =
     0     0     1     1     1     0     0     0     0
>> % 逻辑避绕式示例
>> a=0;b=sqrt(2);
>> a= =0||b~=1            % a=0 为真，所以逻辑或的结果必然为真，后一关系表达式不再判断
ans =
     1
>> b= =1&&a==0         % b==1 为假，所以逻辑与的结果必然为假，后一表达式不再判断
ans =
     0
```

上面提到的避绕式逻辑与和逻辑或是 MATLAB 7.x 中新增加的逻辑操作符，标量表明在该逻辑表达式中只对标量关系才能使用。所谓避绕式指的是在执行逻辑判断时，如果第一表达式的逻辑结果已经可以用于确定整个式子的逻辑关系，那么后面的逻辑关系表达式中的标量表达式不再进行判断。

2.7.3 关系和逻辑函数

前面两节介绍了 MATLAB 7.x 中的关系运算符和逻辑运算符。在 MATLAB 7.x 中还提供了几个函数用于关系和逻辑运算的执行。表 2.32 所示为这些函数的名称和对应说明。

表 2.32　关系和逻辑函数

函　数	说　明
xor(x, y)	逻辑异或函数，当 x 和 y 中一个为真，另一个为假时，函数返回 true；反之两者均为逻辑真或逻辑假时，返回 false
any(y)	如果 x 是向量，当向量中的任意一个元素不为 0 时，返回 true；如果 x 是数组，对每一列，如果有一个元素不为 0，则返回 true
all(x)	如果 x 是向量，当向量中的所有元素都不为 0 时，返回 true；如果 x 是数组，对每一列，如果所有元素都为 0，则返回 true

例 2.45　关系和逻辑函数。

```
>> % 关系和逻辑函数
>> A=1:9;B=5-A
B =
     4     3     2     1     0    -1    -2    -3    -4
>> any(B)
ans =
     1
>> all(B)
ans =
     0
```

此外，在 MATLAB 7.x 中还提供了大量的函数用于检验某个特定的值是否存在或某一条件是否成立，并返回相应的逻辑结果。这些函数大多都通过 is 开头，表 2.33 所示为其中的一些函数。当满足这些函数的条件时，系统返回 true（用 1 表示），否则返回 false（0 表示）。

表 2.33　MATLAB 7.x 检验函数

函　数	说　明
ispc	检测用户的 MATLAB 版本是否为 pc 版本
isstudent	检测 MATLAB 版本是否为学生版本
isunix	检测 MATLAB 版本是否为 unix 版本
ismember	检测一个值或变量是否为某个集合中的元素
isglobal	检测一个变量是否为全局变量
mislocked	检测 M 文件是否被锁定（不能被清除）
isempty	检测一个矩阵是否为空矩阵
isequal	检测两个数组是否相等
isequalwitheualnans	检测两个数组是否相等，如果存在 NaN，也认为相等
isfinite	检测数组中的元素是否为有限值
isfloatpt	检测数组中的元素是否为浮点数
isscalar	检测一个变量是否为标量
isinf	检测数组中是否存在无穷大数值
islogical	检测一个数组是否为逻辑数组
isnan	检测一个数是否为非数值（NaN）

续表

函 数	说 明
Isnumeric	检测一个数组是否为数组型数组
isreal	检测一个数组是否为实数数组
isprime	检测一个数是否为素数
issorted	检测一个数组是否按顺序排列
automesh	如果输入参数是不同方向的向量，则返回 true
inpolygon	检测一个点是否在一个多边形区域内
isvarname	检测一个变量名是否为合法的变量名
iskeyword	检测一个变量名是否为 MATLAB 关键字
issparse	检测一个矩阵是否为稀疏矩阵
isvector	检测一个数组是否为向量
isappdata	检测应用程序定义的数据是否存在
ishandle	检测是否为图形句柄
ishold	检测一个图形的 hold 状态是否为 on
figflag	检测一个图形是否为当前屏幕上显示的图形
iscellstr	检测一个数组是否为字符串单元数组
ischar	检测一个数组是否为字符串数组
isletter	检测一个字符是否为英文字母
isspace	检测一个字符是否为空格
isa	检测一个对象是否为指定的类型
iscell	检测一个数组是否为单元数组
isfield	检测一个名称是否为结构体中的域
isjava	检测一个数组是否为 java 对象数组
isobject	检测一个对象是否为一个对象
isstruct	检测一个名称是否为结构体
isvalid	检测一个对象是否可以连接到硬件的串行端口对象

在以上的 MATLAB 7.x 函数中，有一些函数需要检查数值和数组是否为 NaNs（非数值）和空数组（[ ]）。这两个对象是 MATLAB 7.x 中的两类特殊对象，在进行数学运算、关系和逻辑运算中都需要特殊处理。

例 2.46 检测函数示例。

```
>> % NaNs 和空数组操作
>> a=[1 2 inf nan]
a =
     1     2   Inf   NaN
>> b=sqrt(a)          % 数学运算
b =
    1.0000    1.4142       Inf       NaN
>> c=(a= =nan)
c =
     0     0     0     0
>> d=(a~=nan)
d =
     1     1     1     1
```

```
>> g=isinf(a)        % 判断函数
g =
     0     0     1     0
>> i=isnan(a)        % 判断函数
i =
     0     0     0     1
>> size([])          % 空数组的大小
ans =
     0     0
>> isempty([])       % 判断函数
ans =
     1
>> % 其他判断函数
>> isstudent
ans =
     0
>> ispc
ans =
     1
>> isunix
ans =
     0
>> % 判断是否为向量
>> M=randperm(10)
M =
     8     2    10     7     4     3     6     9     5     1
>> isvector(M)
ans =
     1
>> % 判断是否为一个对象
>> isobject(M)
ans =
     0
```

2.8 本章小结

本章通过对 MATLAB 7.x 简单计算示例的介绍，介绍了 MATLAB 7.x 的数学运算符号、常用标点符号、操作和编辑命令以及内容的显示等基本知识。在此基础上对 MATLAB 7.x 的数值、变量和表达式，以及各种数据类型进行了介绍。同时，对 MATLAB 7.x 中提供的其他数据类型，如广泛使用的数组，也提供了相应的创建和处理操作方法。此外，对 MATLAB 7.x 所提供的比较复杂的数据，如单元数组和结构体也做了介绍。对于字符串、关系和逻辑运算符号等都做了详尽的介绍。通过本章的学习，读者可以对 MATLAB 7.x 的计算及数据类型和操作有比较深刻的认识和了解。

第3章 矩阵运算

MATLAB 7.x 运算的基础之一就是数值运算，MATLAB 7.x 在矩阵分析和运算方面提供了强大的函数和命令功能。由于 MATLAB 7.x 中的所有数据都是通过矩阵形式存在的，因此，MATLAB 7.x 的数值计算主要可以分为两类：一类是针对整个矩阵的数值运算，即矩阵运算，另一类则是针对矩阵中的元素进行的，可以称为矩阵元素的计算。本章主要内容包括：

- 常见的矩阵处理函数
- 特殊矩阵
- 稀疏矩阵
- 矩阵分析
- 线性方程组
- 矩阵分解
- 特征值分析

3.1 矩阵函数和特殊矩阵

MATLAB 7.x 能够对数组进行比较好的处理。尽管 MATLAB 7.x 也能够处理多维矩阵，但是矩阵代数的处理数组大部分以一维数组（向量）和二维数组（矩阵）为主。下面将对 MATLAB 7.x 的矩阵处理函数及特殊矩阵进行简单介绍。

3.1.1 常见的矩阵处理函数

MATLAB 7.x 具有强大的矩阵运算功能，原因在于其提供了大量的矩阵函数，可以进行大量的矩阵分析，进行矩阵分解，处理几乎所有常见或不常见的数值线性代数问题的函数。表 3.1 对其中比较常见的一些函数进行了简单介绍（表中函数参数的大写字母均为矩阵，小写字母为标量或向量）。

表 3.1 常见的矩阵函数

函 数	说 明
/或\	矩阵除法中的左除或右除，可以用于求解线性方程组
accumarray(ind, val)	累加创建数组
A^n	求解矩阵 A 的 n 次幂
balance(A)	将矩阵 A 进行缩放以提高其特征值的精度
[V, D]=cdf2rdf(V, D)	将复数对角矩阵转换为两个实数对角矩阵
chol(A)	对矩阵 A 进行 Cholesky 因式分解

续表

函　　数	说　　明
cholinc(A, DropTol)	对矩阵 A 进行不完全的 Cholesky 因式分解，DropTol 指定分解误差
cholinc(A, Options)	对矩阵 A 进行不完全的 Cholesky 因式分解，Options 为包含 3 个分量的结构体
cholupdate(R, X)	Cholesky 因式分解的秩 1 升级
cond(A)	利用奇异值分解求矩阵 A 的范数
condest(A)	求矩阵 A 的范数 1 的条件数估计
[V, D, s]=condeig(A)	求矩阵 A 与重特征值相对应的条件数
det(A)	求矩阵的行列式
dmperm(A)	对矩阵 A 进行 Dulmage-Mendelsohn 排列
eig(A)	求矩阵 A 的特征值和特征向量
[V, D]=eig(A)	求矩阵 A 的特征向量矩阵（V）和特征值对角矩阵（D）
expm(A)	矩阵指数函数
funm(A)	矩阵通用函数
gsvd(A, B)	求矩阵 A 的广义奇异值
[U, V, X,C, S]=gsvd(A)	对矩阵 A 进行广义奇异值分解
hess(A)	求矩阵 A 的 Hessenburg 标准型
inv(A)	求矩阵 A 的逆
linsolve(A, y, options)	快速求解方程组 Ax=y，其中 A 的结构由 options 条件给定
logm(A)	矩阵的对数运算
lscov(A, y, V)	已知数据的协方差矩阵（V），求线性方程组的最小二乘解
lsqnonneg(A, y)	求线性方程组的非负最小二乘解
[L, U, P]=lu(A)	对矩阵 A 进行 LU 分解
minres(A, y)	利用最小残差方法求线性方程组的解
norm(A, type)	求矩阵或向量（由 type 指定）的范数
null(A)	求 A 的零空间
orth(A)	求 A 的正交空间
pinv(A)	求 A 的伪逆矩阵
planerot(X)	对 X 进行平面旋转
poly(A)	求 A 的特征多项式
polyeig(A0, A1, …)	多项式的特征值解
polyvalm(A)	求 A 的矩阵多项式
qr(A)	对 A 进行正交三角分解
qrdelete(Q, R, J)	从 QR 分解中删除行或列
qrinsert(Q, R, J, X)	在 QR 分解中插入行或列
qrupdate(Q, R, U, V)	Cholesky 因式分解的秩 1 升级
qz(A, B)	广义特征值问题求解
rank(A)	利用奇异值分解求 A 的秩
rcond(A)	对 A 进行 LAPACK 倒数条件估计
rref(A)	将矩阵 A 变换为行阶梯型
rsf2csf(A)	将 A 由实块对角阵转换为复块对角阵
schur(A)	对矩阵 A 进行 Schur 分解
sqrtm(A)	求矩阵 A 的平方根
subspace(A, B)	求两个子空间 A 和 B 之间的角度

续表

函　　数	说　　明
svd(A)	求矩阵 A 的奇异值
[U, S, V]=svd(A)	对 A 进行奇异值分解
trace(A)	求矩阵 A 的迹（即对角线元素之和）

3.1.2　特殊矩阵

此外，为满足更加广泛的需求，MATLAB 7.x 也提供了一系列特殊的矩阵，这些特殊矩阵的用途比较广泛，通常能够对某一特定问题进行求解。此处，通过表 3.2 对这些特殊矩阵进行简单的介绍和说明，更多内容可以通过 help 来查阅。

表 3.2　　特殊矩阵

矩　　阵	说　　明
[]	空矩阵
blkdiag(a0, a1,⋯)	以输入参数为对角元素生成对角矩阵
compan(P)	求多项式的伴随矩阵
eye(r, c)	产生 r 行、c 列的单位矩阵
gallery	生成一系列的测试矩阵（50 个以上）
hadamard(n)	生成 1 个 n 阶的 Hadamard 矩阵
hankel(C)	生成 C 的 Hankel 矩阵
hilb(n)	生成 n 阶的 Hilbert 矩阵
invhilb(n)	生成 n 阶的逆 Hilbert 矩阵
magic(n)	生成 n 阶的魔幻矩阵
ones(r, c)	生成 r 行、c 列的全 1 矩阵
pascal(n)	生成 n 阶的 Pascal 矩阵
rand(r, c)	生成 r 行、c 列的随机矩阵（元素值介于 0 和 1 之间）
randn(r, c)	生成 r 行、c 列的零均值和单位方差的正态分布的随机矩阵
rosser	典型的对称矩阵特征值问题测试
toeplitz(C, R)	生成 Toeplitz 矩阵
vander(C)	生成 Vandermonde 矩阵
wilkinson(n)	生成 n 阶的 Wilkinson 特征值测试矩阵
zeros(r, c)	生成 r 行、c 列的全 0 矩阵

3.1.3　稀疏矩阵

在实际的处理过程中，MATLAB 7.x 会遇到大量的稀疏矩阵处理问题。稀疏矩阵中大部分元素都是零，只有少部分元素是非零的。如果仍然按照正常矩阵的方式进行存储和处理，那么势必造成大量的存储空间浪费和操作缓慢。因此，MATLAB 7.x 为稀疏矩阵提供了特殊的存储方法和特殊的处理函数。

一般而言，MATLAB 7.x 存储稀疏矩阵需要通过 3 个矩阵进行存储数据。如对于一个 $m\times n$ 的矩阵，假设其中有 nz 个非零元素，存储在长度为 nz_max 的矩阵中。那么这 3 个存储矩阵的内容分别为：第一个矩阵存储所有非零元素，矩阵长度为 nz_max；第二个矩阵存储所有非零元素的行下标，矩阵长度也为 nz_max；第三个矩阵存储每一列开始处的指针和标志这 3 个矩阵结束的指针，存储长度为 n+1。那么，可以看出，通过稀疏矩阵的存储，一个稀疏矩阵需要存储 nz_max 个浮点数和 $nz\_max+n+1$ 个整数。

稀疏矩阵的创建通常可以使用 sparse 和 spdiags 函数来进行。读者可以通过 help 命令来查询这两个命令的使用方法。

sparse(i, j, s, m, n, nz_max)使用[i, j, s]来创建 $m\times n$ 维稀疏矩阵 s。其中，s 为所有非零元素构成的向量，i，j 分别为非零元素的行下标和列下标。

spdiags(B, d, m, n)可以抽取、创建或替代对角稀疏矩阵。其中，m 和 n 分别为矩阵的行和列的维数，d 表示长度为 p 的整数向量，B 为满矩阵。

如果通过外部数据来转换稀疏矩阵，则可以通过 load 命令加载外部数据后，使用 spconvert 函数来创建稀疏矩阵。稀疏矩阵和满矩阵之间可以通过 sparse 函数和 full 函数来进行转换。

例 3.1 创建稀疏矩阵。

```
>> % 创建稀疏矩阵
>> A=[0 0 0 5
     0 1 0 0
     1 5 0 0
     0 0 0 3];
>> As=sparse(A)        % 创建稀疏矩阵
As =
   (3,1)         1
   (2,2)         1
   (3,2)         5
   (1,4)         5
   (4,4)         3
>> Af=full(As)         % 得到稀疏矩阵
Af =
     0     0     0     5
     0     1     0     0
     1     5     0     0
     0     0     0     3
>> C=sparse(1:6,1:6,ones(1,6),6,6)        % 直接创建稀疏矩阵
C =
   (1,1)         1
   (2,2)         1
   (3,3)         1
   (4,4)         1
   (5,5)         1
   (6,6)         1
>> % 比较稀疏矩阵和满矩阵的存储差别
>> B=eye(200);
>> Bs=sparse(B);
>> whos
  Name        Size                     Bytes  Class
  A           4x4                        128  double array
  Af          4x4                        128  double array
  As          4x4                         80  double array (sparse)
  B         200x200                   320000  double array
```

```
  Bs        200x200                     3204  double array (sparse)
  C           6x6                        100  double array (sparse)
Grand total is 40243 elements using 323640 bytes
```

从上面的例子可以看出，稀疏矩阵与满矩阵相比较确实存在相当大的存储优势。由于这些方面的优势，MATLAB 7.x 提供了许多函数来说明稀疏矩阵的特性，对稀疏矩阵进行优化或利用稀疏矩阵来处理实际问题。表 3.3 对这些函数进行了总结。

表 3.3 稀疏矩阵函数

函　数	说　明
bicg	求解双共轭梯度迭代线性方程的解
bicgstab	求解双共轭梯度稳定迭代线性方程的解
cgs	求解二次共轭梯度迭代线性方程的解
cholinc	不完全 Cholesky 分解
colamd	列估计最小度重排序方法
colamdtree	带列消元树排序后的 colamd 方法
colmmd	列最小度排序
colperm	对列进行随机排序
condest	1 范数估计
dmperm	Dulmage-Nebdeksohn 重排序方法
eigs	使用 APPACK 的特征值
etree	矩阵消元树结构
etreeplot	绘制消元路径
find	寻找非 0 元素索引
full	将稀疏矩阵转化为完整举证
gmres	求广义最小残差迭代线性方程的解
gplot	绘制图论图形
issparse	判断是否为稀疏矩阵
lsqr	标准方程中共轭梯度的 LSQR 实现
luinc	不完全 LU 因式分解
minres	最小残差迭代线性方程求解
Nnz	求矩阵中的非 0 元素个数
nonzeros	提取矩阵中的非 0 元素
normest	矩阵的 2 范数估计
nzmax	求分配给非 0 元素的存储空间
pcg	求预处理共轭梯度迭代线性方程组的解
qmr	伪最小残差迭代线性方程组解法
randperm	产生随机排列的数组
spalloc	为稀疏矩阵分配内存空间
sparse	创建稀疏矩阵
spaugment	建立最小二乘增广矩阵
spconvert	从外部格式中载入稀疏矩阵
sodiags	利用对角元素生成稀疏矩阵
speye	单位稀疏矩阵
spfun	将一个函数应用于非 0 元素

续表

函 数	说 明
Spones	将所以非零元素用 1 代替
spparms	设置稀疏矩阵程序的参数
sprand	创建均匀分布的随机稀疏矩阵
sprandn	创建高斯分布的随机稀疏矩阵
sprandsym	创建对称的随机稀疏矩阵
sprank	求结构秩的值
spy	稀疏矩阵的图形表示
svds	产生一些奇异值
symbfact	符合因式分解
symamd	对称估计最小阶次重排序法
symamdtree	带对称消元树排序后的 symand
symmd	对称最小阶次重排序
symmlq	对称 LQ 迭代线性方程的求解
symrcm	对称的反向 Cuthill-Mckee 重排序
treelayout	变换成树状结构
treeplot	画出树状图

例 3.2　画出稀疏矩阵的图（接上例）。

```
>> % 画稀疏矩阵的图
>> spy(As)
```

执行结果如图 3.1 所示。

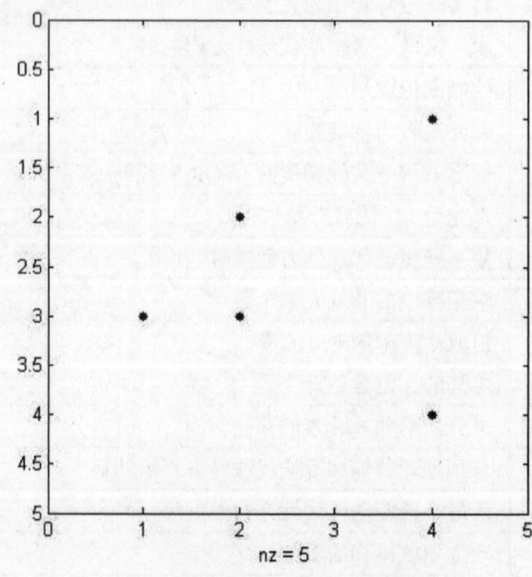

图 3.1　稀疏矩阵的图形表示

3.2 矩 阵 分 析

在进行线性代数的处理时，常常将其转化为矩阵分析的内容进行处理。而在 MATLAB 7.x 的分析中，矩阵分析几乎是所有函数分析的基础。如表 3.1 所示，在 MATLAB 7.x 中提供了大量的函数来支持多种线性代数中的操作。下面对矩阵分析内容进行介绍。

3.2.1 范数分析

一维数组（向量）或二维数组（矩阵）的范数的大小，直接影响到用 MATLAB 7.x 求解数值问题的精度。对于范数，在线性代数中有非常详细的介绍，是线性代数的基础之一，此处为便于介绍内容，对向量和矩阵的范数做以简单的介绍。

1. 向量的范数

线性空间的某个向量 $\boldsymbol{x}=\{x_1,x_2,\cdots,x_n\}$，其 p 范数可以定义为：

$\|\boldsymbol{x}\|_p=(\sum_{i=1}^{n}|x_i|^p)^{1/p}$，其中的参数 $p=1,2,\cdots,n$。

对于无穷范数则可以定义为：

$$\|\boldsymbol{x}\|_\infty=\max_{1\leqslant i\leqslant n}|x_i|,\quad \|\boldsymbol{x}\|_{-\infty}=\min_{1\leqslant i\leqslant n}|x_i|$$

2. 矩阵的范数

矩阵的范数是在向量范数的基础上进行定义的，即

$$\|\boldsymbol{A}\|=\max_{\forall x\neq 0}\frac{\|\boldsymbol{Ax}\|}{\|\boldsymbol{x}\|}$$

在实际应用中，比较常用的是 1 范数、2 范数和∞范数。这 3 个范数的定义分别为：

$$\|\boldsymbol{A}\|_1=\max_{1\leqslant j\leqslant n}\sum_{i=1}^{n}|a_{ij}|,\quad \|\boldsymbol{A}\|_2=\sqrt{S_{\max}\{\boldsymbol{A}^{\mathrm{T}}\boldsymbol{A}\}},\quad \|\boldsymbol{A}\|_\infty=\max_{1\leqslant i\leqslant n}\sum_{j=1}^{n}|a_{ij}|$$

在 2 范数 $\|\boldsymbol{A}\|_2=\sqrt{S_{\max}\{\boldsymbol{A}^{\mathrm{T}}\boldsymbol{A}\}}$ 的定义中，$S_{\max}\{\boldsymbol{A}^{\mathrm{T}}\boldsymbol{A}\}$ 表示矩阵 A 的最大奇异值的平方。

在前面已经介绍，norm 函数可以用来求解向量和矩阵的范数。以下为便于读者使用，用 M 文件来书写示例，关于 M 文件的书写规则在后面的章节中将进一步介绍。

例 3.3 求解向量范数。

```
% 文件名：norm_vector.m
% 产生向量，并通过定义和 norm 函数进行比较
x=randperm(6)
y=x.^2;
% 利用定义求解向量的范数
N2=sqrt(sum(y));
Ninf=max(abs(x));
Nneg_inf=min(abs(x));
% 根据范数函数来求解范数
n2=norm(x);
ninf=norm(x,inf);
nneg_inf=norm(x,-inf);
% 输出计算结果
disp('根据定义计算的范数结果')
fprintf('2 范数：%8.6f\n',N2)
fprintf('无穷范数：%8.6f\n',Ninf)
fprintf('负无穷范数：%8.6f\n\n',Nneg_inf)
disp('根据 norn 函数计算的范数结果')
fprintf('2 范数：%8.6f\n',n2)
fprintf('无穷范数：%8.6f\n',ninf)
fprintf('负无穷范数：%8.6f\n',nneg_inf)
```

【执行结果】

```
x =
     6     3     4     1     5     2
根据定义计算的范数结果
2 范数：9.539392
无穷范数：6.000000
负无穷范数：1.000000

根据 norn 函数计算的范数结果
2 范数：9.539392
无穷范数：6.000000
负无穷范数：1.000000
```

例 3.4 求解 Hilbert 矩阵的范数。

```
% 文件名：norm_hilbert.m
% Hilbert 矩阵是著名的病态矩阵，用于分析矩阵的性能
% 其中，H(i,j)=1/(i+j-1)
% 产生 Hilbert 矩阵
H=hilb(5)
% 利用定义求解向量的范数
N1=max(sum(abs(H)));
N2=norm(H);
Ninf=max(sum(abs(H')));
Nfro=sqrt(sum(diag(H'*H)));
% 根据范数函数来求解范数
n1=norm(H,1);
n2=norm(H,2);
ninf=norm(H,inf);
nfro=norm(H,'fro');
% 输出计算结果
disp('根据定义计算的范数结果')
fprintf('1 范数：%8.6f\n',N1)
fprintf('2 范数：%8.6f\n',N2)
fprintf('无穷范数：%8.6f\n',Ninf)
fprintf('Frobenius 范数：%8.6f\n\n',Nfro)
disp('根据 norn 函数计算的范数结果')
fprintf('1 范数：%8.6f\n',n1)
fprintf('2 范数：%8.6f\n',n2)
fprintf('无穷范数：%8.6f\n',ninf)
fprintf('Frobenius 范数：%8.6f\n\n',nfro)
```

【执行结果】

```
H =
    1.0000    0.5000    0.3333    0.2500    0.2000
    0.5000    0.3333    0.2500    0.2000    0.1667
    0.3333    0.2500    0.2000    0.1667    0.1429
    0.2500    0.2000    0.1667    0.1429    0.1250
    0.2000    0.1667    0.1429    0.1250    0.1111
根据定义计算的范数结果
1 范数：2.283333
2 范数：1.567051
```

```
无穷范数：2.283333
Frobenius 范数：1.580906

根据 norn 函数计算的范数结果
1 范数：2.283333
2 范数：1.567051
无穷范数：2.283333
Frobenius 范数：1.580906
```

当需要分析的矩阵规模比较大时，使用 norm 函数求范数的时间就会非常长，因此，可以采用 MATLAB 7.x 的 normest 函数，给出一定的公差条件来估计矩阵的范数大小。通常在 MATLAB 7.x 中，normest 函数用于处理稀疏矩阵，但也可以用于处理维数比较高的正常矩阵。可以通过 help normest 来查询该函数的使用条件。

例 3.5　使用 normest 函数进行范数分析。

```
% normest_wilkinson.m
% 用 normest 计算矩阵范数
W=gallery('wilkinson',1000);
t1=clock;
W_norm=norm(W)
t2=clock;
t_norm=etime(t2,t1)
t3=clock;
W_normest=normest(W)
t4=clock;
t_normest=etime(t4,t3)
```

【执行结果】

```
W_norm =
  500.2462
t_norm =
   11.6570
W_normest =
  500.2116
t_normest =
    5.6090
```

从上面的执行结果可以看出，当矩阵的维数较高时，采用 normest 进行范数分析的时间更短一些，因此，建议在求解大型矩阵的范数时采用 normest 来求解。

3.2.2　条件数分析

条件数分析在线性代数方程的求解过程中同样有很重要的作用。条件数是线性方程组 $Ax=b$ 的解对 b 中的误差或不确定度的敏感性的度量。数学定义可以表示为：

$$k=\|\boldsymbol{A}^{-1}\|\cdot\|\boldsymbol{A}\|$$

从线性代数的分析可知，矩阵的条件数总是大于 1。正交矩阵的条件数等于 1，奇异矩阵的条件数为无穷大，而病态矩阵的条件数则为比较大的数据。

根据条件数的定义，线性代数方程的相对误差可以通过以下的不等式来分析：

$$\frac{1}{k}\left(\frac{|\delta b|}{b}\right)\leqslant\frac{|\delta x|}{|x|}\leqslant k\left(\frac{|\delta b|}{b}\right)$$

在 MATLAB 7.x 中，矩阵的条件数可以通过 cond 函数来求解。

例 3.6 求解 Hilbert 矩阵对应的线性方程组解的精度。

```
% cond_hilbert.m
% 定义矩阵和右端向量，Mx=b
M=hilb(12);
b=randperm(12)';
% 用左除求方程组的近似解
x=M\b;
% 求解方程的准确解
xinv=inv(M)*b;
% 计算实际的相对误差(根据误差估算式)
ndb=norm(M*x-b);
nb=norm(b);
ndx=norm(x-xinv);
nx=norm(x);
er=ndx/nx;
k=cond(M);
% 计算最大可能的近似相对误差
er_max1=k*eps;
% 计算最大可能的相对误差
er_max2=k*ndb/nb;
% display results
k
er
er_max1
er_max2
```

【执行结果】

```
Warning: Matrix is close to singular or badly scaled.
         Results may be inaccurate. RCOND = 2.409320e-017.
> In cond_hilbert at 6
Warning: Matrix is close to singular or badly scaled.
         Results may be inaccurate. RCOND = 2.632766e-017.
> In cond_hilbert at 8
k =
  1.7945e+016
er =
    0.0851
er_max1 =
    3.9846
er_max2 =
  1.9377e+014
```

从上面的输出结果可以看出，得到的矩阵高度奇异化或高度病态，计算结果中条件数太高，达到 1.7945e+016。

3.2.3 矩阵的行列式

矩阵的行列式计算是矩阵分析的一个很重要的方面，在 MATLAB 7.x 中可以通过 det 命令来求解矩阵的行列式。矩阵行列式的求解命令 det 既可以用于求解数值矩阵行列式的值，也可以用于求解符号矩阵行列式的值。关于符号矩阵的相关内容，读者可以参阅本书后面章节的介绍。

例 3.7　矩阵的行列式。

```
% determinant_matrix.m
% 数值矩阵的行列式
for i=1:3
A=magic(i+2);
a(i)=det(A);
disp('矩阵：');
disp(A);
disp('矩阵的行列式:');
disp(a(i));
end
% 符号矩阵的行列式
disp('符号矩阵的行列式')
syms t;
B=[cos(-t),sin(t);-sin(t+2),cos(t+1)]
C=det(B)
```

【执行结果】

```
矩阵：
     8     1     6
     3     5     7
     4     9     2
矩阵的行列式:
  -360
矩阵：
    16     2     3    13
     5    11    10     8
     9     7     6    12
     4    14    15     1
矩阵的行列式:
     0
矩阵：
    17    24     1     8    15
    23     5     7    14    16
     4     6    13    20    22
    10    12    19    21     3
    11    18    25     2     9
矩阵的行列式:
     5070000
符号矩阵的行列式
B =
[       cos(t),      sin(t)]
[ -sin(t+2),   cos(t+1)]
C =
cos(t)*cos(t+1)+sin(t)*sin(t+2)
```

从上面的例子可以看出，通过 MATLAB 7.x 提供的函数，既可以方便地求出数值矩阵的行列式，也可以很方便地求取符号矩阵的行列式。

3.3 线性方程组

MATLAB 的最初设计目的就是为程序员或科研人员编写专业化的数值线性代数接口。随着版本的不断升高，MATLAB 提供了更加贴近用户的特性。可以说线性代数方程的求解是 MATLAB 发展最为完整的部分之一，也是线性代数的主要内容之一。在 MATLAB 7.x 中提供了大量处理线性方程组的命令。关于线性代数的相关内容，读者可以参阅相关的数学书籍。本节主要通过对 3 种类型的方程组的求解进行介绍，即恰定方程组、超定方程组和欠定方程组。

3.3.1 恰定方程组

恰定方程组是指方程组的个数和未知数的个数是相等的方程组。在恰定方程组中，系数矩阵 ***A*** 是方阵，矩阵 ***B*** 可以是向量，也可以是方阵。此时，MATLAB 7.x 可以通过使用左除符号来求解线性方程组的解。对于恰定方程组是奇异还是非奇异，得到的结果有所不同。下面通过两个示例来说明奇异恰定方程组和非奇异恰定方程组的求解过程。

例 3.8 求解非奇异恰定方程组的解。

```
% matrix_non_singular.m
% 求解非奇异线性方程组的解
A=[1 2 3;4 5 6;7 8 0];
y=[366;804;351];
% 方法一：判断 A 的条件数，A 的秩以及增广矩阵【A y】的秩
rank(A)
rank([A y])
cond(A)
x_1=inv(A)*y;
% 方法二：通过矩阵左除来求解线性方程组的解
x_2=A\y;
% 输出结果
disp('逆矩阵方法求解结果：');
x_1
disp('直接求解方法结果：');
x_2
```

【执行结果】

```
ans =
      3
ans =
      3
ans =
   35.1059
逆矩阵方法求解结果：
x_1 =
   25.0000
   22.0000
   99.0000
直接求解方法结果：
```

```
x_2 =
    25.0000
    22.0000
    99.0000
```

上面的例子中用到两种方法，其中之一通过判断系数矩阵和增广矩阵的秩，以及系数矩阵的条件数，可以看出此矩阵为满秩非奇异矩阵，因此，可以通过求逆矩阵的方法来求解结果。第二种方法直接通过左除来得到。左除方法直接采用的是LU分解方法，浮点运算较少，计算速度较快。对比较大的线性方程组进行求解时，采用这种方法具有明显的优势。

如果对前面的线性方程组 $\boldsymbol{A}x=y$ 进行转置，即得到 $x'\boldsymbol{A}'=y'$，这是将线性方程组的右端量和求解未知向量都变成了行向量。此时，如果用 u 代替 x'，$\boldsymbol{B}$ 代替 $\boldsymbol{A}'$，v 代替 y'，那么上述的方程组变成 $u\boldsymbol{B}=v$，此时，可以通过矩阵的右除法（$u=v/\boldsymbol{B}$）和逆矩阵（$u=\boldsymbol{B}^{-1}v$）来求解。

例 3.9　求解奇异线性方程组的解。

```
% matrix_singular.m
% 求解非奇异线性方程组的解
A=[1 3 7;-1 4 4;1 10 18];
y=[6;4;15];
% 方法一：通过矩阵左除来求解线性方程组的解
x_1=A\y;
% 方法二：判断 A 的条件数、A 的秩以及增广矩阵【A y】的秩
det_A=det(A)
rank_A=rank(A)
rank_Ay=rank([A y])
cond_A=cond(A)
x_2=pinv(A)*y;
% 输出结果
disp('直接求解方法结果：');
x_1
disp('逆矩阵方法求解结果：');
x_2
```

【执行结果】

```
Warning: Matrix is singular to working precision.
> In matrix_singular at 6
det_A =
       0
rank_A =
       2
rank_Ay =
       3
cond_A =
     Inf
直接求解方法结果：
x_1 =
     NaN
     Inf
    -Inf
逆矩阵方法求解结果：
x_2 =
      0.0759
```

```
0.3126
0.6647
```

上面的例子在求解的过程中，由于矩阵为奇异矩阵，在直接使用左除方法进行求解时，系统弹出警告信息。通过求矩阵的行列式、矩阵及其增广矩阵的秩，以及矩阵的条件数，可以看出该矩阵为一奇异矩阵。但是，通过伪逆矩阵的求解方法，pinv 函数可以得到该矩阵的一个结果，此结果并不一定完全满足原方程组的解。

3.3.2 欠定方程组

欠定方程组是指方程的个数小于未知量的个数($r<c$)。欠定方程组存在无穷多个解。MATLAB 7.x 在求解过程中，首先利用除法得到一个基本解，再求其他非零解。当然，也可以通过计算伪逆函数的方法得到解，此时得到的解的长度（范数）小于其他所有解的范数，因此，也叫做最小范数解。下面通过示例对欠定方程组的求解进行介绍。

例 3.10 欠定方程组的求解。

```
% matrix_fewer_equations.m
% 求解非奇异线性方程组的解
A=[1 4 7 2;2 5 8 5;3 6 0 8];
y=[366;804;351];
% 方法一：左除法（结果中 0 最多）
x_1=A\y;
% 方法二：伪逆矩阵法（范数最小）
x_2=pinv(A)*y;
% 方法三：QR 分解法
[Q,R]=qr(A);
z=Q'*y;
x_3=R\z;
% 输出结果
disp('左除法：');
x_1
n_x1=norm(x_1)
disp('逆矩阵法：');
x_2
n_x2=norm(x_2)
disp('QR 方法：');
x_3
n_x2=norm(x_3)
```

【执行结果】

```
左除法：
x_1 =
            0
  -165.9000
    99.0000
   168.3000
n_x1 =
   256.2200
逆矩阵法：
x_2 =
    30.8182
```

```
-168.9818
   99.0000
  159.0545
n_x2 =
  254.1731
QR 方法：
x_3 =
         0
 -165.9000
   99.0000
  168.3000
n_x2 =
  256.2200
```

从上面的计算结果来看，直接通过做左除方法得到的欠定方程组的解中，零的个数最多；而通过伪逆矩阵方法得到的解范数是最小的。关于伪逆矩阵的详细介绍，读者可以翻阅线性代数相关部分。

3.3.3　超定方程组

根据线性代数的内容，可知当方程的个数比未知数的数量多时，此方程组可以称为超定方程组。在 MATLAB 7.x 中，通过矩阵左除方法得到的是平均误差最小的解，即最小二乘解（$e=\boldsymbol{A}x-y$ 最小）。

关于恰定、欠定和超定的判断，可以通过判断方程组 $\boldsymbol{A}x=y$ 的秩来进行判断，即 rank($\boldsymbol{A}$)=min(r, c)判断。其中，r 和 c 是线性方程组的系数矩阵的行数和列数。根据 r 和 c 之间的关系，可以粗略判断这 3 种类型的方程式。

下面对超定方程组的解法进行简单介绍。

例 3.11　超定方程组求解。

```
% matrix_more_equations.m
% 求解非奇异线性方程组的解
A=magic(8);
A=A(:,1:5);
y=260*ones(8,1);
% 方法一：左除法(结果中 0 最多)
x_1=A\y;
% 方法二：伪逆矩阵法(范数最小)
x_2=pinv(A)*y;
% 方法三：lscov 协方差法
x_3=lscov(A,y);
% 输出结果
disp('左除法：');
x_1
e_x1=A*x_1-y;
norm(e_x1)
disp('逆矩阵法：');
x_2
e_x2=A*x_2-y;
norm(e_x2)
```

```
disp('协方差法：');
x_3
e_x3=A*x_3-y;
norm(e_x3)
```

【执行结果】

```
Warning: Rank deficient, rank = 3,    tol =      1.8829e-013.
> In matrix_more_equations at 7
Warning: A is rank deficient to within machine precision.
> In lscov at 199
  In matrix_more_equations at 11
左除法：
x_1 =
     3.0000
     4.0000
          0
          0
     1.0000
ans =
   1.6078e-013
逆矩阵法：
x_2 =
     2.1818
     1.8182
     2.1818
     1.0909
     0.7273
ans =
   1.8853e-013
协方差法：
x_3 =
     3.0000
     4.0000
          0
          0
     1.0000
ans =
   9.8456e-014
```

3.4 矩阵分解

矩阵分解在矩阵分析中占有比较重要的地位，在矩阵代数中有相当大篇幅的讲解和研究。简单地说，矩阵分解就是根据矩阵的特性，将矩阵分解为若干个比较简单、性质比较好的矩阵连乘的形式，从而便于矩阵的计算和分析。在线性方程组的求解中，矩阵分解方法用得比较广泛，主要包括 Cholesky 分解、LU 分解和 QR 分解方法。通过使用 MATLAB 7.x 提供的函数，用户可以很方便地实现矩阵分解，从而实现相关的研究和计算任务。

3.4.1　Cholesky 分解

Cholesky 分解对矩阵的性质要求比较高，只有当矩阵是对称正定阵时，才能够进行 Cholesky 分解。经过 Cholesky 分解后，对称正定阵可以被分解为一个上三角矩阵 $\boldsymbol{R}$ 及其转置矩阵的乘积，即分解后的形式为 $\boldsymbol{A}=\boldsymbol{R}^{\mathrm{T}}\boldsymbol{R}$。

在 MATLAB 7.x 中，关于 Cholesky 分解主要提供两种命令。

（1）$\boldsymbol{R}$=chol($\boldsymbol{X}$)，如果 $\boldsymbol{X}$ 是正定阵，那么分解后返回的 $\boldsymbol{R}$ 是上三角阵，使得 $\boldsymbol{X}=\boldsymbol{R}^{\mathrm{T}}\boldsymbol{R}$；如果 $\boldsymbol{X}$ 不是正定阵，那么命令返回错误信息。

（2）[$\boldsymbol{R}$, p]=chol($\boldsymbol{X}$)，如果 $\boldsymbol{X}$ 是正定阵，那么命令返回的矩阵和上面命令一样，同时，p=0；如果 $\boldsymbol{X}$ 不是正定阵，那么命令返回的参数 p 是正整数，$\boldsymbol{R}$ 是三角矩阵，矩阵的阶数为 p–1 阶，即 $\boldsymbol{X}(1:p-1, 1:p-1)=\boldsymbol{R}^{\mathrm{T}}\boldsymbol{R}$。

例 3.12　Cholesky 矩阵分解。

```
% factorization_cholesky.m
% Cholesky 分解示例
% 产生 n 阶 pascal 矩阵,pascal 矩阵由 pascal 三角阵发展而来，为对称正定阵
disp('正定对称阵的分解：')
n=6;
X=pascal(n)
R=chol(X)
disp('非正定对称阵的分解：')
X(n,n)=X(n,n)-1;
X
[R, p]=chol(X)
Xn_1=R'*R
disp('利用 Cholesky 分解结果计算线性方程组')
A=pascal(6);
b=[1 3 5 7 9 4]';
x=A\b
R=chol(A);
xc=R\(R'\b)
```

【执行结果】

```
正定对称阵的分解：
X =
     1     1     1     1     1     1
     1     2     3     4     5     6
     1     3     6    10    15    21
     1     4    10    20    35    56
     1     5    15    35    70   126
     1     6    21    56   126   252
R =
     1     1     1     1     1     1
     0     1     2     3     4     5
     0     0     1     3     6    10
     0     0     0     1     4    10
     0     0     0     0     1     5
     0     0     0     0     0     1
```

```
非正定对称阵的分解：
X =
     1     1     1     1     1     1
     1     2     3     4     5     6
     1     3     6    10    15    21
     1     4    10    20    35    56
     1     5    15    35    70   126
     1     6    21    56   126   251
R =
     1     1     1     1     1
     0     1     2     3     4
     0     0     1     3     6
     0     0     0     1     4
     0     0     0     0     1
p =
     6
Xn_1 =
     1     1     1     1     1
     1     2     3     4     5
     1     3     6    10    15
     1     4    10    20    35
     1     5    15    35    70
利用 Cholesky 分解结果计算线性方程组
x =
     6
   -33
    70
   -70
    35
    -7
xc =
     6
   -33
    70
   -70
    35
    -7
```

在上面的示例中，通过 pascal 特殊矩阵生成函数创建了 6 阶对称正定阵。经过 Cholesky 分解后得到分解的上三角矩阵。把该矩阵的最后 1 个元素减 1 后，矩阵为非正定阵，因此，Cholesky 降阶分解，得到 $\boldsymbol{X}(1{:}n-1, 1{:}n-1)$的 Cholesky 分解结果。在上例的后面演示了如何使用 Cholesky 分解计算线性方程组的解，即将分解后的 $\boldsymbol{R}$ 代替 $\boldsymbol{A}$，得到 $\boldsymbol{R}^{\mathrm{T}}\boldsymbol{R}x=b$，计算的公式为 $x=\boldsymbol{R}\backslash(\boldsymbol{R}^{\mathrm{T}}/b)$。

3.4.2 不完全 Cholesky 分解

Cholinc 命令可以用来对系数矩阵进行分解，也可以对实数半正定矩阵进行分解。在 MATLAB 7.x 中，Cholesky 分解的形式如表 3.4 所示。

表 3.4 Cholinc 命令的调用格式

调用格式	说明
R=cholinc(X, droptol)	X 和 R 为待分解矩阵和分解后的 Cholesky 矩阵，droptol 表示不完全 Cholesky 分解的丢失容限，当参数为 0 时，为完全 Cholesky 分解
R=cholinc(X, options)	options 参数可以选择 droptel、michol 和 rdiag 3 个参数
R=cholinc(X, ‘0’)	和完全 Cholesky 分解相同
[R, p]=cholinc(X, ‘0’)	和命令 chol(X)相同
R= cholinc(X, ‘inf’)	采用 Cholesky-infinity 方法分解，此方法基于 Cholesky 分解方法进行，但可以用于处理实半正定分解

例 3.13 不完全 Cholesky 分解示例。

```
% factorization_cholinc.m
% 不完全 Cholesky 分解示例
S = sparse([ 1      0      3      0;
             0     25      0     30;
             3      0      9      0;
             0     30      0    661 ]);
disp('完全 Cholesky 分解：')
[R,p] = cholinc(S,'0')
Rfull=full(R)
Srfull=Rfull'*Rfull
disp('不完全 Cholesky 分解：')
Rinf = cholinc(S,'inf')
Rinf_full=full(Rinf)
Srinf_full=Rinf_full'*Rinf_full
```

【执行结果】

```
完全 Cholesky 分解：
R =
   (1,1)        1
   (2,2)        5
   (1,3)        3
   (2,4)        6
p =
     3
Rfull =
     1     0     3     0
     0     5     0     6
Srfull =
     1     0     3     0
     0    25     0    30
     3     0     9     0
     0    30     0    36
不完全 Cholesky 分解：
Rinf =
   (1,1)        1
   (2,2)        5
   (1,3)        3
   (3,3)      Inf
   (2,4)        6
```

```
    (4,4)          25
Rinf_full =
     1     0     3     0
     0     5     0     6
     0     0   Inf     0
     0     0     0    25
Srinf_full =
     1     0   NaN     0
     0    25   NaN    30
   NaN   NaN   Inf   NaN
     0    30   NaN   661
```

从上面的执行结果可以看出，经过完全的 Cholesky 分解后得到的上三角矩阵，可以再次相乘得到原矩阵；而采用 cholesky-infinity 方法进行分解也可以得到分解结果，但此结果与初始矩阵可能不相同。

3.4.3 LU 分解

LU 分解是将一个矩阵分解为一个“心理”下三角矩阵和一个上三角矩阵的乘积，即 ***A*=*LU*** 的形式。其中，“心理”下三角矩阵的定义为下三角矩阵和置换矩阵的乘积。通常 ***LU*** 矩阵分解方法又称为高斯消去法。

在 MATLAB 7.x 中，LU 分解的调用格式主要包括以下几种形式，如表 3.5 所示。

表 3.5　LU 矩阵分解的形式

调用格式	说　明
[L, U]=lu(X)	X 为任意方阵，L 为“心理”下三角矩阵，U 为上三角矩阵，X=LU
[L, U, P]=lu(X)	X 为任意方阵，L 为“心理”下三角矩阵，U 为上三角矩阵，P 为置换矩阵，PX=LU
Y=lu(X)	X 为任意方阵，该命令格式把 L 和 U 合并在一起通过矩阵 Y 来给出，此时，满足 Y=L+U–I，在该命令的分析中缺少置换矩阵 P 的信息

例 3.14　LU 矩阵分解示例。

```
% factorization_lu.m
% 矩阵的 LU 分解示例
A = [ 1     2     3
      4     5     6
      7     8     0 ];
disp('LU 分解方法一');
[L1,U]=lu(A)
X=L1*U
disp('LU 分解方法二');
[P,L2,U2]=lu(A)
PL2=P*L2
disp('LU 分解求线性方程组');
b=[2 3 5]'
xb0=A\b
y1=L1\b;
xb1=U\y1
```

【执行结果】

```
LU 分解方法一
```

```
L1 =
    0.1429    1.0000         0
    0.5714    0.5000    1.0000
    1.0000         0         0
U =
    7.0000    8.0000         0
         0    0.8571    3.0000
         0         0    4.5000
X =
     1     2     3
     4     5     6
     7     8     0
LU 分解方法二
P =
    1.0000         0         0
    0.1429    1.0000         0
    0.5714    0.5000    1.0000
L2 =
    7.0000    8.0000         0
         0    0.8571    3.0000
         0         0    4.5000
U2 =
     0     0     1
     1     0     0
     0     1     0
PL2 =
     7     8     0
     1     2     3
     4     5     6
LU 分解求线性方程组
b =
     2
     3
     5
xb0 =
   -1.4444
    1.8889
   -0.1111
xb1 =
   -1.4444
    1.8889
   -0.1111
```

在上面的例子中，第二种方法将置换矩阵单独提取出来，置换矩阵和 ***L*2** 的乘积与 ***L*** 矩阵相同。通过 LU 分解方法求解线性方程组时，求解方法可以表示为：***Ax*=*LUx*=*b***，因此，求解的方法为 *y*=***L****b*，*x*=***U****y*。

3.4.4　不完全 LU 分解

不完全 LU 分解是针对稀疏矩阵进行的分解方法。不完全 LU 分解方法的调用格式主要包括以下几种方法，如表 3.6 所示。

表 3.6　　不完全 LU 分解的格式

命 令 格 式	说　明
[L, U]=luinc(X, droptol)	在该命令格式中，X、L、U 的含义和前面 LU 中的含义相同，其中 droptol 表示不完全 LU 分解的丢失容限，当该参数设置为 0 时，为完全 LU 分解
[L, U]=luinc(X, options)	options 是不完全 LU 分解的可选参数，包括 droptol、milu、udiag、thresh 4 个可选项
[L, U]=luinc(X, '0')	0 级不完全 LU 分解，返回 L 和 U 矩阵
[L, U, P]=luinc(X, '0')	0 级不完全 LU 分解，返回 L、U 和 P 矩阵

例 3.15　不完全 LU 分解方法示例。

```
% factorization_luinc.m
% 矩阵的 LU 不完全分解示例
load west0479
A=west0479;
% 绘制稀疏矩阵图形
subplot(1,2,1);
spy(A);
title('A');
% LU 分解结果图形
LU=lu(A);
subplot(1,2,2);
spy(LU);
title('LU');
% 0 级 LU 分解示例
figure;
[L,U,P] = luinc(A,'0');
D=(L*U).*spones(P*A)-P*A;
subplot(2,2,1);
spy(L);
title('L:luinc(A,0)');
subplot(2,2,2);
spy(U);
title('U:luinc(A,0)');
subplot(2,2,3);
spy(P*A);
title('P*A:luinc(A,0)');
subplot(2,2,4);
spy(L*U);
title('L*U:luinc(A,0)');
% 丢失容限的比较
figure;
[L1,U1,P1]=luinc(A,1e-8);
[L2,U2,P2]=luinc(A,1e-2);
subplot(1,2,1);
spy(L1*U1);
title('luinc(A,1e-8)');
subplot(1,2,2);
spy(L2*U2);
title('luinc(A,1e-2)');
```

上面的程序通过 spy 函数来表达进行分解后的矩阵情况。图 3.2 和图 3.3 所示分别为进行 LU 分解和不完全 LU 分解后的图。图 3.4 所示为不同丢失容限下的比较。

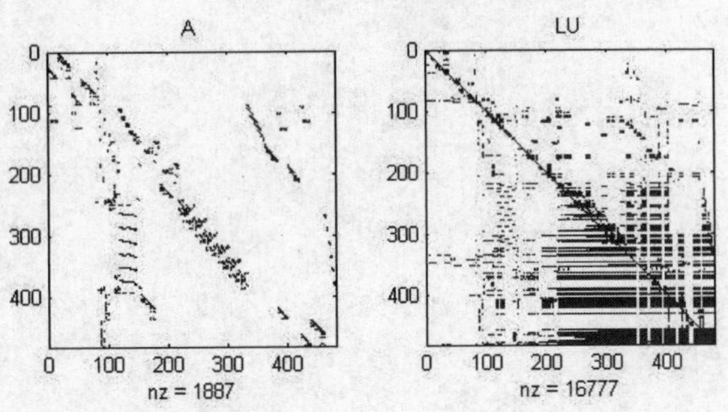

图 3.2　稀疏矩阵 ***A*** 和 LU 分解后的图形表示

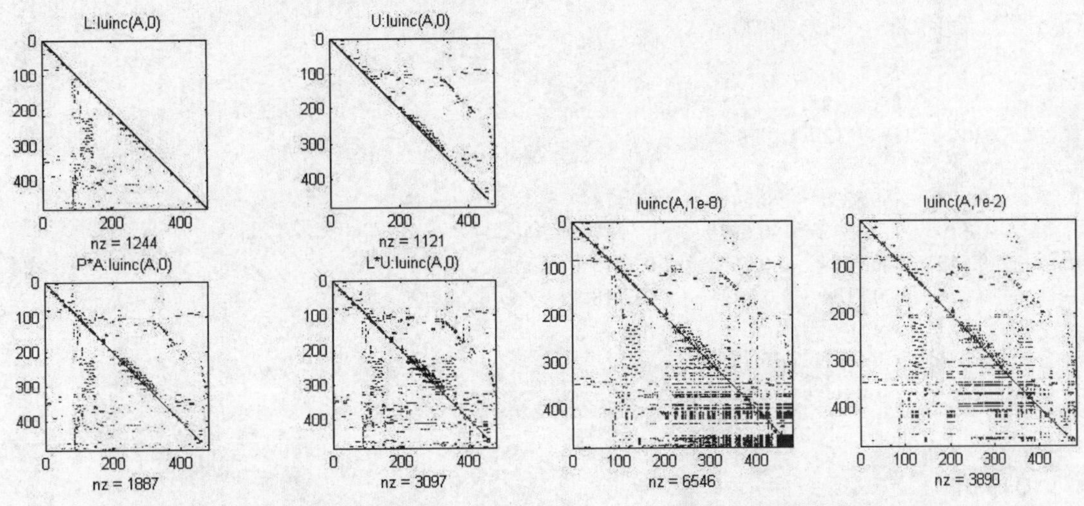

图 3.3　不完全 LU 分解稀疏矩阵图

图 3.4　不同丢失容限的比较

3.4.5　QR 分解

矩阵的 QR 分解是将一个 $m \times n$ 的矩阵 ***A*** 分解为一个正交矩阵 ***Q*** 和一个上三角矩阵 ***R*** 的乘积的形式。因此，矩阵的 QR 分解又可以称为矩阵的正交分解。在 MATLAB 7.x 中，矩阵的正交分解的命令格式主要包括以下几种形式，如表 3.7 所示。

表 3.7　QR 正交分解的命令格式

命 令 格 式	说　明
[Q, R]=qr(A)	R 和 A 大小相同，Q 为正交矩阵，A=QR，可用于满矩阵和稀疏矩阵
[Q, R]=qr(A, 0)	对于 m×n 的矩阵，如果 m>n，那么在计算过程中，计算矩阵 A 的前 n 列元素，返回 n×n 的 R 矩阵；如果 m≤n，和上面的命令格式的计算形式相同
[Q, R, E]=qr(A)	Q 为正交矩阵，R 为上三角矩阵，E 为置换矩阵，AE=QR

例 3.16　QR 正交分解示例。

```
% factorization_qr.m
% 矩阵的 QR 分解示例
```

```
A = [1    2    3
     4    5    6
     7    8    9
     10   11   12 ]
[Q,R]=qr(A)
disp('Q 的特性：')
detQ=det(Q)
QQ=Q'*Q
disp('求解线性方程组：')
b=[1;3;5;7];
x0=A\b
y=Q'*b;
x=R\y
```

【执行结果】

```
A =
     1     2     3
     4     5     6
     7     8     9
    10    11    12
Q =
   -0.0776   -0.8331    0.5456   -0.0478
   -0.3105   -0.4512   -0.6919    0.4704
   -0.5433   -0.0694   -0.2531   -0.7975
   -0.7762    0.3124    0.3994    0.3748
R =
  -12.8841  -14.5916  -16.2992
         0   -1.0413   -2.0826
         0         0   -0.0000
         0         0         0
Q 的特性：
detQ =
   -1.0000
QQ =
    1.0000    0.0000   -0.0000    0.0000
    0.0000    1.0000    0.0000   -0.0000
   -0.0000    0.0000    1.0000   -0.0000
    0.0000   -0.0000   -0.0000    1.0000
求解线性方程组：
Warning: Rank deficient, rank = 2,   tol =     1.4594e-014.
> In factorization_qr at 13
x0 =
    0.5000
         0
    0.1667
Warning: Rank deficient, rank = 2,   tol =     1.4594e-014.
> In factorization_qr at 15
x =
    0.5000
         0
    0.1667
```

在上面的示例中，通过 QR 分解后得到了该矩阵的 QR 分解值，进一步示例了如何通过 QR 分解来求解线性方程组的解。

在 MATLAB 7.x 中，还可以对 QR 分解得到的矩阵的行和列进行删除和添加操作，其中，qrdelete 命令为删除行或列，而 qrinsert 则为插入某些行或列。这两个命令格式的形式几乎相同，此处，以 qrdelete 为例进行介绍，如表 3.8 所示。

表 3.8　qrdelete 命令格式

命令格式	说明
[Q1, R1]=qrdelete(Q, R, j)	返回矩阵 A1 的 QR 分解结果，A1 为删除第 j 列得到的结果
[Q1, R1]=qrdelete(Q, R, j, ‘col’)	计算结果和第一条命令格式相同
[Q1, R1]=qrdelete(Q, R, j, ‘row’)	返回矩阵 A1 的 QR 分解结果，A1 为删除第 j 行得到的结果

例 3.17　QR 分解的删除和添加操作。

```
% factorization_qr_delete_insert.m
% 矩阵的 QR 分解操作示例
disp('进行 qrdelete 操作的结果：')
A=magic(5);
[Q,R]=qr(A);
j=3;
[Q1,R1]=qrdelete(Q,R,j,'row')
disp('删除第 j 列后的 QR 分解结果：')
A2=A;
A2(j,:)=[];
[Q2,R2]=qr(A2)
disp('添加第 j 列的 QR 分解结果：')
x=1:5;
[Q3,R3]=qrinsert(Q,R,j,x,'row')
```

【执行结果】

```
进行 qrdelete 操作的结果：
Q1 =
    0.5274   -0.5197   -0.6697   -0.0578
    0.7135    0.6911    0.0158    0.1142
    0.3102   -0.1982    0.4675   -0.8037
    0.3413   -0.4616    0.5768    0.5811
R1 =
   32.2335   26.0908   19.9482   21.4063   23.3297
         0  -19.7045  -10.9891    0.4318   -1.4873
         0         0   22.7444    5.8357   -3.1977
         0         0         0  -14.5784    3.7796
删除第 j 列后的 QR 分解结果：
Q2 =
   -0.5274    0.5197    0.6697   -0.0578
   -0.7135   -0.6911   -0.0158    0.1142
   -0.3102    0.1982   -0.4675   -0.8037
   -0.3413    0.4616   -0.5768    0.5811
R2 =
  -32.2335  -26.0908  -19.9482  -21.4063  -23.3297
         0   19.7045   10.9891   -0.4318    1.4873
```

```
       0          0   -22.7444    -5.8357     3.1977
       0          0          0   -14.5784     3.7796
添加第 j 列的 QR 分解结果：
Q3 =
    0.5231    0.5039   -0.6750    0.1205    0.0411    0.0225
    0.7078   -0.6966    0.0190   -0.0788    0.0833   -0.0150
    0.0308    0.0592    0.0656    0.1169    0.1527   -0.9769
    0.1231    0.1363    0.3542    0.6222    0.6398    0.2104
    0.3077    0.1902    0.4100    0.4161   -0.7264   -0.0150
    0.3385    0.4500    0.4961   -0.6366    0.1761    0.0225
R3 =
   32.4962   26.6801   21.4795   23.8182   26.0031
         0   19.9292   12.4403    2.1340    4.3271
         0         0   24.4514   11.8132    3.9931
         0         0         0   20.2382   10.3392
         0         0         0         0   16.1948
         0         0         0         0         0
```

通过上面的示例可以看出，无论添加行或列后再进行 QR 分解，分解的结果和直接使用 qrdelete 和 qrinsert 命令的结果都有所不同。

3.4.6 奇异值分解

在线性代数中，奇异值分析可以说明为：对于任意给定的矩阵 $\boldsymbol{A} \in \boldsymbol{C}^{m\times n}$，都存在酉矩阵，$\boldsymbol{U}=[u_1,u_2,\cdots,u_m]$和$\boldsymbol{V}=[v_1,v_2,\cdots,v_n]$，使得矩阵转换为对角矩阵，即

$$\boldsymbol{U}'\boldsymbol{A}\boldsymbol{V}=\mathrm{diag}(\sigma_1,\sigma_2,\cdots,\sigma_p)$$

在对角线元素中，$\sigma_1 \geqslant \sigma_2 \geqslant \cdots \geqslant \sigma_p$，$p=\min(m,n)$。在上面的表达式中，$\{\sigma_i,u_i,v_i\}$分别作为矩阵 $\boldsymbol{A}$ 的第 i 个奇异值、左奇异值和右奇异值，分解结果为奇异值分解的 3 对组。在 MATLAB 7.x 中，奇异值分解的命令格式如表 3.9 所示。

表 3.9　　奇异值分解的命令格式

命令格式	说　明
[U, S, V]=svd(X)	奇异值分解
[U, S, V]=svd(X, 0)	比较经济的奇异值分解格式，如果 m×n 的矩阵 m>n，那么计算 X 前 n 列元素，返回 n 列的 U
s=svds(A, k, 0)	在向量 s 中包含矩阵 A 分解得到的 k 个最小奇异值
[U, S, V]=svds(A, k)	给出 A 的 k 个最大奇异值分解结果

例 3.18　奇异值分解示例。

```
% factorization_svd.m
% 矩阵的奇异值分解操作示例
disp('奇异值分解')
X =[ 1    2
     3    4
     5    6
     7    8];
[U,S,V] = svd(X)
disp('经济型奇异值分解：')
[U1,S1,V1] = svd(X,0)
```

【执行结果】

```
奇异值分解
U =
   -0.1525   -0.8226   -0.3945   -0.3800
   -0.3499   -0.4214    0.2428    0.8007
   -0.5474   -0.0201    0.6979   -0.4614
   -0.7448    0.3812   -0.5462    0.0407
S =
   14.2691         0
         0    0.6268
         0         0
         0         0
V =
   -0.6414    0.7672
   -0.7672   -0.6414
经济型奇异值分解：
U1 =
   -0.1525   -0.8226
   -0.3499   -0.4214
   -0.5474   -0.0201
   -0.7448    0.3812
S1 =
   14.2691         0
         0    0.6268
V1 =
   -0.6414    0.7672
   -0.7672   -0.6414
```

例 3.19 稀疏矩阵的奇异值分解。

```
% factorization_svds.m
% 稀疏矩阵的奇异值分解操作示例
load west0479
s=svd(full(west0479));
disp('最大的四个奇异值：')
sl=svds(west0479,4)
disp('最小的六个奇异值：')
ss=svds(west0479,6,0)
% 图形显示结果
plot(sl,'ro')
hold on
plot(ss,'g*')
hold on
plot(s,'bd')
set(gca,'Xtick',[0:5:10]);
set(gca,'Xlim',[0 10]);
xlabel('n');
ylabel('single value');
```

【执行结果】

```
最大的四个奇异值：
sl =
```

```
    1.0e+005 *
       3.1895
       3.1725
       3.1695
       3.1685
最小的六个奇异值：
ss =
    1.0e-004 *
       0.5616
       0.5169
       0.4505
       0.4020
       0.0424
       0.0098
```

将以上奇异值在图上画出来，如图 3.5 所示。

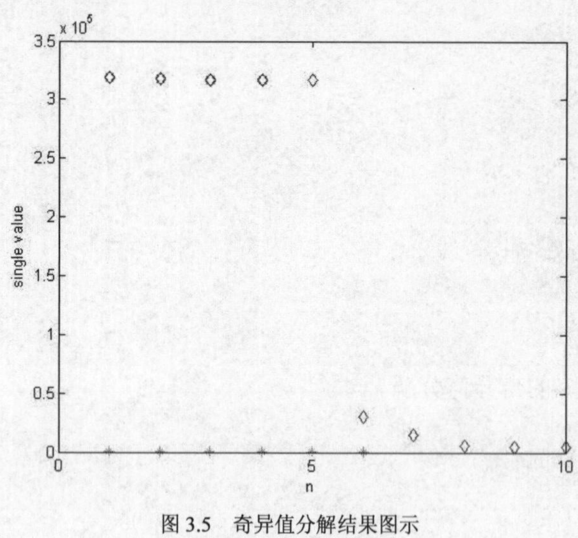

图 3.5 奇异值分解结果图示

3.5 特征值分析

在线性代数中，特征值分析也是一个非常重要的理论。对 $n \times n$ 方阵 $\boldsymbol{A}$，其特征值 λ（标量）和特征值对应的特征向量 $\boldsymbol{x}$（向量）满足关系式：

$$\boldsymbol{A}\boldsymbol{x} = \lambda \boldsymbol{x}$$

如果把矩阵 $\boldsymbol{A}$ 的 n 个特征值放在矩阵的对角线上，得到 $\boldsymbol{D}$，即 $\boldsymbol{D} = \mathrm{diag}(\lambda_1, \lambda_2, \cdots, \lambda_n)$。同时，如果把特征值对应的向量按照和特征值对应的次序排列，可以得到矩阵 $\boldsymbol{V}$ 的数据列。如果矩阵 $\boldsymbol{V}$ 是可逆的，那么，特征值问题可以转化为 $\boldsymbol{AV} = \boldsymbol{VD}$。进一步可以表示为：

$$\boldsymbol{A} = \boldsymbol{VDV}^{-1}$$

关于特征值和特征向量，在 MATLAB 7.x 中提供了多个命令来进行分析。

3.5.1　特征值和特征向量

在 MATLAB 7.x 中，特征值和特征向量的求解过程一般可以通过以下方式求解：对矩阵 A 进行一系列的 House-Holder 变换，产生一个准上三角矩阵，然后使用 QR 正交分解方法进行对角化。关于该求解方法的数学原理，读者可以参阅相关的线性代数书籍。

对于特征值和特征向量的求解，在 MATLAB 7.x 可以通过表 3.10 所示的命令格式求得。

表 3.10　　特征值和特征向量命令

命令格式	说　明
d=eig(A)	计算得到矩阵 A 的特征值，结果以向量的形式表示
[V, D]=eig(A)	计算矩阵 A 的特征向量 V 和特征值对角阵 D，AV=VD
[V, D]=eig(A, 'nobalance')	若矩阵中截断误差数量级相差不大时，可以使用此格式
[V, D]=eig(A, B)	计算矩阵 A 的广义特征向量矩阵 V 和广义特征值对角阵 D，这几个矩阵之间满足 AV=BVD
d=eigs(A, k, sigma)	计算稀疏矩阵 A 的 k 个由 sigma 指定的特征向量和特征值，读者可以通过 help 命令来查阅 sigma 的选项

例 3.20　特征值和特征向量示例。

```
% eigenvalue_vector.m
% 求解矩阵的特征值和特征向量
disp('求解矩阵的特征值和特征向量：');
A=magic(5)
[V,D]=eig(A)
detV=det(V)
err=A*V-V*D
% 当矩阵元素和截断误差相当的情况
disp('矩阵元素和截断误差相当：')
B=[ 3        -2        -.9      2*eps
    -2       4         1        -eps
    -eps/4   eps/2     -1       0
    -.5      -.5       .1       1    ];
[VB,DB]=eig(B)
err1=B*VB - VB*DB
[VN,DN]=eig(B,'nobalance')
err2=B*VN - VN*DN
```

【执行结果】

```
求解矩阵的特征值和特征向量：
A =
    17    24     1     8    15
    23     5     7    14    16
     4     6    13    20    22
    10    12    19    21     3
    11    18    25     2     9
V =
   -0.4472    0.0976   -0.6330    0.6780   -0.2619
   -0.4472    0.3525    0.5895    0.3223   -0.1732
   -0.4472    0.5501   -0.3915   -0.5501    0.3915
   -0.4472   -0.3223    0.1732   -0.3525   -0.5895
```

```
    -0.4472    -0.6780     0.2619    -0.0976     0.6330
D =
   65.0000          0          0          0          0
         0   -21.2768          0          0          0
         0          0   -13.1263          0          0
         0          0          0    21.2768          0
         0          0          0          0    13.1263
detV =
   -0.8940
err =
  1.0e-013 *
    0.1066     0.0577    -0.0355     0.0178    -0.0355
    0.3553     0.0977    -0.0266     0.2043    -0.0755
    0.0355     0.1243     0.0355    -0.1421     0.0178
   -0.0711     0.1155    -0.0533    -0.0266    -0.0089
   -0.1421     0.0711     0.0799    -0.0044     0.0178
矩阵元素和截断误差相当：
VB =
   -0.6153     0.4176     0.0000    -0.1475
    0.7881     0.3261     0.0000     0.1298
    0.0000     0.0000    -0.0000    -0.9443
   -0.0189    -0.8481    -1.0000     0.2639
DB =
    5.5616          0          0          0
         0     1.4384          0          0
         0          0     1.0000          0
         0          0          0    -1.0000
err1 =
   -0.0000     0.0000     0.0000     0.0000
    0.0000     0.0000     0.0000    -0.0000
    0.0000     0.0000     0.0000     0.0000
    0.0000     0.0000          0     0.4423
VN =
    0.7808    -0.4924          0    -0.1563
   -1.0000    -0.3845    -0.0000     0.1375
   -0.0000    -0.0000    -0.0000    -1.0000
    0.0240     1.0000    -1.0000     0.0453
DN =
    5.5616          0          0          0
         0     1.4384          0          0
         0          0     1.0000          0
         0          0          0    -1.0000
err2 =
  1.0e-014 *
   -0.2665          0    -0.0323    -0.0028
    0.4441     0.1110     0.0042    -0.0250
    0.0022     0.0002     0.0007          0
    0.0056    -0.0444     0.0444     0.0083
```

从上面的示例可以看出，当矩阵元素和截断误差相当时，如果不选择 nobalance 参数，得到的计算结果就有比较大的错误。

3.5.2　稀疏矩阵的特征值和特征向量

稀疏矩阵在工程计算和科学研究中占有非常重要的作用，因此，稀疏矩阵的特征值和特征向量的求解也非常重要。下面通过示例来介绍稀疏矩阵的特征值和特征向量的求解。

例 3.21　稀疏矩阵的特征值和特征向量。

```
% eigenvalue_vector_sparse.m
% 稀疏矩阵的特征值和特征向量
% A=delsq(numgrid('C',30))得到一对称正定阵，维度是 632 维
% 特征值分布在区间(0,8)之间，特征值 4 出现了 18 次
A=delsq(numgrid('C',30));
d=eig(full(A));
[dum,ind] = sort(abs(d));
dlm=eigs(A);
dsm=eigs(A,6,'sm');
dsmt=sort(dsm);
% 画出 6 个最大特征值
subplot(2,1,1)
plot(dlm,'k+')
hold on
plot(d(ind(end:-1:end-5)),'ks')
hold off
legend('eigs(A)','eig(full(A))',3)
set(gca,'XLim',[0.5 6.5])
% 画出 6 个最小特征值
subplot(2,1,2)
plot(dsmt,'k+')
hold on
plot(d(ind(1:6)),'ks')
hold off
legend('eigs(A,6,''sm'')','eig(full(A))',2)
set(gca,'XLim',[0.5 6.5])
```

经过上面的求解后，将稀疏矩阵的 6 个最大特征值和最小特征值通过图形表示出来，如图 3.6 所示。

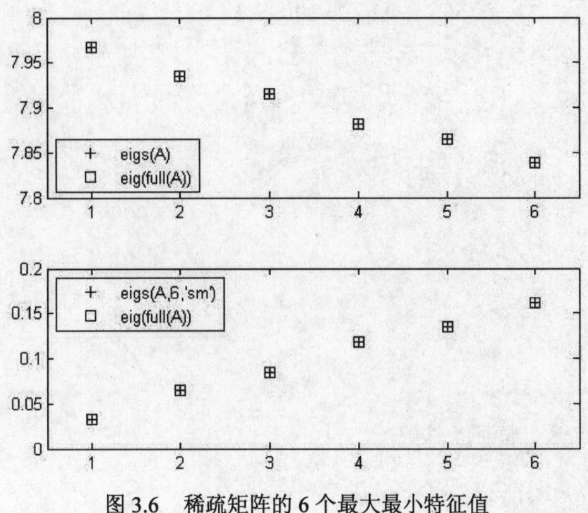

图 3.6　稀疏矩阵的 6 个最大最小特征值

3.5.3 特征值的条件数

在前面的章节中，已经介绍了如何在 MATLAB 7.x 中求解代数方程组的条件数。但是，如果需要求解矩阵特征值对扰动的灵敏度，那么需要通过矩阵特征值的条件数来进行分析。矩阵特征值的条件数是对每个特征值进行的，具体的定义如下：

$$c_{\mathrm{i}} = 1/[\cos\theta(\boldsymbol{v}_{\mathrm{li}}, \boldsymbol{v}_{\mathrm{ri}})]$$

式中，$\boldsymbol{v}_{\mathrm{li}}$、$\boldsymbol{v}_{\mathrm{ri}}$ 分别为特征值 λ_{i} 的左特征向量和右特征向量；$\theta(\boldsymbol{v}_{\mathrm{li}}, \boldsymbol{v}_{\mathrm{ri}})$ 表示这两个向量之间的夹角。在 MATLAB 7.x 求解特征值的条件数主要通过表 3.11 所示的两个命令格式实现。

表 3.11　　特征值条件数命令

命　令	说　明
c=condeig(A)	返回的向量 c 中包含矩阵 A 各特征值的条件数
[V, D, s]=condeig(A)	该命令可以返回特征向量矩阵 V、特征值矩阵 D 和条件数向量 s

例 3.22　特征值的条件数。

```
% eigenvalue_cond_number.m
% 求关于特征值的条件数
disp('矩阵的特征值条件数：')
A=magic(8)
cond_equ=cond(A)
cond_eigs=condeig(A)
disp('矩阵的特征值、特征向量、特征条件数：')
B=randn(4)
[V,D,s]=condeig(B)
```

【执行结果】

```
矩阵的特征值条件数：
A =
    64     2     3    61    60     6     7    57
     9    55    54    12    13    51    50    16
    17    47    46    20    21    43    42    24
    40    26    27    37    36    30    31    33
    32    34    35    29    28    38    39    25
    41    23    22    44    45    19    18    48
    49    15    14    52    53    11    10    56
     8    58    59     5     4    62    63     1
cond_equ =
  2.1050e+017
cond_eigs =
    1.0000
    1.5910
    1.5910
    1.8843
    1.7001
    1.7001
    3.2740
    3.2740
矩阵的特征值、特征向量、特征条件数：
B =
   -1.0559   -0.0412    0.9535   -0.4606
```

```
    1.4725   -1.1283    0.1286   -0.2624
    0.0557   -1.3493    0.6565   -1.2132
   -1.2173   -0.2611   -1.1678   -1.3194
V =
   -0.4050    0.3888   -0.3944   -0.1467
   -0.3943    0.6561    0.5999    0.3778
   -0.5979    0.1682   -0.0053    0.5281
    0.5684   -0.6246   -0.6961    0.7462
D =
    0.9577         0         0         0
         0    0.0270         0         0
         0         0   -1.7932         0
         0         0         0   -2.0387
s =
    2.2398
    2.6639
    1.4355
    1.0685
```

3.5.4　特征值的复数问题

在实际的计算过程中，矩阵的特征值有可能为复数，而且这些特征值以共轭复数的形式出现。因此，在实际计算中，常常需要将共轭复数的特征值转换为一个实数块。常用到的转换命令如表 3.12 所示。

表 3.12　　复数特征值的转化

命　令	说　明
[VR, DR]=cdf2rdf(VC, DC)	把复数对角形式转化为实数对角形式，VR 和 DR 表示实数特征向量矩阵和实数特征值对角矩阵，VC 和 DC 表示复数特征向量矩阵和复数特征值对角矩阵
[VC, DC]=rdf2cdf(VR, DR)	把实数 schur 形式转化为复数 schur 形式

例 3.23　复数特征值的转化。

```
% eigenvalue_complex2real.m
% 复数特征值和特征向量的转化
disp('从复数特征值和特征向量向实特征值和特征向量转化：')
X=[ 1     2     3
    0     4     5
    0    -5     4];
[V,D] = eig(X)
[VR,DR] = cdf2rdf(V,D)
disp('从实数特征值和特征向量向复数特征值和特征向量转化：')
A=[1     1     1     3
   1     2     1     1
   1     1     3     1
  -2     1     1     4];
d=eig(A)
[u,t] = schur(A)
[U,T] = rsf2csf(u,t)
```

【执行结果】

```
从复数特征值和特征向量向实特征值和特征向量转化：
V =
```

```
   1.0000              -0.0191 - 0.4002i  -0.0191 + 0.4002i
        0                    0 - 0.6479i        0 + 0.6479i
        0               0.6479                   0.6479
D =
   1.0000                    0                        0
        0               4.0000 + 5.0000i              0
        0                    0                 4.0000 - 5.0000i
VR =
    1.0000   -0.0191   -0.4002
         0         0   -0.6479
         0    0.6479         0
DR =
    1.0000         0         0
         0    4.0000    5.0000
         0   -5.0000    4.0000
从实数特征值和特征向量向复数特征值和特征向量转化：
d =
   4.8121
   1.9202 + 1.4742i
   1.9202 - 1.4742i
   1.3474
u =
   -0.4916   -0.4900   -0.6331   -0.3428
   -0.4980    0.2403   -0.2325    0.8001
   -0.6751    0.4288    0.4230   -0.4260
   -0.2337   -0.7200    0.6052    0.2466
t =
    4.8121    1.1972   -2.2273   -1.0067
         0    1.9202   -3.0485   -1.8381
         0    0.7129    1.9202    0.2566
         0         0         0    1.3474
U =
  -0.4916              -0.2756 - 0.4411i   0.2133 + 0.5699i   -0.3428
  -0.4980              -0.1012 + 0.2163i  -0.1046 + 0.2093i    0.8001
  -0.6751               0.1842 + 0.3860i  -0.1867 - 0.3808i   -0.4260
  -0.2337               0.2635 - 0.6481i   0.3134 - 0.5448i    0.2466
T =
   4.8121              -0.9697 + 1.0778i  -0.5212 + 2.0051i  -1.0067
        0               1.9202 + 1.4742i   2.3355             0.1117 + 1.6547i
        0                    0             1.9202 - 1.4742i   0.8002 + 0.2310i
        0                    0                  0             1.3474
```

3.6 本章小结

矩阵运算是 MATLAB 7.x 计算的基础之一。本章主要介绍了 MATLAB 7.x 中的矩阵运算相关的内容，对矩阵分析、线性方程组求解、矩阵分解、特征值分析等和矩阵分析直接相关的内容进行了介绍。读者在学习这些内容的基础上，结合本章所给出的常见的矩阵处理函数、特殊矩阵、稀疏矩阵的命令可以处理大部分与矩阵相关的运算问题。

第 4 章　MATLAB 7.x 编程基础

MATLAB 7.x 的工程运算功能十分强大，能够处理数值运算、符号运算、矩阵运算、绘图等，还可以和高级语言如 C、FORTRAN 等一样编写程序，完成一定的命令执行功能和函数处理功能，前者为命令执行的脚本文件；后者则将大量的数学函数或命令集中在一个模块内，形成一定的函数处理功能。这两类文件都以.m 为后缀，在编程方面具有一定的优势，所编写的文件在 MATLAB 7.x 中均被称为 M 文件。本章主要对 M 文件的编程基础进行介绍。主要内容包括:

- M 文件编辑器
- 编写脚本文件
- 流程控制
- 控制语句
- 向量化
- 参数传递
- 程序调试和剖析

4.1　M 文件编辑器

M 文件的编写主要在 M 文件编辑器中进行。在 M 文件编辑器中，提供了比较友好的编辑、调试和执行环境，用户可以在该文件编辑器中进行 M 文件编辑，完成程序的交互性调试以及对其他 ASCII 文件的阅读和编辑任务。

4.1.1　打开 M 文件编辑器

运行 MATLAB 7.x 后，读者可以通过以下 3 种方法打开 M 文件编辑器。

（1）在工具栏中单击 New M-file 图标🗋，或从菜单中选择 File/New/M-File 创建新的 M 文件。此时，系统弹出 UntitledM 文件编辑器，如图 4.1 所示。

（2）从工具栏中单击 Open file 图标📂，或从菜单中选择 Open 菜单项，此时系统弹出打开文件对话框，选择需要编辑修改的 M 文件，如图 4.2 所示。

（3）在命令窗口中输入 edit 命令，可以打开 M 文件编辑器，创建新的 M 文件，如图 4.1 所示；如果在命令行中输入 edit filename，那么可以打开在当前目录环境下的 M 文件，和方法（2）相似，如图 4.2 所示。

例 4.1　打开已经存在的 M 文件。

选择方法（2）或者方法（3）中的 edit filename 方法打开当前目录下的文件。系统弹出如图 4.3 所示的 cond_hilbert.m 文件，用户可以直接在 M 文件编辑器中，对 cond_hilbert.m 文件进行编辑、修改和调试。

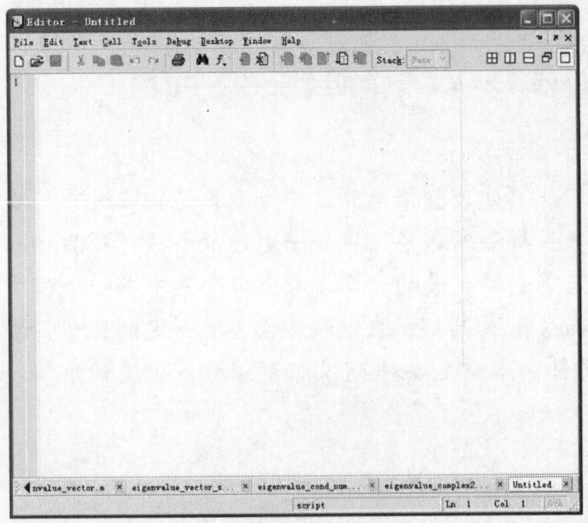

图 4.1　创建新的 M 文件

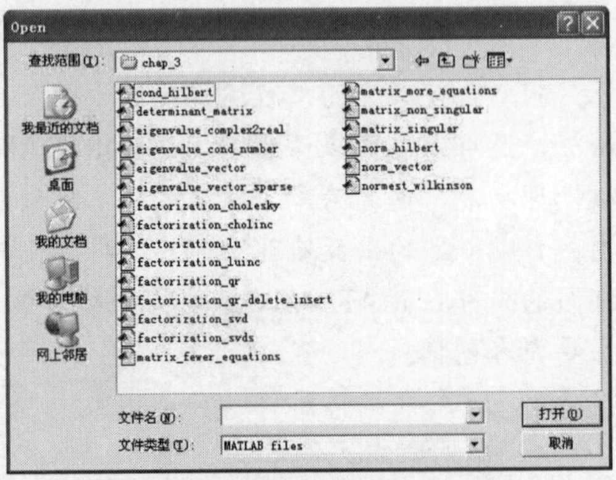

图 4.2　打开 M 文件

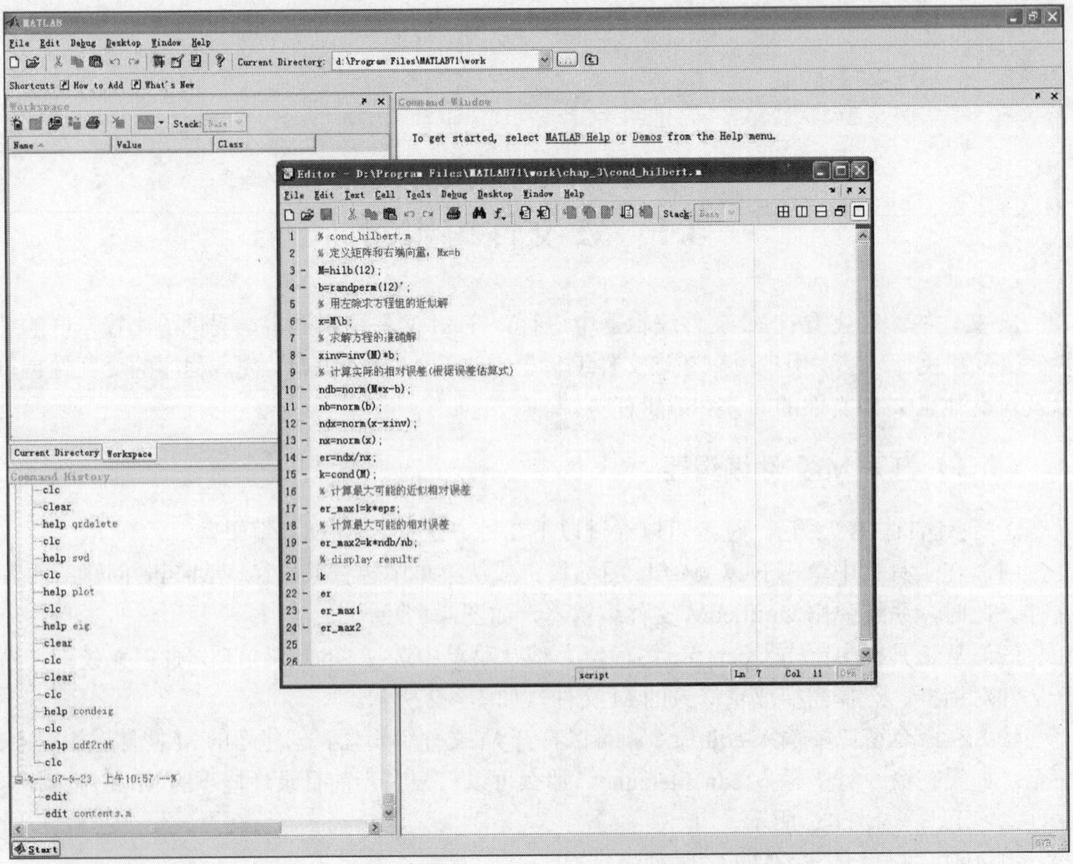

图 4.3　打开 cond_hilbert.m 进行编辑

4.1.2 M 文件编辑器的设置

在进行 M 文件编辑过程中，可以对编辑器的编辑环境、调试特性、自动保存等选项进行设置。用户可以在 M 文件编辑器中，选择 File/Preference 菜单项，系统将弹出如图 4.4 所示的对话框。

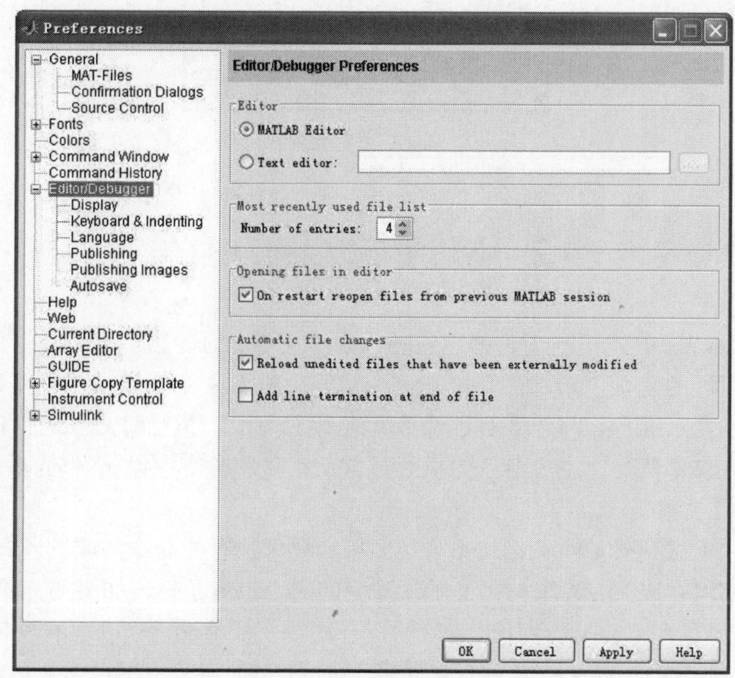

图 4.4 M 文件编辑器的设置

在该对话框的左侧，用户可以选择 Colors 选项，设置程序语句中的关键字（Keywords）、字符串（Strings）、未结束的字符串（Unterminated Strings）、系统命令（System Commands）、错误信息（Errors）等选项的颜色、字体等显示特性。

在 Editor/Debugger 选项下的 Display 页面中，如果用户选中 Enable datatips in edit mode 复选框，那么在编辑和调试状态下，当用户鼠标移过此变量时，系统自动通过 tips 选项来提示此时的变量内容。

在 Autosave 选择页面，用户可以设置系统自动保存 M 文件的时间。

其他的选项，用户可以根据需要进行相应的设置。当设置完毕之后，单击 Apply 选项完成设置的确认工作。

4.1.3 M 文件编辑器的打印属性设置

当用户需要把所编写的 M 文件通过打印机打印出来时，可以设置相应的打印选项。此时，可以选择 File/Page Setup 菜单项，系统将弹出如图 4.5 所示的对话框，可以完成打印布局、页眉和字体等的设置。

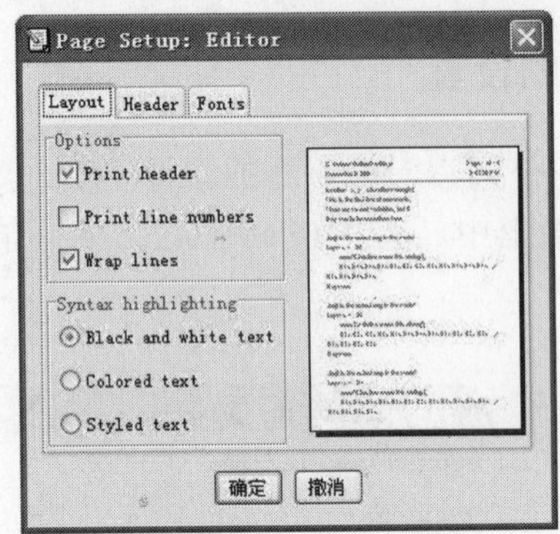

图 4.5 打印设置

4.2 M 脚本文件的编写

在 MATLAB 7.x 中处理一些简单问题时，可以直接在命令窗口输入处理命令。当命令比较多或者控制流程的复杂度增加后直接从命令空间中输入命令就显得比较复杂。此时，用户可以编写简单的文本文件，将一系列的命令写在该文件中，执行时只要运行该文件，就可以从该文件中读入脚本语句，完成命令的执行过程。此文件通常也以 .m 作为后缀，因此，也将这些命令称为 M 文件。

脚本文件的构成比较简单，由一系列按照用户要求执行的命令构成，当脚本文件运行后，所产生的变量都将驻留在 MATLAB 7.x 的工作空间内。也就是说，如果用户不关闭 MATLAB 7.x 窗口，或者不使用 clear 命令加以清除的话，这些变量将会保留在工作空间内。

按照 4.1 节介绍的方法创建 M 脚本文件后，可以将该文件保存后单击 Run 命令或直接按 F5 键进行执行。当然，可以直接在命令窗口中输入所保存的 M 脚本文件的文件名来执行脚本文件。

在脚本文件的编写中有一些函数对控制文件执行十分有用，表 4.1 进行了小结。

表 4.1 一些控制函数

函 数	说 明
beep	计算机发出声音
disp	只显示结果，不显示变量名
echo	脚本文件执行中，控制脚本文件内容是否显示在命令窗口
input	提示用户输入数据
keyboard	临时终止脚本文件执行，让键盘获得控制权，按回车键后交回控制权
pause（n）或 pause	暂停，直到用户按下任意键或停止数秒后继续执行
waitforbuttonpress	暂停，直到用户按下鼠标键或键盘键后为止

例 4.2 脚本文件示例。

```
% matlab_script.m
% 简单的演示脚本文件
% 在命令空间中显示所执行的命令行
echo on
```

```
t=0:pi/20:2*pi;
% 旋转母线
r=2+cos(2*t);
num=input('输入沿旋转方向的母线数量>');
[X,Y,Z]=cylinder(r,num);
% 剖切第三象限内的部分
ii=find(X<0&Y<0);
Z(ii)=NaN;
surf(X,Y,Z)
axis square
echo off
```

【执行结果】

```
t=0:pi/20:2*pi;
% 旋转母线
r=2+cos(2*t);
num=input('输入沿旋转方向的母线数量>');
输入沿旋转方向的母线数量>60
[X,Y,Z]=cylinder(r,num);
% 剖切第三象限内的部分
ii=find(X<0&Y<0);
Z(ii)=NaN;
surf(X,Y,Z)
axis square
echo off
```

从上面的示例可以看出，在脚本文件中使用 echo on 函数后，通过执行之后，在命令空间中会显示所执行的命令语句。在执行过程中，input 语句提示用户输入数据。输入数据完成后继续执行脚本文件中的命令。本例最后输出所绘制的图形，如图 4.6 所示。

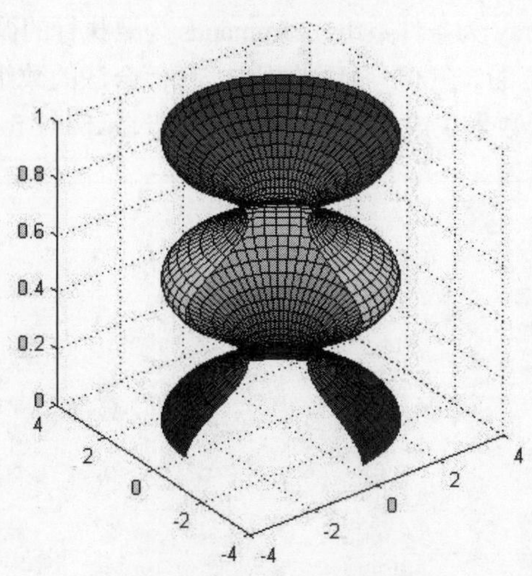

图 4.6　脚本文件的执行结果

如果从工作空间中进行查询，可以查询到脚本文件执行过程中的变量信息。

例 4.3　脚本文件变量信息（接上例）。

```
>> whos
  Name         Size                    Bytes  Class
```

```
    X          41x61                    20008  double array
    Y          41x61                    20008  double array
    Z          41x61                    20008  double array
    ii         615x1                    4920   double array
    num        1x1                      8      double array
    r          1x41                     328    double array
    t          1x41                     328    double array
Grand total is 8201 elements using 65608 bytes
```

4.3 流 程 控 制

和其他编程语言一样，MATLAB 7.x 中也允许用户使用决策控制命令执行，即流程控制。熟悉其他编程语言的读者，对这些流程控制过程应非常熟悉。MATLAB 7.x 的流程控制的功能非常强大，主要提供 for 循环结构、while 循环结构、if 选择判断结构、switch 分支选择结构和 try-catch 结构。在大多数情况下，这些控制结构包含不止一条 MATLAB 7.x 命令，因此，常常在 M 文件中出现，编写为 M 文件以便执行和操作。

4.3.1 for 循环结构

for 循环结构中，需设定一定的循环条件，MATLAB 7.x 根据所设定的循环次数执行循环体内的命令。一般的格式如下：

```
for x=array
    commands
end
```

其中，x 为循环变量，array 为条件数组，commands 为要执行的循环代码。循环体 commands 执行的次数是由 array 所设定的。在 for 循环结构中，任何合法的数组生成语句都可以作为条件数组，如可以用 randperm 函数来生成条件数组。以下通过示例对 for 循环进行简单的介绍。

例 4.4 for 循环结构示例。

```
% stucture_for.m
% for 循环结构示例
disp('示例 1：')
for n=10:-1:1
    x(n)=sin(n*pi/5);
end
x
disp('示例 2：')
array=randperm(10)
for n=array
    x1(n)=sin(n*pi/5);
end
x1
```

【执行结果】

```
示例 1：
x =
```

```
    0.5878    0.9511    0.9511    0.5878    0.0000   -0.5878   -0.9511   -0.9511   -0.5878   -0.0000
示例 2：
array =
     7    10     2     6     3     5     1     8     9     4
x1 =
    0.5878    0.9511    0.9511    0.5878    0.0000   -0.5878   -0.9511   -0.9511   -0.5878   -0.0000
```

上面的示例说明，尽管条件数组内的元素发生变化，使 for 循环按照随机顺序执行，但并不影响执行的结果。使用 for 循环来进行计算，并不能说明 for 循环结构是执行效率非常高的语句。如果能用等效的数组方法解决问题，那么应该尽量避免使用 for 循环语句。等效的数组方法的执行效率比 for 循环的执行效率要快几个数量级。数组解决的方法通常都是基于向量进行的，因此，数组解决的方法也称为向量化的解决方案；而 for 循环通常是基于标量进行的，因此，也称为标量化的解决方案。在本章的后面部分将对向量化的解决方案进行介绍。

4.3.2　while 循环结构

while 循环结构对循环体进行无限次的循环运算，直到循环体满足循环结束条件或达到一定的循环次数后终止而结束，和 for 循环进行有限次的执行过程是有区别的。while 循环结构的基本形式如下：

```
while expression
    commands
end
```

其中，expression 被称为条件表达式，commands 为要执行的循环语句，一般情况下，expression 的计算结果是一个标量，但也可以是一个数组表达式。当标量的结果为 true 时，循环体会一直执行下去；当 expression 的结果是一个数组时，只有当数组中的所有元素均为 true 时，循环体内的 commands 才会一直执行下去。

例 4.5　用 while 循环求浮点数的精度。

```
% stucture_while.m
% while 循环结构示例
%  求浮点数 eps 的精度
EPS=1;
num=0;
while(1+EPS)>1
    EPS = EPS/2;
    num=num+1;
end
disp('eps 的数值（浮点数的精度）为：')
num
EPS=EPS*2
```

【执行结果】

```
eps 的数值（浮点数的精度）为：
num =
    53
EPS =
  2.2204e-016
```

当 while 循环结构中的 expression 为数组时，只有当该数组的每个元素都为 true 的情况下，while 才能够循环执行。此时，可以使用 any 函数作为 while 循环的条件判断式，只有当所有的元素均为 true 时，any 函数才会返回一个标量逻辑值 true，while 循环才能够被执行。

4.3.3 if 判断结构

if 判断结构，根据某一给定的条件，来进行判断以执行不同的命令。其格式如下：

```
if expression
    commands
end
```

其中，expression 为条件表达式，commands 为要执行的命令。当 expression 的所有元素都为 true 时，commands 命令块才能够执行。

当 expression 包含多个子逻辑表达式时，MATLAB 7.x 采用“避绕式”计算各表达式的值。例如，如果 expression 为（expression1 | expression2），那么当计算的 expression1 为 false 时，expression2 才会执行；如果 expression 为（expression1 & expression2），那么当计算的 expression1 为 false 时，就不再计算 expression2 表达式。当采用的是 if-else-end 语句时，那么对避绕式操作符（&&和||）以及普通的逻辑操作符号（&和|），MATLAB 7.x 都采用“避绕式”方法来计算各表达式的值。

如果用户需要在判断条件为 true 和 false 时，分别执行不同的命令行，那么可以选择使用 if-else-end 判断结构，格式如下：

```
if expression
    commands when expression is true
else
    commands when expression is false
end
```

当用户需要执行多个不同的操作语句时，可以使用 elseif 语句结构。

例 4.6 if 判断结构示例。

```
% stucture_if.m
% if 判断结构示例
% 求解一元二次方程 a*x^2+b*x+c=0 的根
% 输入方程的系数
disp('求解一元二次方程的根：');
a=input('输入系数 a：');
b=input('输入系数 b：');
c=input('输入系数 c：');
disp('输出计算结果：')
% 计算判别式
delta=b^2-4*a*c;
% delta>0，两个不同的实数根
if(delta>0)
    x1=(-b+sqrt(delta))/(2*a);
    x2=(-b-sqrt(delta))/(2*a);
    fprintf('两个不同的实根：\n\tx1=%f\n\tx2=%f',x1,x2);
% delta=0，两个相等的实数根
elseif delta==0
    x1=(-b+sqrt(delta))/(2*a);
```

```
        fprintf('两个相同的实根：\n\tx1=x2=%f',x1);
% delta<0，两个虚根
else
        real_a=-b/(2*a);
        imag_b=sqrt(abs(delta))/(2*a);
        x1=real_a-imag_b*i;
        x2=real_a+imag_b*i;
        fprintf('两个不同的复根：\n\tx1=%s\n\tx2=%s',num2str(x1),num2str(x2));
end
```

【执行结果】

```
求解一元二次方程的根：
输入系数 a：2
输入系数 b：3
输入系数 c：5
输出计算结果：
两个不同的复根：
    x1=-0.75-1.3919i
    x2=-0.75+1.3919i
```

在上面的例子中，通过输入一元二次方程的系数来计算不同判别式条件下的计算结果。判断分支结构使用了 if-elseif-else-end 语句形式，用于执行在 3 种不同条件下的计算结果。

此外，使用 if 判断结构时需要注意，if 判断结构是非常灵活的结构之一，可以使用多个 elseif 分支条件判断，但在一个 if 判断语句中，只允许有一个 if 和 end 语句；如果判断的条件比较复杂，则可以选择嵌套使用 if 判断语句和条件。

4.3.4 switch 分支选择结构

switch-case 选择结构也是一种条件判断的分支结构，根据一个公共参数的不同取值来执行不同的命令块。switch-case 结构的格式如下：

```
switch expression
    case test_expression1
        commands1
    case test_expression2
        commands2
    otherwise
        commands3
end
```

其中，expression 是一个标量或者字符串。case 执行的是一个判断比较操作。如果 expression 是一个标量，那么 case 语句执行的 test_expression*N*（*N*=1，2，…）；如果 expression 是一个字符串，那么 case 语句实际上执行字符串比较语句，即 strcmp（expression，test_expression*N*）（*N*=1，2，…）。MATLAB 7.x 在执行判断的过程中，按照 case 语句的排列顺序从上到下依次比较判断是否满足条件，在满足条件的 case 语句处，执行相应的命令块。如果经过比较后，所有的 case 语句都不能满足条件，那么执行 otherwise 语句内的命令块。

例 4.7 switch 分支选择结构示例。

```
% stucture_switch.m
% switch-case 结构示例
% 单位换算示例
```

```
disp('单位换算示例')
x=input('输入需要换算的长度数值（m）：');
unit=input('选择转换单位（1 in; 2 ft; 3 m; 4 mm; 5 cm;）：');
switch unit
    case {'inch', 'in', 1}
        y=x*2.54;
        fprintf('%f in',y);
    case {'feet', 'ft', 2}
        y=x*2.54/12;
        fprintf('%f ft',y);
    case {'meter', 'm', 3}
        y=x/100;
        fprintf('%f m',y);
    case {'centermeter', 'cm', 4}
        y=x;
        fprintf('%f cm',y);
    case {'milimeter', 'mm', 5}
        y=x*10;
        fprintf('%f mm',y);
    otherwise
        disp(['Unknown Units:' unit]);
        y=NaN;
end
```

【执行结果】

```
单位换算示例
输入需要换算的长度数值（m）：25
选择转换单位（1 in; 2 ft; 3 m; 4 mm; 5 cm;）：2
5.291667 ft
```

在上面的示例中，通过分支选择结构进行了单位换算计算。可以看出，在每个 case 选择判断中，可以包括字符串，也可以包括标量数值；甚至在一般情况下，用户可以使用单元数组来进行判断。如果是单元数组，那么在执行过程中，case 语句将对单元数组中的所有元素进行比较，如果发现单元数组中的某个元素和表达式的值相等，那么 MATLAB 7.x 即认为比较的结果为真。

4.3.5 try-catch 结构

在程序执行过程中，常常会出现各种异常或错误，在各种高级语言中 try-catch 是一个应用得比较广的错误捕获语句。在 MATLAB 7.x 中，同样提供该结构，以便用户能够在程序执行过程中捕获错误，帮助用户解决如何对错误进行响应。try-catch 结构的格式可以表示为如下形式：

```
try
    commands1
catch
    commands2
end
```

在程序执行过程中，commands1 中的所有命令都将被执行。如果在执行过程中，程序没有出现错误，那么程序控制将直接跳到 end 语句。如果在执行过程中检测到错误，那么此时将执行 catch 语句下的命令块 commands2。

在 commands2 中，通常可以利用 lasterr 和 lasterror 函数获得错误信息，以进行相应的操作。Lasterr 函数可以返回命令执行过程中的任何错误，而函数 lasterror 则将更详细的错误信息返回到一个结构体中。

当然，用户也可以在 catch 模块中，使用 rethrow 函数来将实际的字符串显示出来，并终止程序的执行。

例 4.8　try-catch 结构示例。

```
% stucture_try.m
% try-catch 结构示例
% 不同维的矩阵相乘
x=rand(4,2)
y=magic(3)
try
    z=x*y;
catch
    z=NaN;
    disp('x 和 y 的相乘维数不同，计算错误！！！ ');
    %rethrow(lasterror)
end

disp(['lasterr:']);
lasterr
disp(['lasterror:']);
lasterror
```

【执行结果】

```
x =
    0.8381    0.8318
    0.0196    0.5028
    0.6813    0.7095
    0.3795    0.4289
y =
     8     1     6
     3     5     7
     4     9     2
x 和 y 的相乘维数不同，计算错误！！！
lasterr:
ans =
Error using ==> mtimes
Inner matrix dimensions must agree.
lasterror:
ans =
       message: [1x58 char]
    identifier: 'MATLAB:innerdim'
         stack: [1x1 struct]
```

在上面的程序中，lasterr 返回代码执行中的错误信息，lasterror 则返回了更为详细的错误信息，通过一个结构体来表示，可以通过结构体内容的信息方法来查询返回的错误信息。如果将上面例子中 rethrow 的注释去掉，则在 try-catch 捕捉到错误时，将错误信息再次传递给其他部分去执行和处理。

4.4 控 制 命 令

在编写 MATLAB 7.x 的 M 文件时，常常用到各种流程控制结构，这些流程结构的命令在执行过程中，常常需要进行输入数据参数、提前终止循环、跳出子程序、显示错误信息等操作，因此，常常需要使用 MATLAB 7.x 的控制语句来进行控制，常见的控制语句包括如 input、continue、break、return、echo 等。

4.4.1 continue 命令

在 MATLAB 7.x 中，continue 命令主要用在循环语句（如 while 和 for 循环体）中，提前结束循环体的本次操作。语句格式简单，常常将 continue 直接放在循环控制体内，以配合判断语句完成一定的操作。下面通过示例来介绍 continue 语句的使用。

例 4.9 continue 语句的使用。

```
% control_continue.m
% continue 控制语句
% 统计程序的行数和注释行及空行的数目
fid = fopen('pascal.m','r');
count=0;
num=0;
while ~feof(fid)
    line = fgetl(fid);
    if isempty(line) | strncmp(line,'%',1)
        num=num+1;
        continue
    end
    count=count+1;
end
disp(sprintf('程序有%d 行',count));
disp(sprintf('注释行及空行有%d 行',num));
```

【执行结果】

```
程序有 19 行
注释行及空行有 26 行
```

在本例中，用到了 MATLAB 7.x 打开和读写文件的一些语句，这些语句和命令在本书后面章节将进行介绍。打开文本文件 pascal..m 后，通过 while 循环和读取行语句，判断语句判断是否为空行或注释行，如果是空行和注释行，定义的变量 n 增加 1，同时使用 continue 语句结束本次循环的执行；否则程序行的统计变量 count 增加 1 后继续统计，直至文件结束。最后 M 文件打印统计的数据。

4.4.2 break 命令

break 命令和 continue 命令一样，主要用于 for 循环结构和 while 循环结构中。当执行 break 命令后，程序跳出 for 循环或 while 循环结构，转移到循环之外的下一条语句。但是，和 continue

命令相比较，continue 命令使程序跳转到 for 或 while 循环的 end 语句处，结束一次循环，而 break 命令则迫使程序跳出 break 所在的循环体，如果有多个循环语句嵌套时，break 则只能跳出所在的那个循环，而并不跳出整个循环结构（除非 break 在整个循环体的最外层）。

下面通过示例对 break 命令进行简单介绍。

例 4.10 break 命令示例。

```
% control_break.m
% break 控制语句示例
% 计算浮点数的精度数值
eps1=1;
for num=1:1000
    eps1=eps1/2;
    if(1+eps1)>1
        continue;
    end
    eps1=eps1*2;
    break;
end
fprintf('eps 的数据（浮点数的精度）为：\n\t\teps=%g',eps1);
```

【执行结果】

```
eps 的数据（浮点数的精度）为：
        eps=2.22045e-016
```

上面的例子用来求解 eps 的数据，即求解浮点数的精度数据。通过 for 循环不断求解，在 for 循环内通过 if 判断语句来不断判断求解的数据是否逼近精度限，当不满足条件时，通过 continue 结束本次循环，继续进行求解。而当满足条件后，通过 break 语句结束循环体，输出数据结果。

4.4.3 return 命令

return 语句主要用在函数中。通常情况下，当被调用的函数执行完毕后，MATLAB 7.x 会自动地将函数的控制权转回到主调函数或指定的窗口处。但在某些情况下，在被调函数中使用 return 语句，可以强制 MATLAB 7.x 提前终止函数的执行，将程序的控制权强制转移给主调函数。当程序通过 return 返回后，可以使函数正常终止执行。无论在用户自己编写的程序中，还是内置函数中，都有不少函数使用 return 语句。如求行列式数值的 det 函数就使用了 return 语句作为命令。函数代码如下：

```
function d = det(A)
%DET det(A) is the determinant of A.
if isempty(A)
    d = 1;
    return
else
    ...
end
```

在以上的语句中，通过判断语句判断参数是否为空数组，如果输入的参数矩阵是空数据，那么，此时返回 d=1，结束程序的执行。

4.4.4 input 命令

input 语句允许用户在命令行中输入数值、字符串、表达式等，当输入完毕按回车键后，输入的内容存放在工作空间，同时将已经停止的程序执行的控制权交付给系统来完成其他的命令执行和操作。在 MATLAB 7.x 中，input 函数主要用到以下两种形式，如表 4.2 所示。

表 4.2 input 函数的格式

函数格式	说明
user_entry=input('prompt')	将用户在命令空间内输入的内容赋值给 user_entry
user_entry=input（'prompt', 's'）	将用户在命令空间内输入的内容作为字符串赋值给 user_entry

需要说明的是，以上两个格式当用户在命令空间内进行输入时，输入的数据可以包括数值、字符串、单元数组等，但第一个格式仍然将这些数据赋值给变量，而第二个格式中，用户的所有输入内容都将转换为字符串来赋予变量。

例 4.11 input 控制语句示例。

```
% control_input.m
% input 控制语句示例
univ=input('输入你心目中最好的大学:','s');
reply=input('你想重新选择吗? Y/N [Y]: ', 's');
if isempty(reply)
    reply = 'Y';
end
if reply=='Y'
    disp('你已经选择过了');
else
    disp('你选择结束了')
end
```

【执行结果】

```
输入你心目中最好的大学:北大
你想重新选择吗? Y/N [Y]: n
你选择结束了
```

4.4.5 keyboard 命令

在 MATLAB 7.x 中，将 keyboard 命令放在 M 文件中，当程序执行到该命令语句时，将停止程序的执行，而将命令的继续执行与否交给 keyboard 来管理。当用户完成命令的执行后，按 return 键才能返回。在调试程序时，使用此命令非常有用。

和 input 命令相比，keyboard 命令允许用户在命令窗口输入多个命令，而 input 命令只允许用户为变量赋值而输入数据。

例 4.12 keyboard 命令示例。

```
>> keyboard
K>> for i=1:9
        for j=1:5
            x(i,j)=2*i+3*j;
        end
    end
```

```
K>> x
x =
     5     8    11    14    17
     7    10    13    16    19
     9    12    15    18    21
    11    14    17    20    23
    13    16    19    22    25
    15    18    21    24    27
    17    20    23    26    29
    19    22    25    28    31
    21    24    27    30    33
K>> return
```

从上面的例子可以看出，在输入 keyboard 命令进行执行时，提示符会变成 K>>形式，直接在命令窗口中输入程序段，程序可以直接运行。当运行结束需要返回时，可以在命令提示符之后输入 return，可以恢复到>>正常的命令效果。

4.4.6　error 和 warning 命令

在 MATLAB 7.x 中进行编程时，可以通过调用 error 函数和 warning 函数来终止函数执行过程中的异常或错误，并将错误返回到命令窗口。和 sprintf 函数一样，error 函数也可以在字符串中格式化显示数值变量。warning 函数同样也可以对执行过程中的异常行为或意外情况发出警告信息。在语法结构上和 error 函数相似，也可以通过格式化方式来显示字符串等。

但是，warning 函数和 error 函数的区别在于：当函数执行遇到 warning 函数时，不是立即返回，而是继续执行操作，同时，在命令窗口中显示一条警告信息。此外，如果用户改变全局设置，可以关闭告警功能或关闭与某个指示符相关的警告信息。

error 和 warning 函数常见格式如表 4.3 所示。

表 4.3　　常见的 error 和 warning 函数格式

格　式	说　明
error('message')	显示错误信息 message，终止命令的执行
errordlg（'errorstring','dlgname'）	显示错误对话框，对话框的标题为 dlgname
warning（'message'）	显示警告信息 message，程序同时继续进行

例 4.13　error 和 warning 函数示例。

```
>> % 显示 error 函数
>> val=zeros(1,3);
>> if length(val)>1
       error('val 包含%d 个元素，但必须是标量。',length(val))
   end
val 包含 3 个元素，但必须是标量。
```

4.5　程序的向量化概念

向量化处理是 MATLAB 7.x 的一个特殊概念。程序的向量化概念指的是使用向量化的程序代码或语句代替循环结构。由于采用向量化的处理方式，数据预先分配好内存，因此，执行速度要快得多。

本节将对向量化的赋值方式，以及如何使用不同的向量化手段代替 for 和 while 循环结构进行简单介绍。

4.5.1 程序的向量化

此处，通过一个示例来介绍向量化的概念。在程序中，计算某个数组的乘方关系，通过两种方法，即循环结构实现和向量化的结构实现，来实现两种方式的程序向量化。

例 4.14 循环结构求乘方。

```
% vectorize_cycle.m
% 循环结构求乘方
for i=1:100
     square(i)=i^2;
     cube(i)=i^3;
     quartic(i)=i^4;
end
disp('          square          cube          quartic')
result=[square',cube',quartic']
disp('          square          cube          quartic')
```

【执行结果】

```
          square          cube          quartic
result =
               1             1                1
               4             8               16
               9            27               81
              16            64              256
              25           125              625
              36           216             1296
              49           343             2401
----------------------------------------------------
            9409        912673         88529281
            9604        941192         92236816
            9801        970299         96059601
           10000       1000000        100000000
          square          cube          quartic
```

例 4.15 向量化数组求乘方。

```
% vectorize_vector.m
% 向量化方式求乘方
t=1:100;
square=t.^2;
cube=t.^3;
quartic=t.^4;
disp('          square          cube          quartic')
result=[square',cube',quartic']
disp('          square          cube          quartic')
```

【执行结果】

```
          square          cube          quartic
```

```
result =
         1           1           1
         4           8          16
         9          27          81
        16          64         256
        25         125         625
        36         216        1296
        49         343        2401
------------------------------------------------------------------
      9409      912673    88529281
      9604      941192    92236816
      9801      970299    96059601
     10000     1000000   100000000
    square        cube     quartic
```

从上面的结果比较来看，通过 for 循环结构来计算得到数组和通过向量化的处理方式进行数组处理的结果是相同的。但是在程序执行的过程中，向量化的方式却比 for 循环结构要快很多。原因在于，通过 for 循环语句执行过程中，程序每执行一条语句需要对其中的一行进行编译，而通过向量化的方式在程序编译过程中，只需要编译几行代码就可以完成。因此，程序的执行效率要高得多。MATLAB 7.x 中，程序执行过程本身就是向量化的代码程序，因此，程序的执行效率要高。

4.5.2　向量化和循环结构的对比

向量化和循环结构在进行执行过程中，两者之间存在比较大的效率上的差异，此处通过执行比较两种方式的执行效率和结果。在执行过程中，通过使用 MATLAB 7.x 内置的时间函数 tic 和 toc 来分别统计程序执行的开始时间和终止时间。这两个函数分别读取程序开始和程序结束的时间，并自动经过计算后以秒的形式表示出来。关于该函数更详细的内容，读者可以通过 help 命令进行查找。

例 4.16　向量化和循环结构的比较。

```
% vectorize_contrast.m
% 程序向量化和循环结构的比较
% 不预设数组比较程序的执行时间
max=10000;
disp('方法一：不预设数组比较执行时间')
tic;
for i=1:10
    clear sqr;
    for j=1:max
        sqr=sqrt(j);
    end
end
toc;

disp('方法二：预设数组比较执行时间')
tic;
for i=1:10
    clear sqr;
```

```
        sqr=zeros(1,max);
        for j=1:max
            sqr=sqrt(j);
        end
end
toc;

disp('方法三：向量化比较执行时间')
tic;
for i=1:10
        clear sqr;
        jj=1:max;
        sqr=sqrt(jj);
end
toc;
```

【执行结果】

```
方法一：不预设数组比较执行时间
Elapsed time is 0.494939 seconds.
方法二：预设数组比较执行时间
Elapsed time is 0.478997 seconds.
方法三：向量化比较执行时间
Elapsed time is 0.057245 seconds.
```

以上的执行程序是在配置为内存 1.5GB、AMD 2800+的计算机上进行测试的。从测试结果可以看出，在进行大规模的数值计算的过程中，向量化的执行方式比另外两种方法的时间要少一个量级。显然，从程序的执行效率来看，选择使用向量化的方式更有利于程序的执行。而 MATLAB 7.x 提供这种方法也从一个方面说明了向量化的优势所在。可以说，向量化的执行方式是 MATLAB 7.x 的另外一个基础所在。

4.5.3 逻辑数组和向量化

本书第 2 章对逻辑数组的情况做过一些介绍，此处对逻辑数组再做一些介绍。在 MATLAB 7.x 中，除基础的数值数据类型和字符串数据类型之外，逻辑数据也是一种数据类型。逻辑数据可以通过关系和逻辑表达式来创建，也可以通过 logical 命令来创建逻辑数组。对于逻辑数组的类型也可以通过 whos 命令来查询。

例 4.17 逻辑数组的创建。

```
>> % 通过逻辑关系创建逻辑数据
>> A=randperm(8)
A =
     8     2     7     4     3     6     5     1
>> B=A>4
B =
     1     0     1     0     0     1     1     0
>> % 通过 logical 命令创建逻辑数组
>> C=logical(randperm(8))
Warning: Values other than 0 or 1 converted to logical 1.
C =
     1     1     1     1     1     1     1     1
```

```
>> D=A+B
D =
     9     2     8     4     3     7     6     1
>> whos
  Name      Size                    Bytes  Class
  A         1x8                        64  double array
  B         1x8                         8  logical array
  C         1x8                         8  logical array
  D         1x8                        64  double array
Grand total is 32 elements using 144 bytes
```

从上面的例子可以看出，通过逻辑关系式可以创建逻辑数组，也可以通过 logical 函数来创建逻辑数组。当逻辑数组与同维数的数值数组相运算时，得到的结果仍是数值数组。

逻辑数组在向量化的过程中，也有非常重要的作用，用户可以通过使用逻辑数组来完成向量化的过程。下面通过示例来介绍逻辑数组的作用。

例 4.18　逻辑数组的向量化。

```
% vectorize_logical.m
% 逻辑数组的向量化，求大于 5000 的元素的平方根
% 不预设数组比较程序的执行时间
max=10000;
disp('方法一：不预设数组比较执行时间')
tic;
for i=1:10
    clear sqr;
    for j=1:max
        if j>5000
            sqr=sqrt(j);
        end
    end
end
toc;
max=10000;
disp('方法二：通过数组比较执行时间')
tic;
for i=1:10
    clear sqr;
    a=1:max;
    b=a>5000;
    sqr(b)=sqrt(a(b));
end
toc;
```

【执行结果】

```
方法一：不预设数组比较执行时间
Elapsed time is 0.465745 seconds.
方法二：通过数组比较执行时间
Elapsed time is 0.056842 seconds.
```

通过上面的比较可以看出，采用向量化的逻辑数组进行处理后，计算执行的效率提高了一个量级以上。

4.6 M 函数文件

在前面章节的介绍中，读者已经接触过比较多的内置函数文件，如 pinv、abs、angle、sqrt 等。这些函数接受用户传递的数值，通过执行处理后，将处理结果返回，输出给用户。但在函数执行过程中的变量数值不会显示出来，也不会存储到工作空间。由于函数能够把大量有用的数学函数或命令集中在一个模块中，因此，对复杂问题的解决能力比较强。在 MATLAB 7.x 中，允许用户创建 3 种类型的函数、即 M 函数、匿名函数和内联函数。本节主要介绍 M 函数文件。

4.6.1 函数文件的创建

和前面介绍的 M 脚本文件相比较，M 函数文件同样以.m 为后缀，但两者之间存在一定的差异，主要在于以下一些方面。

（1）M 函数文件第一行必须是 function 引导的声明语句，称为函数声明行。在 function 引导关键词之后，定义函数的调用方式，如函数名、输入参数、输出参数。其中输入参数和输出参数都是该函数的局部变量，在函数体执行时，通过输入变量获得数据，通过输出参数输出结果。

（2）在函数声明行和第一行命令之间可以放入若干注释行，作为该函数的帮助文档。帮助文档之后为该函数的函数体。函数体根据输入参数，通过一系列的运算之后，将得出的结果以输出参数的形式输出给用户。

（3）在函数执行过程中，函数体内的变量临时建立工作区，作为函数工作区。当函数执行结束或通过 return 命令返回后，该工作区和工作区内的内部变量将一同被清除。

（4）在 M 函数文件中也可以调用 M 脚本文件。此时，M 脚本文件所创建的所有变量都作为函数的内部变量存在，而不会出现在 MATLAB 7.x 工作区内。

（5）在 M 函数文件中，也可以创建一个或多个子函数，即局部函数。这些函数通常都在主函数的后面，同样以标准函数的声明语句开始，遵循所有函数的创建规则。子函数只能被 M 函数文件内的主函数调用，而不能被 M 函数文件之外的其他函数调用。

例 4.19 绘制函数 $y = \mathrm{e}^{x/3}\sin(3x)$ 在区间[0，4π]的曲线。

编写 M 文件保存为 sinex.m。程序如下：

```
function y=sinex(x)
% 计算衰减曲线及其包络线数组
y=exp(-x/3).*sin(3*x);
```

在命令行中，输入以下命令来调用此函数，得到的结果如图 4.7 所示。

```
>> fh=@sinex;
>> ezplot(fh,[0,4*pi,-1,1]);
>> whos
  Name      Size                    Bytes  Class
  fh        1x1                        16  function_handle array
Grand total is 1 element using 16 bytes
```

在经过以上的计算后，通过查询命令 whos 查询，可以看出工作空间内的变量只有在命令空间内创建的 fh 变量，而在 M 文件函数中的局部变量并没有显示在工作空间。

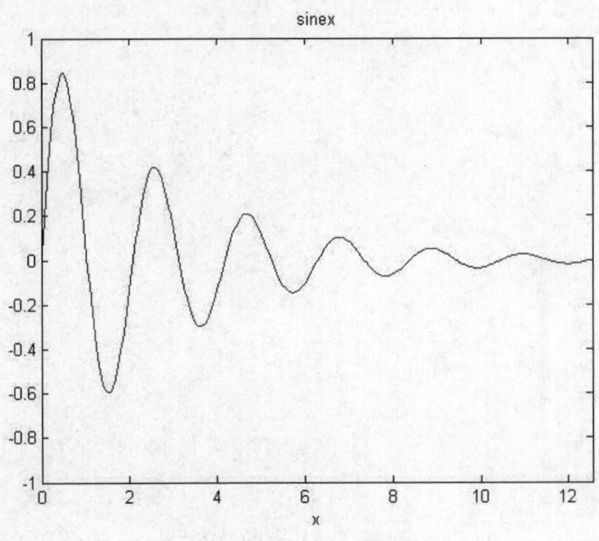

图 4.7　M 函数计算后的绘图示例

4.6.2　伪码文件

M 函数文件是 MATLAB 7.x 提供给用户的一项基本工具，可以使用户对一组有用的命令进行封装，反复调用。当 MATLAB 7.x 第一次打开并执行一个 M 函数文件时，函数中的命令将被编译成内部伪码（internal pseudocode）格式存储到内存中，以提高对函数后续调用时的执行速度。对于脚本文件，也都在调用时被编译成伪码格式。对大多数函数来说，伪码文件在第一次执行时，并不能显著地缩短执行时间。但当反复执行时，或者需要和复杂的图形界面进行交互时，采用伪码函数可以大大提高函数的执行速度。

所谓伪码文件，就是一个经过加密的、与操作系统无关的二进制文件，和原始的 M 文件具有相同的文件名，但其后缀是.p。利用伪码文件运行函数可以保持函数源码本身的安全性，原因在于所有的伪码文件都是由一些特殊的二进制码构成的，一般的浏览器无法解释这些代码，伪码文件也无法被转换为 M 文件。用户可通过下面的命令创建伪码文件和对伪码文件进行操作，如表 4.4 所示。

表 4.4　　　　创建伪码文件的命令

命　令	说　明
pcode filename	在当前目录下创建 filename.p
pcode. filename –inplace	在 filename.m 目录下创建 filename.p
inmen	列出内存中的所有 p 码文件
clear filename	清除内存中的 filename.p 文件
clear functions	清除内存中的所有 p 码文件

例 4.20　创建伪码文件。

```
>> % 创建伪码文件
>> pcode sinex
```

```
>> inmem
ans =
        'ispc'
        'filesep'
        'pwd'
        'workspacefunc'
        'num2str'
        'mat2str'
        'int2str'
        'fullfile'
        'fileparts'
        'imformats'
        'pcode'
        'isdir'
>> clear functions
>> inmem
ans =
        'imformats'
```

在上面的例子中通过 pcode 命令创建了 M 函数文件 sinex 的伪码文件。当创建完毕后，从当前 sinex 所在的目录中，可以找到 sinex.p 伪码文件。此外，通过 inmem 命令查询内存中的 p 码文件，通过 clear 命令清除内存中的 p 码文件。

4.6.3 输入输出参数

在 MATLAB 7.x 中，M 函数对输入输出参数的数量没有限制，可以输入输出任意多个参数。用户在调用 M 函数时，可以提供少于函数定义中规定个数的输入输出参数，但不能提供多于函数规定个数的输入输出参数。此外，用户可以通过函数 nargin 和 nargout 来确定一个函数在调用时用到的输入输出参数的个数。为确定输入输出参数的数量，用户还可以通过以下几个命令来确定，如表 4.5 所示。

表 4.5　　输入输出参数个数确定函数

函　数	说　明
n=nargin	获取实际输入函数体的输入参数个数
n=nargin（'fun'）	获取指定函数 fun 的输入参数个数
n=nargout	获得函数体实际的输出参数个数
n=nargout（'fun'）	获取函数体 fun 的实际输出参数个数
msgstring=nargchk（minargs，maxargs，numargs）	获取输入参数的数目
inputname（n）	给出第 n 个参数的实际调用变量名

例 4.21　输入参数个数判断程序：舍入函数判断。

```
function y=mmdigit(x,n,b,t)
% 演示输入输出参数个数判断函数
% 舍入函数，以 b 为底，将 x 舍入到 n
% 若 b 未给定，那么 b=10，以十进制舍入
% 如果 x 为复数，那么实部和虚部分别进行舍入
% 其他的舍入选项，fix, ceil, floor
```

```
% 判断输入参数的个数
if nargin<2
    error('输入参数个数太少')
elseif nargin==2
    b=10;
    t='round'
elseif nargin==3
    t='round';
end

n=round(abs(n(1)));
if isempty(b), b=10;
else b=round(abs(b(1)));
end

if isreal(x)
    y=abs(x)+(x==0);
    e=floor(log(y)./log(b)+1);
    p=repmat(b,size(x)).^(n-e);
    if strncmpi(t,'round',1)
        y=round(p.*x)./p;
    elseif strncmpi(t,'fix',2)
        y=fix(p.*x)./p;
    elseif strncmpi(t,'ceil',2)
        y=ceil(p.*x)./p;
    elseif strncmpi(t,'floor',2)
        y=floor(p.*x)./p;
    else
        error('未知舍入错误');
    end
else
    y=complex(mmdigit(real(x),n,b,t),mmdigit(imag(x),n,b,t));
end
```

【执行结果】

```
>> mmdigit(pi,3)
ans =
    3.1400
>> mmdigit(pi,3,12)
ans =
    3.1389
```

在上面的示例中，通过输入参数个数判断函数 nargin 来确定用户输入的参数个数。通过对输入参数个数的判断，来确定 M 函数的处理方式。

此外，如果一个函数声明了一个或多个输出参数，但用户又不想输出部分参数时，则只需在调用该函数时不给函数提供输出参数即可。此外，在函数体内部，当函数结束之前，也不需要通过 clear 函数来清除不需要的输出变量。

4.6.4　任意个数输入输出参数

在函数声明过程中，如果将 *varargin* 和 *varargout* 作为输入参数列表和输出参数列表的最后一个参数，那么在函数调用时，函数就可以接受任意个数的输入参数，也可以输出任意个数的输出参数。在 MATLAB 7.x 中，*varargin* 是一个预先定义的单元数组，该单元数组的第 *i* 个单元就是从 *varargin* 出现位置算起的第 *i* 个输入参数。

如果某些参数在任何情况下都必须出现，那么可以在函数声明时，将这些参数加入到 *varargin* 之前，但必须保证 *varargin* 是最后一个参数。如函数 *a*=foo（*x*，*y*，*varargin*）中，如果调用方式为 *a*=foo（*x*，*y*，*z*），那么 *varargin* 是长度为 1 的单元数组，并且 *varargin*{1}=*z*，而 *x*，*y* 是函数调用时必须出现的参数。

对于输出参数 *varargout* 而言，将 *varargout* 作为最后一个输出参数，则函数可以接受任意个数的输出参数。同样 *varargout* 也是一个预先定义的单元数组，该单元数字的第 *i* 个参数是从 *varargout* 所在位置算起的第 *i* 个输出参数。如函数[*a*，*b*，*varargout*]=foo（*x*）中，*a*、*b* 是必须出现的参数，*varargout* 是可选参数。

例 4.22 任意输入参数示例：绘制心形图形。

```
function [xh,yh]=drawheart(varargin)
% 输入输出参数个数变化的示例
% 判断可变输入输出参数的个数
error(nargchk(0,3,nargin));
nin=nargin;
if nin==0
    cx1=0;
    cy1=0;
    r=1.0;
elseif nin==1
    cx1=0;
    cy1=0;
    r=varargin{1};
elseif nin==2
    cx1=0;
    cy1=varargin{1};
    r=varargin{2};
else
    cx1=varargin{1};
    cy1=varargin{2};
    r=varargin{3};
end

if nargout==0
    flag=1;
else
    flag=0;
end
% 计算数组
theta=linspace(0,2*pi,100);
x0=r*cos(theta);
y0=r*sin(theta);
x1=x0+cx1;
y1=y0+cy1;
cx2=2*x0+cx1;
```

```
cy2=2*y0+cy1;
x3=x0.*cos(theta)-y0.*sin(theta);
y3=x0.*sin(theta)+y0.*cos(theta);
for k=1:100
    x2(k,:)=cx2(k)+x0;
    y2(k,:)=cy2(k)+y0;
    xx(k)=cx2(k)+x3(k);
    yy(k)=cy2(k)+y3(k);
end
xh=xx;
yh=yy;
if flag
    plot(cx1,cy1,'bp','Markersize',6);
    hold on;
    plot(x1,y1);
    axis([cx1-3.2*r,cx1+3.2*r,cy1-3.2*r,cy1+3.2*r]);
    axis manual;
    hold on;
    daspect([1 1 1]);
    set(gcf,'doublebuffer','on');
    for k=1:100
        plot(x2(k,:),y2(k,:),'g',xx(k),yy(k),'r*');
        grid on;
        pause(0.05);
    end
end
```

在上面的程序中，输入参数的个数可以发生变化，程序中根据输入参数的个数，改变对圆心坐标、中心圆半径的赋值。读者可以输入 3 个及以下的参数来进行绘制，3 个以上则被忽略。此处，以输入 3 个参数，即 drawheart（0，2，3）为例，绘制的结果如图 4.8 所示。

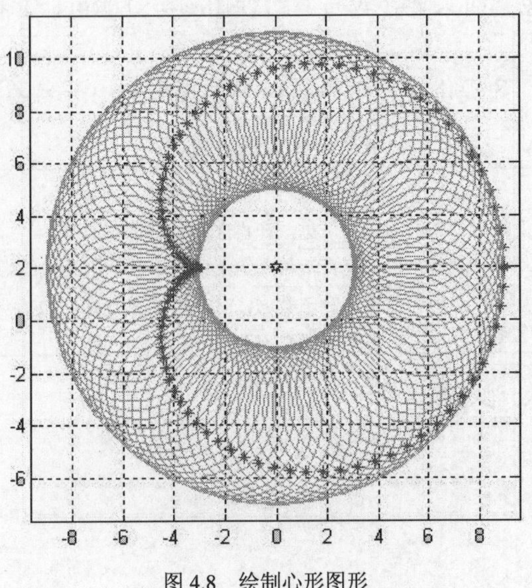

图 4.8　绘制心形图形

4.6.5 函数句柄和匿名函数

在很多情况下，用户需要将一个函数的标示作为参数传递给另一个函数。在 MATLAB 7.x 中，提供了内联函数（inline function）、匿名函数（anonymous function）类型来传递其他函数进行操作。以下对这两种形式的函数进行介绍。

下面给出一个匿名函数的例子。

例 4.23 匿名函数的创建。

```
>> % 创建匿名函数
>> af_bmp=@(x) 1./((x-.3).^2+.01)+1./((x-.9).^2+.04)-6;
>> % 匿名函数验证方法一
>> z=feval(af_bmp,[-1 0 1])
z =
    -5.1378       5.1765      16.0000
>> % 匿名函数验证方法二
>> z=af_bmp([-1 0 1])
z =
    -5.1378       5.1765      16.0000
>> whos
  Name          Size                    Bytes  Class
  af_bmp        1x1                        16  function_handle array
  z             1x3                        24  double array
Grand total is 4 elements using 40 bytes
```

从上面的例子可以看出，匿名函数 af_bmp 的表达式中，@表示等号左边为一个函数句柄，而@后定义了匿名函数的输入参数，最后一部分为匿名函数的表达式。当进行匿名函数的验证时，可以使用 feval 函数来进行验证。另外一种验证方法是，可以直接通过匿名函数的表达式来匿名，如上面示例中的第二种方法。

在匿名函数的定义过程中，可以调用任何 MATLAB 7.x 的函数（包括用户自己定义的函数），也可以使用工作空间内的任何变量。当然，也可以对一个内置函数或一个 M 文件函数来创建匿名函数句柄。创建时只要在等号右边使用@符号即可，并在该符号后紧跟内置函数名或 M 文件函数名。

在 MATLAB 7.x 中，还提供了一些函数用来处理和应用匿名函数句柄，如表 4.6 所示。

表 4.6 句柄处理函数

函　数	说　明
functions	返回一个句柄的详细信息，在程序调试时使用
str2func	将一个函数名作为字符串传递给此函数，创建该函数的函数句柄
func2str	从一个函数句柄中提取函数名，对于内置函数或 M 文件函数句柄，返回函数的名称；对匿名函数，返回匿名函数的表达式

例 4.24 函数句柄处理函数。

```
>> % M 文件函数句柄
>> fh_Mfile=@humps
fh_Mfile =
    @humps
>> % 内置函数据句柄
>> fh_builtin=@cos
```

```
fh_builtin =
     @cos
>> fh_builtin(pi)
ans =
     -1
>> functions(fh_Mfile)
ans =
     function: 'humps'
          type: 'simple'
          file: 'D:\Program Files\MATLAB71\toolbox\matlab\demos\humps.m'
>> functions(af_bmp)
ans =
       function: '@(x) 1./((x-.3).^2+.01)+1./((x-.9).^2+.04)-6'
            type: 'anonymous'
            file: ''
     workspace: {[1x1 struct]}
>> % str2func
>> myfun='humps'      % 函数名字符串
myfun =
humps
>> fh2=str2func(myfun)      % 创建函数句柄
fh2 =
     @humps
>> isequal(fh2,fh_Mfile)      % 对比函数句柄是否相同
ans =
      1
>> % func2str
>> func2str(fh2)
ans =
humps
>> func2str(af_bmp)
ans =
@(x) 1./((x-.3).^2+.01)+1./((x-.9).^2+.04)-6
```

内联函数是另一个和字符串表达式相关的函数，能够通过字符串表达式来创建函数。内联函数常见的格式及其处理函数如表 4.7 所示。

表 4.7　　内联函数的常见格式

函　数	说　明
g=inline（expr）	将字符串表达式转换为输入变量自动生成的内联函数
g=inline（expr，arg1，arg2，…）	将字符串表达式转换为以 arg1、arg2 等输入变量自动生成的内联函数
g=inline（expr，n）	将字符串表达式转换为 x、p1、p2、…、pn 为输入变量自动生成的内联函数
vectorize（inline_fun）	使内联函数适合数组运算的规则
char（inline_fun）	给出内联函数的计算公式

例 4.25　内联函数的定义和使用。

```
>> % 定义内联函数
>> il_humps=inline('1./((x-.3).^2+.01)+1./((x-.9).^2+.04)-6','x')
il_humps =
      Inline function:
      il_humps(x) = 1./((x-.3).^2+.01)+1./((x-.9).^2+.04)-6
```

```
>> % 验证内联函数
>> y=feval(il_humps,[-1 0 1])
y =
    -5.1378      5.1765     16.0000
>> % 验证内置内联函数
>> z=feval('sin',pi*(0:4)/3)
z =
              0      0.8660      0.8660      0.0000     -0.8660
```

从上面的示例可以看出，内联函数和函数句柄之间并不存在巨大的差别。此外，内联函数既可以用于计算用户定义的内联函数，也可以计算系统内置的函数。以下通过一个示例来简单演示内联函数的其他操作处理函数。

例 4.26 创建内联函数及其操作。

```
% inline_fun.m
% 求解超越函数的所有零点
% f(t)=sin(t)^2*exp(-a*t)-b*abs(t)
y=inline('sin(t)^2*exp(-a*t)-b*abs(t)','t','a','b');
a=0.2;b=0.6;t=-10:0.01:10;
% 向量化内置函数处理
y_vector=vectorize(y);
yy=feval(y_vector,t,a,b);
clf
plot(t,yy,'r','Linewidth',2);
hold on
plot(t,zeros(size(t)),'k');
xlabel('t');
ylabel('y(t)');
grid on
hold off
```

通过上面所创建的内联函数，通过图形绘制了该函数在区间[−10，10]之间的曲线，以及零点的位置，如图 4.9 所示。如果配合使用 ginput 函数，则可以动态地从所绘制的图上截取鼠标或光标与曲线相交部分的点的坐标。

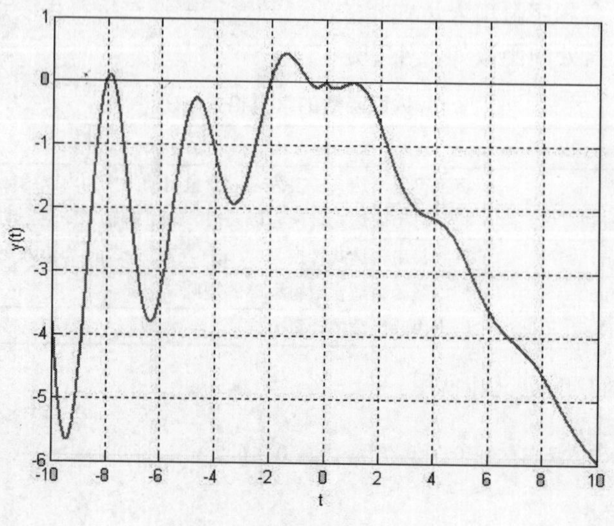

图 4.9 内联函数求零点示例

4.7 程序的调试和剖析

用户在开发 M 文件程序时，不可避免地会出现错误。因此，在 MATLAB 7.x 中提供一些方法和函数用于 M 文件的调试。此外，还可以通过 MATLAB 7.x 提供的文件剖析器帮助用户提高 M 文件的执行速度。

4.7.1 程序调试的常见错误

在 MATLAB 7.x 的编程调试过程中，常常会出现两种类型的错误，即语法错误和运行错误。

语法错误通常是由于误操作造成的，如变量或函数名的拼写错误、缺少引号或括号、标点符号漏写等。在 MATLAB 7.x 运行时，当一个表达式或一个函数被编译进内存时，都能够发现这类错误。当发现这类错误时，MATLAB 7.x 能够标示这类错误，并提供错误类型及其在 M 文件中的位置信息，用户可以很方便地对这些错误定位，并进行纠正。

运行错误也能够被 MATLAB 7.x 标示出来，但用户很难发现这些错误到底发生在什么位置。当 MATLAB 7.x 发现这类错误后便会立即返回到工作窗口和 MATLAB 7.x 命令空间。此时，用户无法访问错误发生时函数工作区内的数值，也无法通过查询函数工作区的方法来查询错误来源。

4.7.2 直接调试方法

针对以上提到的程序错误，既可以采用直接调试的方法来进行调试，也可以采用下面的一种或多种方法来进行调试。

（1）将被调试语句的分号去掉，使计算的中间结果在命令窗口显示出来。

（2）在疑似问题的地方添加多余的语句，来显示要查看的变量。

（3）灵活使用 keyboard 命令参与程序调试。在需要进行调试的 M 文件中，添加 keyboard 命令，将程序的控制权交给键盘之后，可以通过查询变量的方法来查询程序运行过程中的变量数值，分析判断错误的类型；分析完毕，可以通过 return 语句返回使程序继续执行。

（4）将函数文件变为脚本文件来查询，即将函数文件的第一行用%加以注释。这样，函数文件运行过程中的变量数值就可以在工作空间进行显示。

例 4.27 直接调试程序示例。

```
% 曲线拟合程序
function [xi,yi]=dpoly(n)
x=0:0.1:1;
y=[-.477 1.978 3.28 6.16 7.08 7.34 7.66 9.56 9.48 9.30 11.2];
p=polyfit(x,y,n);
xi=linspace(0,1,100);
yi=polyval(p,xi);
plot(x,y,'-o',xi,yi,'--');
xlabel('x');
ylabel('y=f(x)');
title('n order curve fitting')
end
```

上面的程序在执行过程中没有错误，当用户需要查看执行过程中的变量变化类型时，可以在其中去掉“;”或添加输出语句，甚至可以将 function 行注释掉进行调试。调试完毕后，可以在命令空间内输入函数名，如输入 dpoly（3），则输出结果如图 4.10 所示。

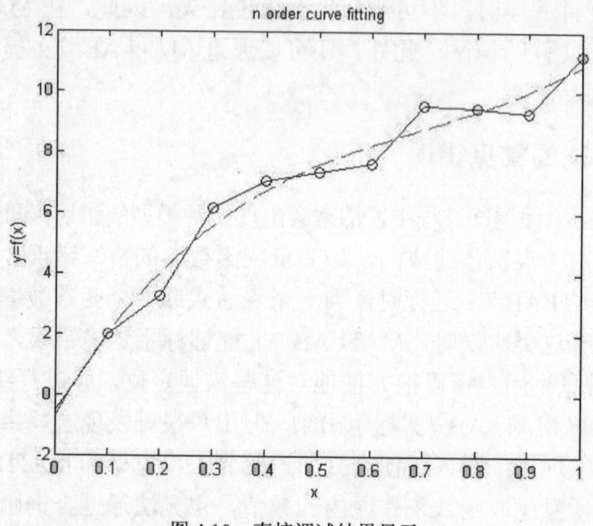

图 4.10　直接调试结果显示

4.7.3　通过工具调试

MATLAB 7.x 的文本编辑器中提供了工具调试的菜单选项和功能选项，还可以通过键盘快捷键来进行调试选择。图 4.11 和图 4.12 所示分别为调试功能的菜单选项和图标工具栏选项。

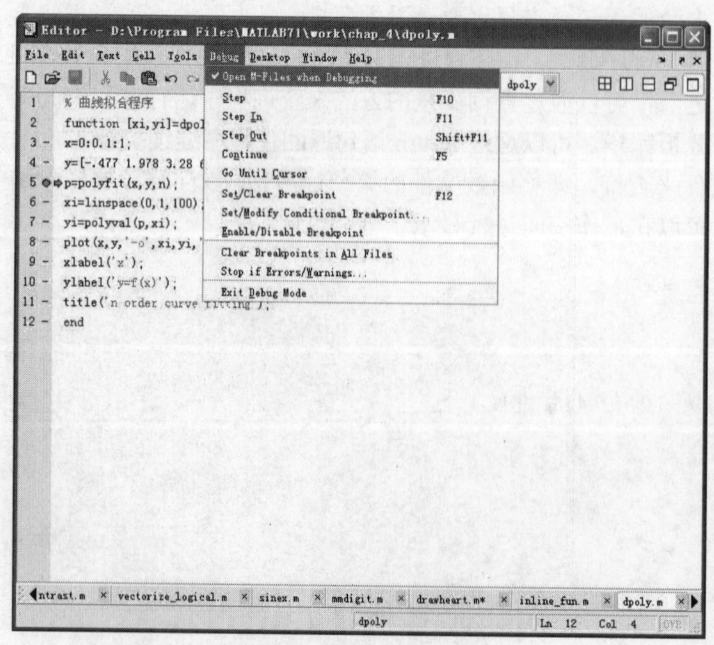

图 4.11　调试菜单选项

图 4.12　调试工具栏选项

图 4.12 中集中了 MATLAB 7.x 进行编辑调试的常见选项。下面进行简单介绍，如表 4.8 所示。

表 4.8 编辑调试功能键

图 标	名 称	说 明
	设置清除断点	快捷键 F12，命令行可输入 dbstop、dbclear
	清除全部断点	命令行可输入 dbclear all
	单步执行	快捷键 F10，命令行可输入 dbstep
	进入被调函数	快捷键 F11，命令行可输入 dbstep in
	跳出被调函数	快捷键 Shift+F12，命令行可输入 dbstep out
	连续执行	快捷键 F5，命令行可输入 dbcont
	退出调试模式	命令行可输入 dbquit

以上的调试功能选项和一般编程的调试功能选项相同，因此，熟悉其他语言编程的读者对此并不陌生。下面仍以例 4.27 为例进行工具调试。在调试过程中添加断点，如图 4.11 所示。在 MATLAB 7.x 的命令空间中输入 dpoly（2）后，执行，此时命令空间进入 keyboard 方式，如果在调试工具栏点击进入被调函数，则会按照单步执行方式依次执行。如果在命令空间的键盘模式下输入 return，则执行到终止。

例 4.28 工具调试的执行结果（命令空间）。

```
>> dpoly(2)
5    p=polyfit(x,y,n);
K>> return
ans =
  Columns 1 through 11
         0    0.0101    0.0202    0.0303    0.0404    0.0505    0.0606    0.0707    0.0808
0.0909    0.1010
  Columns 12 through 22
    0.1111    0.1212    0.1313    0.1414    0.1515    0.1616    0.1717    0.1818    0.1919
0.2020    0.2121
  Columns 23 through 33
    0.2222    0.2323    0.2424    0.2525    0.2626    0.2727    0.2828    0.2929    0.3030
0.3131    0.3232
  Columns 34 through 44
    0.3333    0.3434    0.3535    0.3636    0.3737    0.3838    0.3939    0.4040    0.4141
0.4242    0.4343
  Columns 45 through 55
    0.4444    0.4545    0.4646    0.4747    0.4848    0.4949    0.5051    0.5152    0.5253
0.5354    0.5455
  Columns 56 through 66
    0.5556    0.5657    0.5758    0.5859    0.5960    0.6061    0.6162    0.6263    0.6364
0.6465    0.6566
  Columns 67 through 77
    0.6667    0.6768    0.6869    0.6970    0.7071    0.7172    0.7273    0.7374    0.7475
0.7576    0.7677
  Columns 78 through 88
    0.7778    0.7879    0.7980    0.8081    0.8182    0.8283    0.8384    0.8485    0.8586
0.8687    0.8788
```

```
    Columns 89 through 99
      0.8889    0.8990    0.9091    0.9192    0.9293    0.9394    0.9495    0.9596    0.9697
0.9798    0.9899
    Column 100
      1.0000
```

4.7.4 M 文件剖析

M 文件剖析的目的和程序调试的目的不同，主要是通过一些方法对程序进行优化，以避免不必要的计算或函数调用，从而提高整个程序的运行性能。为了使用户编写的程序尽可能高效、实用，MATLAB 7.x 提供了一系列剖析工具来优化 M 文件的执行。当一个 M 文件开始执行时，这些工具就开始监视该文件的执行过程，并记录哪些语句占用的时间最多，从而使用户对该函数有更深入的认识，使函数达到尽可能高的水平。

MATLAB 7.x 的代码剖析命令可以通过图形界面进行剖析，也可以通过命令行的方式进行剖析。常用到的 MATLAB 7.x 的剖析命令如表 4.9 所示。

表 4.9　　MATLAB 7.x 剖析命令

命　令	说　明
profile on-detail level	打开程序剖析器，并清除以往的剖析记录；level 选项可以选择 mmex、builtin、operator，分别表示统计层次为 M 文件、内建函数和运算命令层次的剖析统计
profile off	暂停程序剖析器的执行
profile resume	保留以往的剖析数据，重新启动程序剖析器
profile clear	清除以往的剖析记录
profile reviewer	开启界面式的程序剖析器

例 4.29　用代码剖析器剖析例 4.27 的代码情况。

```
>> profile viewer
```

此时，系统弹出如图 4.13 所示的代码剖析界面。读者可以在导航条的输入框中输入命令

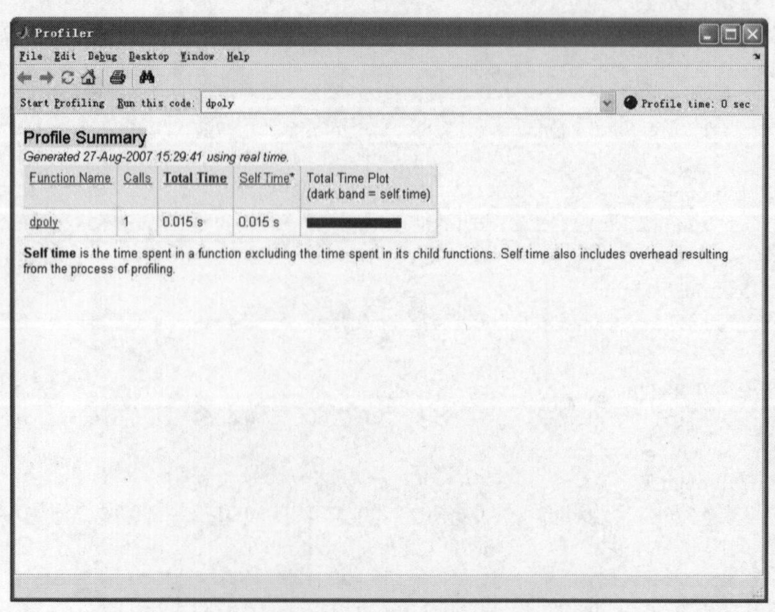

图 4.13　程序代码剖析器

进行执行，在执行过程中完成对代码的剖析过程；然后单击左侧的 start profiling 开始剖析文件。如此处输入 dpoly（3），那么代码剖析器自动开始对 M 文件的剖析和执行过程。剖析完毕后，生成文件剖析报告，如图 4.14 所示。

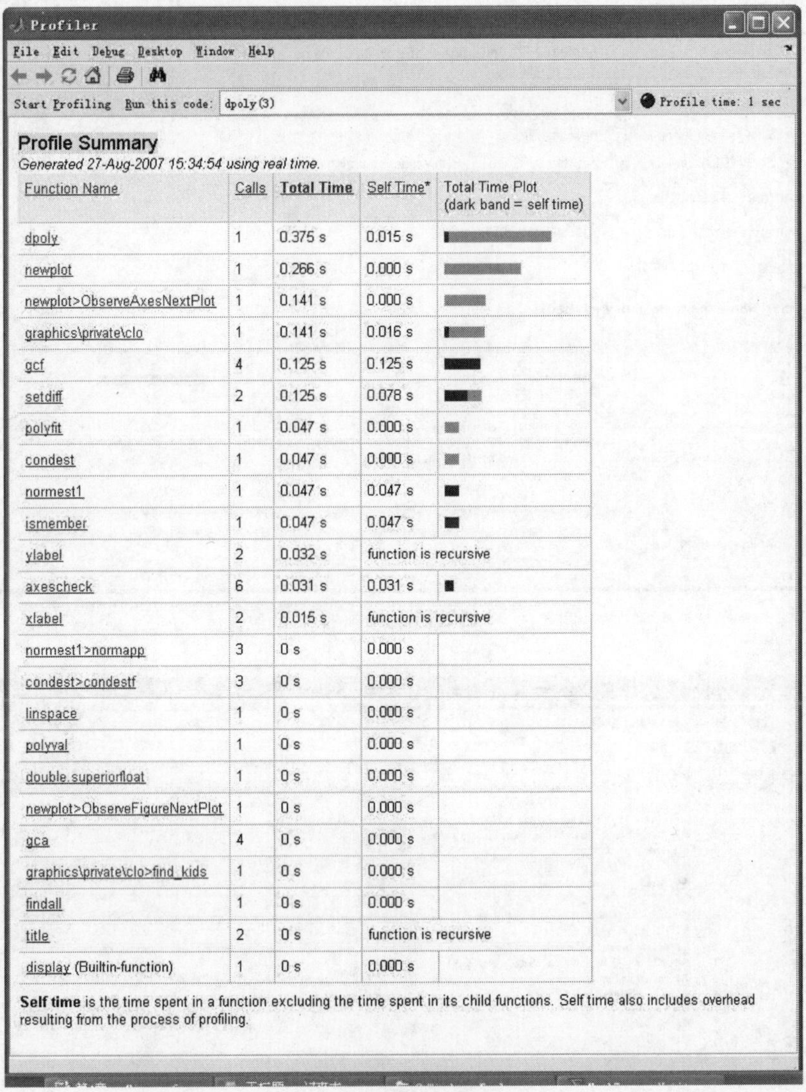

Profiler

File Edit Debug Desktop Window Help

Start Profiling Run this code: dpoly(3) Profile time: 1 sec

Profile Summary

Generated 27-Aug-2007 15:34:54 using real time.

Function Name	Calls	Total Time	Self Time*	Total Time Plot (dark band = self time)
dpoly	1	0.375 s	0.015 s	
newplot	1	0.266 s	0.000 s	
newplot>ObserveAxesNextPlot	1	0.141 s	0.000 s	
graphics\private\clo	1	0.141 s	0.016 s	
gcf	4	0.125 s	0.125 s	
setdiff	2	0.125 s	0.078 s	
polyfit	1	0.047 s	0.000 s	
condest	1	0.047 s	0.000 s	
normest1	1	0.047 s	0.047 s	
ismember	1	0.047 s	0.047 s	
ylabel	2	0.032 s	function is recursive	
axescheck	6	0.031 s	0.031 s	
xlabel	2	0.015 s	function is recursive	
normest1>normapp	3	0 s	0.000 s	
condest>condestf	3	0 s	0.000 s	
linspace	1	0 s	0.000 s	
polyval	1	0 s	0.000 s	
double.superiorfloat	1	0 s	0.000 s	
newplot>ObserveFigureNextPlot	1	0 s	0.000 s	
gca	4	0 s	0.000 s	
graphics\private\clo>find_kids	1	0 s	0.000 s	
findall	1	0 s	0.000 s	
title	2	0 s	function is recursive	
display (Builtin-function)	1	0 s	0.000 s	

Self time is the time spent in a function excluding the time spent in its child functions. Self time also includes overhead resulting from the process of profiling.

图 4.14　文件剖析报告

在图 4.14 所示的剖析报告中，包括所消耗的时间，以及 M 文件中的程序在执行过程中所用到的命令及其相应的消耗情况。关于不同的命令在整个程序执行过程中的影响，读者可以直接点击命令的超链接进行查看。在此报告中显示了该命令的调用次数及其在整个程序执行过程中的时间消耗，以及该命令的程序中最消耗时间的程序段。图 4.15 显示的是所调用的 polyfit 命令中，相应程序行的时间消耗的统计表格；而图 4.16 所显示的是具体程序段消耗时间最长的部分。

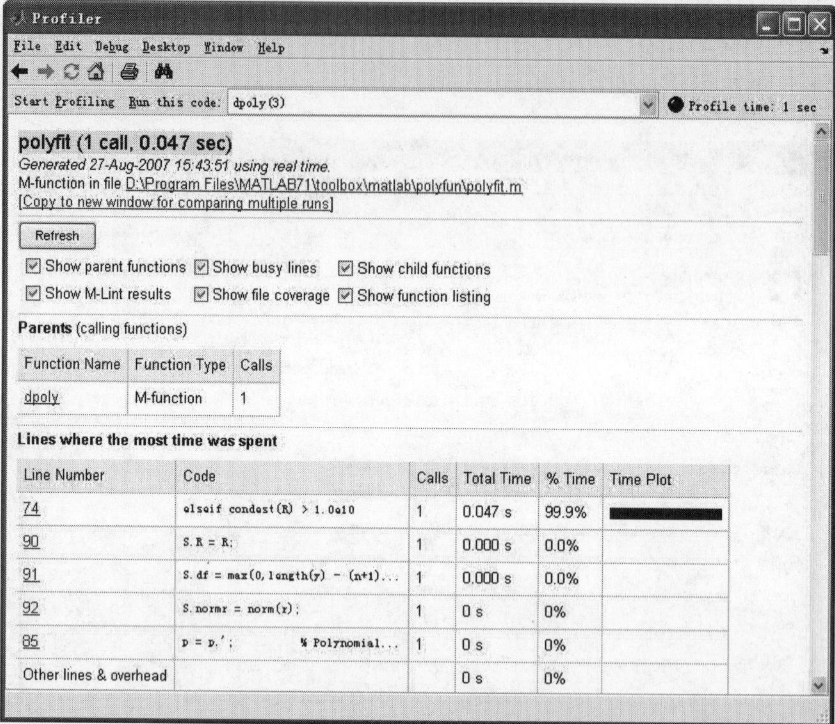

图 4.15　程序代码中时间消耗行的统计

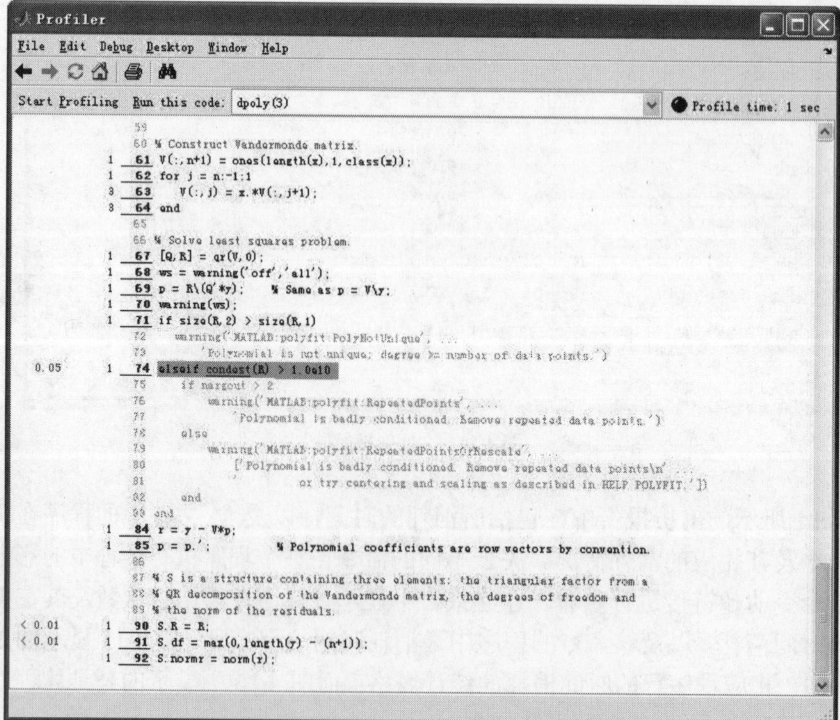

图 4.16　程序性能分析中时间瓶颈程序段

4.8　本 章 小 结

本章详细介绍了 MATLAB 7.x 编程方面的基础知识，主要介绍的内容包括 M 文件编辑器、M 脚本文件和 M 函数文件的编写；此外，对 M 文件编写的流程控制、控制命令、向量化、函数文件的编写要求、程序的调试与剖析等方面也都做了比较详细的介绍。通过本章的学习，读者可以掌握 MATLAB 7.x 的 M 文件编写的基础知识，便于在后面章节的学习中，能够编写更为复杂、功能更为强大的 M 文件，用于处理工程计算问题。

第 5 章　数据可视化

和其他的计算工具一样，MATLAB 7.x 也提供强大的图形处理和编辑功能，能够将经过数据处理、运算和分析后的结果通过图形的方式直观地进行表示。这样，用户可以直观地观察数据间的关系，也可以十分方便地分析各种数据分析的结果。本章将对 MATLAB 7.x 中的图形形成原理，曲线、曲面、高维图形绘制的基本技巧及命令进行介绍。这些命令大部分涉及 MATLAB 7.x 操作的上层命令，格式简单，但功能强大，使用方便。因此，本章的主要内容包括：

- 二维曲线绘制
- 三维图形绘制
- 高维（四维）图形绘制
- 复数变量图形绘制
- 特殊图形绘制
- 图形的打印和输出

5.1　图形绘制示例

在对 MATLAB 7.x 绘制各种图形的命令及方法进行介绍之前，本节通过一个简单的示例对图形绘制的过程和方法进行简单介绍。在用 MATLAB 7.x 进行图形绘制时，无论是离散函数，还是连续函数，都需要计算一组离散自变量上对应的函数值，然后将这些数据点描绘出来，并将这些离散点转化为连续函数，这可以通过微分的思想来进行，即不断减小离散点的间隔后绘制这些数据点；另一种方法则是直接将这些点通过直线依次连接起来。但无论哪种方法，绘制连续函数的图形后都有一定的误差。

例 5.1　图形绘制的示例：绘制 $y=\frac{1}{(x+3)^2+1}+\frac{1}{(x+9)^2+4}+5$ 在区间（−17, 3）上的图形。

```
% example.m
% 绘制图形示例
x1=-17:1:3;
y1=1./((x1+3).^2+1)+1./((x1+9).^2+4)+5;
x2=-17:0.02:3;
y2=1./((x2+3).^2+1)+1./((x2+9).^2+4)+5;
% 绘制图形比较
subplot(2,2,1);
```

```
plot(x1,y1,'rp');
axis([-17 3 5 6.5]);
title('figure 1');
grid on;
subplot(2,2,2);
plot(x2,y2,'rp');
axis([-17 3 5 6.5]);
title('figure 2');
grid on;

subplot(2,2,3);
plot(x1,y1,x1,y1,'rp');
axis([-17 3 5 6.5]);
title('figure 3');
grid on;

subplot(2,2,4);
plot(x2,y2,'LineWidth',2);
axis([-17 3 5 6.5]);
title('figure 4');
grid on;
```

运行上面所写的 M 脚本文件后，绘制图 5.1 所示的连续函数的图形结果。为便于比较不同离散条件及图形曲线下的图形，在图 5.1 中用到了 subplot 子图表绘制函数。其中，figure1 和 figure3 的函数计算间隔比较大，而 figure2 和 figure4 的计算间隔比较小，可以看出前面两幅图形造成了一定的图形失真，而后面两幅图更好地显示了连续函数的图形形态。默认情况下，plot 函数将绘制图形的离散数据点用直线连接起来作为曲线。

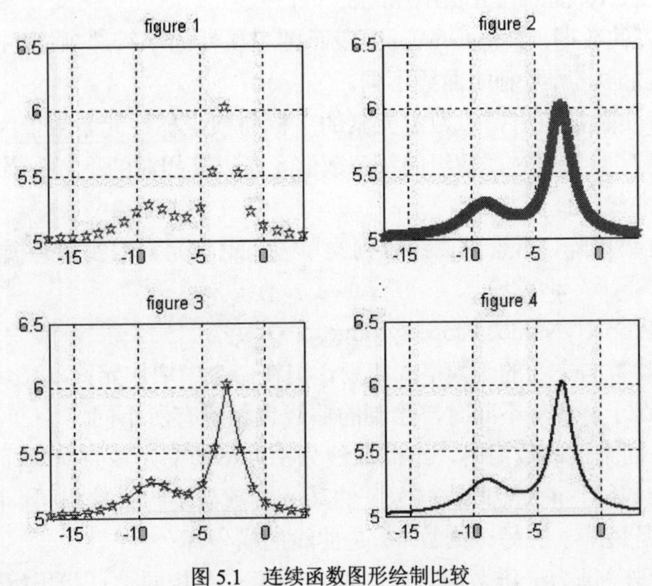

图 5.1　连续函数图形绘制比较

从前面的绘制过程中，可以总结出 MATLAB 7.x 绘制图表主要包括以下的基本步骤。

（1）绘制图表的数据，可以通过计算产生需要绘制图表的数组数据，从而能够确定图表的绘制范围。

（2）在需要绘制多个子图表时，设定子图表的位置。

（3）选择不同的绘图命令绘制图标。在绘图命令中设定图标的参数，如线型、颜色等。

（4）设置坐标轴的属性。

（5）添加图形注释，如坐标轴名称、图表名称等。

在实际绘制的过程中，可以选择使用其中的若干步骤就可以完成图表的绘制，并不需要每个步骤都做到，但在图形绘制时必须包括步骤（1）和步骤（3）。

5.2 二维图形绘制

二维图形在 MATLAB 7.x 的分析计算中非常常见，和三维及高维图形的绘制相比较，二维图形的绘制比较简单，也比较基础。但二维图形绘制过程中的一些属性设置可以用于三维及高维图形的绘制过程中。本节将对二维图形的常见绘图命令、绘图属性设置参数等进行详细介绍。

5.2.1 plot 函数

plot 函数是 MATLAB 7.x 绘制二维图形最常用的函数命令。该函数能够将数组中的数据绘制在相应的坐标平面上，并通过直线将这些点连接起来，形成连续曲线图形。plot 函数的格式可以通过 help 命令来查询，但该函数的主要命令格式如下：

（1）plot(x, 'PropertyName', PropertyValue, …)

x 表示绘制图表的数据，*PropertyName* 表示图表属性的字符选项，*PropertyValue* 表示对应的选值。当 x 不同时，所绘制的曲线不同。

- 当 x 是一维实数数组时，以数组元素的下标为横坐标、元素数值为纵坐标绘制曲线；
- 当 x 为二维实数数组时，数组的每列数值元素以其相对的下标为横坐标绘制曲线，因此，绘制的是多条曲线；
- 如果 x 是复数矩阵，所绘制曲线以列为单位，矩阵元素的实部为横坐标，而元素的虚部为纵坐标。

（2）plot(x, y, 'PropertyName', PropertyValue, …)

该函数的绘制参数与上面的函数格式相同。但在命令中增加元素 y。x 和 y 都为需要绘制图标的数据数组。对于 x 和 y 不同时，绘制的曲线也相应有所不同。

- 当 x 和 y 是同维数的数组时，绘制曲线分别以 x 和 y 元素为横坐标和纵坐标；
- 当 x 为一维数组，y 为矩阵，并且 y 的某一维数与 x 的维数相同，此时绘制多条连续曲线，曲线的条数是矩阵 y 的另一维数，x 是曲线的横坐标；
- 如果 x 为矩阵，y 为一维数组，此时曲线情形与上相同，只是坐标轴方向变化；
- 当 x 和 y 的维数相同时，此时把 x 和 y 的对应元素作为曲线的横坐标和纵坐标，曲线的条数和矩阵的列数相同。

（3）plot(x1, y1, x2, y2, 'PropertyName', PropertyValue, …)

此命令与前面命令不同的地方在于，可以在窗口中同时绘制以 $x1$ 和 $y1$，$x2$ 和 $y2$ 等分别为横坐标和纵坐标的曲线。实际上可以绘制任意多条曲线。

例 5.2　plot 命令示例。

```
% example_plot.m
% plot 函数绘图示例
% 生成一维数组及其参数数组
a=0:0.1:1;
t=0:0.01:1;
% 生成二维数组
y=sin(3*t').*exp(-t')*a;
% 不同的绘制参数比较
% figure1: 二维数组绘制曲线
subplot(2,2,1);
plot(y);
axis([0 100 0 1]);
xlabel('index');ylabel('y');
title('figure 1');
grid on;
% figure2: 一维数组和二维数组绘制曲线
subplot(2,2,2);
plot(t,y);
axis([0 1 0 1]);
xlabel('t');ylabel('y');
title('figure 2');
grid on;
% figure3: 一维数组和二维数组绘制曲线
subplot(2,2,3);
plot(y,t);
axis([0 1 0 1]);
xlabel('y');ylabel('t');
title('figure 3');
grid on;
% figure4: 一维数组绘制曲线
subplot(2,2,4);
plot(t);
axis([0 100 0 1]);
xlabel('index');ylabel('t');
title('figure 4');
grid on;
```

在上面的示例中，针对一维数组和二维数组不同变量情况，plot 函数绘制的曲线图形如图 5.2 所示。其中，a 和 t 为所创建的（0, 1）区间的一维向量，y 为计算 $y=ae^{-t}\sin(3t)$ 得到的二维数组结果。其中，figure1 和 figure4 分别以二维数组和一维数组为绘制的参数，在绘制时，两者均以列向量的下标为横坐标；figure2 和 figure3 为以一维数组和二维数组绘制的曲线，但两者的顺序交换，所产生的曲线也分别改变自变量的方向。

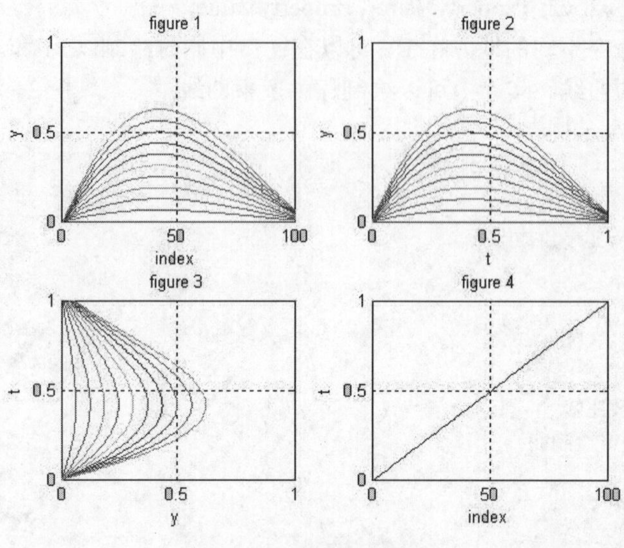

图 5.2　plot 函数演示曲线

例 5.3　plot 函数绘制复数曲线示例：绘制函数 $y=t+\mathrm{e}^{\frac{1}{3}t}\sin(2t+3)i$ 在区间(0, 5)上的曲线。

```
% plot_complex.m
% plot 函数绘制复数曲线示例
% 产生一维自变量向量
t=[0:0.1:5]';
% 产生需要绘制的复数矩阵
y=t+exp(1/3*t).*sin(2*t+3)*i;
real_y=real(y);
imag_y=imag(y);
% 绘制曲线
subplot(1,2,1);
plot(y);
axis([0 5 -4 3]);
xlabel('t');ylabel('y');
title('figure1');
axis square;
grid on;
% 直接根据实部和虚部绘制
subplot(1,2,2);
plot(real_y,imag_y,'rp');
axis([0 5 -4 3]);
xlabel('t');ylabel('y');
title('figure2');
axis square;
grid on;
```

在上面的绘制图形中，对比两种不同的绘制方式，通过函数直接生成复数数组。当用复数数组直接作为绘制的数组时，plot 函数分别以每个复数元素的实部和虚部为横坐标和纵坐标来进行绘制；也可以直接采用复数数组的每个元素实部和虚部生成的向量，来通过 plot 函数绘制曲线。可以看出，通过这两种方式绘制的曲线是一样的。因此，对于复数元素组成的数组，可以直接以复数数组为绘制的数组进行绘制。图 5.3 所示为通过以上方式绘制的两幅曲线。

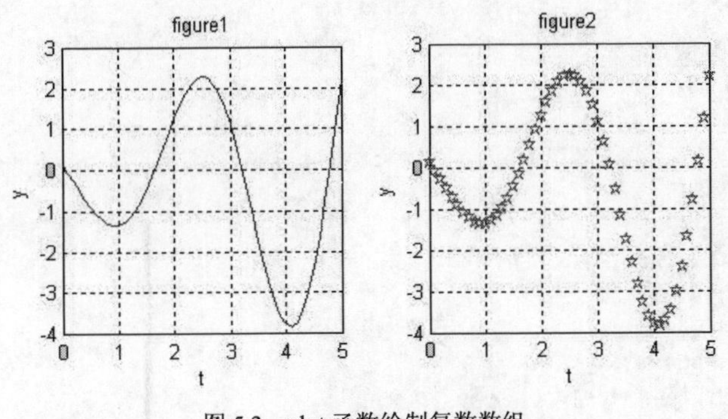

图 5.3 plot 函数绘制复数数组

5.2.2 线型、标记和颜色

在使用 plot 函数绘制曲线的时候，曲线的线型、标记和颜色属性可以根据情况来选择，从而能够更好地显示所绘制的曲线。如果在绘制的时候没有指定 plot 绘制曲线的这些属性，系统将采用默认的实线线型，以及默认的颜色来绘制图形的颜色。如果用户进行定制，那么可以根据这些参数进行定义。这些线型、标记和颜色属性如表 5.1 所示。

表 5.1 plot 函数的线型、标记和颜色属性

颜色符号	颜色名称	标记符号	标记名称	线型符号	线型名称
b	蓝色	.	点号	-	实线
g	绿色	○	圆圈	:	点线
r	红色	×	叉号	-.	点划线
c	青色	+	加号	--	虚线
m	洋红	*	星号		
y	黄色	s	方形		
k	黑色	d	菱形		
w	白色	∨	向下三角形		
		∧	向上三角形		
		<	向左三角形		
		>	向右三角形		
		p	五角星		
		h	六角星		

如果用户没有声明颜色而使用默认的颜色机制，那么 MATLAB 7.x 就为每一条新增加的线按表 5.1 中的前 7 种颜色的顺序选择颜色，标记类型从圆圈开始从上到下选择。对于线型，默认的线型是实线。如果选择了任意一种标记，而没有选择线型标记，那么每个数据点将在所在位置处画出所选择的标记符号，而不会通过直线来连接起来。

例 5.4 plot 参数选项示例，在区间(0, 3π)绘制曲线 $y=e^{-\frac{1}{3}t}\sin(2t+3)$ 及其上半部分包络线。

```
% plot_params.m
% plot 函数参数的示例
% 产生一维自变量向量
t=[0:pi/20:3*pi]';
% 产生需要绘制的复数矩阵
y=exp(-1/3*t).*sin(2*t+3);
y1=exp(-1/3*t);
% 绘制曲线
plot(t,y,'b:*');
xlabel('t');ylabel('y');
hold on;
plot(t,y1,'r-');
title('linestyles and markers');
legend('y=exp(-1/3*t).*sin(2*t+3)','y1=exp(-1/3*t)');
axis square;
grid on;
hold off;
```

上面通过绘制两条曲线在区间内的衰减曲线，演示了如何选择使用 plot 函数所提供的线型、标记、颜色的选择，结果如图 5.4 所示。在曲线 1，即衰减曲线上，设置曲线的颜色为蓝色，线型为虚线，标记符号为*号；而包络线部分则使用红色，线型选择实线。

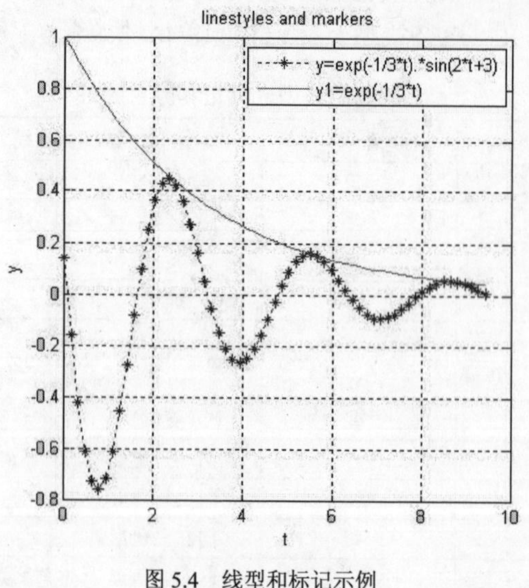

图 5.4　线型和标记示例

可以看出，通过合理地选择不同的线型、标记和颜色，可以更好地表现出曲线的形状和形态。因此，在用 MATLAB 7.x 进行数据计算和处理时，选择不同的表现方式更有利于结果的表示和分析。

5.2.3　图形坐标轴设置

选择使用坐标轴的设置，可以使所绘制的曲线在合理的范围内表现出来，达到最好的效果。默认的效果并不是最好的。因此，在进行图形绘制的时候，可以通过对坐标轴的设置来改变图形的显示效果。在对图形坐标轴的设置中，主要包括坐标轴的取向、范围、刻度以及宽高比等参数。表 5.2 为常见的坐标轴的属性设置参数。

表 5.2 坐标轴参数设置

命 令	说 明
axis([xmin xmax ymin ymax])	设置坐标轴的范围，包括横坐标和纵坐标
v=axis	返回包含当前坐标范围的一个行向量
axis auto	坐标轴的刻度恢复为默认的设置
axis manual	冻结坐标轴刻度，如果此时设置 hold on 属性，那么后面图形的坐标轴刻度范围与前面的相同
axis tight	将坐标轴的范围设定为被绘制的数据的范围
axis fill	使坐标充满整个绘图区域，该选项只能在 PlotBoxAspectRatio 或 DataAspectRatioMode 被设置为 manual 模式时才可以使用
axis ij	将坐标轴设置为矩阵模式，水平坐标轴从左向右取值，而垂直坐标轴从上到下取值
axis xy	将坐标轴设置为笛卡尔模式，水平坐标轴从左向右取值，而垂直坐标轴从下到上取值
axis equal	设置屏幕的宽高比，使每个坐标轴具有均匀的刻度间隔
axis image	设置坐标轴的范围，使其与被显示的图形相适应
axis square	将坐标轴框设置为正方形
axis normal	将当前的坐标轴框恢复为全尺寸，并将单位刻度的所有限制取消
axis vis3d	冻结屏幕的宽高比，使一个三维对象旋转时不会改变坐标轴的刻度显示
axis off	关闭所有坐标轴的标签、刻度和背景
axis on	打开所有坐标轴的标签、刻度和背景

此外，表 5.2 中的 axis([xmin xmax ymin ymax])命令设置坐标轴的范围时，需要同时设定横坐标和纵坐标的所有极限。如果仅仅改变其中的一个极限时，则显得很麻烦，因此，在 MATLAB 7.x 中提供了 xlim、ylim、zlim 命令来改变其中部分坐标极限。

在前面章节的介绍中，读者已经接触到了坐标轴设置的一些参数。此处，将通过两个示例对上面的坐标轴参数设置加以演示。

例 5.5 坐标轴不同的显示方式。

```
% plot_axis_params.m
% plot 函数坐标轴参数的设置示例
% 绘制参数化的椭圆
t=[0:pi/50:2*pi]';
x=4*sin(t);
y=5*cos(t);
% 绘制一：normal
subplot(2,2,1);
plot(x,y);
axis normal;
grid on;
title('figure1: normal');
% 绘制二：equal
subplot(2,2,2);
plot(x,y);
axis equal;
grid on;
title('figure2: equal');
% 绘制三：image fill, box off（即边框消失）
```

```
subplot(2,2,3);
plot(x,y);
axis image fill;
box off;
grid on;
title('figure3: image fill, box off');
% 绘制四：tight, box off
subplot(2,2,4);
plot(x,y);
axis tight;
box off;
grid on;
title('figure4: tight, box off');
```

上面通过不同的坐标轴显示方向的设置，显示了不同坐标轴显示方式的属性。运行后的结果如图 5.5 所示。可以看出，当选择 box off 后，所绘制图形的边框取消，在 equal 和 image fill 情况下，图形充满整个显示区域。

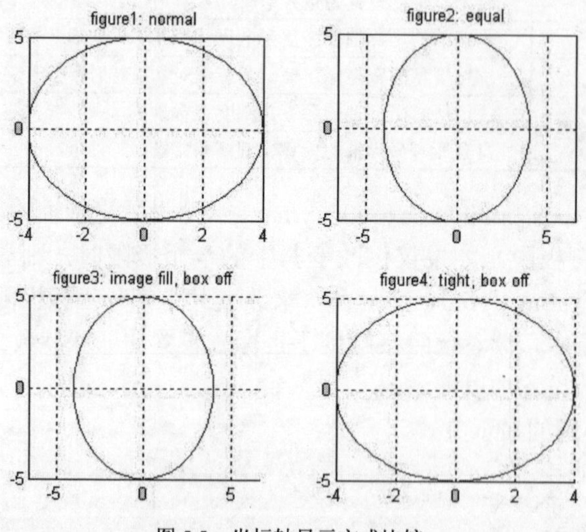

图 5.5　坐标轴显示方式比较

例 5.6　坐标轴设置的底层命令示例：绘制 $y=\sin(\frac{1}{x})^3/x$ 曲线。

```
% plot_axis_params1.m
% 根据设置参数来设置的示例
x=logspace(-2,0,500);
y=(sin(1./x).^3)./x;
% 绘制一：normal
subplot(2,2,1);
plot(x,y);
axis normal;
grid on;
title('figure1: normal');
% 绘制二：y-logx
subplot(2,2,2);
plot(x,y);
```

```
set(gca,'XScale','log','YScale','linear');
grid on;
title('figure2: y-logx');
% 绘制三：y-revx
subplot(2,2,3);
plot(x,y);
set(gca,'XDir','reverse','YDir','normal');
grid on;
title('figure3: y-revx');
% 绘制四：y-logx, with grid y off
subplot(2,2,4);
plot(x,y);
set(gca,'XScale','log','YScale','linear');
set(gca,'XGrid','on','YGrid','off');
title('figure4: y-logx, with grid y off');
```

上面的示例中，使用了图表编程的底层命令 get 和 set 函数。这两个函数主要用于获得和改变图形对象的属性，它们的基本格式如表 5.3 所示。

表 5.3　get 和 set 函数的格式

格　式	说　明
get(handle, 'PropertyName')	获得句柄图形对象的属性
set(handle, 'PropertyName')	设置句柄图形对象的属性

在这两个函数中，handle 均为图形的句柄。在上面示例中的 gca 句柄表示的是坐标轴的句柄对象。在示例中，改变了坐标轴的属性，比较得到的结果如图 5.6 所示。关于 gca 的其他属性，读者可以通过函数 help 来查询。

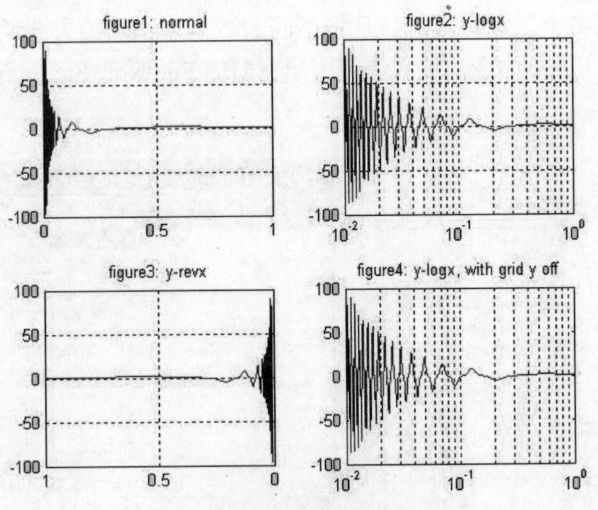

图 5.6　底层句柄函数的结果比较

5.2.4　多个图形叠绘及多个图形窗口

在使用 MATLAB 7.x 进行图形绘制时，常常需要将多个图形绘制在一个图形内。此时，用户可以选择使用 hold 属性来改变图形的叠绘情况。hold 命令的常见格式如表 5.4 所示。

表 5.4　　hold 命令的常见格式

格　式	说　明
hold on	使用 plot 函数绘图时，原来的坐标轴不会被删除，新的曲线将添加在原来的图形上，如果曲线超出当前的范围，坐标轴重新绘制刻度
hold off	将当前图形窗口中的图形释放，绘制新的图形
hold	实现 hold 命令之间的切换

例 5.7　hold 命令使用示例。

```
% example_hold.m
% hold 命令的使用
x=linspace(0,2*pi,100);
y=sin(2*x);
z=cos(3*x);
plot(x,y);
hold on;
ishold;
plot(x,z,'m*-');
hold off;
ishold;
grid on;
axis square;
legend('y=sin(2*x)','z=cos(3*x)');
title('hold examples');
```

在上面的执行过程中，使用了 hold on 和 hold off 命令，同时通过逻辑判断函数 ishold 来判断是否锁定绘图句柄。关于 hold 命令及其参数的使用在前面章节的介绍中已经使用得比较多，命令格式也比较简单，可以很方便地实现多个图形的叠绘及其结果表示。本示例的结果如图 5.7 所示。

当用户需要生成多个图形窗口，并且将不同的数据以不同的方式绘制在各个窗口中时，可以在命令窗口使用 figure 命令，或者选择图形窗口的 File/New/Figure 来得到新的图形窗口，选择顺序如图 5.8 所示。

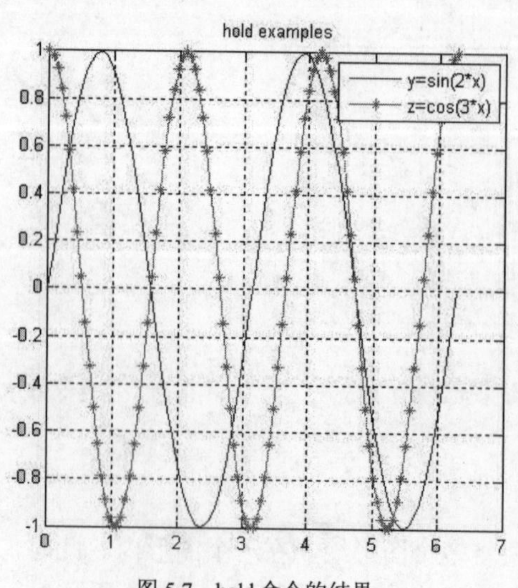

图 5.7　hold 命令的结果

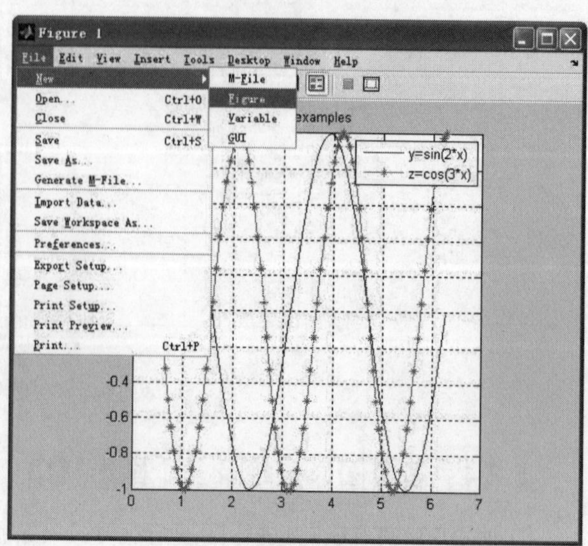

图 5.8　创建新的 figure 窗口

当用户需要选择一个特定的图形窗口或者当前的窗口时，可以选择使用 figure(*n*)命令，该命令中的 *n* 为窗口的编号。当然，也可以选择使用 figure(*h*)命令来激活图形窗口。其中，*h* 为图形句柄。只有在当前图形句柄情况下，用户才可以对该图形窗口对应的 axis、hold、xlabel、ylabel、title 及 grid 命令作出响应。关闭图形窗口时，可以选择使用 close 函数；当擦除图形窗口而不关闭时，则可以选择使用 clf 命令。

5.2.5　子图绘制

在一个图形窗口中可以包含多套坐标轴系。此时，可以在一个图形窗口中绘制多个不同的子图来达到效果和目的。在 MATLAB 7.x 中，可以使用 subplot 函数来绘制子图，该命令的常见格式如表 5.5 所示。

表 5.5　　　subplot 子图绘制命令的格式

格　式	说　明
subplot(m, n, p)	将图形窗口分为 m × n 个子窗口，在第 p 个子窗口中绘制图形；子图的编号顺序为从左到右，从上到下，p 为子图编号
subplot(m, n, p, ‘replace’)	若在绘制图形时，子图 p 已经绘制坐标系，此时将删除原来的坐标系，用新的坐标系来代替
subplot(m, n, p, ‘align’)	对齐坐标轴
subplot(h)	句柄 h 对应的坐标轴变成当前坐标轴
subplot(‘position’, [left bottom width height])	在指定位置创建新的子图，并将其设置为当前坐标轴，所设置的 4 个参数均采用归一化的参数设置，范围为(0, 1)，左下角坐标为(0, 0)

例 5.8　subplot 绘制函数示例，绘制函数 sin(*x*)、2sin(*x*)cos(*x*)、sin(*x*)/cos(*x*)的图形。

```
% example_subplot.m
% subplot 函数绘制示例
x=linspace(0,2*pi,100);
y=linspace(0,3*pi,150);
a=sin(x);
b=2*sin(x).*cos(x);
c=sin(y)./(cos(y)+eps);
% 绘制图形一：
subplot(2,2,1);
plot(x,a,'b*-');
title('figure1: sin(x)');
grid on;
axis([0 2*pi -1 1]);
% 绘制图形二：
subplot(2,2,2);
plot(x,b,'rp-');
title('figure2: 2sin(x)cos(x)');
grid on;
axis([0 2*pi -1 1]);
% 绘制图形三：
subplot('position',[0.2 0.05 0.6 0.40]);
plot(y,c);
title('figure3: sin(x)/(cos(x))');
```

```
grid on;
axis([0 3*pi -100 100]);
```

在上面示例中，通过 3 个子图绘制方式演示了子图的绘制参数选择。在子图三（figure3）中，在指定位置设定子图的位置和长宽。绘制后的结果如图 5.9 所示。在前面章节的学习中，subplot 函数同样用得比较多，读者也都比较熟悉。在实际的图形绘制中，可以对一组数据通过不同的图形表示后进行比较，或对相关的计算结果通过一组子图来对比比较，都可以得到比较好的分析结果。因此，在进行运算结果分析时，用户可以合理选择子图绘制方式来创建子图。

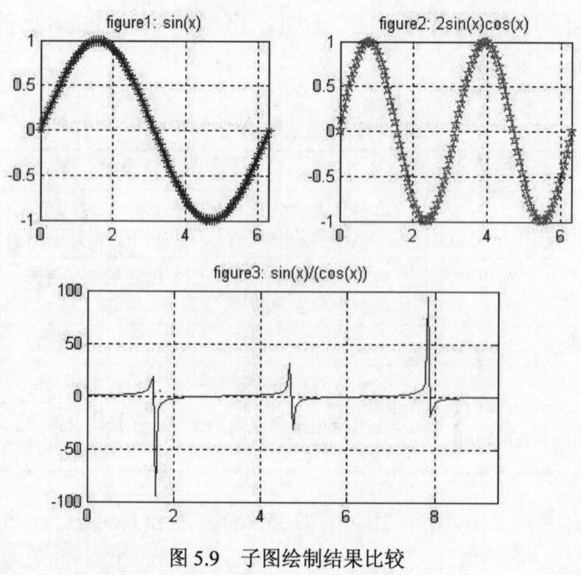

图 5.9　子图绘制结果比较

5.2.6　交互式绘图和屏幕刷新

交互式绘图能够帮助用户完成一些绘图功能，直接从曲线上获取需要得到的数据结果。如命令 legend 在图形上生成图例框，使用户可以输入任何文本。ginput 命令则可以帮助用户通过鼠标直接读取二维平面图形上任意一点的坐标值。除此之外，gtext、zoom 等命令也都可以和鼠标配合使用，直接从图形上获取相关的坐标或图形信息。ginput 命令只能用于二维图形的选点，其他两个命令可以用于二维及三维的选点。

ginput 函数的应用比较广泛，常用的格式如表 5.6 所示。

表 5.6　　ginput 函数的常见格式

格　式	说　明
[x, y]=ginput(n)	用鼠标从二维图形上截取 n 个数据点的坐标，回车结束选点
[x, y]=ginput	取点的数目不受限制，结果都保存在数组[x, y]中，回车结束选点
[x, y, button]=ginput(…)	返回值 button 记录每个点的相关信息

在用 ginput 选取点的信息时，常常和 zoom 命令一同配合使用。zoom 命令同样也适用于二维图形的缩放，和常见的 Windows 缩放功能相似，默认的缩放规律为单击鼠标左键将图形放大，或者圈选一定的区域对图形进行放大；单击鼠标右键后，对图形进行缩小的操作。常

用的 zoom 命令功能如表 5.7 所示。

表 5.7 zoom 命令功能

命 令	说 明
zoom on	允许对坐标轴进行缩放
zoom off	禁止对坐标轴的缩放
zoom out	恢复坐标轴的设置
zoom reset	将当前的坐标轴设置为初始值
zoom	进行 zoom 命令的切换
zoom xon	允许对 x 轴进行切换
zoom yon	允许对 y 轴进行切换
zoom(factor)	factor 作为缩放因子对坐标轴进行缩放
zoom(fig, option)	上述 zoom 属性都可以作为 option 选项应用于除当前图形之外的图形

例 5.9 交互式图形命令进行绘制曲线。

```
% example_ginput.m
% 单击鼠标左键选择数据点，单击鼠标右键完成选择
% 定义绘图区域属性
axis([0 15 0 15]);
grid on;
hold on;
title('draw spline by picked points');
xy=[];
n=0;
disp('提示：单击鼠标左键选择点，单击鼠标右键结束选择');
but=1;
% 开始选择点
while but= =1
    % 用鼠标选择一个点
    [xi,yi,but]=ginput(1);
    plot(xi,yi,'bp');
    n=n+1;
    xy(:,n)=[xi;yi];
end
t=1:n;
ts=1:0.1:n;
% 绘制样条曲线
xys=spline(t,xy,ts);
plot(xys(1,:),xys(2,:),'r-','linewidth',2);
hold off;
```

执行上面的脚本文件之后，在弹出的图形对话框中，可以通过单击鼠标左键选择点，单击鼠标右键后完成选点过程。绘制过程的选择如图 5.10 所示。当所有点选择完成之后，单击鼠标右键可以根据所选择点的信息生成样条曲线。

在绘制图形的程序执行过程中，常常会刷新屏幕。然而，并不是每个命令都能刷新屏幕，如 plot、axis、grid 等命令可以刷新屏幕。如果这些命令出现在脚本文件或函数文件中时，屏幕也只刷新一次。总的来说，在 MATLAB 7.x 中，以下几种情况可以导致屏幕刷新。

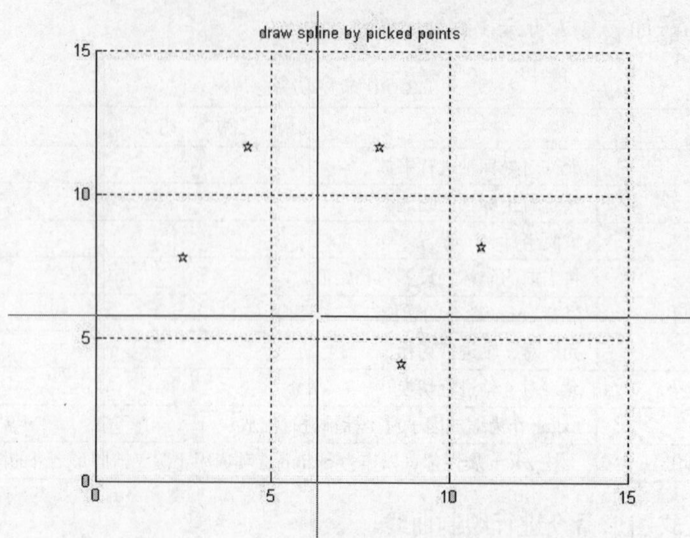

图 5.10　交互式绘制样条曲线示例

（1）在命令窗口中，执行命令后，返回到下一个>>命令提示符时，刷新一次屏幕。

（2）控制流程中的某些命令，如 pause、keyboard、input、waitforbuttonpress 等。

（3）执行 getfreame、drawnow、figure 命令等。

（4）重新设置一个图形窗口的大小。

5.2.7　plotyy 函数绘制双坐标轴

在科学计算和分析中，常常需要将同一自变量的两个（或多个）不同量纲、不同数量级的函数曲线在一个图形中绘制出来。此时，图形绘制就会使用到双坐标轴。在 MATLAB 7.x 中，提供了 plotyy 函数来绘制双坐标轴的曲线。

plotyy 函数常见的命令格式如表 5.8 所示。

表 5.8　plotyy 函数的命令格式

格　式	说　明
plotyy(x1, y1, x2, y2)	绘制两条曲线 x1-y1 和 x2-y2，两条曲线分别以左右纵轴为纵轴
plotyy(x1, y1, x2, y2, fun)	绘制两条曲线 x1-y1 和 x2-y2，两条曲线分别以左右纵轴为纵轴，曲线的类型由 fun 来指定
plotyy(x1, y1, x2, y2, fun1, fun2)	绘制两条曲线 x1-y1 和 x2-y2，两条曲线分别以左右纵轴为纵轴，两条曲线的类型分别由 fun1 和 fun2 来指定

表 5.8 中的坐标轴刻度和范围都自动产生，参数 fun、fun1 和 fun2 可以选择一些二维绘图命令，如 plot、bar、linear 以及其他 MATLAB 7.x 可以接受的绘图函数。

例 5.10　通过 plotyy 函数绘制曲线 $y=\mathrm{e}^{-x^2}$ 和曲线 $y=\sin(3x)$ 。

```
% example_plotyy.m
% 使用 plotyy 函数绘制双坐标轴图像
x1=-2.9:0.2:2.9;
y1=exp(-x1.*x1);
x2=-2.9:0.05:2.9;
y2=sin(3*x2);
```

```
[AX,H1,H2] = plotyy(x1,y1,x2,y2,'bar','plot');
title('figure1: plotyy in default');
% 通过句柄函数改变属性
% 添加纵坐标轴名称
figure(2);
[AX,H1,H2] = plotyy(x1,y1,x2,y2,'bar','plot');
set(get(AX(1),'Ylabel'),'String','y1=exp(-x.*x)');
set(get(AX(2),'Ylabel'),'String','y2=sin(3*x)');
% 改变线型属性
set(H1,'barwidth',0.6,'edgecolor',[1 0 0],'facecolor',[1 1 0.4745]);
set(H2,'linewidth',1,'marker','*')
title('figure2: plotyy after change');
```

在上面的示例中，通过plotyy函数创建了双坐标轴曲线，如图5.11所示。接着，通过figure函数创建新的图形，并改变图形的坐标轴属性和曲线属性，得到如图5.12所示的图形。在编写脚本文件的过程中，用到了前面提到的get和set函数来获取和设置坐标轴或曲线的属性。这两个函数和句柄直接相关。因此，读者可以通过查询相关的句柄属性进行设置或改变。

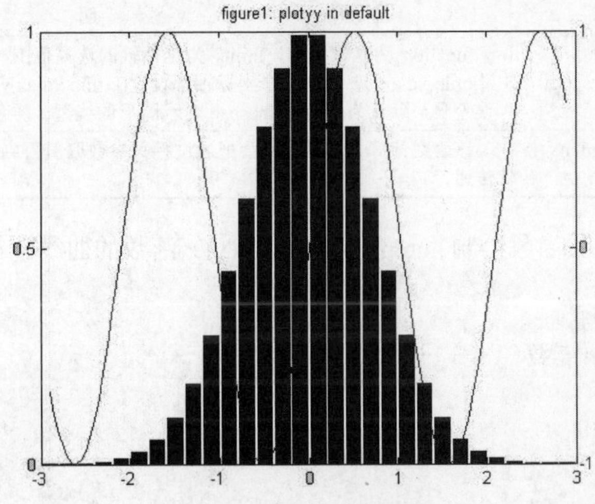

图5.11 双坐标轴曲线绘制

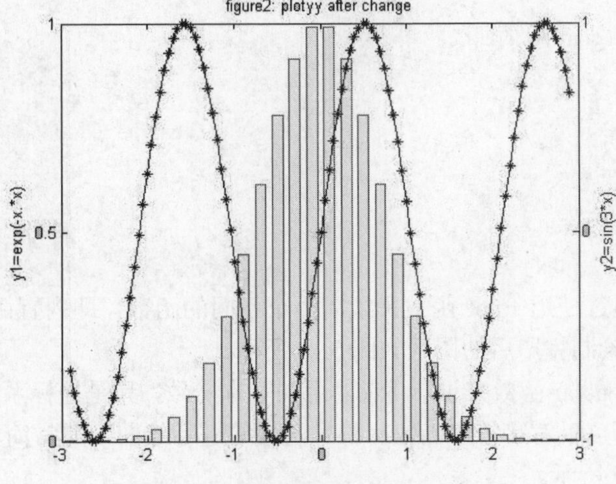

图5.12 通过设置函数改变后的曲线

5.2.8 easy 绘图命令

在 MATLAB 7.x 中，还提供了一些函数命令，以便用户不用花费太多的时间就可以完成图形的绘制，主要包括 fplot、ezplot 和 ezpolar 函数。其中，fplot 函数绘制由 M 文件名或函数句柄定义的函数；而 ezplot 和 ezpolar 函数可以绘制由字符串表达式或符号数学对象定义的函数，后者与前者的区别在于后者在极坐标系中绘图。

plot 函数命令绘制图形时，将函数数值转换为数值矩阵，进而连成曲线。在实际绘制过程中，如果不了解某个函数在某个区间范围内的变化形态，那么所选择区间间隔可能不当而使得所绘制的曲线严重失真；通过 fplot 函数绘制时，系统会通过自适应算法来选择自变量的间隔，当函数值变化比较剧烈时，自变量的选择间隔会小一些，而当函数值变化比较缓慢时，自变量的选择间隔会较大一些。

fplot 函数常见的格式如表 5.9 所示。

表 5.9 fplot 函数的常见格式

函 数 格 式	说 明
fplot(function, limits, tol, linespec)	function 为函数名称，limits 为坐标轴的选择范围，可以选择只设置 x 坐标轴([xmin xmax])，或这两个坐标轴都设置([xmin xmax ymin ymax])；tol 表示函数的误差限，默认为 2e-3；linespec 表示图形的线型、颜色、数据点等
[…]= fplot(function, limits, tol, n, linespec, p1, p2, …)	该函数计算完毕后，将会把通过相关参数取值得到的数值，向 p1，p2 等参数传递

例 5.11 使用 fplot 函数绘制 humps 函数和 sin(*x*)/*x* 函数的曲线。

```
% example_fplot.m
% 通过 fplot 函数绘制曲线
% 图一：绘制 humps 函数
subplot(2,1,1);
fplot(@humps,[-0.5,3]);
title('figure1: humps');
xlabel('x');
ylabel('humps(x)');
grid on;
% 图二：绘制函数 sin(x)/x 的曲线
subplot(2,1,2);
f_hdl=@(x) sin(x)/(x);
fplot(f_hdl,[-10,10]);
title('figure1: sin(x)/x');
xlabel('x');
ylabel('sin(x)/x');
grid on;
```

上面的示例是通过使用 fplot 函数来绘制两个不同的函数，即内置函数 humps 和匿名函数 sin(*x*)/*x* 的曲线。绘制完毕后的图形如图 5.13 所示。

对于 ezplot 和 ezpolar 函数来说，两者的用法基本一致，只是坐标系不同，后者采用极坐标系。这两个函数都可以对字符串函数、符号函数等进行绘图，非常简单方便。ezplot 函数的常用格式如表 5.10 所示。

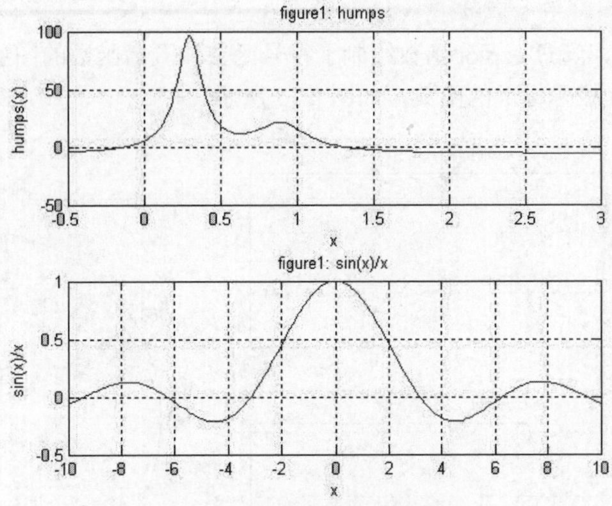

图 5.13　使用 fplot 函数绘制曲线

表 5.10　　ezplot 函数的常见格式

格　　式	说　　明
ezplot(f)	在区间 $[-2\pi, 2\pi]$ 范围内绘制函数 f 的曲线，其中 f 可以是字符表达函数、符号函数、内联函数等，但都默认地只适用于一维函数
ezplot(f, [min max])	在用户自定的取值区间内绘制函数曲线 f
ezplot(f, [min max], fig)	在指定的图形中绘制函数 f 的曲线

例 5.12　使用 ezplot 函数和 ezpolar 函数分别绘制 $y=e^{-\frac{2}{3}t}\sin(1+2t)$，$y=\sin(x)/x$ 和 $y=1+\cos(t)$ 的曲线。

```
% example_ezplot.m
% 演示轻松绘图函数 ezplot 和 ezpolar
% 图一：ezplot 绘图（符号函数）
subplot(2,1,1);
syms t;
y=exp(-2*t/3)*sin(1+2*t);
ezplot(y,[pi,3*pi]);
grid on;
title('figure1: ezplot');
xlabel('x');
ylabel('exp(-2*t/3)*sin(1+2*t)');
% 图二：ezplot 绘图（匿名函数）
subplot(2,1,2);
f_hdl=@(x) sin(x)/(x);
ezplot(f_hdl,[-15,15]);
title('figure2: ezplot');
xlabel('x');ylabel('sin(x)/x');
grid on;
% 图三：ezpolar 绘图
figure(2);
ezpolar('1+cos(t)');
```

```
grid on;
title('figure ezpolar');
```

在上面的示例中，通过 ezplot 函数绘制了符号函数和匿名函数的图形，如图 5.14 所示。通过 ezpolar 函数绘制极坐标下的函数，如图 5.15 所示。

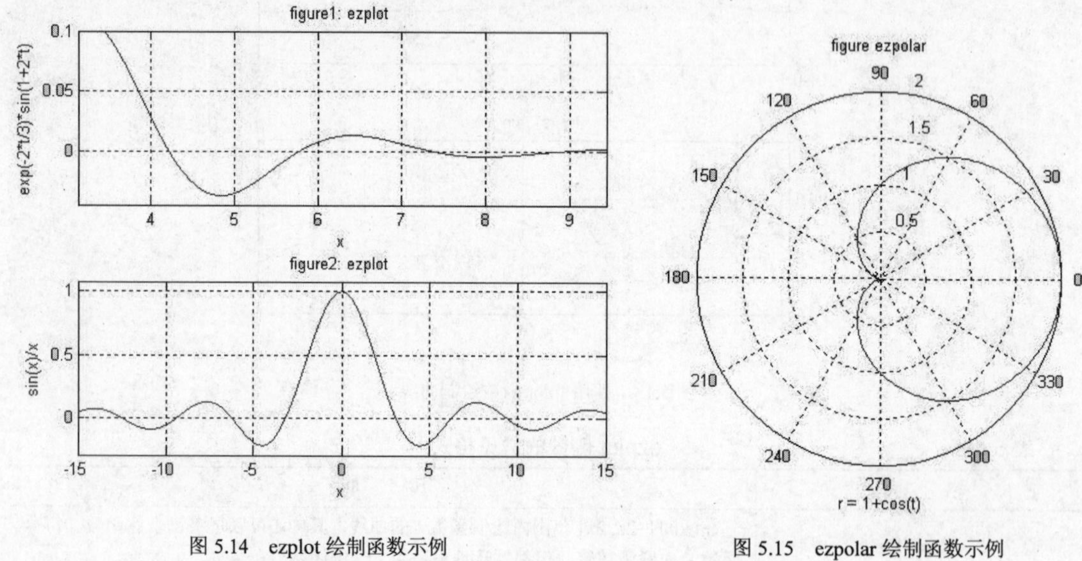

图 5.14　ezplot 绘制函数示例　　图 5.15　ezpolar 绘制函数示例

5.3　三维图形绘制

MATLAB 7.x 中提供了多种三维图形数据的显示和处理函数，包括三维曲线绘制、三维曲面绘制、三位框架绘制，以及通过颜色表现的第四维等。本节将通过示例对相关的命令进行介绍。

5.3.1　曲线图绘制

与 plot 函数绘制二维曲线一样，plot3 函数主要用于绘制三维曲线，但在输入参数时，用户需要输入第三个参数数组。plot3 函数的主要命令格式为：

```
plot3(x, y, z, LineSpec, 'PropertyName', PropertyValue, …)
```

在该命令中，如果 *x*、*y* 和 *z* 是同维数组（向量或矩阵），则在绘制过程中分别以对应列的元素作为 *x*、*y*、*z* 坐标，曲线的个数等于数组的列数。参数 *LineSpec* 用于定义曲线的线型、颜色和数据点，*PropertyName* 和 *PropertyValue* 分别代表属性名和属性值。

例 5.13　plot3 函数的绘制示例。

```
% example_plot3.m
% 使用函数 plot3 绘制三维曲线
t=0:pi/50:10*pi;
plot3(sin(t),cos(t),t,'r*-')
xlabel('sin(t)')
ylabel('cos(t)')
zlabel('t')
```

```
title('figure1: helix')
grid on
axis square
% 绘制多条曲线
figure(2);
x=linspace(0,3*pi,200);
z1=sin(x);
z2=sin(2*x);
z3=sin(3*x);
y1=zeros(size(x));
y2=ones(size(x));
y3=y2*2;
plot3(x,y1,z1,'r*',x,y2,z2,'bp',x,y3,z3,'mx');
grid on;
xlabel('x-axis')
ylabel('y-axis')
zlabel('z-axis')
title('figure2: sin(x),sin(2x),sin(3x)');
grid on;
axis square;
```

在使用 plot3 绘制三维曲线时，坐标轴、标记等的设置方法和二维时的方法相同，如图 5.16 所示。图 5.17 演示了利用 plot3 函数绘制多条曲线的方法，也可以通过矩阵方式来绘制。

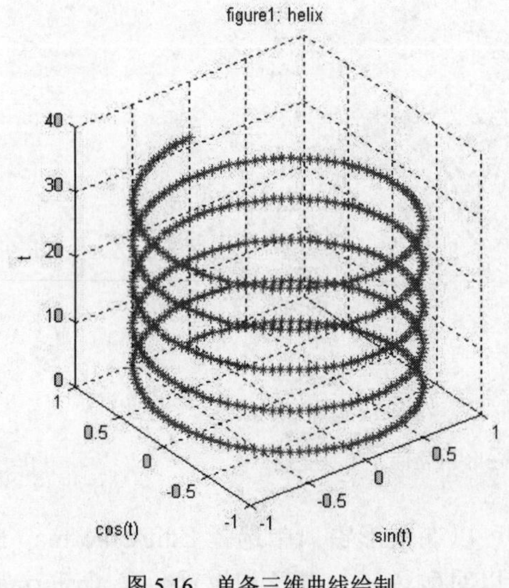

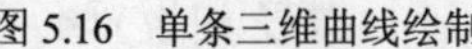

图 5.16　单条三维曲线绘制

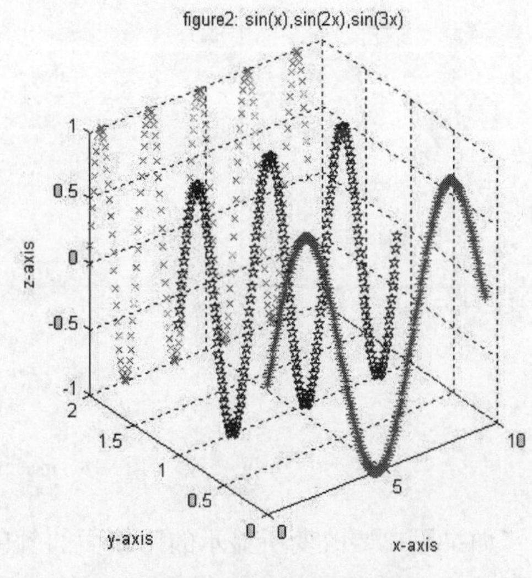

图 5.17　绘制多条三维曲线

5.3.2　网格图绘制

在对三维数据进行分析处理时，常常还需要绘制三维曲线或曲面的网格图。三维网格图的绘制相当于在 *x-y* 平面上的 *z* 坐标定义一个网格面，相邻的点通过直线连接起来，网格节点就是 *z* 的数据点。在 MATLAB 7.x 中，网格图常常通过 mesh 函数来绘制。函数 mesh 的常用格式如表 5.11 所示。

表 5.11　　mesh 函数的常见格式

格　式	说　明
mesh(z)	此时，以 z 矩阵的列和行的下标为 x 和 y 轴的自变量绘制网格图
mesh(x, y, z)	其中，x 和 y 为自变量矩阵，z 为建立在 x 和 y 之上的函数矩阵
mesh(x, y, z, c)	此命令和上面的命令相比，指定矩阵 z 在各点的颜色矩阵

在用 mesh 函数绘制的时候，常常用到 MATLAB 7.x 所提供的一些内置函数，生成数据矩阵，如 peaks、sphere 等。以 peaks 为例，能够返回高斯分布的数值范围，其中 x 和 y 的取值范围为[−3, 3]。其他的函数可以通过 help 来进行查询。

例 5.14　mesh 函数绘制 peaks 网格面。

```
>> % 用 peaks 函数生成绘制矩阵
>> [x,y,z]=peaks(30);
>> mesh(x,y,z)
>> xlabel('x-axis'),ylabel('y-axis'),zlabel('z-axis');
>> title('mesh of peaks');
```

执行后得到如图 5.18 所示的结果。默认情况下，grid 都是打开的。

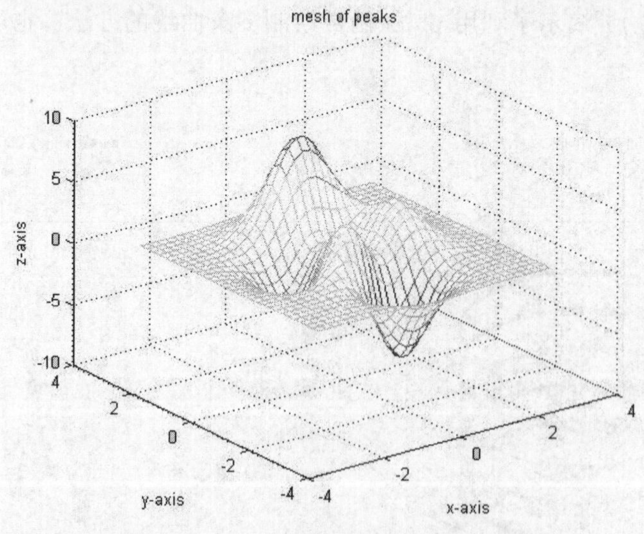

图 5.18　mesh 函数绘制 peaks 网格面

如果用户要改变所显示的网格面的颜色属性，可以在图形窗口中选择 Edit/Colormap 命令打开 Colormap Editor 对话框。在该对话框中可以对颜色进行改变和设置。在 Colormap Editor 对话框中，选择 Tool/Standard colormaps 菜单项，如图 5.19 所示，可以改变所显示的颜色属性。对于其他的三维图形绘制过程的颜色改变，同样可以按照此方法进行设置或改变。

在 MATLAB 7.x 中，系统还提供两种变体形式的 mesh 函数，meshz 和 meshc。这两个变体 mesh 函数的区别在于，meshc 函数在三维曲面图的下方绘制等值线图，而 meshz 的作用在于增加边界绘图功能。下面对这两个函数的区别通过例子进行说明。

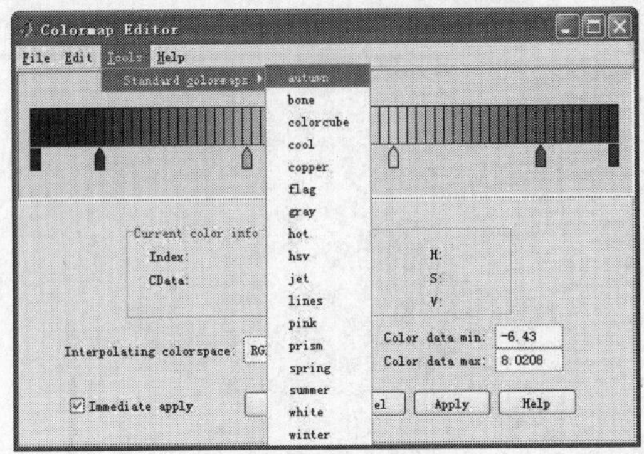

图 5.19　设置标准颜色表

例 5.15　使用 meshc 函数和 meshz 函数。

```
>> % 接上面的例子绘制
>> % meshc 函数
>> meshc(x,y,z)
>> colormap(gray)
>> title('figure: meshc of peaks')
>> % meshz 函数
>> meshz(x,y,z)
>> title('figure: meshz of peaks')
```

通过 meshc 和 meshz 函数绘制后得到的图形如图 5.20 和图 5.21 所示。

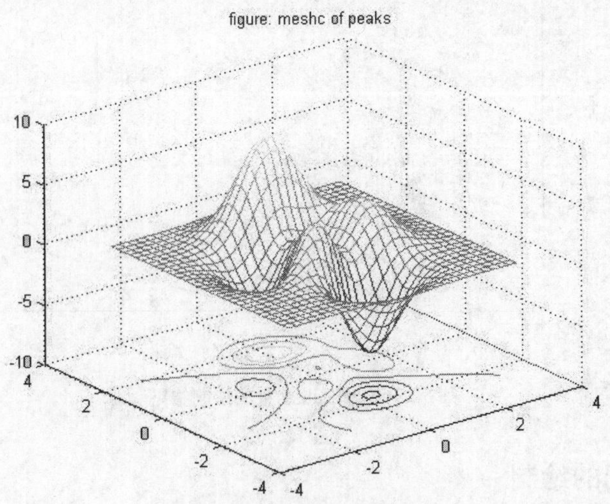

图 5.20　meshc 函数的绘制结果

此外，在 MATLAB 7.x 中，还有一个函数和 mesh 类函数非常相似，但只绘制沿 *x* 方向的等值线图，即 waterfall 函数。

例 5.16　waterfall 函数的绘制结果。

```
>> [x,y,z]=peaks(30);
>> waterfall(x,y,z)
>> xlabel('x-axis'),ylabel('y-axis'),zlabel('z-axis');
>> colormap(gray)
>> title('waterfall of peaks')
```

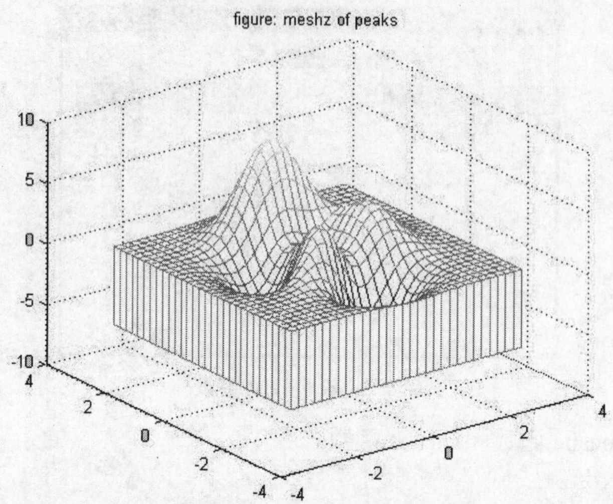

图 5.21　meshz 函数的绘制结果

此函数执行后的结果如图 5.22 所示。

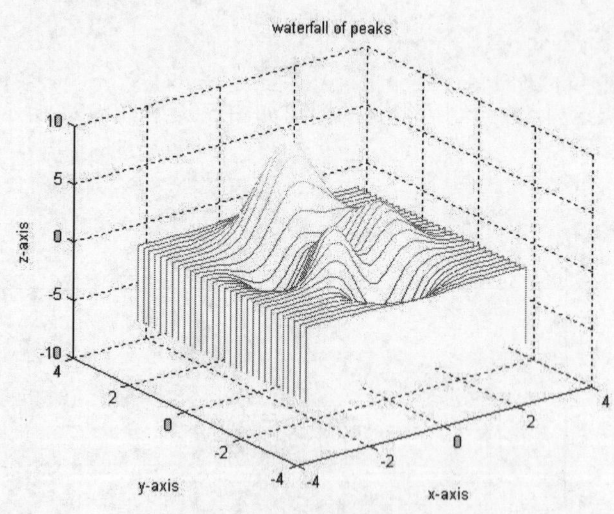

图 5.22　waterfall 函数的绘制结果

5.3.3　曲面图的绘制

和 mesh 图相比，通过 surf 函数绘制的曲面图，使曲面上的所有网格都填充颜色。该命令的格式与表 5.11 所示的 mesh 函数的格式相同，参数设置也大致相同。下面通过示例对 surf 函数的绘制结果进行显示。在 surf 函数中，还提供了平面阴影（shading flat）、插值阴影（shading interp）以及遮挡属性。

例 5.17　surf 函数绘制曲面图。

```
% example_surf.m
% surf 函数绘制表面图
[x,y,z]=peaks(30);
% 图 1：一般的 surf 函数绘制
```

```
subplot(2,2,1);
surf(x,y,z);
title('figure1: surf of peaks');
% 图 2：平面阴影
subplot(2,2,2);
surf(x,y,z);
shading flat;
title('figure2: surf with shading flat');
% 图 3：插值阴影
subplot(2,2,3);
surf(x,y,z);
shading interp;
title('figure3: surf with shading interp');
% 图 4：遮挡绘制
x1=x(1,:);
y1=y(:,1);
i=find(y1>.8 & y1<1.2);
j=find(x1>-.6 & x1<.5);
z(i,j)=NaN;
subplot(2,2,4);
surf(x,y,z);
title('figure4: surf with hole');
```

执行上面的脚本文件，得到如图 5.23 所示的 surf 图形。在图 5.23 所示的 4 个图形中，figure2 和 figure3 通过平面阴影和插值阴影方法来平滑 surf 图形的结果，而 figure4 则通过设置矩阵元素的数值而改变显示。

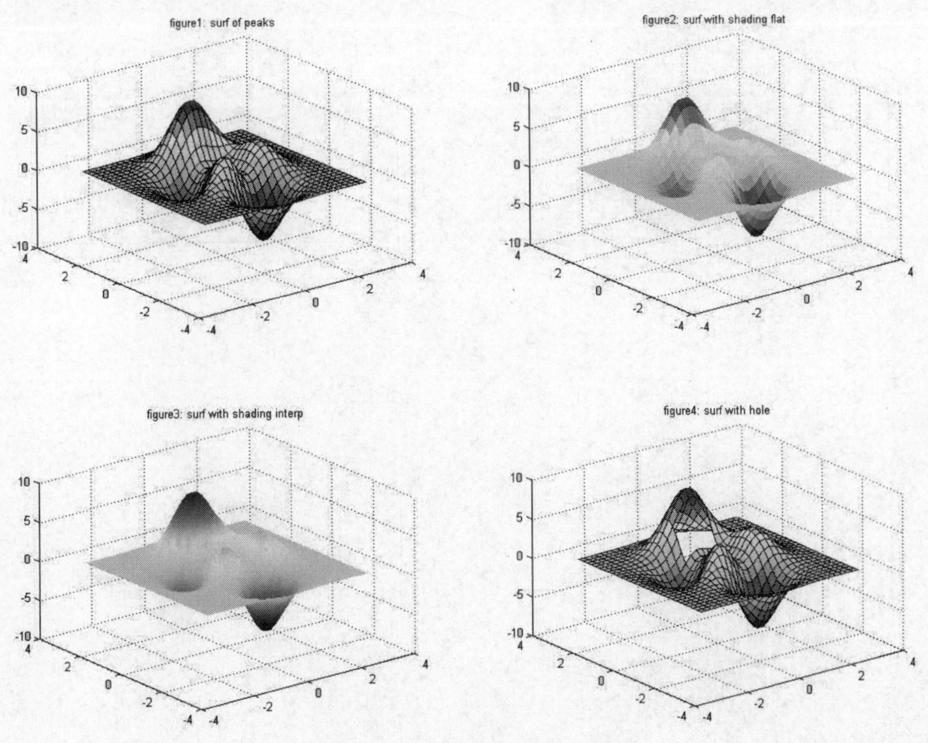

图 5.23　不同绘制效果的 surf 图形

此外，surf 函数也有一些变体：surfc 函数在绘制曲面图时，还在底层绘制等值线图；surfl 函数在绘制曲面图时，则考虑到了光照效果；surfnorm 函数根据输入的数据 x、y 和 z 来定义各个表面的法线，同时，在数据点处绘制曲面的法线向量。

例 5.18 其余 surf 函数的图形绘制。

```
% example_surfs.m
% 其他 surf 函数绘制表面图
[x,y,z]=peaks(30);
% 图 1：一般的 surf 函数绘制
subplot(2,2,1);
surf(x,y,z);
title('figure1: surf');
% 图 2：surfc 函数
subplot(2,2,2);
surfc(x,y,z);
title('figure2: surfc');
% 图 3：surfl 函数
subplot(2,2,3);
surfl(x,y,z);
shading interp;
title('figure3: surfl');
% 图 4：surfnorm
subplot(2,2,4);
surfnorm(x,y,z);
title('figure4: surfnorm');
```

例 5.18 执行后的结果如图 5.24 所示。

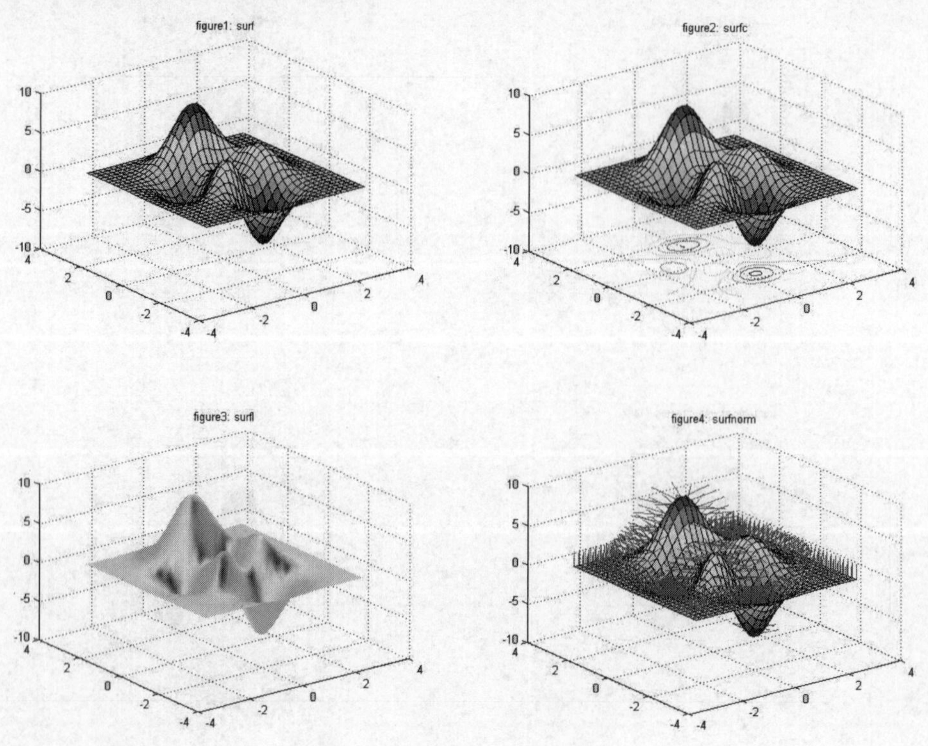

图 5.24　不同的 surf 函数绘图结果

5.3.4　绘制等值线图

等值线图能够将具有相同数值的点连起来后绘制相等数值的曲线或曲面，从而形成二维和三维的等值线图。在 MATLAB 7.x 中，提供了 contour 和 contour3 命令分别用于绘制二维等值线图和三维等值线图。

二维等值线图的绘制命令 contour 的常用格式如表 5.12 所示。

表 5.12　　二维 contour 命令的格式

格　式	说　明
contour(z)	绘制 z 所表达的等值线图
contour(z, n)	参数 n 为所需要绘制的等值线图的数目
contour(z, v)	向量 v 定义了等值线的数目和数值，即等值线的数值为向量元素值
[c, h]=contour(…)	返回 c 和 h，c 为等值线矩阵，h 为等值线句柄

例 5.19　二维等值线图绘制。

```
% example_contour.m
% contour 函数绘制
Z=peaks;
[C,h]=contour(interp2(Z,4));
text_handle=clabel(C,h);
set(text_handle,'BackgroundColor',[1 1 .6],'Edgecolor',[.7 .7 .7])
title('contour of peaks');
```

例 5.19 执行后得到的二维等值线图如图 5.25 所示，通过句柄函数添加了等值线标记。

例 5.20　三维等值线图绘制，绘制 $z=xe^{-(x^2+y^2)}$ 的等值线图。

```
% example_contour3.m
% contour3 函数绘制
[X,Y]=meshgrid([-2:.25:2]);
Z = X.*exp(-X.^2-Y.^2);
contour3(X,Y,Z,30)
surface(X,Y,Z,'EdgeColor',[.8 .8 .8],'FaceColor','none')
grid off
colormap hot
```

例 5.20 执行后得到的三维等值线图如图 5.26 所示。

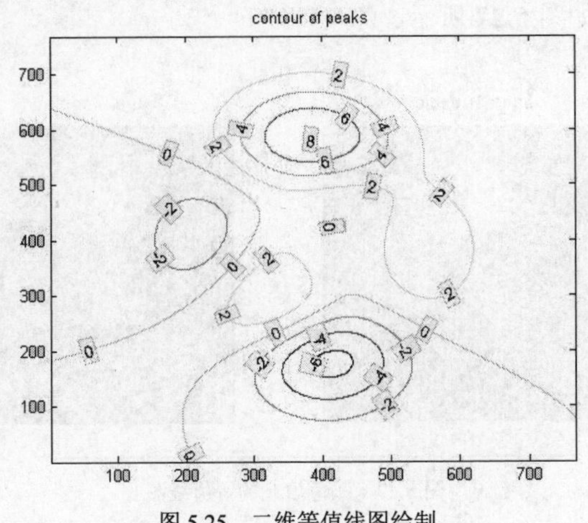

图 5.25　二维等值线图绘制

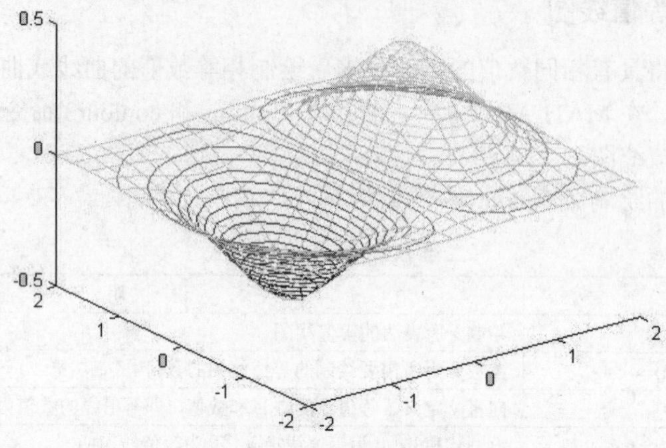

图 5.26　三维等值线图绘制

此外，在实际的绘制过程中，也可以用颜色来表示不同的等值线区域，如 pcolor 函数可以用不同颜色绘制等值线图，contourf 函数可以对二维等值线图进行颜色填充。

例 5.21　颜色表示等值线图。

```
% example_contour_color.m
% 颜色填充的等值线图
[x,y,z]=peaks(30);
% 图 1：pcolor
subplot(1,2,1)
pcolor(x,y,z);
shading interp;
axis square;
title('figure1: pcolor');
% 图 2：contourf
subplot(1,2,2)
contourf(x,y,z);
axis square;
title('figure2: contourf');
```

执行后的图形比较如图 5.27 所示。

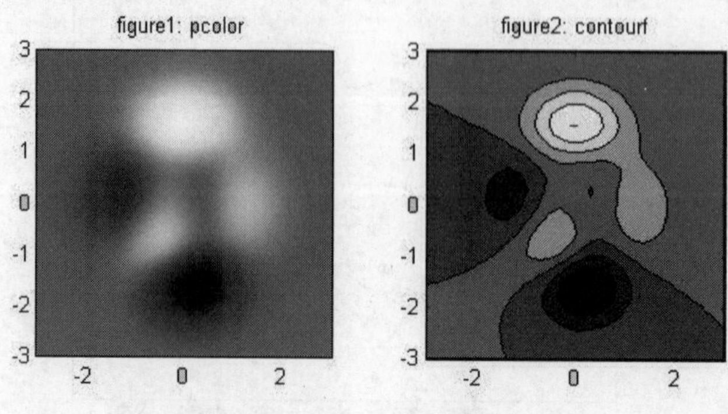

图 5.27　颜色填充的等值线图

5.4　四维图形可视化

在实际进行三维图形的绘制时，用到了前面介绍的网格图、曲面图和等值线图等，这些函数的自变量只有两个，实际上只是二维空间的三维显示。而在使用 MATLAB 7.x 进行运算、分析和处理时，常常还会碰到更为复杂的图形，是通过三维空间中的坐标量和描述性质的向量共同来表现分析结果的。这些函数所创建的图形需要输入三维坐标，分别代表一个坐标轴，第四维则是在这些坐标处的标量数据。

如果读者正确使用 MATLAB 7.x 提供的立体和向量可视化函数，那么需要对与立体和向量有关的一些术语有所了解，如散度（divergence）、旋度（curl）、等值面（isosurfaces）、等值顶（isocaps）等。在所选择的这四个函数中，前两个主要用于描述向量过程，后面两个函数则用于描述立体的视觉效果。

构建立体对象的坐标系也可以通过 meshgrid 函数来创建。在 meshgrid 的创建过程中，将 x、y 和 z 这 3 个数组扩展成为三维栅格数据，即将这 3 个数组首先扩展为向量，然后分别将这 3 个数组赋值成为另外两个维度长度的三维数组。

5.4.1　slice 切片命令

slice 函数切片命令，可以用于显示三维函数的切面图、等位线图等，从而在空间坐标中的数据显示出来。slice 命令的常用格式如表 5.13 所示。

表 5.13　　slice 命令的常用格式

格　式	说　明
slice(V, sx, sy, sz)	可以绘制函数 V = V（x, y, z）所确定的函数在 x、y 和 z 轴方向若干点上切片图，每个方向的切片多少由 sx、sy 和 sz 来指定
slice(X, Y, Z, V, sx, sy, sz)	可以绘制函数 V = V（X, Y, Z）所确定的函数在 X、Y 和 Z 轴方向若干点上切片图。如果函数的某个变量，如 X 取值为 X0，则可以绘制函数 V = V（X0, Y, Z）的一组立体切片图，同样，每个方向的切片多少由 sx、sy 和 sz 来指定
slice(V, XI, YI, ZI)	参数矩阵 XI，YI，ZI 定义一个曲面，同时在绘制的曲面点上计算超立体 V 的数值，该命令能够显示由 XI，YI，ZI 定义的曲面的切片图
slice(…, ‘method’)	可以指定切片的内插值方法，常用的插值方法包括 linear、cubic、nearest 等方法

例 5.22　切片命令 slice 的使用。

```
% example_slicel.m
% slice 切片命令示例
[x,y,z,v]=flow;
x1=min(min(min(x)));
x2=max(max(max(x)));
sx=linspace(x1+1.5,x2,4);
slice(x,y,z,v,sx,0,0);
shading interp;
colorbar
```

执行上面的脚本文件后，可以显示水下射流速度的切片图，如图 5.28 所示。

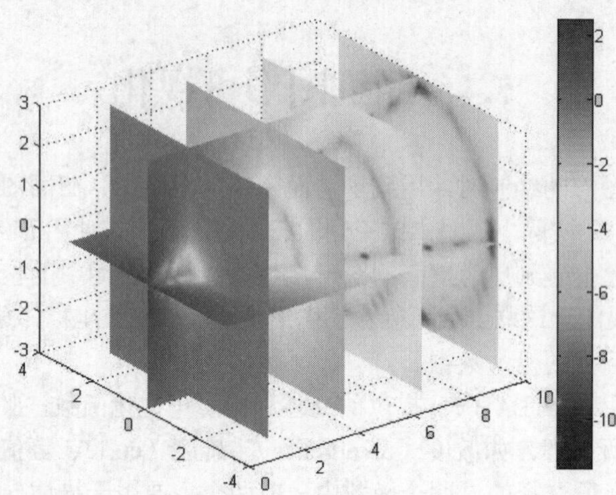

图 5.28　slice 函数绘制 flow 切片图

5.4.2　其他 slice 函数

切片命令 slice 也有一些变体命令，如 contourslice、streamslice 等。contourslice 命令在绘制的切片上显示等值线图，streamslice（流线切面图）命令在绘制的切片上同时绘制流线。

例 5.23　绘制切面等位线图。

```
% example_contourslice.m
% contourslice 切片命令示例
[x,y,z,v]=flow;
% 设定切片数目
x1=min(min(min(x)));
x2=max(max(max(x)));
sx=linspace(x1+1.5,x2,4);
% 设定流线数目
v1=min(min(min(v)));
v2=max(max(max(v)));
sv=linspace(v1+1,v2,20);
% 通过 contourslice 绘制等值线切片图
contourslice(x,y,z,v,sx,0,0,sv);
view([-45 30]);
colorbar
```

执行后的切片图如图 5.29 所示。

例 5.24　绘制流线切面图。

```
% example_streamslice.m
% 绘制流线切片图
% 首先创建曲面图
z=peaks;
surf(z);
shading interp
hold on
% 在曲面图上添加等值线图
[c ch]=contour3(z,20); set(ch,'edgecolor','b')
[u v]=gradient(z);
```

```
% 绘制流线等值线切面图
h=streamslice(-u,-v);
set(h,'color','k')
for i=1:length(h);
    zi = interp2(z,get(h(i),'xdata'),get(h(i),'ydata'));
    set(h(i),'zdata',zi);
end
% 设置观看角度和方向
colorbar;
view(30,30);
axis tight;
```

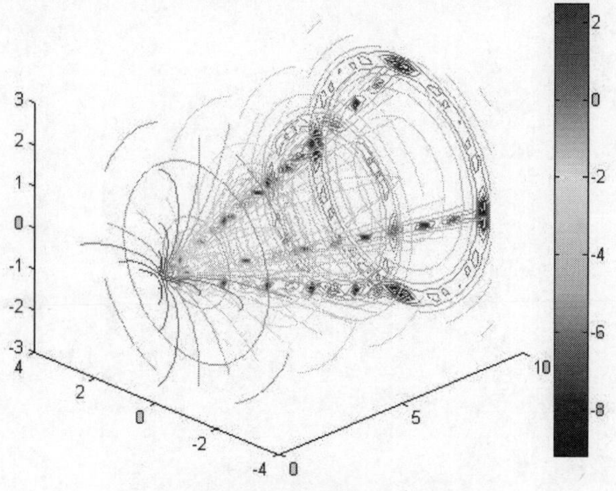

图 5.29　contourslice 函数绘制等值线图

运行上面的脚本函数，执行后的结果如图 5.30 所示。

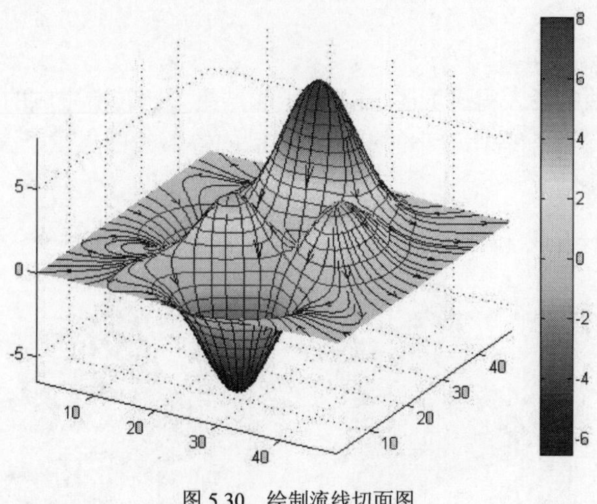

图 5.30　绘制流线切面图

5.4.3　等值面图绘制

前面介绍了如何查看立体对象的截面图，此处介绍寻找和绘制某个特定值的表面（等值面）绘制方法。在 MATLAB 7.x 中，可以使用 isosurface 函数来实现，通过 isosurface 函数返回若干三角形的顶点，将这些结果传递给 patch 函数，就可以构成等值面。

在使用 patch 函数进行绘制时，可以选择一些函数对返回的数据进行修正，如 shrinkfaces 函数可以使得表面收缩；reducevolume 和 reducepatch 函数可以在绘制图形之前删除一些数据或对绘制图形影响很小的碎片，提高图形的显示效率。

当然，三维数据也可以通过 smooth3 函数来对数据实现过滤，从而实现其平滑过渡的过程，使得到的图形更为光滑。

例 5.25 以 flow 函数为例绘制等值面。

```
% example_isosurface.m
% 绘制等值面示例
% 生成绘制图形数据
[x,y,z,v]=flow(13);
% 通过 isosurface 函数寻找等值面
fv=isosurface(x,y,z,v,-2);
% figure1：patch, v=3;
subplot(1,2,1);
p=patch(fv);
set(p,'facecolor',[.5 .5 .5],'edgecolor','black');
view(-30,30);
axis equal tight;
grid on;
title('figure1: shrinkfaces surface, v=2');
% figure2：patch, v=3;
subplot(1,2,2);
p=patch(shrinkfaces(fv,.3));
set(p,'facecolor',[.5 .5 .5],'edgecolor','black');
view(-30,30);
axis equal tight;
grid on;
title('figure2: shrinkface surface, v=2');
```

上面的脚本函数执行后，得到如图 5.31 所示的结果。比较所生成的两幅图形，可以看出，经过 shrinkfaces 函数消除一些比较小的图形碎片后的等值线图显示了一些缺陷，这些位置位于三角形之间的交线上。

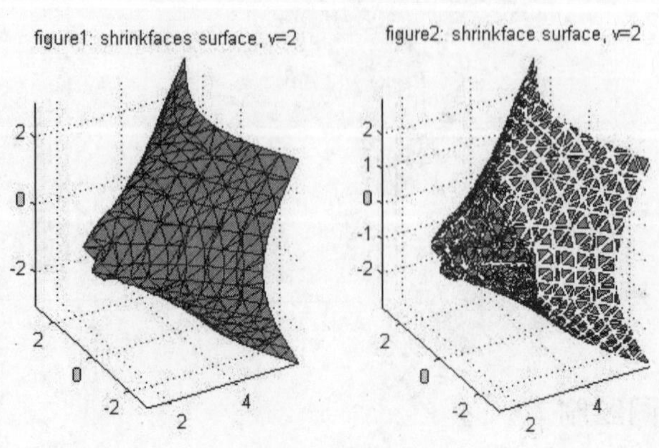

图 5.31 等值面绘制

例 5.26 不同函数处理后的等值面。

```
% example_isosurfaces.m
% 不同参数情况下的结果
% 生成绘制图形数据
[x,y,z,v]=flow(13);
% 通过 isosurface 函数寻找等值面
fv=isosurface(x,y,z,v,-2);
% figure1：原始图形;
subplot(2,2,1);
p=patch(fv);
set(p,'facecolor',[.5 .5 .5],'edgecolor','black');
view(-45,30);axis equal tight;grid on;
title('figure a: original');
% figure2：reduce volume;
subplot(2,2,2);
[xr,yr,zr,vr]=reducevolume(x,y,z,v,[3,2,2]);
fvr=isosurface(xr,yr,zr,vr,-2);
p=patch(fvr);
np=size(get(p,'faces'),1);
set(p,'facecolor',[.5 .5 .5],'edgecolor','black');
view(-45,30);axis equal tight;grid on;
title('figure b: reduce volume');
% figure3：reduce patch;
subplot(2,2,3);
p=patch(fv);
set(p,'facecolor',[.5 .5 .5],'edgecolor','black');
view(-45,30);axis equal tight;grid on;
reducepatch(p,0.15);
np=size(get(p,'faces'),1);
title('figure c: reduce patch');
% figure4：smooth3;
subplot(2,2,4);
p=patch(fv,'facecolor','blue','edgecolor','none');
view(-45,30);axis equal tight;grid on;
title('figure c: reduce patch');
```

执行上面的脚本后得到如图 5.32 所示的图形。

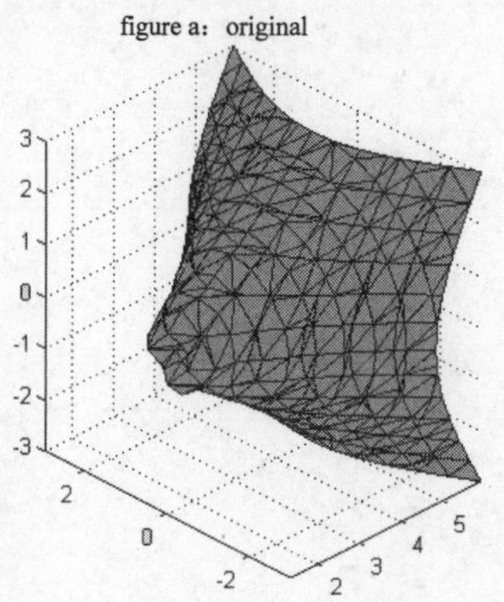

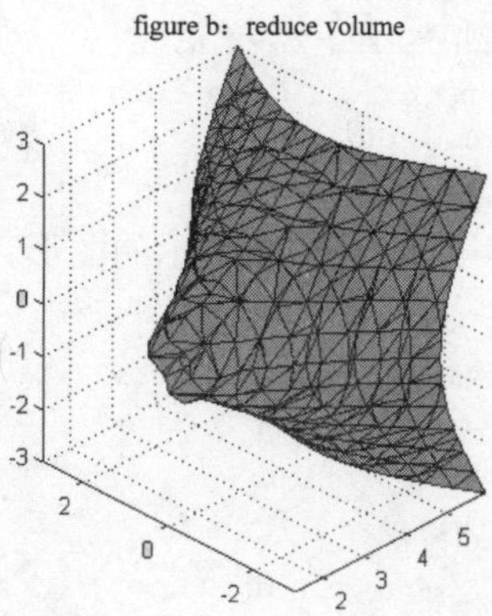

图 5.32 不同参数优化的等值线图

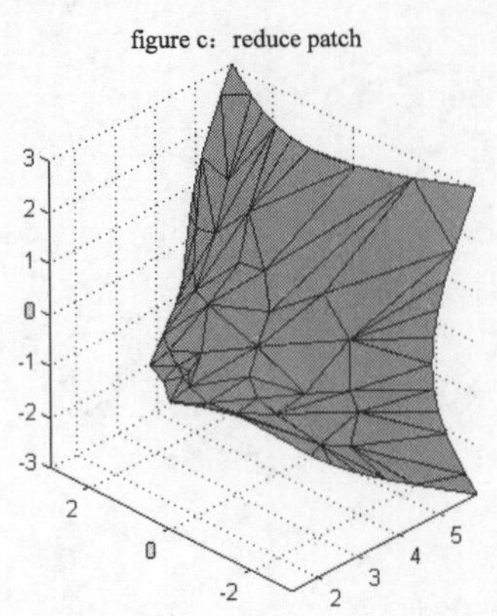

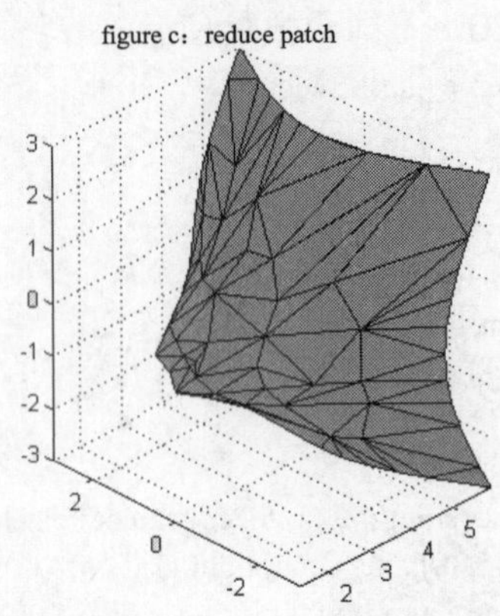

图 5.32 不同参数优化的等值线图（续）

5.5 复数变量图形绘制

在使用 MATLAB 7.x 进行数据处理、运算和分析时，经常碰到对复数变量图形的绘制和分析。在前面的介绍中，提到了根据复数实部和虚部绘图的方法，但是，MATLAB 7.x 提供了更为强大的复数绘图的功能，因此，可以直接用这些函数来绘制结构更为复杂的复数图形。

在 MATLAB 7.x 中，提供的复数绘图函数常见的有 cplxmap、cplxgrid、cplxroot 等。使用这些函数绘制的图形常常以函数的实部为高度，以虚部为颜色，默认情况下的颜色变化范围是 HSV 颜色模式。其中，cplxgrid 函数与前面的 meshgrid 函数功能类似，可以产生数据网格点，但数据格式都是复数形式的。通过该函数可以产生一个复数矩阵 z，该矩阵的维数是 $(m-1)\times(2m-1)$，即复数的极径范围是[0, 1]，复数的极角范围是$[-\pi,\pi]$。

如果读者对 cplxmap、cplxgrid、cplxroot 函数的具体实现方法感兴趣，可以在 MATLAB 7.x 的安装文件下，找到相应的 M 文件后阅读。这些代码比较简单，但可以实现比较复杂的复数图形绘制功能。

例 5.27 cplxmap 函数绘图示例。

```
>> % 生成复数绘图网格点
>> z=cplxgrid(50);
>> % 绘制函数 z^2+z^3 的图形
>> cplxmap(z,z.^2+z.^3);
>> title('z^2+z^3')
>> colorbar
```

执行后得到如图 5.33 所示的图形。

例 5.28 cplxroot 函数绘图示例。

```
>> % 生成复数绘图网格点
>> z=cplxgrid(50);
>> % 求解复数数值解
>> cplxroot(5);
>> title('five order roots of z')
>> colorbar
```

执行后的结果如图 5.34 所示。

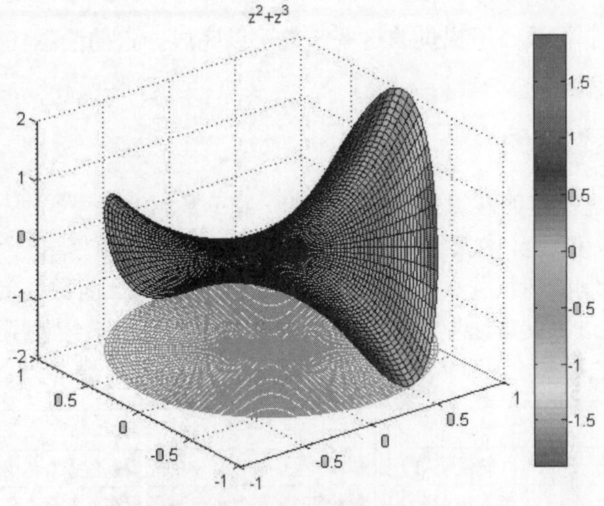

图 5.33 cplxmap 函数绘图示例

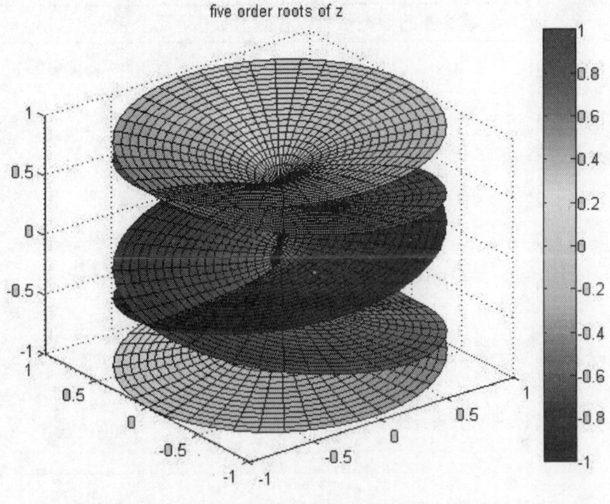

图 5.34 *z* 的 5 次方根绘图

复数绘图对复数运算及其结果显示有很大的帮助，对大多数用户而言，复数运算使用比较少，此处仅作简单介绍，更详细的内容读者可以通过 help 命令查阅。

5.6 特殊图形绘制

前面章节主要介绍的是在均匀坐标轴刻度下的绘图，但在很多情况下，仅在均匀坐标轴刻度下绘制曲线和数据点并不能完全满足运算要求。为此，MATLAB 7.x 提供了其他一些绘图函数、坐标轴转换函数，以及一些特殊的绘图函数来绘制图形。

对于坐标轴的问题，用户可以通过使用 semilogx 和 semilogy 函数将 *x* 轴和 *y* 轴的坐标刻度转换为对数刻度，loglog 函数则可以将两个坐标轴都转换为对数刻度。在这些坐标轴下的绘图功能和其他函数的绘图功能一样。

对于特殊图形绘制函数，所提供的这些函数可以完成一定的绘图任务和要求，下面将通过具体的示例加以介绍。

5.6.1 area 区域绘图

area 函数可以创建层叠的区域图。在给定的 *x* 和 *y* 数组条件下，通过 plot 和 area 函数都可以绘制相同的图形，但 plot 函数绘制的图形在曲线下方进行颜色填充。当绘制多条曲线时，area 函数将前一条绘制的曲线作为后面绘制区域的基线。area 函数的常见格式如表 5.14 所示。在使用 area 函数进行图形绘制时，其他的参数设置都可以继续使用。

表 5.14 area 函数的常见格式

格　式	说　明
area(y)	以向量 y 的下标作为横坐标轴，以 y 的元素数值作为纵坐标绘制
area(x, y)	当 x 和 y 都为一维数组时，绘制的区域图形在 y 的最小值和数值 y 之间填充颜色；而当 x 为一维数组、y 为矩阵时，以 x 作为横坐标数据，以 y 的列向量作为绘图向量，并形成颜色填充
area(…, basevalue)	为区域绘图的填充信息设置基值数值

例 5.29　area 函数绘图示例。

```
% example_area.m
% 区域填充函数 area 绘图示例
y=magic(4)
area(y,'linewidth',2);
grid on;
colormap hot;
title('area function');
% 通过设置函数将分割线置于图形上层
set(gca,'layer','top');
```

脚本文件执行后，得到区域绘制图形如图 5.35 所示。

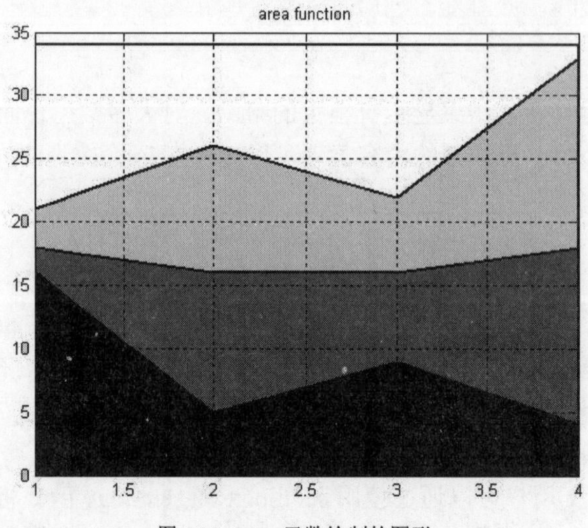

图 5.35　area 函数绘制的图形

5.6.2　pie 饼图绘制

饼图常用来绘制比例类的数据，用于显示各个显示数据项和总和之间的关系，强调的是部分与整体的关系。在 MATLAB 7.x 中，通常用 pie 和 pie3 函数来绘制二维和三维饼图。二维饼图绘制函数 pie 的常见调用格式如表 5.15 所示。

表 5.15　pie 函数的常见调用格式

格　式	说　明
pie(x)	绘制向量 x 的饼图，x 中的每一个元素就是饼图中的一个扇形部分
pie(x, explode)	参数 explode 和 x 是同维数组，如果 explode 有非零元素，x 数组中的对应元素在饼图中将向外移出元素数值大小，加以突出
pie(…, labels)	参数 labels 用于标示饼图上的扇形

例 5.30　二维和三维饼图绘制示例。

```
% example_pie.m
% 饼图绘制示例
% 向量参数设定
x=[1 3 0.5 2.5 2];
explode=[0 1 0 0 0];
% figure1: pie
subplot(1,2,1);
pie(x,explode,{'a','b','c','d','e'});
title('figure a: pie');
% figure2: pie3d
subplot(1,2,2);
pie3(x,explode)
colormap hsv
title('figure b: pie3')
```

脚本文件执行后得到如图 5.36 所示的图形。

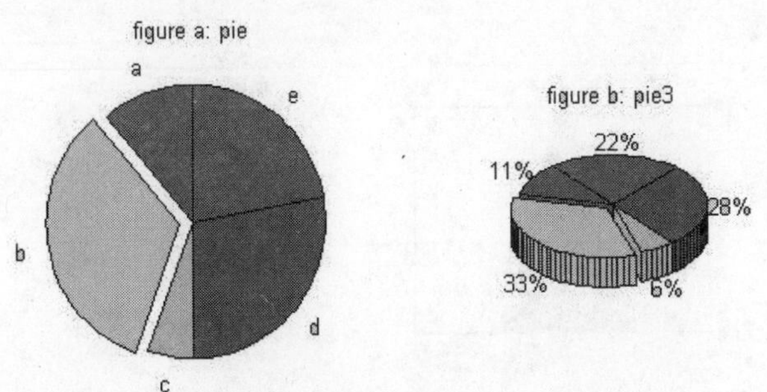

图 5.36　绘制二维和三维饼图

5.6.3　直方图和梯形图

直方图可以通过 bar、bar3 函数来绘制，分别绘制二维和三维直方图。barh 和 bar3h 函数可以绘制水平方向的条形图，也可以绘制具有三维效果的直方图。直方图相关的这 4 个函数命令格式基本相同。此处，对常见的 bar 调用格式总结，如表 5.16 所示。

表 5.16　　常见的 bar 调用格式

格　式	说　明
bar(y)	为一维数组 y 的每一个元素绘制一个条形
bar(x, y)	在横坐标向量 x 上绘制直方图 y，x 的元素严格按照递增方式排列
bar(…, width)	参数 width 用于设置直方图条形的相对宽度和条形之间的间距
bar(…, 'style')	设置条形的形状类型，可以选择参数如 group、stack、detached 等

此外，stairs 函数根据输入的向量数据绘制梯形图，和 bar 函数相似。

例 5.31　直方图和梯形图绘制。

```
% example_bar.m
% 绘制直方图和梯形图
x=-2.9:0.2:2.9;
y=exp(-x.*x);
% figure1: 2d bar chart
subplot(2,2,1);
bar(x,y);
title('figure1: 2d bar chart');
% figure2: 3d bar chart
subplot(2,2,2);
bar3(x,y,0.9,'r');
title('figure2: 3d bar chart');
% figure3: stair chart
subplot(2,2,3);
stairs(x,y);
title('figure3: stair chart');
% figure4: barh chart
subplot(2,2,4);
barh(x,y);
title('figure4: barh chart');
```

以上的脚本文件演示了如何使用 bar 系列函数及 stairs 函数绘制直方图和梯形图，运行结果如图 5.37 所示。

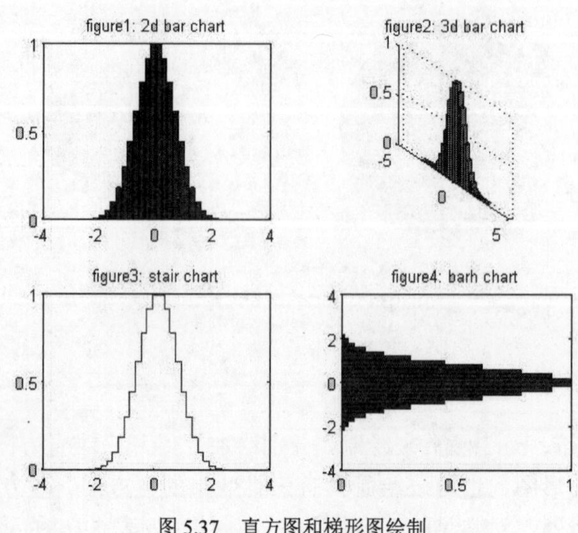

图 5.37　直方图和梯形图绘制

此外，柱状图命令 hist 可以以条形图或直方图的形式演示一个向量数组中的向量中值分布情况。如果使用 hist(y)函数默认绘制 10 个柱组成的柱状图，则 hist(y, n)函数绘制 n 个柱组成的柱状图，hist(y, x)函数绘制在 x 中指定位置处的柱状图。

例 5.32　数据的高斯分布统计。

```
>> % 通过 hist 函数绘制柱状图
>> x=-2.9:0.2:2.9;
>>% 通过随机函数生成一维数据矩阵
>> y=randn(10000,1);
>>% 绘制柱状图，统计数据
>> hist(y,x);
>> title('histgram of gaussian data');
```

执行上面的脚本文件后，生成如图 5.38 所示的图形。在该图形中，通过 hist 函数统计了生成的一维向量的中值附近分布情况。

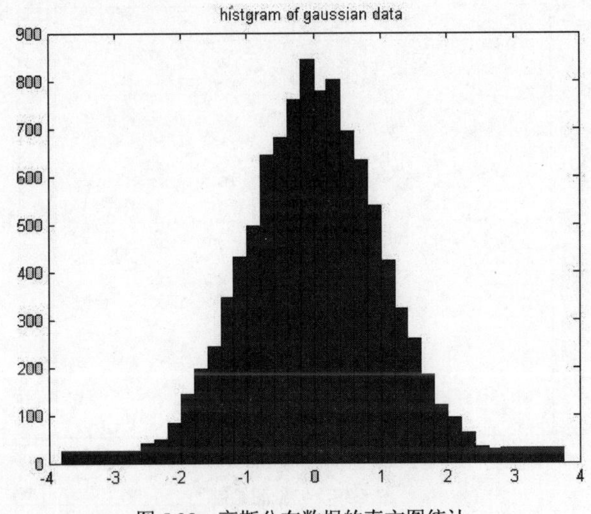

图 5.38　高斯分布数据的直方图统计

5.6.4　矢量分布图绘制

在使用 MATLAB 7.x 进行数据处理时，常常碰到物理或通信领域的数据处理或分析问题，此时，需要绘制矢量图来分析向量场内参数的矢量分布情况。在 MATLAB 7.x 中，quiver 函数可以很方便地绘制向量场的分布情况。quiver 函数的常见格式如表 5.17 所示。

表 5.17　　quiver 函数的常见格式

格　式	说　明
quiver(x, y, u, v)	在 x 和 y 所指定的位置用箭头代表的矢量方向来绘制向量，其中，u 和 v 是对应点处的速度分量，参数 x、y、u 和 v 的维数必须相同
quiver(u, v)	在 x-y 坐标系内绘制向量 u 和 v
quiver(..., scale)	参数 scale 可以用于设定向量图中的向量箭头的长度

例 5.33　绘制函数 $z = xe^{-x^2-y^2+1}$ 的矢量分布图。

```
% example_quiver.m
% 绘制矢量图
```

```
[X,Y]=meshgrid(-2:.2:2);
Z=X.*exp(-X.^2 - Y.^2+1);
% 得到 X，Y 位置处的向量
[DX,DY]=gradient(Z,.2,.2);
% 绘制等值线图
contour(X,Y,Z)
hold on
% 叠加矢量分布图
quiver(X,Y,DX,DY)
colormap hsv
hold off
title('figure: vector and contour')
```

执行上面的脚本文件后，得到如图 5.39 所示的矢量分布图。

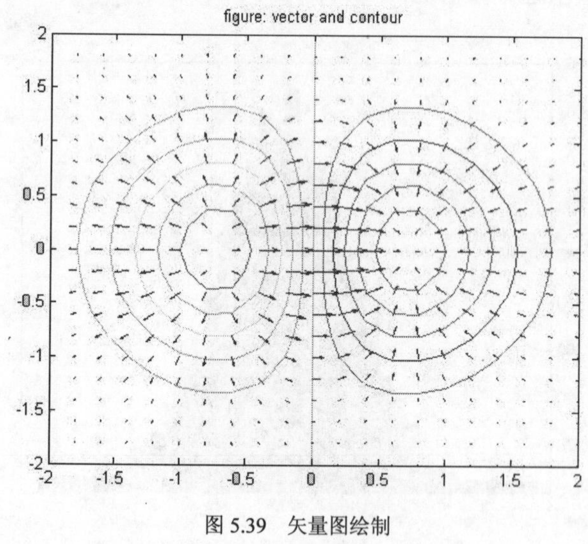

图 5.39　矢量图绘制

5.6.5　误差线图形绘制

在一条曲线上，可以在数据点的位置包括误差线，方便用户观察此处的误差的变化范围。在 MATLAB 7.x 中，可以通过使用 errorbar 函数绘制沿曲线的误差柱状图。其中，误差柱的长度是数据的置信水平或沿曲线的偏差情况。常见的 errorbar 函数的调用格式如表 5.18 所示。

表 5.18　常见的 errorbar 函数的调用格式

格　式	说　明
errorbar(y, e)	向量 y 是需要绘制的曲线，在曲线 y 的每个数据点处显示误差柱，误差柱表示所在点处上下位置的距离，总长度为 2e
errorbar(x, y, e)	如果 x、y 和 e 是同类型的参数，那么绘制误差柱长度为 2e、对称于曲线点处的误差柱；如果三个数组均为矩阵，那么绘制曲面的误差柱分布

例 5.34　绘制曲线的误差线图形。

```
% example_errorbar.m
% 误差线绘制示例
x=linspace(-pi,pi,30);
```

```
% 生成需要绘制的曲线
y=erf(x);
% 生成误差线的长度数组
e=rand(size(x))/10;
errorbar(x,y,e);
grid on;
title('figure: errorbar example')
```

执行上面的脚本文件后，生成的误差线图形如图 5.40 所示。

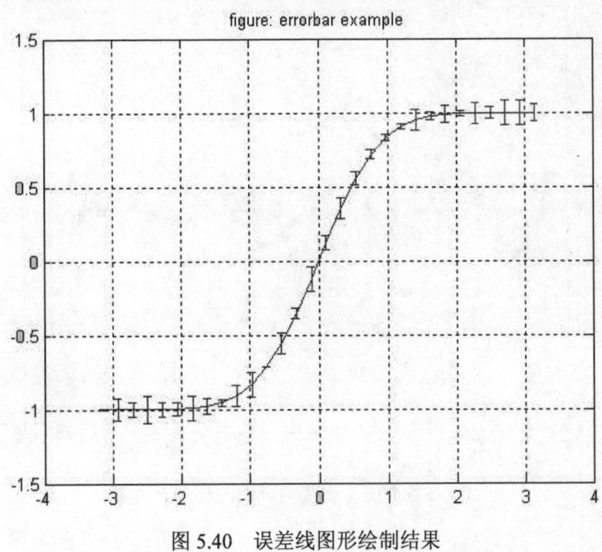

图 5.40　误差线图形绘制结果

5.6.6　离散数据绘制

离散杆图也是一种常见的图形类型，将坐标点和 x 坐标轴连接起来表示数据。在 MATLAB 7.x 中，可以绘制二维离散杆图，也可以绘制三维离散杆数据，分别用到 stem 和 stem3 函数。stem 函数的常见格式如表 5.19 所示。stem3 函数的格式相似。

表 5.19　　stem 函数的常见格式

格　式	说　明
stem(y)	绘制向量 y 的离散杆图，此时将沿 x 坐标轴等间距、由系统自动产生数值数列作为 x 位置
stem(x, y)	向量 x 和 y 是同维向量，以 x 为横坐标，y 为离散杆纵坐标
stem(…, LineSpec)	在此格式中，可以设置离散杆的线型

例 5.35　绘制二维离散杆图。

```
% example_stem.m
x=0:30;
y=[exp(-.07*x).*cos(x);exp(.05*x).*cos(x)]';
h=stem(x,y);
set(h(1),'MarkerFaceColor','blue')
set(h(2),'MarkerFaceColor','red','Marker','square')
hold on;
plot(x,y);
```

```
hold off;
title('figure: stem example')
legend('exp(-0.07*x).*cos(x)','exp(0.05*x).*cos(x)');
```

执行上面的脚本文件后，得到如图 5.41 所示的二维离散杆图。在该函数的绘制过程中，y 为维数与 x 同维的二维数组。同时，为便于比较，又通过 plot 函数将这些点连接起来。三维离散杆的绘制与此相同。

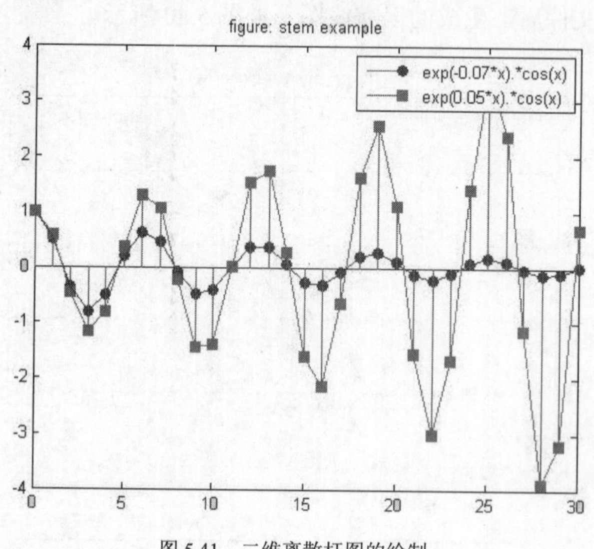

图 5.41　二维离散杆图的绘制

5.6.7　伪色彩图绘制

在 MATLAB 7.x 中，伪色彩图（pseudecolor）是通过一个矩阵来绘制的，伪色彩根据矩阵数据来生成一个伪色彩矩阵。常见的伪色彩图函数 pcolor 常用的格式如表 5.20 所示。

表 5.20　pcolor 函数常用的格式

格　式	说　明
pcolor(c)	绘制矩阵 c 的伪色彩图，默认情况下通过线性插值绘图
pcolor(x, y, c)	在平面坐标系中的(x, y)位置处绘制矩阵 c 的伪色彩图

例 5.36　绘制位色彩图。

```
% example_pcolor.m
% 伪色彩图绘制
[x,y,z]=peaks(50);
pcolor(x,y,z);
colormap hsv;
shading interp;
hold on;
% 绘制等值线图形成叠加标记数值
c=contour(x,y,z,9,'k');
clabel(c);
zmax=(max(max(z)));
zmin=(min(min(z)));
```

```
caxis([zmin zmax])
colorbar;
hold off;
```

执行上面的脚本文件后，得到如图 5.42 所示的图形。

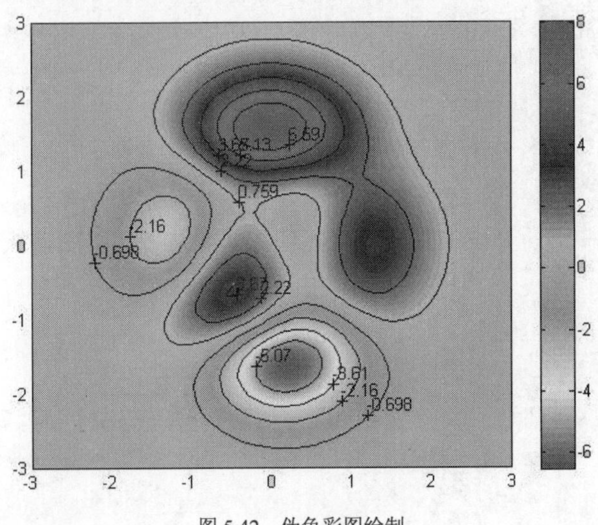

图 5.42 伪色彩图绘制

5.6.8 极坐标图形绘制

前面章节介绍的主要是在直角坐标系中的绘图，此处对极坐标中的图形绘制稍加介绍。极坐标中绘图的主要命令为 polar 函数，此外，compass、feather 以及 rose 函数等都是极坐标中绘图的常用函数。表 5.21 对此做以介绍。

表 5.21 极坐标图形绘制命令

命 令	说 明
polar(theta, rho)	采用极角 theta 和极径 rho 绘制极坐标图形
polar(theta, rho, LineSpec)	参数 LineSpec 用于标记极坐标中的线型、标记和颜色等
compass(z)	绘制复数元素的角度和幅值，从原点出发
feather(z)	将 z 数据画为从水平直线上等间隔的点上发出的箭头
rose(z)，rose(z, n)，rose(z, x)	绘制 20 柱、n 柱和 x 位置出发的极坐标柱状图

例 5.37 绘制函数 $y = \sin(2t)\cos(2t)$的极坐标图形。

```
% example_polars.m
% 绘制极坐标图形
t=linspace(0,2*pi);
r=sin(2*t).*cos(2*t);
% figure a: polar
subplot(2,2,1);
polar(t,r);
title('figure a: polar')
% figure b: compass
subplot(2,2,2);
```

```
z=eig(randn(20));
compass(z);
title('figure b: compass');
% figure c: feather
subplot(2,2,3);
feather(z);
title('figure c: feather');
% figure d: rose
subplot(2,2,4);
v=randn(1000,1);
rose(v);
title('figure d: rose');
```

上面的脚本文件中对所介绍的几种极坐标绘图函数进行了演示，执行后的结果如图 5.43 所示。

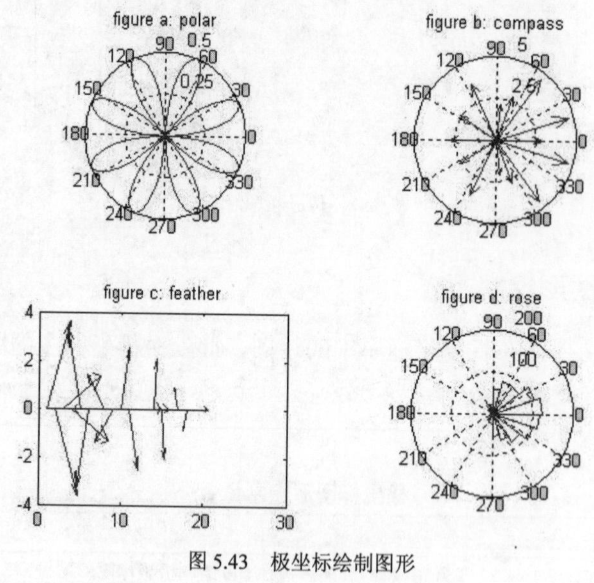

图 5.43　极坐标绘制图形

5.7　图形的打印输出

在对数据进行分析处理并得到图形后，可以通过图形输出和打印将其保存在其他文件中，或者通过其他软件对输出的文件进行编辑修改。在 MATLAB 7.x 中，提供了图形对话框方式的图形打印输出，以及通过命令方式的图形打印输出功能。

图形方式的打印输出可以在图形窗口中从菜单中选择打印输出选项完成。此处，通过图形打印方式介绍图形的打印输出。

页面设置：从图形窗口中选择 File/Page Setup 菜单项，弹出如图 5.44 所示的对话框。在该对话框中，可以对页面进行设置。

在 Size and Position 选项卡中，可以选择两种方式输出：使用屏幕尺寸，使图形位于页面中央；手动设置页面尺寸和位置。用户可以根据需要选择相应的尺寸设置和输出模式。

在 Page 选项卡中，可以选择设置纸张大小，需要打印的图形的放置方式，如 landscape、potrait、rotated 方式。

在 Lines and Text 选项卡中，可以设置线条和文本的颜色。

在 Axes and Figure 选项卡中，可以设置坐标显示及图形控件的显示和打印方式。

打印预览：从图形窗口中选择 File/Print Preview 菜单项，弹出如图 5.45 所示的对话框，对所设置页面情况下的图形打印预览。在打印预览窗口中，还可以对页面进行设置，也可以在需要打印的图形上添加标题。

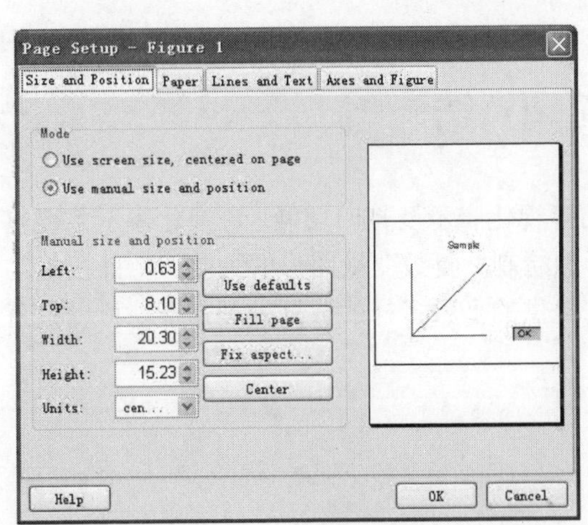

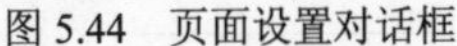
图 5.44 页面设置对话框

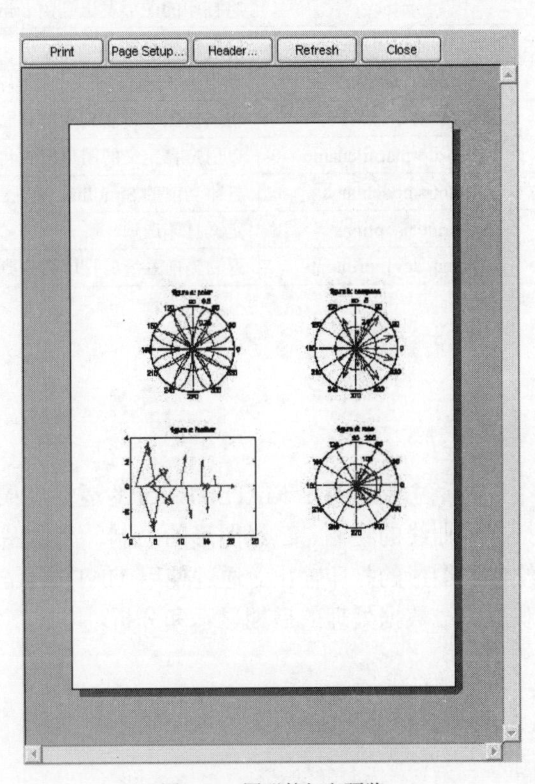

图 5.45 图形的打印预览

打印设置：从图形窗口中选择 File/Print Setup 菜单项，弹出如图 5.46 所示的对话框。在此对话框中，可以对打印机等属性进行设置。

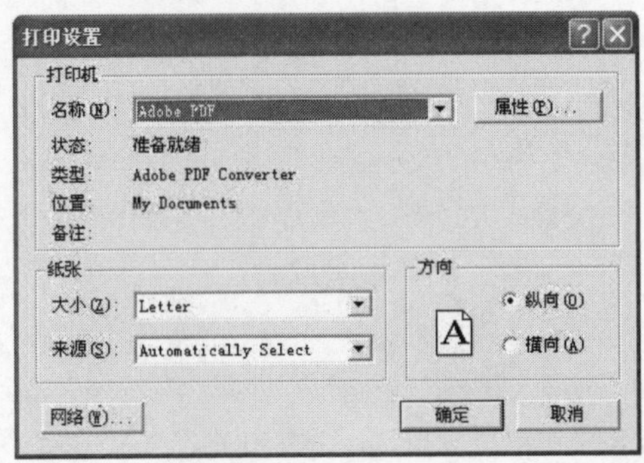

图 5.46 打印设置

当以上的设置完成之后，可以从菜单中选择打印命令或者直接在工具栏中单击打印图标打印输出图形。

在 MATLAB 7.x 中，同样支持通过命令方式进行图形打印。常用的打印命令如表 5.22 所示。

表 5.22　图形的打印命令

命　令	说　明
print	将打印的图形发送到由 printopt 定义的打印设置和系统打印命令中
print filename	将图形输出到 filename 中，若没有扩展名，则自动选择扩展名
print-ddriver	使用由 ddriver 定义的打印设置打印当前图形
print-dformat	将当前图形复制到系统粘贴板上
print-dformat filename	以用户自定义的图形格式将图形输出到用户指定的文件 filename 中
print-smodelname	打印当前的 Simulink 模型 smodelname
print…-options	定义打印选项
[pcmd, dev]=printopt	返回当前系统的打印命令到字符串变量 pcmd，设备名保存在 dev 中

5.8 本章小结

本章主要介绍了 MATLAB 7.x 的运算结果的可视化表示及打印功能。可视化表示主要包括二维曲线的绘制、三维图形的绘制、高维图形的绘制、复数变量图形的绘制、特殊图形的绘制和图形的打印输出。通过使用 MATLAB 7.x 提供的多种多样的数据处理命令，可以很直观地完成数据处理的后期显示和分析。

第6章　数 据 分 析

利用 MATLAB 7.x 进行数据分析和处理在数学、物理等科学领域和工程领域中有非常广泛的应用，如数据插值、曲线拟合、傅里叶分析、优化、统计分析、微分方程的求解、积分等分析处理方法和工具应用十分广泛。MATLAB 7.x 提供了功能强大的命令和函数，用于解决这些方面的数据分析和处理问题。这些数据分析和处理功能是 MATLAB 7.x 的基础之一，也是 MATLAB 7.x 为广大科学技术人员所接受的原因之一。本章将在上面内容的基础上进行介绍，主要内容包括：

- 数据插值
- 曲线拟合
- 傅里叶分析
- 优化分析
- 微分方程
- 数值积分
- 数理统计分析

6.1　数 据 插 值

在实际的科研或工程研究中，常常需要在已有数据点的情况下获得这些数据点之间的中间点的数据。如何能够更加光滑准确地得到这些点的数据，就需要使用不同的插值方法进行数据插值（interpolation）。

在 MATLAB 7.x 中提供了多种多样的数据插值函数，比较常用的如 interp1 函数用于实现一维数据插值，interp2 函数则实现二维数据插值、lagrange 插值、newton 插值。这些插值函数在获得数据的平滑度、时间复杂度和空间复杂度方面性能相差比较大。有些时候，为完成比较复杂的函数插值功能，用户还需要编写 M 文件来实现数值插值的过程。

6.1.1　一维插值

一维数据插值可以得到函数 $y = f(x)$，图 6.1 所示为经过插值得到的函数和原始数据点之间的关系。在图中，（x，y）表示已知的数据点，而（xi，yi）坐标点中，xi 表示需要估计的数值点的位置，而纵坐标 yi 表示根据插值函数计算后得到的数值。

在进行插值时，随着数据点的数目增多，以及数据点之间的距离缩短，插值会变得越来越精确。但在数据量比较有限的情况下，通过合理地选择插值方法，可以得到比较满意的插值结果。

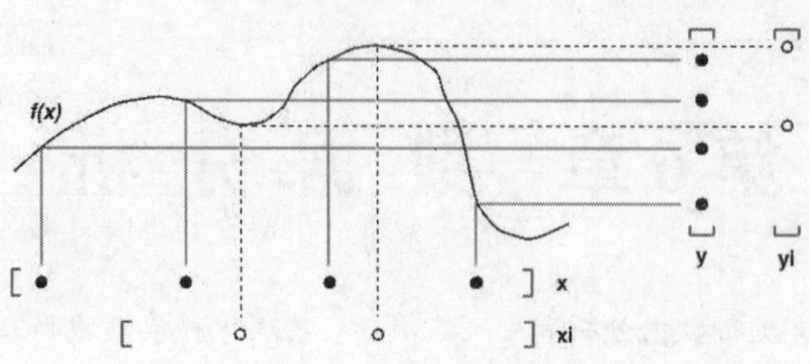

图 6.1　一维数值插值的图示

实际上，通过一维插值数据函数 interp1 可以在一定程度上实现对插值数据结果的描述。常用的 interp1 函数的命令格式如表 6.1 所示。

表 6.1　interp1 函数的命令格式

格　式	说　明
yi=interp(x, y, xi)	其中，x 必须是向量，y 可以是向量或矩阵。若 y 也是向量，则和变量 x 具有相同的长度。参数 xi 可以是标量、向量或矩阵
yi=interp(y, xi)	默认情况下，x 变量选择 1:n，n 为向量 y 的长度
yi=interp(x, y, xi, method)	此函数中，需要输入插值函数采用的插值方法，见表 6.2
yi=interp(x,y,xi,method, 'extrap')	当数据范围超出插值运算范围时，可以采用外推方法插值
yi=interp(x,y,xi,method, extrapval)	超出数据范围的插值数据结果返回数值，此时数值为 NaN 或 0
yi=interp(x, y, method, 'pp')	返回数值 pp 为分段多项式，method 指定产生分段多项式形式

在表 6.1 所介绍的各种 interp1 函数中，有些格式需要提供插值的方法，即需要设置不同的 method。其中，method 可以选择的选项如表 6.2 所示。

表 6.2　参数 method 的选项

选　项	说　明
nearest	最邻近插值方法，在已知数据点附近设置插值点，对插值点的数据四舍五入，超出范围的数据点返回 NaN
linear	线性插值方法，interp1 函数的默认插值方法，通过直线直接连接相邻的数据点，超出范围的数据返回 NaN
spline	三次样条插值，采用三次样条函数获得插值数据点，在已知点为端点的情况下，插值函数至少具有一阶或二阶导数
pchip	分段三次厄米（Hermite）多项式插值
cubic	三次多项式插值，与分段三次 Hermite 多项式插值相同
v5cubic	在版本 5 中使用的三次插值

例 6.1　一维数值插值示例。

```
% example_interp1.m
% 根据测量的人耳对声音频率的测量数据拟合曲线
% 频率数据（Hz）
hz=[20:10:100 200:100:1000 1500 2000:1000:10000];
% 声压水平（dB）
spl=[76 66 59 54 49 46 43 40 38 22 …
```

```
    14 9 6 3.5 2.5 1.4 0.7 0 -1 -3 …
    -8 -7 -2 2 7 9 11 12];
% 使用不同的方法进行插值运算
x=20:10:10000;
yi_linear=interp1(hz,spl,x);
yi_nearest=interp1(hz,spl,x,'nearest');
yi_spline=interp1(hz,spl,x,'spline');
yi_cubic=interp1(hz,spl,x,'cubic');
yi_v5cubic=interp1(hz,spl,x,'v5cubic');
% 绘制不同的图形
% figure1: nearest
subplot(2,2,1);
semilogx(hz,spl,'ko');hold on;
semilogx(x,yi_nearest,'b','linewidth',1.5);
grid on;xlim([10 10000]);hold off;
title('figure1: nearest');
% figure2: spline
subplot(2,2,2);
semilogx(hz,spl,'ko');hold on;
semilogx(x,yi_spline,'r','linewidth',1.5);
grid on;xlim([10 10000]);hold off;
title('figure2: spline');
% figure3: cubic
subplot(2,2,3);
semilogx(hz,spl,'ko');hold on;
semilogx(x,yi_cubic,'r','linewidth',1.5);
grid on;xlim([10 10000]);hold off;
title('figure3: cubic');
% figure4: v5cubic
subplot(2,2,4);
semilogx(hz,spl,'ko');hold on;
semilogx(x,yi_v5cubic,'r','linewidth',1.5);
grid on;xlim([10 10000]);hold off;
title('figure4: v5cubic');
% 绘制听力曲线
figure
semilogx(hz,spl,'ko');hold on;
semilogx(x,yi_linear,'r','linewidth',1.5);
grid on;hold off;
title('threshold of human hearing, linear');
```

在上面的示例中，对科学家测定的人类听力频率与声压的数据进行曲线拟合，采用不同的方法进行拟合后，得到如图 6.2 所示的曲线。比较可以看出，采用 nereast 方法得到的曲线光滑性方面最差，数据是不连续的；其余 cubic 和 spline 方法得到的曲线光滑性比较好，精度也比较高。

图 6.3 所示为根据线性方法绘制的曲线，线性方法得到的曲线具有一定的光滑性，但数据是不连续的，两个数据点之间常常通过直线直接连接。但执行速度比较块，因此，在 interp1 函数进行插值时，默认的方法是采用 linear 线性方法来插值。

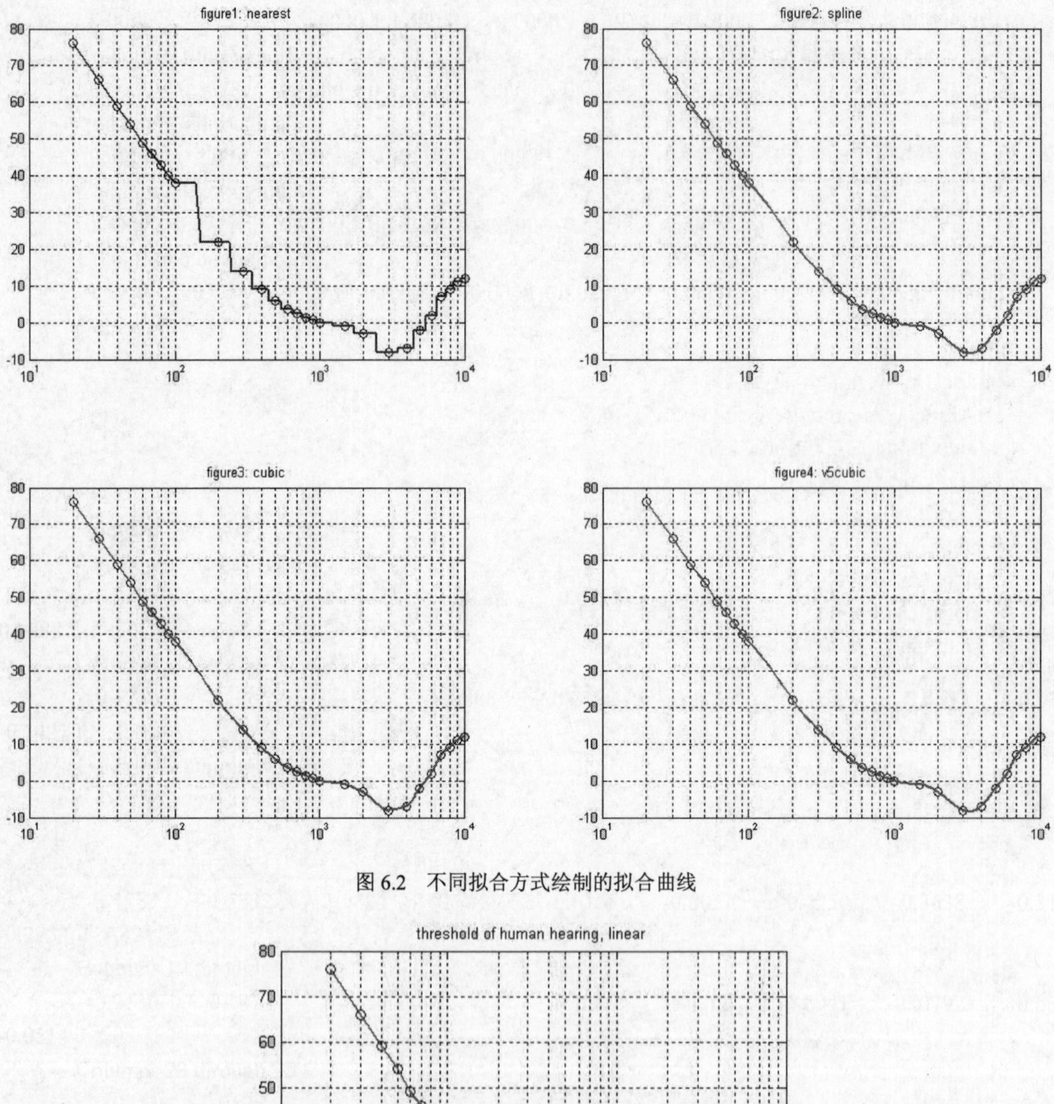

图 6.2　不同拟合方式绘制的拟合曲线

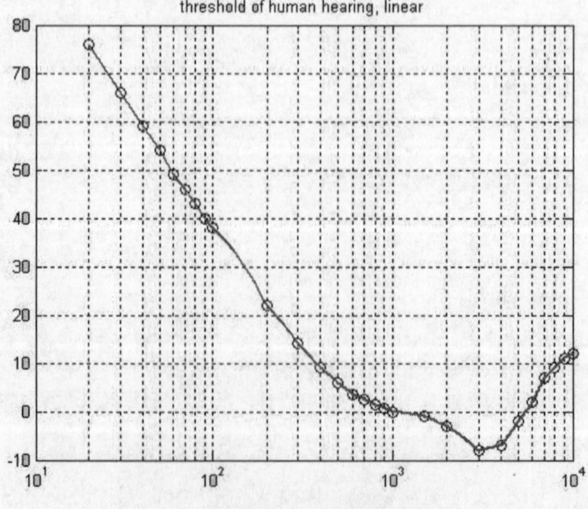

图 6.3　采用线性方法拟合的曲线

在以上的图形绘制过程中，由于数据在 x 方向的离散性较大，因此，采用对数坐标来表示，对数绘图方法 semilogx 在 x 方向选择使用对数坐标，其余的参数设置等和 plot 函数的设置方法相同。

6.1.2　二维插值

二维插值函数经过插值后，可以得到一个插值曲面，插值的基本思想和一维插值的思想相同。详细的插值方法，读者可以翻阅相关的数学书籍。二维函数插值得到的函数 $z=f(x, y)$ 是自变量 x 和 y 的二维函数。具体的插值可以从图 6.4 来观察。

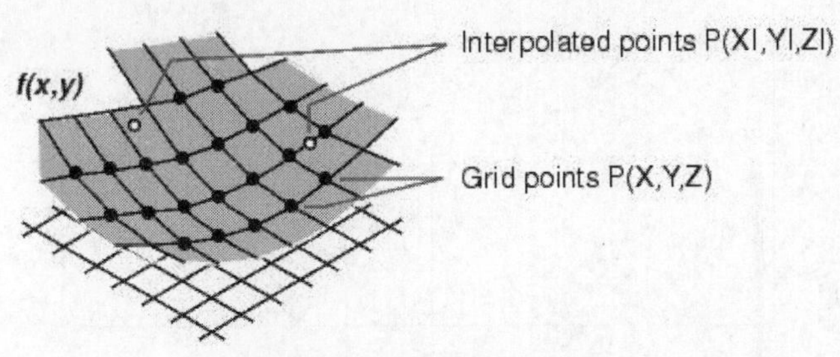

图 6.4　二维函数插值示意图

二维插值函数为 interp2，此函数的常用调用格式如表 6.3 所示。

表 6.3　　interp2 函数的常用格式

格　　式	说　　明
zi=interp2(x, y, z, xi, yi)	原始数据 x、y 和 z 确定插值函数 z=f(x, y)，返回的数值 zi 是（xi，yi）根据插值函数计算得到的结果
zi=interp2(z, xi, yi)	如果 z 的维数是 n×m，那么 x=1:n, y=1:m，即根据下标确定
zi=interp2(z, ntimes)	在 z 的两点之间进行递归插值 ntimes 次
zi=interp2(x, y, z, xi, yi, method)	选择使用不同的插值方法进行插值

在使用上述插值格式进行数据插值时，需要保证 x 和 y 是同维数的矩阵，在行向和列向都以单调递增方式增加，即 x 和 y 必须是 plaid 矩阵，*xi* 和 *yi* 数据序列一般可以通过 meshgrid 函数来进行创建。此外，method 插值方法和表 6.2 所列的方法相同。

例 6.2　二维插值函数绘图示例。

```
% example_interp2.m
% 绘制二维插值图形
% 生成测量数据
[X,Y]=meshgrid(-3:0.5:3);
Z=peaks(X,Y);
% 生成插值数据矩阵
[XI,YI]=meshgrid(-3:0.25:3);
% 通过数据插值得到结果
ZI=interp2(X,Y,Z,XI,YI,'linear');
ZI_spline=interp2(X,Y,Z,XI,YI,'spline');
ZI_nearest=interp2(X,Y,Z,XI,YI,'nearest');
ZI_cubic=interp2(X,Y,Z,XI,YI,'cubic');
% 绘制二维线性插值数据
subplot(2,2,1);
mesh(X,Y,Z);
hold on;
mesh(XI,YI,ZI+20)
```

```
hold on;
plot3(X,Y,Z+20.2,'ok');
hold off;
title('figure1: interp2 with linear');
% 绘制二维样条插值数据
subplot(2,2,2);
mesh(X,Y,Z);
hold on;
mesh(XI,YI,ZI_spline+20)
hold on;
plot3(X,Y,Z+20.2,'ok');
hold off
title('figure2: interp2 with spline');
% 使用 nearest 方法绘制二维插值函数
subplot(2,2,3);
mesh(X,Y,Z);
hold on;
mesh(XI,YI,ZI_nearest+20)
hold on;
plot3(X,Y,Z+20.2,'ok');
hold off
title('figure3: interp2 with nearest');
% 使用 cubic 三次样条函数绘制二维插值函数
subplot(2,2,4);
mesh(X,Y,Z);
hold on;
mesh(XI,YI,ZI_cubic+20)
hold on;
plot3(X,Y,Z+20.2,'ok');
hold off
title('figure4: interp2 with cubic');
```

在上面的插值函数中，通过使用 meshgrid 函数和 peaks 函数得到一些数据采样点，作为二维数据插值的原始数据。接着采用不同的插值方法绘制二维插值结果，如图 6.5 所示，如默认的线性插值方法、样条插值方法、三次样条插值方法，以及 nearest 方法。通过这些方法绘制的二维插值函数之间也存在一定的区别。

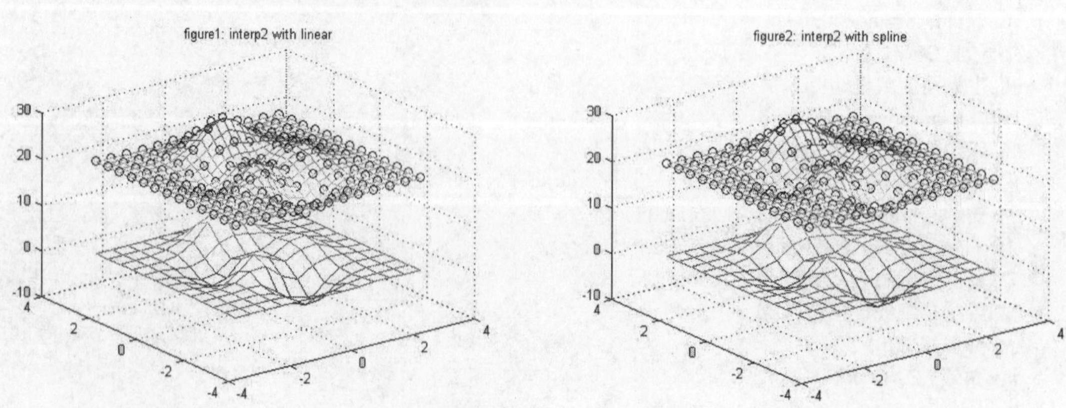

图 6.5　不同插值方法得到的图形

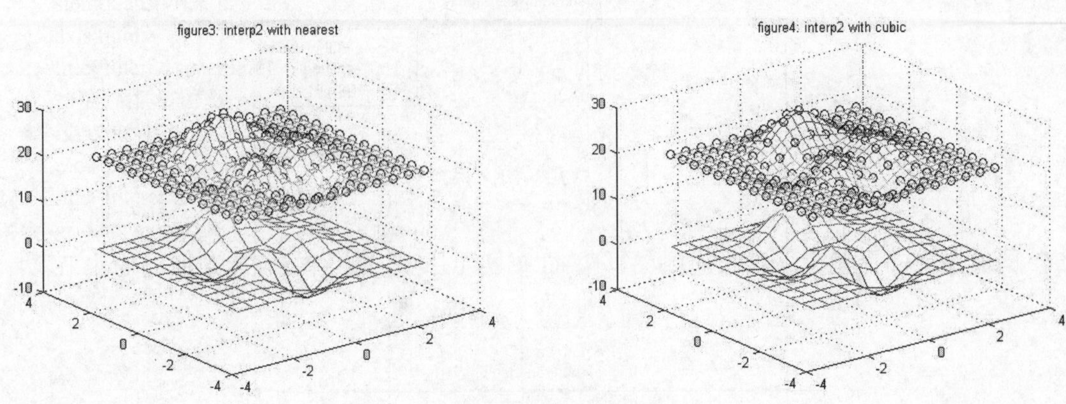

图 6.5 不同插值方法得到的图形（续）

此外，如果这些插值函数和二维图形的可视化方法结合起来，如 contour、streamslice 等方法结合起来后，可以更好地显示数据结果。

6.1.3 样条插值

样条插值方法的主要原理和思想是，根据一组已知的数据点，找到一组拟合多项式进行拟合。在多项式拟合的过程中，保证每组相邻的样本数据，采用三次多项式拟合样本数据点之间的曲线。为了保证拟合结果的唯一性，在这个三次多项式的采样处使用一阶、二阶导数加以约束。因此，所有的样本点之间的数据也都保证满足一阶、二阶导数连续。

样条插值函数的主要命令为 *yy*=spline(*x*, *y*, *xx*)，*pp*=spline(*x*, *y*)，*yy*=ppval(*pp*, *xx*)。其中，（*x*，*y*）表示所选择的样点数据，*xx* 是插值的数据点系列。

例 6.3 样条函数插值示例。

```
% example_spline1.m
% 使用样条函数进行插值
% 原始数据
x=-4:4;
y=[0 0.15 1.12 2.36 2.36 1.46 0.49 0.06 0];
% 生成样条函数插值并绘制
cs=spline(x,[0 y 0]);
xx=linspace(-4,4,101);
yy=ppval(cs,xx);
% 通过一维插值函数生成数据
yyt=interp1(x,y,xx,'spline');
% 绘制图形
plot(x,y,'o',xx,yy,'r.',xx,yyt,'m','linewidth',1.5);
legend('original data','spline plot','interp1 plot');
grid on;
title('figure: contrast of plots')
```

执行上面的脚本函数后得到如图 6.6 所示的图形。在图形中可以看出，当 interp1 函数采用 spline 方法插值时，得到的曲线和直接根据样条插值后绘图得到的曲线一致。

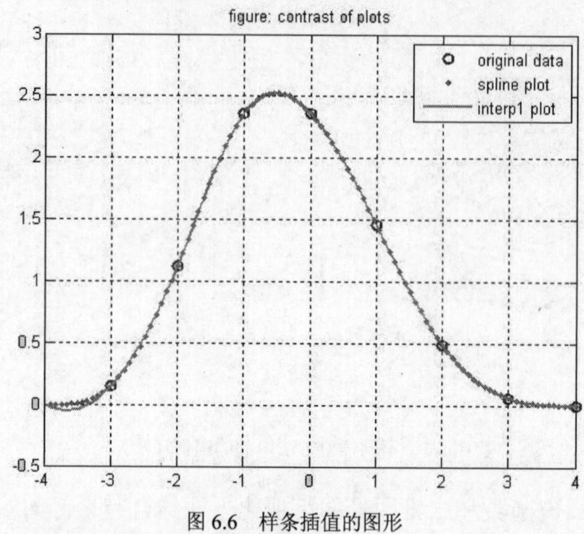

图 6.6　样条插值的图形

例 6.4　使用样条曲线绘制正余弦函数曲线。

```
% example_spline2.m
% 绘制正余弦函数
% 生成样条函数的数据点
x=0:.25:pi/2;
Y=[sin(x); cos(x)];
% 生成插值函数点
xx=0:.1:pi/2;
YY=spline(x,Y,xx);
plot(x,Y(1,:),'o',xx,YY(1,:),'-'); hold on;
plot(x,Y(2,:),'o',xx,YY(2,:),':'); hold off;
axis([0 pi/2 0 1]);
title('spline of sin and cos')
```

执行脚本函数，得到如图 6.7 所示的图形。在曲线上，同时显示原始数据点及根据样条函数插值后得到的样条曲线。

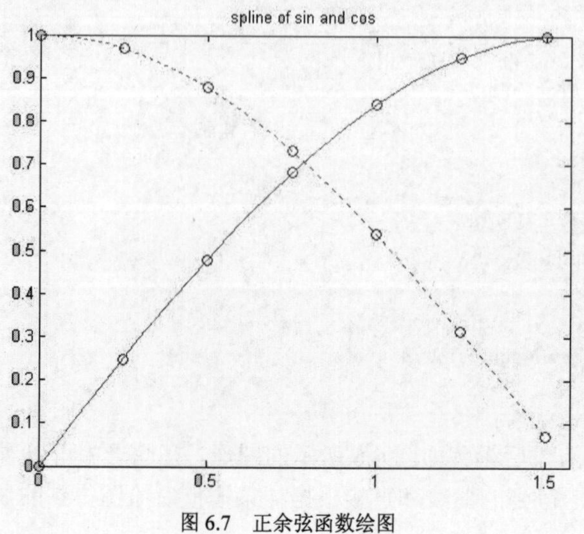

图 6.7　正余弦函数绘图

从前面几节的介绍可以看出，MATLAB 7.x 提供了非常实用和灵活的插值函数方法。在实际的科研工作和工程计算中，为了得到更好的插值函数，可以根据插值函数的原理自己编写 M 函数文件，从而完成对函数插值工作的需要和要求。这些插值方法可以根据相关的数学原理来编写，如 newton 插值方法、chebyshev 插值方法等。

6.2 曲线拟合

在实际的科研和工程研究中，所测量或得到的原始数据带有一定噪声测量数据。此时，如果根据插值方法来使用会带来比较大的误差。因此，可以使用曲线拟合的方法，寻求平滑曲线来表现两个函数变量之间的关系和变化趋势，得到拟合曲线表达式 $y=f(x)$。

在进行曲线拟合时，已经假定认为所有的测量数据都包含噪声数据，通过拟合得到的曲线也只反映了函数变量之间的变化关系和趋势，因此，拟合曲线并不要求经过每一个已知数据点，而按照整体拟合数据的误差最小。在 MATLAB 7.x 中，曲线拟合方法使用最小方差函数来进行多项式拟合。

在 MATLAB 7.x 中，多项式拟合函数 polyfit 可以用来计算拟合得到的多项式的系数。默认的拟合目标是最小方差最小，即最小二乘法拟合数据。此时，判断的依据是通过拟合曲线得到的数据和原始数据之间的平均误差是否达到最小。polyfit 函数常采用以下两种格式的命令调用，如表 6.4 所示。

表 6.4 polyfit 函数的常用格式

格式	说明
[p, s, mu]=polyfit(x, y, n)	其中，x 和 y 为已知的测量数据，n 为拟合多项式的阶数，当 n 为 1 时，进行最佳直线拟合（线性回归），当 n 为 2 时，需要选择最佳的二次多项式拟合
[y, delta]=polyval(p, x, s, mu)	多项式数据计算，s 是方差，mu 是比例，delta 是误差范围

在表 6.4 中，参数 μ 满足 $\hat{x}=\dfrac{x-\mu_1}{\mu_2}$，其中，$\mu_1=\text{mean}(x)$，$\mu_2=\text{std}(x)$，并且 $\mu\in[\mu_1,\mu_2]$。通过以上的数据拟合后，得到拟合曲线的多项式：

$$y=p_1x^n+p_2x^n-1+\cdots+p_nx+p_{n+1}$$

例 6.5 多项式拟合曲线示例。

```
% example_polyfit.m
% 曲线拟合示例
x=0:0.1:1;
y=[-0.447 1.978 3.28 6.16 7.08 7.34 7.66 9.56 9.48 9.30 11.2];
% 曲线拟合
n=2;
p=polyfit(x,y,n);
% 根据拟合函数生成绘图数据
xi=linspace(0,1,100);
yi=polyval(p,xi);
plot(x,y,'-o',xi,yi,'--');
xlabel('x');ylabel('y=f(x)');
```

```
title('second order curve fitting')
legend('original','polyfit')
```

上面根据已有的数据拟合多项式曲线，接着根据拟合的多项式表达式，生成数据，用于曲线的绘制。绘制后的结果如图 6.8 所示。

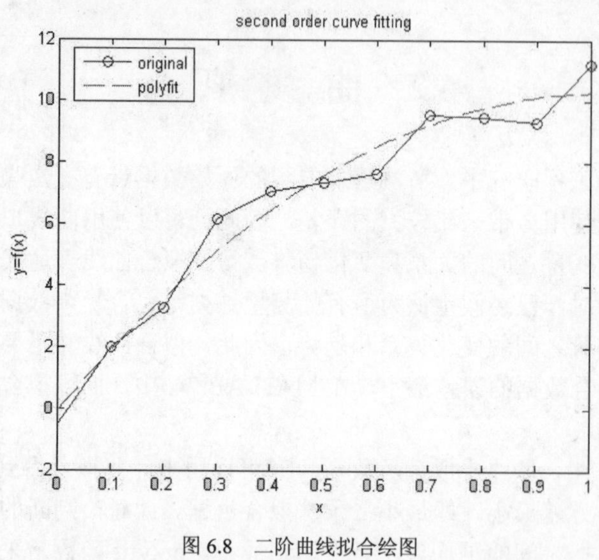

图 6.8　二阶曲线拟合绘图

6.3　图形界面曲线拟合

除直接通过命令行方式进行曲线拟合外，用户可以在曲线拟合的图形界面进行曲线拟合和分析工作。使用图形界面的曲线拟合方式，可以更好地完成曲线拟合和数据分析的工作和任务，也更加直观。通过图形界面进行拟合后的数据结果同样保存在工作空间。以下将从曲线拟合、残差图形显示和数据预测几个方面对图形界面的曲线拟合进行介绍。

6.3.1　曲线拟合示例

在例 6.5 的基础上进行曲线拟合。当执行例 6.5 的脚本文件之后，系统弹出图形显示窗口。选择 Tools/Basic Fitting 菜单项，如图 6.9 所示。

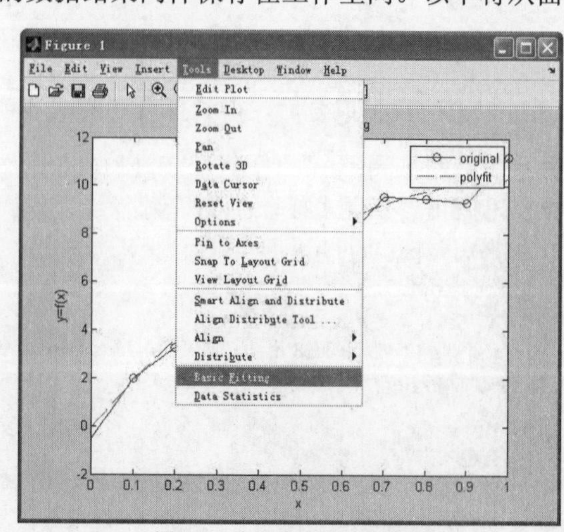

图 6.9　选择曲线拟合菜单项

执行该命令后，系统弹出如图 6.10 所示的曲线拟合窗口。在该窗口中，单击左右方向箭头，可以简化和打开数据拟合的界面选项。在该窗口中，可以选择曲线拟合的类型、是否显示方程、是否绘制残差，以及曲线拟合的结果。如果需要将以上的结果保存到工作空间，单击 Save to workspace 按钮就可以进行保存。

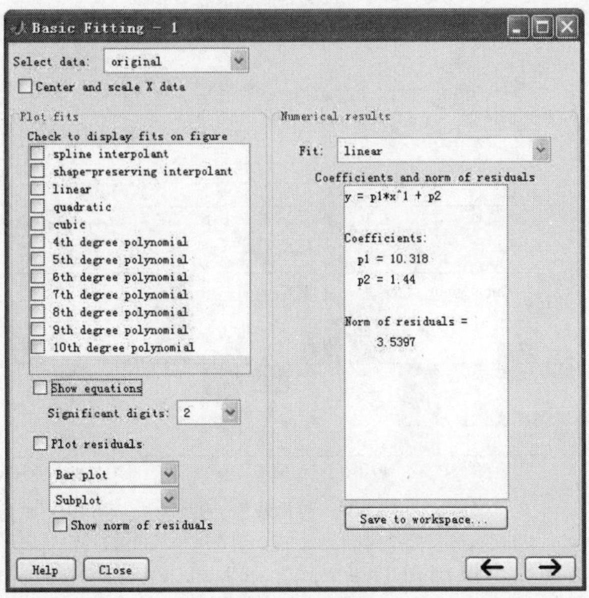

图 6.10　曲线拟合窗口

此处，选择使用 cubic 方式拟合曲线，同时选择将拟合后的公式显示出来，那么，曲线拟合后得到的公式就会在图形上表示出来。此时的结果如图 6.11 所示。

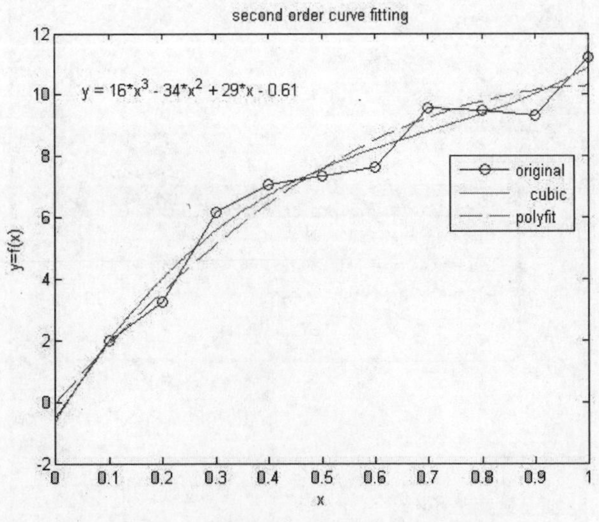

图 6.11　图形界面方式产生三次拟合曲线

6.3.2　拟合残差图形绘制

如果选择绘制残差选项，那么，需要选择残差图的绘制类型。如果选择 subplot 方式，那么残差图将按照子图的方式产生拟合曲线图同时显示在图形空间内。如果选择显示残差的范数，那么，在残差图上将会显示残差的范数数值。此时的结果如图 6.12 所示。

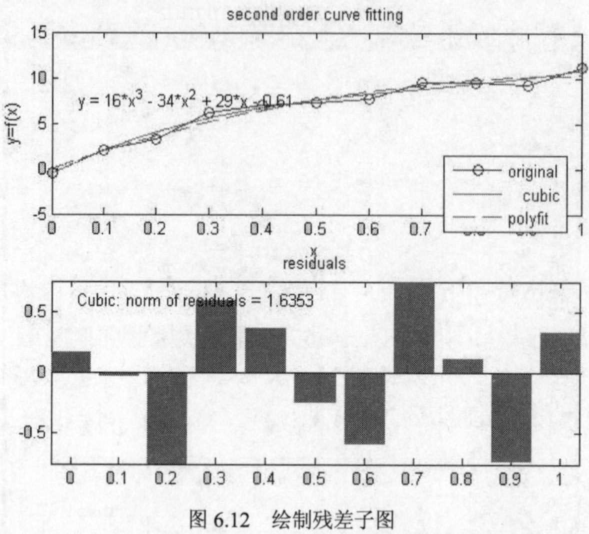

图 6.12　绘制残差子图

如果想将以上的拟合结果保存到工作空间，可以单击窗口中的保存到工作空间按钮。此时，弹出如图 6.13 所示的对话框可以选择保存拟合数据、残差等相关数据。单击确定按钮后，可以将对话框中的数据保存到工作空间。这时，可以和在工作空间内运行函数一样，直接查看这些保存的数据结果。

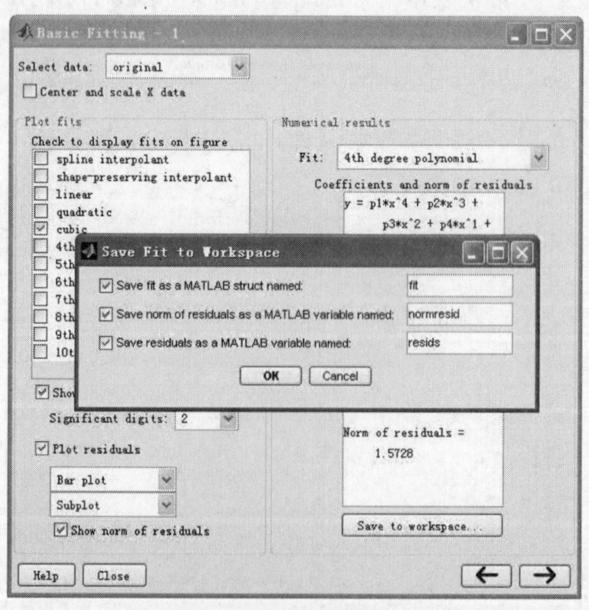

图 6.13　将拟合结果保存到工作空间

例 6.6　查询图形方式拟合曲线保存的数据。

```
Variables have been created in the current workspace.
>> fit
fit =
      type: 'polynomial degree 4'
```

```
    coeff: [22.0571 -28.0385 -6.3531 23.8103 -0.4516]
>> normresid
normresid =
    1.5728
>> resids
resids =
    0.0046
    0.1379
   -0.5873
    0.6186
    0.2537
   -0.3991
   -0.6898
    0.7786
    0.2704
   -0.5634
    0.1757
```

6.3.3　数据预测

此时，可以打开向右方向的箭头，对话框中包括数据预测部分。如果在对话框的文本框中输入数列，如 0.2:0.05:0.8，单击右方的预测按钮，就会出现预测数据的列表框，如图 6.14 所示。

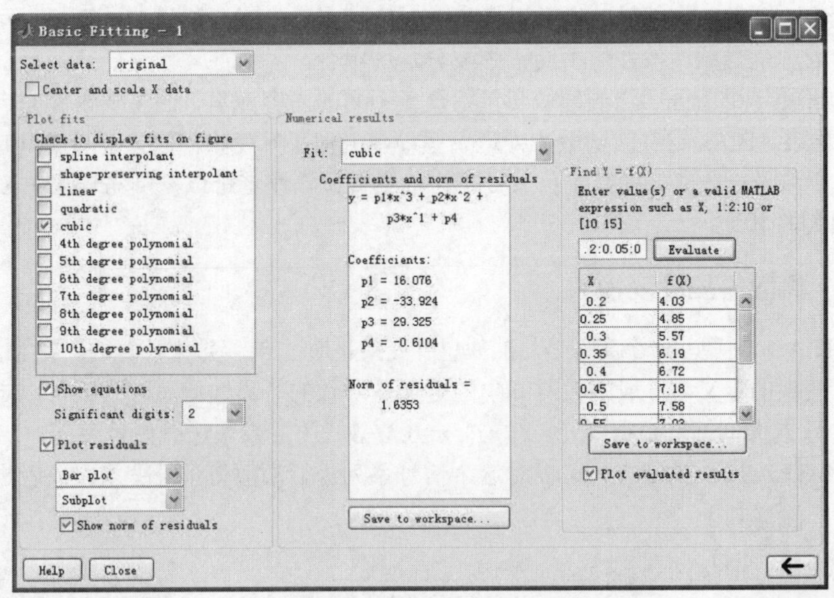

图 6.14　预测函数对话框部分

在该对话框部分单击绘制预测数据结果。此时，在原来的数据曲线上就会显示预测数据结果的图形表示，如图 6.15 所示。

如果单击该对话框部分的保存到工作空间按钮，则可将计算所得到的数据保存到工作空间。保存的过程和前面介绍的相同，当然所保存的数据也可以在工作空间中查询或使用。

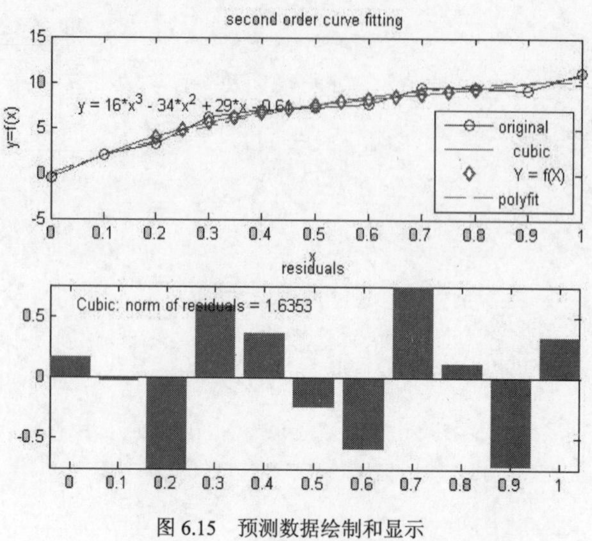

图 6.15 预测数据绘制和显示

6.4 傅里叶分析

傅里叶分析是数字信号处理的基础，是频域分析的重要工具，包括连续傅里叶级数、连续傅里叶变换、离散时间傅里叶级数以及离散时间傅里叶变换。通过这些变换，可以将一个信号分解为表征信号频域特性的不同正弦波分量的组合。

信号处理是一个十分广泛的领域，包括众多不同的内容，本节的主要内容是向读者介绍如何使用 MATLAB 7.x 提供的函数来处理一些简单的傅里叶变换问题，说明傅里叶函数的基本用法。对于涉及更为复杂的数字信号处理方面的问题，读者可以参阅与 MATLAB 7.x 数字信号处理相关的书籍。

6.4.1 离散傅里叶变换

在 MATLAB 7.x 中，一个离散信号的傅里叶变换是通过 fft 函数来计算的。在 MATLAB 7.x 中，傅里叶变换的定义与一般的教科书中的定义是一致的。离散傅里叶变换可以定义为：从连续信号中每 T_s 时间间隔根据｛$x[n=x](nT), n=0:M-1$｝的关系来选取信号序列。

根据 MATLAB 7.x 的定义，可以对这个信号系列进行离散傅里叶变换，或者进行逆傅里叶变换分析，定义如下：

傅里叶变换：$X(k)=\sum_{j=1}^{N}x(j)\omega_N^{(j-1)(k-1)}$

逆傅里叶变换：$x(j)=(1/N)\sum_{k=1}^{N}X(k)\omega_N^{-(j-1)(k-1)}$

其中，$\omega_N=\mathrm{e}^{(-2\pi i)/N}$。关于这两种方向的变换可以通过 fft 和 ifft 函数来进行。这两个函数的基本格式如表 6.5 所示。

表 6.5　　　　傅里叶变换的基本命令

命　令	说　明
Y=fft(X, n, dim)	快速傅里叶变换，其中，n 表示离散序列的次序编号，X 则表示离散信号序列
y=ifft(X, n, dim)	快速傅里叶逆变换

例 6.7　产生 60Hz 和 150Hz 带噪声的信号源，并用傅里叶变换方法查找主频信号。

```
% fft_noise.m
% 傅里叶变化示例
% 产生带有噪声的声源信号，并提取离散信号
t=0:0.001:0.6;
% 噪声信号的主频为 60Hz 和 150Hz
x=sin(2*pi*60*t)+sin(2*pi*150*t);
y=x+2*randn(size(t));
plot(1000*t(1:50),y(1:50))
title('Signal Corrupted with Zero-Mean Random Noise')
xlabel('time (ms)')
grid on;

% 进行 512 点的快速傅里叶变换
Y=fft(y,512);
% 功率谱测量计算
Pyy=Y.* conj(Y)/512;
f=1000*(0:256)/512;
% 绘制频谱图形
figure;
plot(f,Pyy(1:257))
title('Frequency content of y')
xlabel('frequency (Hz)')
grid on;
```

执行上面的脚本文件后，产生两幅图形，其中一个是所产生的带噪声的原始信号，即图 6.16；另一个是经过傅里叶分析后得到的频谱图，如图 6.17 所示。可以看出，主频和原始信号的主频信号相同。

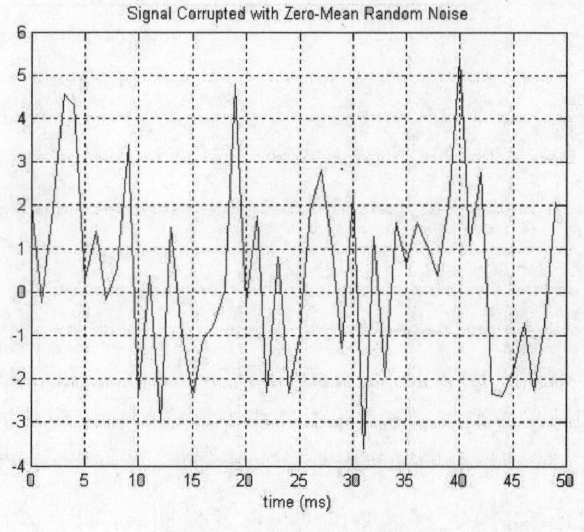

图 6.16　带噪声的原始信号

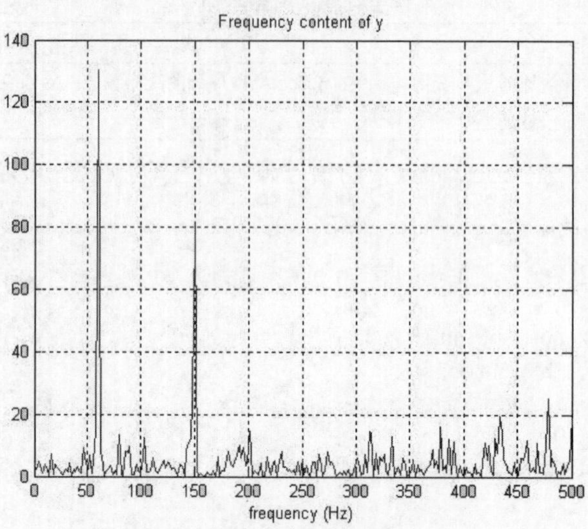

图 6.17　傅里叶变换后的频率分布

例 6.8　用傅里叶分析变换和给定信号 $f(t)=2\mathrm{e}^{-3t}$（$t\geqslant0$）的傅里叶变换比较。

```
% fft_exp.m
% 连续信号傅里叶变换比较
N=128;
% 估计的时间点序列
t=linspace(0,3,N);
f=2*exp(-3*t);
% 采样时间
Ts=t(2)-t(1);
% 采用频率
Ws=2*pi/Ts;
% 计算傅里叶变换结果
F=fft(f);
% 将傅里叶变换的半值翻转
Fc=fftshift(F)*Ts;
% 频率轴
W=Ws*(-N/2:(N/2)-1)/N;
% 理论分析傅里叶变换
Fa=2./(3+j*W);
% 绘制分析结果
plot(W,abs(Fa),W,abs(Fc),'.');
xlabel('Frequency,rad/s');ylabel('F(w)');
legend('analytical','fft');
title('fourier transform contrast')
```

在例 6.8 中，对连续函数 $f(t)=2\mathrm{e}^{-3t}$（$t\geqslant0$）通过 fft 函数进行了傅里叶变换，通过 fftshift 函数将 F 进行了半值翻转，使得 F_c 在$(N/2)+1$ 处成为最终的直流成分。从图 6.18 所示的傅里叶变换的比较可以看出，低频部分的傅里叶变换效果较好，而在高频部分出现了一定的偏差。此外，在图 6.18 中同时还绘制了连续函数的傅里叶变换曲线，即 $F(\omega)=\dfrac{2}{3+\mathrm{j}\omega}$，用于和离散的结果进行比较。

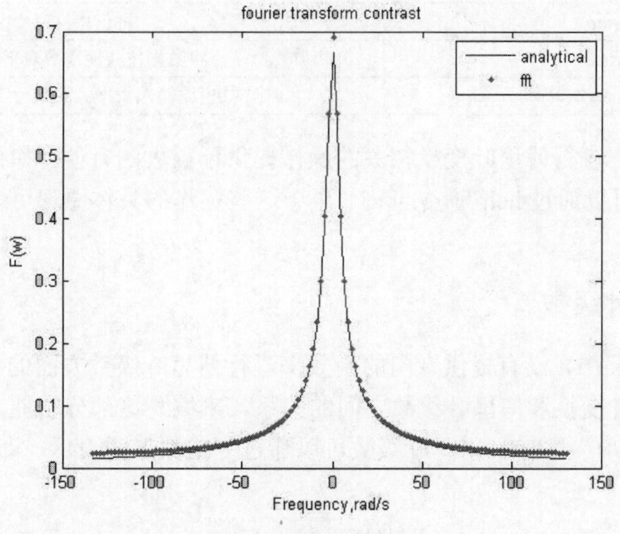

图 6.18 傅里叶变换的比较

6.4.2 傅里叶变换相关的常用函数

在 MATLAB 7.x 中，还提供了其他一些傅里叶变换函数，如 fftn 等，可以通过 help fft 查询后得到这些相关的函数。这些函数和 fft 函数的用法相似，因此不再赘述。在实际的使用过程中，还会用到一些和信号处理相关，即和 fft 相关的函数。此处，对这些函数稍作小结，如表 6.6 所示。

表 6.6 与 fft 相关的函数

函 数	说 明
conv	卷积
conv2	二维卷积
convn	n 维卷积
deconv	反卷积
filter	一维数字滤波
filter2	二维数字滤波
fft	离散傅里叶变换
fft2	二维离散傅里叶变换
fftn	n 维离散傅里叶变换
ifft	离散傅里叶逆变换
ifft2	二维离散傅里叶逆变换
ifftn	n 维离散傅里叶逆变换
fftshift	翻转 fft 的结果以增加负频率轴和谱中心零位
ifftshift	取消 fftshift 执行的操作
abs	求复数数组的幅值
angle	求复数数组的相角

续表

函　数	说　明
unwrap	矫正相位突变
cplxpair	将数据按共轭复数对重新排序
nextpow2	找出比输入数据大的最近 2 的 n 次幂

这些函数对用户进行傅里叶变换相关的操作提供了很大的方便，如果用户需要对这些函数作深入的了解，可以通过 help 命令查询。至于这些操作的具体原理可以翻阅信号处理相关的书籍。

6.4.3　傅里叶级数

在 MATLAB 7.x 中，没有提供专门的函数来进行傅里叶级数方面的计算和分析工作。此处，通过离散傅里叶变换和傅里叶级数之间的关系，来编写这部分功能。

对于一个实周期信号 $f(t)$，傅里叶级数可以通过复指数形式表示，即

$$f(t)=\sum_{n=-\infty}^{\infty}F_n\mathrm{e}^{\mathrm{j}n\omega_0 t}$$

其中，$F_n=\dfrac{1}{T_0}\displaystyle\int_t^{t+T_0}f(t)\mathrm{e}^{-\mathrm{j}n\omega_0 t}\mathrm{d}t$。基频为 $\omega_0=2\pi/T_0$，信号周期为 T_0。

当然，傅里叶级数也可以通过三角形式来表示，具体表示为：

$$f(t)=A_0+\sum_{n=1}^{\infty}\{A_n\cos(n\omega_0 t)+B_n\sin(n\omega_0 t)\}$$

在此级数中，各个系数的意义表示如下：

$$\begin{cases}A_0=\dfrac{1}{T_0}\displaystyle\int_t^{t+T_0}f(t)\mathrm{d}t\\[2ex] A_n=\dfrac{2}{T_0}\displaystyle\int_t^{t+T_0}f(t)\cos(n\omega_0 t)\mathrm{d}t\\[2ex] B_n=\dfrac{2}{T_0}\displaystyle\int_t^{t+T_0}f(t)\sin(n\omega_0 t)\mathrm{d}t\end{cases}$$

在这两种形式的傅里叶级数的表示中，复指数形式的表示更便于进行分析和处理，而三角形式的表示更直观，能够更容易看到其中的正余弦分量。两者之间可以进行转换，转换关系如下：

$$\begin{cases}A_0=F_0,\ A_n=2\,\mathrm{Re}\{F_n\},\ B_n=-2\mathrm{Im}\{F_n\}\\ F_n=F_{-n}^{*}=(A_n-\mathrm{j}B_n)/2\end{cases}$$

当用户选择适当的时间采样点之后，可以利用离散傅里叶变换计算傅里叶级数的系数。下面通过实际的例子对这些变换进行介绍。

例 6.9　创建锯齿波信号。

```
function f=sawtooth(t,To)
% 生成锯齿波信号，周期为 To，时间采样点向量为 t
```

```
f=10*rem(t,To)/To;
% 在间断处平均数据
f(f==0|f==10)=5;
```

通过例 6.9 创建的锯齿波信号用于后面的傅里叶级数变换。

例 6.10　傅里叶级数计算。

```
% fourier_seriers.m
% 创建 25 个谐波的傅里叶级数
N=25;To=0.2;
% 周期数
n=2*N;
t=linspace(0,To,n+1);
t(end)=[];
f=sawtooth(t,To);
% 复指数形式的傅里叶级数
disp('复指数形式的傅里叶级数：')
Fn=fft(f);
Fn=[conj(Fn(N+1)) Fn(N+2:end) Fn(1:N+1)];
Fn=Fn/n
% 计算三角形式的傅里叶级数
disp('三角形式的傅里叶级数：')
A0=Fn(N+1)
An=2*real(Fn(N+2:end))
Bn=-2*imag(Fn(N+2:end))
% 实际计算结果和转换结果比较
disp('比较：')
idx=-N:N;
Fna=5j./(idx*pi);
Fna(N+1)=5;
Bna=-2*imag(Fna(N+2:end));
Bn_error=(Bn-Bna)./Bna
% 绘制频谱
stem(idx,abs(Fn))
xlabel('Harmonic Index')
title('sawtooth harmonic content')
axis tight;
```

【执行结果】

```
复指数形式的傅里叶级数：
Fn =
  Columns 1 through 5
         0                0.0000 - 0.0063i    0.0000 - 0.0126i    0.0000 - 0.0191i   -0.0000 - 0.0257i
  Columns 6 through 10
  -0.0000 - 0.0325i  -0.0000 - 0.0396i    0.0000 - 0.0471i    0.0000 - 0.0550i    0.0000 - 0.0635i
  Columns 11 through 15
  -0.0000 - 0.0727i  -0.0000 - 0.0827i  -0.0000 - 0.0939i  -0.0000 - 0.1065i    0.0000 - 0.1209i
  Columns 16 through 20
   0.0000 - 0.1376i   0.0000 - 0.1576i  -0.0000 - 0.1819i    0.0000 - 0.2125i  -0.0000 - 0.2526i
  Columns 21 through 25
   0.0000 - 0.3078i   0.0000 - 0.3895i  -0.0000 - 0.5242i    0.0000 - 0.7916i  -0.0000 - 1.5895i
```

```
Columns 26 through 30
 5.0000              -0.0000 + 1.5895i   0.0000 + 0.7916i  -0.0000 + 0.5242i   0.0000 + 0.3895i
Columns 31 through 35
 0.0000 + 0.3078i  -0.0000 + 0.2526i   0.0000 + 0.2125i  -0.0000 + 0.1819i   0.0000 + 0.1576i
Columns 36 through 40
 0.0000 + 0.1376i   0.0000 + 0.1209i  -0.0000 + 0.1065i  -0.0000 + 0.0939i  -0.0000 + 0.0827i
Columns 41 through 45
-0.0000 + 0.0727i   0.0000 + 0.0635i   0.0000 + 0.0550i   0.0000 + 0.0471i  -0.0000 + 0.0396i
Columns 46 through 50
-0.0000 + 0.0325i  -0.0000 + 0.0257i   0.0000 + 0.0191i   0.0000 + 0.0126i   0.0000 + 0.0063i
Column 51
      0
三角形式的傅里叶级数：
A0 =
     5
An =
  1.0e-015 *
Columns 1 through 11
   -0.3197    0.1776   -0.2487    0.2132    0.0711   -0.0888    0.0888   -0.1332    0.1776
0.0888    0.0577
Columns 12 through 22
   -0.1754   -0.1266   -0.1998   -0.0888    0.2132    0.1155    0.0533   -0.0533   -0.0711
-0.1421    0.1066
Columns 23 through 25
    0.2487    0.3197         0
Bn =
Columns 1 through 11
   -3.1789   -1.5832   -1.0484   -0.7789   -0.6155   -0.5051   -0.4250   -0.3638   -0.3151
-0.2753   -0.2418
Columns 12 through 22
   -0.2130   -0.1878   -0.1655   -0.1453   -0.1269   -0.1100   -0.0941   -0.0792   -0.0650
-0.0514   -0.0382
Columns 23 through 25
   -0.0253   -0.0126         0
比较：
Warning: Divide by zero.
> In fourier_seriers at 22
Bn_error =
Columns 1 through 11
   -0.0013   -0.0053   -0.0119   -0.0211   -0.0331   -0.0478   -0.0653   -0.0857   -0.1089
-0.1352   -0.1645
Columns 12 through 22
   -0.1971   -0.2330   -0.2723   -0.3152   -0.3620   -0.4128   -0.4678   -0.5273   -0.5917
-0.6612   -0.7363
Columns 23 through 25
   -0.8174   -0.9051   -1.0000
```

执行上述脚本函数之后，最后可以生成锯齿波的频谱图，如图 6.19 所示。

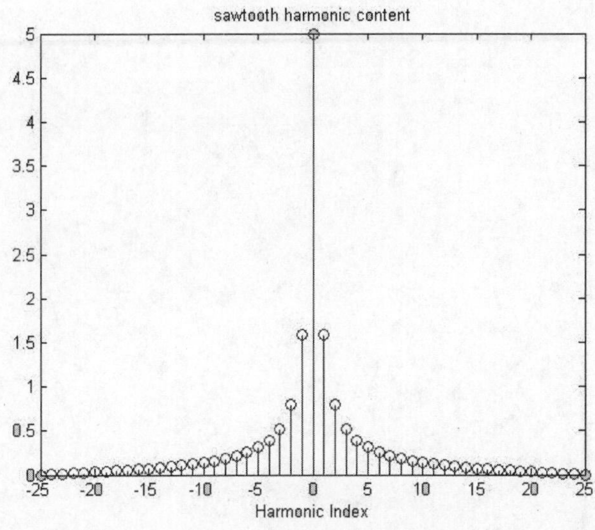

图 6.19 锯齿波的谐波频谱

6.4.4 使用 FFT 进行插值

在 MATLAB 7.x 中，可以使用一维快速傅里叶变换（FFT）方法进行数据插值，用到的函数是 interpft，使用该函数插值的主要过程是，通过傅里叶变换将输入数据变换到频域，然后使用更多点的傅里叶变换方法，变换到时域，因此，插值处理的结果是对数据增加采样点后插值得到结果。interpft 函数的主要格式如表 6.7 所示。

表 6.7 interpft 函数的主要格式

格　式	说　明
y=interpft(x, n)	其中，x 表示需要插值的数值序列，n 表示采用 n 点傅里叶逆变换返回到时域中
y=interpft(x, n, dim)	参数 dim 表示在指定的维度上进行插值

使用傅里叶变换进行插值时，需要从信号序列 $X(k)$ 中选择数据点，并采用以下公式进行插值运算：

$$\tilde{x}(t)=\frac{1}{N}\sum_{|k|<N/2}\tilde{X}(t)\mathrm{e}^{\mathrm{j}2\pi kt/NT}$$

$$=\frac{1}{N}\{X(0)+2\sum_{k}^{N/2-1}\mathrm{Re}\,al(X(k)\mathrm{e}^{\mathrm{j}2\pi kt/NT})+X(N/2)\cos(\pi t/T)\}$$

根据上面的计算公式，读者可以自行编写使用 FFT 函数来进行插值的 M 函数文件。下面通过示例对这些插值过程进行介绍。

例 6.11 编写使用 FFT 方法进行插值的 M 函数文件。

```
function [xi,yi]=interp_dfs(T,x,Ws,ti)
% T 样本间隔，x 离散时间样本，Ws 归一化频率，ti 插值的时间序列
% 判断输入参数的个数和性质
if nargin<4
    ti=5;
```

```
end
if nargin<3 | Ws>1
    Ws=1;
end
% 确定数据采样点数据个数
N=length(x);
% 确定采样时间间隔
if length(ti)==1;
    ti=0:T/ti:(N-1)*T;
end
ks=ceil(Ws*N/2);
% 进行 fft 变换
yi=fft(x);
% 筛选时间数据序列
yi(ks+2:N-ks)=zeros(1,N-2*ks-1);
xi=zeros(1,length(ti));
for k=2:N/2
    xi=xi+yi(k)*exp(j*2*pi*(k-1)*ti/N/T);
end
% 给出根据公式计算的插值结果
xi=real(2*xi+yi(1)+yi(N/2+1)*cos(pi*ti/T))/N;
```

上面的程序根据前面介绍的插值公式进行编写，可以用于一般信号函数的插值运算工作。下面将通过示例来检验上面编写的 dfs 插值函数的效果。

例 6.12 求解 $f(t)=\sin(\pi t)+1.5\sin(1.5\pi t)$，噪声信号为 $z(t)=\text{rand}(1,n)-0.8$ 的插值结果。

```
% dfs_examples.m
% 根据编写的 dfs 进行插值计算
T=0.1;N=32;
ti=[0:T/5:(N-1)*T];
w1=pi;w2=1.5*pi;
n=[0:N-1];
t=n*T;
x=sin(w1*t)+1.5*sin(w2*t)+rand(1,N)-0.8;
% 绘制原始函数的图形
subplot(411);
plot(t,x,'k.');
title('original and interp signal');
grid on; axis tight; hold on;
% 使用前面定义的 M 函数进行插值
[xi,yi]=interp_dfs(T,x,1,ti);
plot(ti,xi,'r');
k=[0:N-1];
subplot(412);
stem(k,abs(yi),'k.');
axis tight;
title('original spectrum');
% 使用新参数进行绘制
[xi,yi]=interp_dfs(T,x,1/2,ti);
subplot(413);
```

```
stem(k,abs(yi),'r.');
axis tight;
title('filtered spectrum');
% 绘制插值图形
subplot(414)
plot(t,x,'k.',ti,xi,'r');
title('filtered/smoothed signal')
grid on; axis tight;
```

在上面的插值求解过程中，使用了例 6.11 编写的插值函数，求解后的结果如图 6.20 所示。

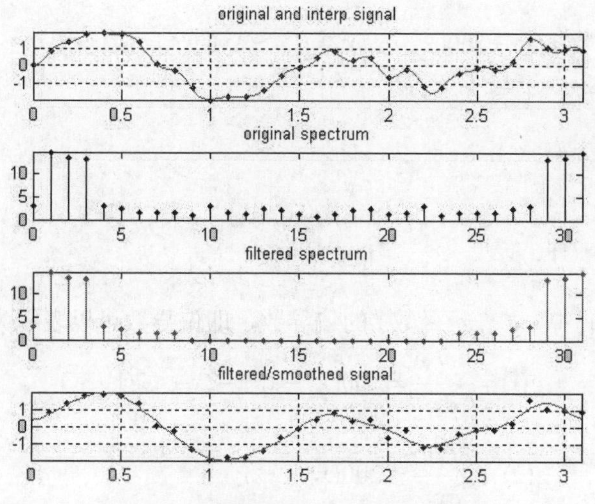

图 6.20　根据编写的 M 文件插值后结果

6.5　优化问题

优化问题是在指定的约束条件下，寻找目标函数的最大值或最小值。在工程领域内有非常广泛的应用。实际上，很多优化问题都可以归结为求解最大最小值的问题。在 MATLAB 7.x 中，系统已经提供了一些基本的优化函数。如果读者使用优化工具箱（optimization toolbox），可以找到更多的优化工具和优化函数。本节将通过一些示例，简单介绍 MATLAB 7.x 的常用优化方法和函数的使用。关于更为复杂和专业的问题，读者可以翻阅相关的数学书籍，并结合 MATLAB 7.x 提供的优化函数，对这些问题进行比较好的优化求解。

6.5.1　非线性无约束优化

优化问题可以定义为：$\min_{x\in S} f(x)$ 。定义中，$x=(x_1,x_2,\cdots,x_n)$，$f(x)$是优化条件下的目标函数，S 为优化的约束条件。如果没有任何条件限制，即在 S 的全集中，那么该约束称为非约束优化。对于非线性无约束优化问题，可以使用 fminsearch 函数和 fminunc 函数。这两个函数的调用格式如表 6.8 所示。

表 6.8 非线性无约束优化函数

函　数	说　明
[x, fval,exitflag,output]=fminsearch(fun, x0, options)	输入参数：fun 表示需要优化的目标函数，x0 表示执行优化的初始数值，参数 options 为优化的各种属性，需要使用 optimset 函数设置； 输出参数：x 表示最优解，fval 表示最优解对应的函数数值，参数 exitflag 表示退出运算的原因，如 1 表示收敛于最优解，0 表示函数迭代次数超过设定的属性，-1 表示迭代函数被 output 函数终止；output 函数为结构体变量，显示优化的有关信息
[x,fval,exitflag,output,grad,hessian]= fminunc(fun,x0,options)	参数中的大部分与 fminsearch 函数的参数相同，输出参数中 grad 为函数在最优解处的梯度，hessian 为最优解处的 hessian 矩阵，eixitflag 包括更多的结束优化求解的类型，可选择-2、-1、0、1、2 和 3

例 6.13　求解函数 $f(x)=100(x_2-x_1^2)^2+(1-x_1)^2$ 的全局最优解。

```
function [f,g]=banana(x)
% 香蕉函数
f=100*(x(2)-x(1)^2)^2+(1-x(1))^2;
if nargout>1
    g(1)=200*(x(2)-x(1)^2)*(-2*x(1))+(1-x(1))*(-1);
    g(2)=200*(x(2)-x(1)^2);
end
```

在上面的函数代码中，g 表示函数 f 的偏导数，即偏导数可以表示为：

$$g(1)=\frac{\partial f(x)}{\partial x_1}=200(x_2-x_1^2)(-2x_1)-2(1-x_1)$$

$$g(2)=\frac{\partial f(x)}{\partial x_2}=200(x_2-x_1^2)$$

在编写上面的函数后，可以通过优化函数来求解。

例 6.14　接上例，根据不同的优化函数求解最优解。

```
>> % fminunc
>> x0=[-0.9,2];
>> options=optionset('Display','iter','tolfun',1e-18,'GradObj','on');
>> options=optimset('Display','iter','tolfun',1e-18,'GradObj','on');
>> [x,fval,exitflag,output,grad]=fminunc(@banana,x0,options)


 Iteration      f(x)             Norm of step     First-order optimality      CG-iterations
      0         145.22                            427
      1         145.22           10               427                         1
      2         145.22           2.5              427                         0
-----------------------------------------------------------------------------------------------
     32         1.59475e-009     0.000957297      2.97e-005                   1
     33         2.54988e-016     8.9312e-005      6.37e-007                   1
     34         1.19611e-028     3.47886e-009     5.53e-014                   1
Optimization terminated: norm of the current step is less than OPTIONS.TolX.
x =
    1.0000      1.0000
fval =
```

```
    1.1961e-028
exitflag =
      2
output =
         iterations: 34
          funcCount: 35
       cgiterations: 28
     firstorderopt: 5.5289e-014
          algorithm: 'large-scale: trust-region Newton'
            message: 'Optimization terminated: norm of the current step is less than OPTIONS.TolX.'
grad =
  1.0e-013 *
   -0.5529
    0.2220
```

从上面的结果可以看出，优化得到的结果为(1,1)，所采用的优化算法为 large-scale: trust-region Newton。

例 6.15 接上例，使用 fminsearch 方法搜索最优解。

```
>> % 使用 fminsearch 函数
>> options=optimset('TolFun',1e-8,'TolX',1e-8);
>> [xmin,value,flag,output]=fminsearch(@banana,[-1.9,2],options)
xmin =
    1.0000    1.0000
value =
   6.1539e-018
flag =
     1
output =
    iterations: 144
     funcCount: 266
     algorithm: 'Nelder-Mead simplex direct search'
       message: [1x196 char]
```

例 6.16 画出函数的图形。

```
% banana_draw.m
% 绘制函数图形
x=[-1.5:0.125:1.5];
y=[-0.6:0.125:2.8];
[X,Y]=meshgrid(x,y);
Z=100*(Y-X.*X).^2+(1-X).^2;
mesh(X,Y,Z);
hidden off;
title('function of banana')
hold on;
plot3(1,1,1,'k.','markersize',30);
hold off;
```

执行上面的脚本文件后，得到如图 6.21 所示的结果。

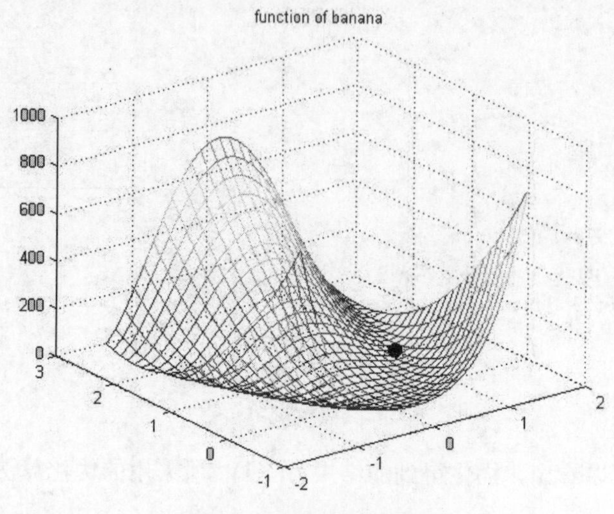

图 6.21 绘制的香蕉函数

6.5.2 约束条件下的非线性优化

约束条件下的优化问题比无约束条件的优化问题要复杂得多，种类也比较多。对不同类型的优化问题，MATLAB 7.x 提供了不同的优化方法。此处对非线性条件下的优化方法 fmincon 内置函数进行介绍。fmincon 函数主要用于以下约束条件的优化：

$$
\begin{aligned}
&\min_x f(x)\\
&sub: c(x) \leqslant 0\\
&ceq(x) = 0\\
&Ax \leqslant b\\
&Ax = beq\\
&lb \leqslant x \leqslant ub
\end{aligned}
$$

该函数的常用调用格式为：[*x*, *fval*, *exitflag*, *output*, *lamda*]=fmincon(*fun*, *x*0, *A*, *b*, *Aeq*, *beq*, *lb*, *ub*, *nonlcon*, *options*)。这些参数的意义如下。

在输入参数中，*fun* 表示优化函数，*x*0 为优化的初始值，参数 *A*、*b* 为满足线性关系式 $Ax \leqslant b$ 的系数矩阵和结果矩阵；参数 *Aeq*、*beq* 是满足线性等式 $A \cdot x = beq$ 的系数矩阵和结果矩阵；参数 *lb* 和 *ub* 是 *x* 的取值范围；参数 *nonlcon* 表示满足非线性关系式 $c(x) \leqslant 0$ 和 $ceq(x) = 0$ 的优化情况，参数 *options* 为优化的属性设置。

在输出参数中，*exitflag* 表示程序退出优化运算的类型，取值为−2、−1、0、1、2、3、4、5，对应的退出类型用户可以通过 help 命令来查询；*output* 参数中包含多种关于优化的信息，如 iterations、funcCount、algorithm、cgiterations、stepsize、fistorderopt 等，参数 *lamda* 表示的是 lower、upper、ubineqlin、eqlin、ineqnonlin 和 eqnonlin 等，分别表示优化问题的各种约束条件下的 lagrange 参数数值。

例 6.17 求解在约束条件 $x_1+2x_2+2x_3 \leqslant 72$，$x_2 \leqslant 5$ 和 $x_3 \leqslant 12$ 下，函数 $f(x) = -x_1 x_2 x_3$ 最小值的最优解及其数值。

```
function f=optfun(x)
% 最优解求解函数定义
f=-x(1)*x(2)*x(3);

% fmincon_example.m
% 最优化求解
x0=[1,1,1];
A=[1,2,2;0,1,0;0,0,1];
b=[72;5;10];
[x,fval,exitflag,output,lamda]=fmincon(@optfun,x0,A,b)
```

【执行结果】

```
Warning: Large-scale (trust region) method does not currently solve this type of problem,
 switching to medium-scale (line search).
> In fmincon at 274
  In fmincon_example at 6
Optimization terminated: first-order optimality measure less
 than options.TolFun and maximum constraint violation is less
 than options.TolCon.
Active inequalities (to within options.TolCon = 1e-006):
  lower      upper     ineqlin   ineqnonlin
                          1
                          2
                          3
x =
   42.0000    5.0000   10.0000
fval =
 -2.1000e+003
exitflag =
     1
output =
       iterations: 5
        funcCount: 24
         stepsize: 1
        algorithm: 'medium-scale: SQP, Quasi-Newton, line-search'
    firstorderopt: 0
     cgiterations: []
          message: [1x144 char]
lamda =
         lower: [3x1 double]
         upper: [3x1 double]
         eqlin: [0x1 double]
      eqnonlin: [0x1 double]
       ineqlin: [3x1 double]
    ineqnonlin: [0x1 double]
```

6.5.3　最小最大值的优化问题

最小最大值的优化问题可以定义为：

$$\min_{x} \max_{\{F_i\}} \{F_i(x)\}$$

$$\begin{aligned} & sub: c(x) \leqslant 0 \\ & ceq(x) = 0 \\ & A \cdot x \leqslant b \\ & Aeq \cdot x = beq \\ & lb \leqslant x \leqslant ub \end{aligned}$$

其中，目标函数可以表示为 $F(x) = [f_1(x), f_2(x), \cdots, f_N(x)]'$。进行最小最大值优化时，可以使用 fminimax 函数。该函数的使用方法和 fmincon 函数相同。以下通过示例对该函数进行介绍。

例 6.18 求解函数 $F(x) = [f_1(x), f_2(x), f_3(x), f_4(x), f_5(x)]$ 的最小最大值，其中各个分函数可以表示为：$f_1(x) = 2x_1^2 + x_2^2 - 48x_1 - 40x_2 + 125$，$f_2(x) = -x_1^2 - 3x_2^2$，$f_3(x) = x_1 + 3x_2 - 18$，$f_4(x) = -x_1 - x_2$，$f_5(x) = x_1 + x_2 - 8$。

```
function f=mnmax(x)
% 定义求解最小最大值的函数组
f(1)=2*x(1)^2+x(2)^2-48*x(1)-40*x(2)+125;
f(2)=-x(1)^2-3*x(2)^2;
f(3)=x(1)+3*x(2)-18;
f(4)=-x(1)-x(2);
f(5)=x(1)+x(2)-8;

% mnmanx.m
% 最小最大值求解示例
x0=[0.1,0.1]';
% 最小化绝对值
options=optimset('minabsmax',5);
[x,fval,maxfval,exitflag,output,lamda]=fminimax(@mnmax,x0,...
    [],[],[],[],[],[],[],options)
```

【执行结果】

```
Optimization terminated: magnitude of search direction less than 2*options.TolX
 and maximum constraint violation is less than options.TolCon.
Active inequalities (to within options.TolCon = 1e-006):
  lower       upper      ineqlin    ineqnonlin
                                        6
                                        7
                                        8
x =
     1.5768
     1.7126
fval =
  -11.2854   -11.2854   -11.2854    -3.2894     -4.7106
maxfval =
   11.2854
exitflag =
     4
output =
```

```
        iterations: 9
         funcCount: 49
          stepsize: 1
         algorithm: 'minimax SQP, Quasi-Newton, line_search'
     firstorderopt: []
      cgiterations: []
           message: [1x142 char]
lamda =
         lower: [2x1 double]
         upper: [2x1 double]
         eqlin: [0x1 double]
      eqnonlin: [0x1 double]
        ineqlin: [0x1 double]
     ineqnonlin: [0x1 double]
```

上面的打印信息输出了所有的优化结果。如果改变了优化条件，优化结果会相应地发生变化。关于优化条件改变后的情况，读者可以自己改变这些条件进行分析。

6.5.4 线性规划求解

线性规划问题的求解在经济问题分析中遇到得比较多，之所以称之为线性优化问题，主要原因是目标函数和约束条件都是线性的。这类比较特殊的优化问题，可以表示为：

$$\min_x f^{\mathrm{T}} x$$
$$sub: A \cdot x \leqslant b$$
$$Aeq \cdot x = beq$$
$$lb \leqslant x \leqslant ub$$

线性规划问题的求解可以通过使用 linprog 函数来进行求解。其完整的调用格式为：[*x*, *fval*, *exitflag*, *output*, *lamda*]=*linprog*(*f*, *A*, *Aeq*, *beq*, *lb*, *ub*, *x*0, *options*)。格式中的参数意义和前面部分介绍的参数意义相同，此处不再赘述。

例 6.19 求解线性规划问题 $f(x) = -3x_1 - 2x_2$。其中，$0 \leqslant x_1$，$x_2 \leqslant 10$，目标函数满足规划条件：$2x_1 + x_2 \leqslant 3$，$3x_1 + 4x_2 \leqslant 7$，$-3x_1 + 2x_2 \leqslant 2$。

```
% example_lin.m
% 定义参数
x0=[0 0];
f=[-3 -2];
A=[3 4;2 1];
b=[7 3]';
Aeq=[-3 2];
beq=2;
l=[0 0];
u=[10 10];
% 求解线性规划问题
[x,fval,exitflag,output,lamda]=linprog(f,A,b,Aeq,beq,l,u)
```

【执行结果】

```
Optimization terminated.
x =
    0.3333
```

```
      1.5000
fval =
     -4.0000
exitflag =
         1
output =
          iterations: 6
           algorithm: 'large-scale: interior point'
       cgiterations: 0
             message: 'Optimization terminated.'
lamda =
       ineqlin: [2x1 double]
         eqlin: -0.3333
         upper: [2x1 double]
         lower: [2x1 double]
```

优化求解问题是一类比较专业、复杂的求解领域，本节只介绍了一些比较简单的求解问题，对更加复杂的求解问题，读者可以参阅相关的优化理论和优化方法，利用 MATLAB 7.x 提供的优化方法，或者使用 MATLAB 7.x 提供的比较专业的优化工具向导，求解很大一部分的优化问题。

6.6 常微分方程

从实际的情况来看，许多工程和科学问题都可以归结为常微分方程。但这些常微分方程常常没有解析解，部分求解得到的解析解不便于分析处理。因此，通常都通过差分的方法来求解。为解决这类问题的求解， MATLAB 7.x 提供了一组常微分方程的求解函数，并将这些部分作为 MATLAB 7.x 的一个标准的组件部分。本章将对其中的一部分微分方程的求解进行简单介绍。

6.6.1 常微分方程介绍

在微积分中，常常将微分方程的初值问题定义为在给定的初值条件下，通过计算求解一系列一阶微分方程的历史解的问题。可以定义为如下形式：

$$\dot{y}=f(t,y)，\quad y(t_0)=y_0$$

其中，$\dot{y}$，y 和 y_0 都是向量形式的表达式，$y(t_0)=y_0$ 是该问题的初值条件，需要求解的问题是 y。

尽管常微分方程可以用上面的统一形式来表达，但在性质上却有比较大的差别，因此，在 MATLAB 7.x 中提供了多个不同的常微分方程求解命令。这些命令如表 6.9 所示。

表 6.9　　常微分方程的解法

函　数	算　法	精　度	说　明
ode45	四阶或五阶 runge-kutta	中等	单步算法，不需要附加初始值，不改变步长和结果
ode23	二阶或三阶 runge-kutta	低	单步算法，在误差允许范围比较宽时性能比 ode45 好
ode113	可变阶 Adams PECE 算法	低—高	多步算法，适合解决误差容许范围比较严格的情况

续表

函　数	算　法	精　度	说　明
ode15s	可变阶数值微分算法	低—中	多步算法，适合解决刚性问题
ode23s	基于改进的 Rosen 公式	低	单步算法，可以解决误差容许范围内比较宽时的情况
ode23t	自由内插实现梯形公式	低	使用轻微刚性系统，给出的解没有数值衰减
ode23b	TR-BDF2 方法	低	适用于误差允许范围比较大的情况

在常微分方程的求解过程中，需要用到比较多的数学方程求解方面的理论和知识。读者可以翻阅相关的数学书籍。在求解常微分方程时，需要考虑所求解微分方程组的刚性问题。如果微分方程的 Jacobian 矩阵特征值相差悬殊，则成为刚性方程组。为保证解法的稳定性，步长的选取比较困难，因此，有些求解算法不能用于求解刚性方程组的问题。

表 6.9 所提到的求解方法中，适合求解刚性方程组的方法有 ode15s、ode23s、ode23d、ode23t（轻微刚性），适合求解非刚性方程组的方法有 ode45、ode23、ode113。至于具体采用哪种方法，应该根据问题的性质选择合理的方法来进行求解。

6.6.2 常微分方程求解

在 MATLAB 7.x 中，用于求解常微分方程的命令的调用格式是一致的。可以用统一的形式来表示，如用 solver 来代替所选择的求解算法。常见的调用格式如表 6.10 所示。

表 6.10 常微分方程求解常用格式

格　式	说　明
[t, Y]=solver(odefun, tspand, y0, options)	参数 odefun 代表 ode 函数的名称；tspan 为二元向量［t_0，t_f］时，定义的是求解的时间区间，当表示的是多元向量［t_0，t_1，…，t_f］时，命令将在所定义的时间序列中进行求解，但必须保证按照单调顺序排列；y0 表示微分方程的初始值；options 可以通过 odeset 来设置
[t, Y, TE, YE, IE]=solver(odefun, tspand, y0, options)	在输出参数中，t 和 Y 为所求数值解自变量的数据列向量和微分方程的因变量矩阵，在设置 event 时，TE，YE 和 IE 才能够输出数据

例 6.20　用常微分方法求解 Van der Pol 微分方程。

```
function ydot=vdpol(t,y)
% Van der Pol 微分方程
mu=2;
ydot=[y(2);    mu*(1-y(1)^2)*y(2)-y(1)];

% solve_vdpol.m
% 用常微分方法求解 Van der Pol 微分方程组
% 积分的时间区间
tspan=[0 20];
y0=[2;0];
disp('ode45 求解 Van der Pol 微分方程：')
[t,y]=ode45(@vdpol,tspan,y0);
% 绘制数据结果
plot(t,y(:,1),t,y(:,2),'--');
xlabel('t');
legend('x','dx/dt');
title('Van der Pol solution')
```

通过后面脚本函数的执行之后，得到的数据结果保存在数组 *y* 中，将数组中数据用图线的形式画出来，如图 6.22 所示。

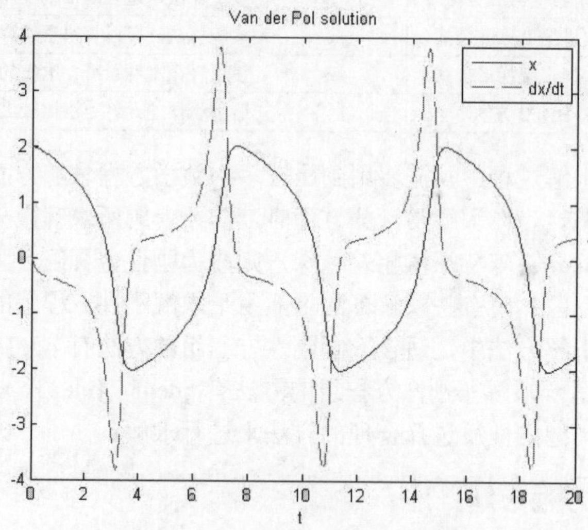

图 6.22　用 ode45 求解 Van der Pol 的解

在使用 MATLAB 7.x 提供的微分方程求解函数求解常微分方程的数值解时，还需要设置解法器中的 *options* 参数，可以设置的属性参数如允许的误差参数、输出参数、Jacobian 矩阵和步长参数等。*options* 参数可以通过 odeset 函数来设置。函数 odeset 的常用格式如表 6.11 所示。

表 6.11　　函数 odeset 的常见格式

格　　式	说　　明
options=odeset('name1',value1, 'name2', value2, …)	使用参数名称、参数数值来定义解法器的各种参数
options=odeset(oldopts, 'name1', value1, …)	修改解法器的 options 结构体 oldopts，改变指定参数的数值

在 odeset 参数中可以设置的参数，可以通过在命令行中输入 odeset 来查看。

例 6.21　查看 odeset 可设置的参数。

```
>> odeset
          AbsTol: [ positive scalar or vector {1e-6} ]
          RelTol: [ positive scalar {1e-3} ]
     NormControl: [ on | {off} ]
     NonNegative: [ vector of integers ]
       OutputFcn: [ function_handle ]
       OutputSel: [ vector of integers ]
          Refine: [ positive integer ]
           Stats: [ on | {off} ]
     InitialStep: [ positive scalar ]
         MaxStep: [ positive scalar ]
             BDF: [ on | {off} ]
        MaxOrder: [ 1 | 2 | 3 | 4 | {5} ]
        Jacobian: [ matrix | function_handle ]
        JPattern: [ sparse matrix ]
      Vectorized: [ on | {off} ]
            Mass: [ matrix | function_handle ]
```

```
MStateDependence: [ none | {weak} | strong ]
        MvPattern: [ sparse matrix ]
     MassSingular: [ yes | no | {maybe} ]
     InitialSlope: [ vector ]
           Events: [ function_handle ]
```

在上述的参数列表中，中括号给出了各参数可以选择的数值，大括号中是参数的默认设置值。下面通过示例对前面的 Van der Pol 求解器的参数进行设置后进行演示。

例 6.22　编写参数 mu 可调的 Van der Pol 函数。

```
function ydot=vdpol(t,y,mu)
% Vad der Pol 微分方程组
% ydot(1)=y(2);
% ydot(2)=mu*(1-Y(1)^2)*Y(2)-Y(1)
% 输入 mu
if nargin<3
    mu=2;
end
ydot=[y(2);        mu*(1-y(1)^2)*y(2)-y(1)]

% ode_options.m
% 绝对误差和相对误差的影响
tspan=[0 20];
yo=[2;0];
mu=10;
options=odeset('AbsTol',1e-12,'RelTol',1e-6);
[t_ode45,y_ode45]=ode45(@vdpol,tspan,yo,options,mu);
disp('ode45 时间点数目:');
t_45=length(t_ode45)
[t_ode15s,y_ode15s]=ode15s(@vdpol,tspan,yo,options,mu);
disp('ode15s 时间点数目:');
t_15s=length(t_ode15s)
```

【执行结果】

```
ode45 时间点数目:
t_45 =
        1689
ode15s 时间点数目:
t_15s =
    651
```

例 6.23　Jacobian 选项的影响。

```
function jac=vdpoljac(t,y,mu);
% 根据 Van der Pol 的 Jacobian 矩阵求解
% 输入 mu
if nargin<3
    mu=2;
end
jac=[      0                          1
          (-2*mu*y(1)*y(2)-1)   (mu*(1-y(1)^2))];

% options_jac.m
% 根据雅可比矩阵来求解
```

```
tspan=[0 20];
yo=[2;0];
mu=10;
options=odeset(options,'Jacobian',@vdpoljac);
[t,y]=ode15s(@vdpol,tspan,yo,options,mu);
% 绘制数据结果
plot(t,y(:,1),t,y(:,2),'--');
xlabel('t');
legend('x','dx/dt');
title(['Van der Pol solution num(t)=' num2str(length(t))])
```

上面的脚本函数执行后，将 *mu*=10 情况下的 Van der Pol 函数的结果绘制成图形，如图 6.23 所示。

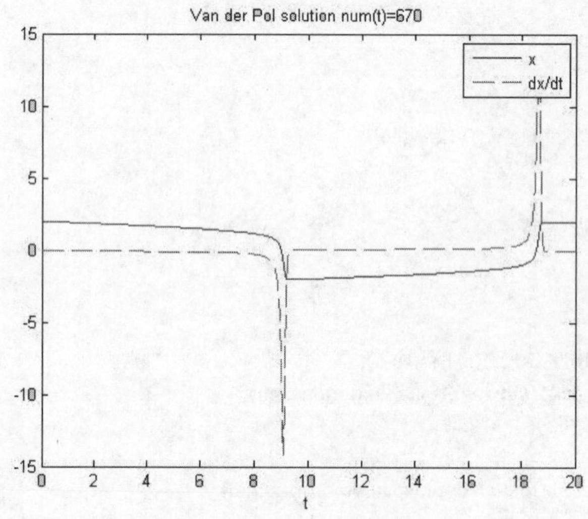

图 6.23　根据 Jacobian 矩阵求解的结果

例 6.24　事件响应函数的绘制。

```
function [value,isterminal,direction]=vdpolevents(t,y,mu)
% 响应 Van der Pol 微分方程的事件
% 寻找函数数值为 1.5 的数据点
value(1)=abs(y(2))-1.5;
isterminal(1)=0;
direction(1)=0;

% vdpol_events.m
% 响应事件函数
mu=2;
options=odeset('Events',@vdpolevents);
[t,y,te,ye]=ode45(@vdpol,tspan,yo,options,mu);
plot(t,y,te,ye(:,2),'o');
title('Van der Pol resutls for |y(2)=1.5|')
legend('x','dx/dt');
```

上面的脚本文件执行后的结果如图 6.24 所示。可以看出，在执行过程中函数响应了$|y(2) = 1.5|$的事件。

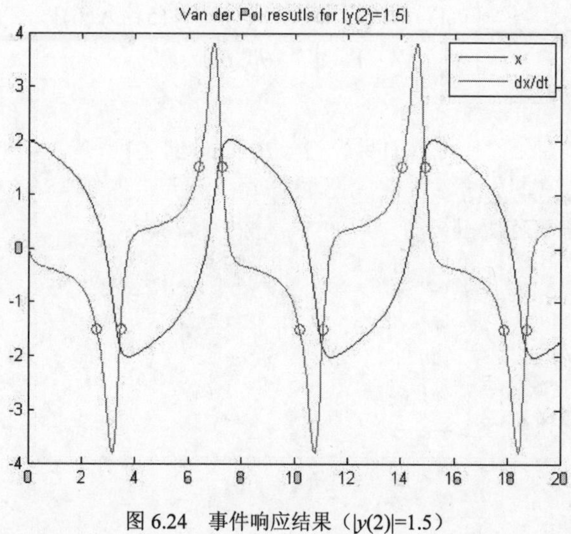

图 6.24　事件响应结果（|y(2)|=1.5）

6.6.3　加权常微分方程

在微积分方程中，一般在常微分方程形式的左侧添加一个加权函数矩阵。该矩阵所包含的变量和常微分方程中的自变量相同，一般该矩阵都无法直接转换为一维数组的形式。

一般将加权常微分方程的通用形式表示为：

$$M(t,y)\dot{y}=f(t,y)\text{，}\quad y(t_0)=y_0$$

求解加权常微分方程通常需要编写加权函数矩阵的 M 函数文件，在使用 MATLAB 7.x 提供的函数求解时，需要在 odeset 设置参数时，设置微分方程的“mass”属性。下面通过具体的示例来说明加权常微分方程的求解方法。

例 6.25　求解加权常微分方程的解。

$$M(t,y)=\begin{bmatrix}1 & 0 & 0 & 0 & 0 & 0\\ 0 & m_1+m_2 & 0 & 0 & 0 & -m_2L\sin(y(5))\\ 0 & 0 & 0 & 0 & 0 & 0\\ 0 & 0 & 0 & m_1+m_2 & 0 & m_2L\cos(y(5))\\ 0 & 0 & 0 & 0 & 0 & 0\\ 0 & -L\sin(y(5)) & 0 & L\cos(y(5)) & 0 & 0\end{bmatrix}$$

微分方程函数可以写为：

$$f(t,y)=\begin{bmatrix}y(2)\\ m_2Ly^2(6)\cos(y(5))\\ y(4)\\ m_2Ly^2(6)\sin(y(5))-(m_1+m_2)g\\ y(6)\\ -gL\cos(y(5))\end{bmatrix}$$

对应的微分方程写为：

$$
\begin{aligned}
y &= [y(1) \quad y(2) \quad y(3) \quad y(4) \quad y(5) \quad y(6)]' \\
&= [X \quad X' \quad Y \quad Y' \quad \theta \quad \theta']'
\end{aligned}
$$

初值为：

$$y_0 = [1 \quad 4 \quad 2 \quad 20 \quad \mathrm{pi}/2 \quad 2]'$$

```
function M=mass(t,y,m1,m2,L,g)
% 创建矩阵，存储加权函数矩阵
M=zeros(6,6);
M(1,1)=1;
M(2,2)=m1+m2;
M(3,3)=-m2*L*sin(y(5));
M(4,4)=m1+m2;
M(4,6)=m2*L*cos(y(5));
M(5,5)=1;
M(6,2)=-L*sin(y(5));
M(6,4)=L*cos(y(5));
M(6,6)=L^2;

function dydt=massode(t,y,m1,m2,L,g)
% 微分方程矩阵
dydt=[
    y(2)
    m2*L*y(6^2*cos(y(5)))
    y(4)
    m2*L*y(6)*sin(y(5))-(m1+m2)*g
    y(6)
    -g*L*cos(y(5))
];

% ode_weight.m
% 求解加权函数微分方程组
m1=0.1;m2=0.1;L=1;g=9.81;
% 微分方程的参数
tspan=linspace(0,4,25);
y0=[0;4;2;20;-pi/2;2];
options=odeset('Mass',@mass);
% 求解加权函数微分方程组
[t,y]=ode45(@massode,tspan,y0,options,m1,m2,L,g);
theta=y(1,5);X=y(1,1);Y=y(1,3);
xvals=[X X+L*cos(theta)];
yvals=[Y Y+L*sin(theta)];
% 绘制变量的图形（绘制起点到终点的向量）
plot(xvals,yvals,xvals(1),yvals(1),'ro',xvals(2),yvals(2),'b.');
hold on;
for j=2:length(t)
    theta=y(j,5);
    X=y(j,1);
    Y=y(j,3);
    xvals=[X X+L*cos(theta)];
```

```
    yvals=[Y Y+L*sin(theta)];
    plot(xvals,yvals,xvals(1),yvals(1),'ro',xvals(2),yvals(2),'b.');
end
grid on;
```

经过上面脚本函数的运行之后，绘制出每个点处的向量，从起点到终点，如图 6.25 所示。

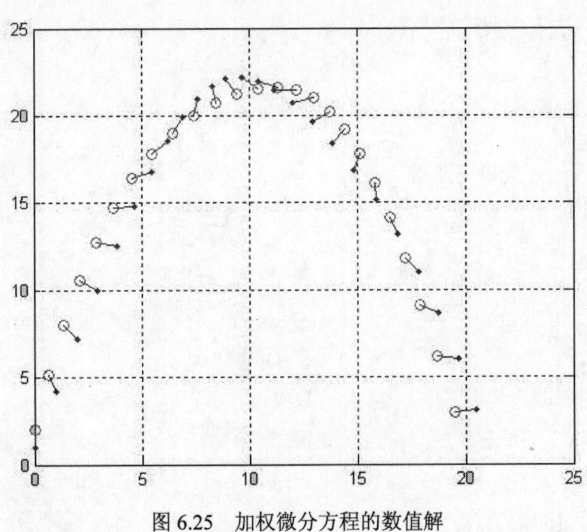

图 6.25　加权微分方程的数值解

6.6.4　延迟微分方程

在微积分数学中，延迟微分方程在常微分方程的基础上添加时间延迟，因此，可以写为：

$$y(t) = f(t, y(t), y(t-\tau_1), \cdots, y(t-\tau_k))$$

其中，时间跨度区间为 $[t_0, t_f]$，参数 $\tau_1, \tau_2, \cdots, \tau_k$ 都表示时间延迟的常数，这些参数位于前面所设定的时间区间内。

在 MATLAB 7.x 中，求解延迟微分方程可以使用延迟微分方程求解命令 dde23。命令格式为：*sol*=dde23(*ddefun*, *lags*, *history*, *tspan*, *options*)。在此命令格式中，参数的含义如表 6.12 所示。

表 6.12　　dde23 函数各参数的意义

参　数	说　明
ddefun	延迟微分方程 M 函数文件，具体格式表示为 dydt=ddefun(t, y, Z)，其中，t 为当前时间，y 为列向量，Z（:, j）代表延迟量 $y(t-\tau_i)$
lags	时间延迟向量，其中 τ_k 保存在变量 lags(k)中
history	代表 y 在时间 t_0 之前的数值，可以使用函数 $y(t)$定义 y 在 t_0 之前的数据，使用常数向量定义，使用前一时刻的方程解 sol 来定义
tspan	代表时间跨度区间 $[t_0, t_f]$，函数返回时间段的延迟微分方程的解
options	解法器的参数，可以使用 ddeset 函数定义

例 6.26　求解延迟微分方程组的数值解。

微分方程组为：

$$y_1'(t) = y_1(t-1)$$
$$y_2'(t) = y_1(t-1) + y_2(t-0.2)$$
$$y_3'(t) = y_2(t)$$

同时，各变量的历史数据满足 $y_1(t) = y_2(t) = y_3(t) = 1$（$t \leqslant 0$），求解时间区间［0，5］，延迟的数据量为［1，0.2］。

```
function dydt=ddexlde(t,y,Z)
% 定义延迟微分方程组
ylag1=Z(:,1);
ylag2=Z(:,2);
dydt=[ylag1(1);
      ylag1(1)+ylag2(2);
      y(2)];

function s=ddexlhist(t)
% 定义延迟微分方程组的历史数据
s=ones(3,1);

% dde_sol.m
% 求解延迟微分方程组的数值解
sol=dde23(@ddex1de,[1,0.2],@ddexlhist,[0,5]);
%   绘制不同时间的曲线
plot(sol.x,sol.y,'LineWidth',1.5);
xlabel('t');ylabel('y');
grid;
legend('Y1','Y2','Y2');
```

执行上面的脚本文件后，得到求解结果，绘图后如图 6.26 所示。

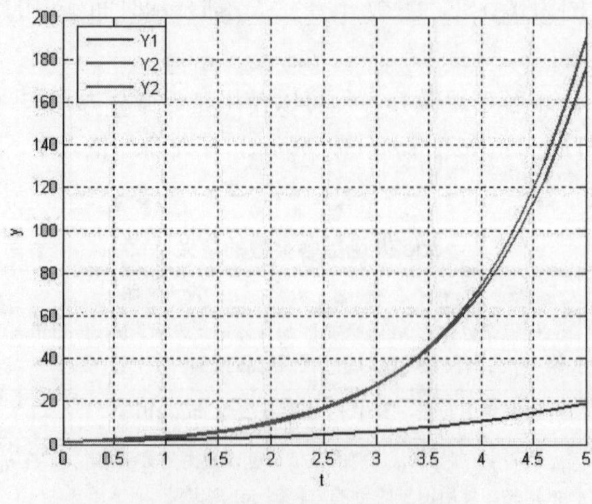

图 6.26　延迟微分方程的数值解

6.6.5　常微分方程的边界问题

一般情况下，求解微分方程的边界问题得到的结果可能有解、无解；有唯一解，或有无数解。此处只讨论唯一解情况下的边界问题。当存在唯一解时，可以通过对问题的转换，用以下三种方法中的一种来求解。

（1）迭加法。若微分方程和边界条件均为线性的，则可转化为 ode 类命令求解初值问题。

（2）试射法。问题转换为对漏缺问题的初值的搜索问题，一旦初值确定，问题可以被转化为处置问题来求解。

（3）松弛法。首先猜测满足边界条件的区间网格点上的值，然后用微分方程迭代改善。

将常微分方程整理为如下形式：

$$\frac{\mathrm{d}y}{\mathrm{d}x}=f(x,y)\text{，满足 } g(y(a),y(b))=0$$

其中，a 和 b 是求解区间的上下限。求解此类问题时，MATLAB 7.x 可以使用 bvp4c 命令，该命令的方法是有限元方法，为松弛法求解，得到的精度比较均匀。

此外，对于更一般的常微分方程形式：

$$\frac{\mathrm{d}y}{\mathrm{d}x}=f(x,y,p)\text{，满足 } g(y(a),y(b),p)=0$$

在此形式中，p 是未知参数，需要通过边界条件来充分确定。

在 MATLAB 7.x 中，求解微分方程的命令可以总结为如表 6.13 所示。

表 6.13　　求解微分方程的命令

命　令	说　明
solinit=bvpinit(x, yinit, parameters)	生成函数 bvp4c 所需要的初始网格
sol=bvp4c(odefun, bcfun, solinit, options)	给出微分方程边界问题的数值解
sxint=bvpval(sol, xint)	计算微分方程在积分区间内任意一点的数值

例 6.27　求解微分方程的边界问题。

微分方程为：

$$y''+\frac{2}{x}y'+y^5=0$$

边界条件为：

$$y'(0)=0\text{，}\quad y(1)=\frac{\sqrt{3}}{2}$$

```
function dydx=emdenode(x,y)
% 编写问微分方程组
dydx=[y(2);-y(1)^5];

function res=emdenbc(ya,yb)
% 估算残差
res=[ya(2);yb(1)-sqrt(3)/2];

% bvp4c_fun.m
% 求解微分方程边值问题
S=[ 0 0
    0 -2];
```

```
options=bvpset('SingularTerm',S);
% 得到微分方程的初场
guess=[sqrt(3)/2;0];
solinit=bvpinit(linspace(0,1,5),guess);
sol=bvp4c(@emdenode,@emdenbc,solinit,options);
% 根据分析解计算
x=linspace(0,1);
truy=1./sqrt(1+(x.^2)/3);
% 绘制图形结果
plot(x,truy,'b-');
hold on;
plot(sol.x,sol.y(1,:),'ro');
legend('analytical','computed');
xlabel('x'),ylabel('y');
hold off;
```

执行上面的脚本文件后，得到如图 6.27 所示的结果。

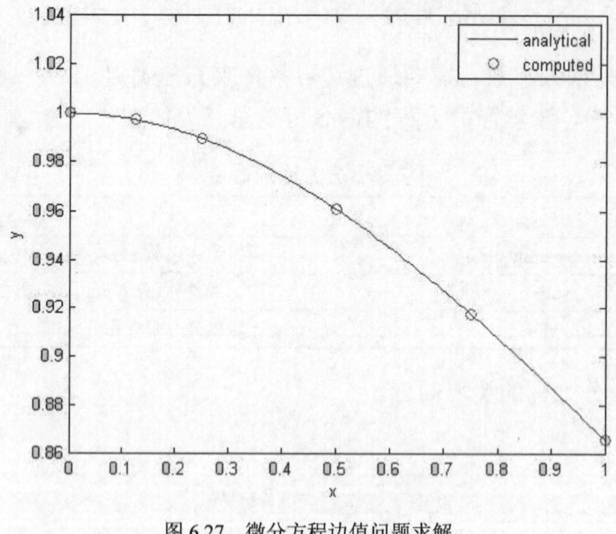

图 6.27　微分方程边值问题求解

6.7　函数的零点问题

根据函数的不同，可以采用不同的方法来求解一个函数的零点（任意给定的函数可能没有零点）。对于不同的函数，零点的数目和有无造成了求解函数的零点问题不能用统一的求解命令来进行求解。此处通过示例介绍求解一元函数和多元函数的零点问题。

6.7.1　一元函数的零点

一元函数的零点问题比较简单，可以通过 MATLAB 7.x 提供的函数 fzero 来进行求解，该函数的常用格式如表 6.14 所示。

表 6.14 fzero 函数的常用格式

格 式	说 明
x=fzero(fun, x0)	一元函数用 fun 表示，x0 为求解的初值
[x,fval,exitflag,output]=fzero(fun, x0, options)	参数 options 指优化迭代采用的参数选项，和本章前面提到的 fsolve、fminbnd、fminsearch 等中的 options 选项相同，fval 表示输出的对应函数值，exitflag 为程序退出的类型，output 为优化信息的变量

例 6.28 求函数 humps 的零点。

```
% fzero_humps.m
% 求函数 humps 的零点问题(内置函数)
humps_hdl=@humps;
[x1,value]=fzero(humps_hdl,1.3)
x2=fzero(humps_hdl,[-2,0])
x=linspace(-0.5,1.5);
y=humps(x);
plot(x,y,x2,value,'ro',x1,value,'ro');
grid on;
legend('humps','zero');
title('zero of humps')
```

执行该脚本函数后，得到 humps 函数在区间［−0.5，1.5］内的零点数值，如图 6.28 所示。

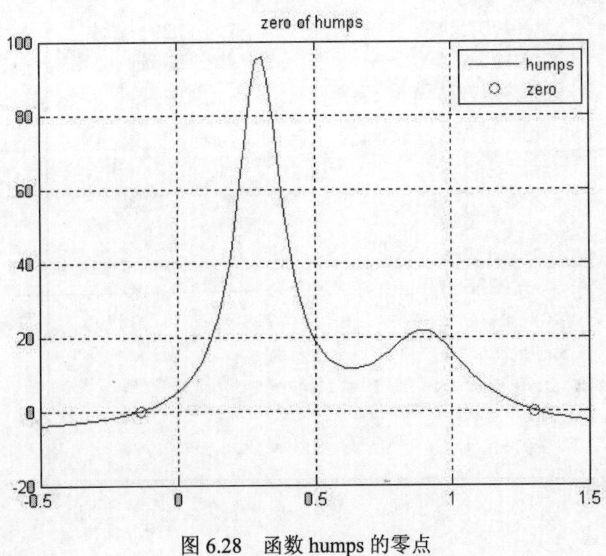

图 6.28 函数 humps 的零点

6.7.2 多元函数的零点

多元函数的零点和函数的性质关系比较大，问题的求解也比较复杂，当零点的位置和函数的性质比较好时，可以使用数值方法来精确求解。求解多元函数的零点可以用函数 fsolve 来求解。fsolve 函数的调用格式如表 6.15 所示。

表 6.15　　fsolve 函数的调用格式

格　式	说　明
x=fsolve(fun, x0)	求解非线性方程的数值解
[x,fval,exitflag, output]=fsolve(fun, x0, options)	求解非线性方程数值解的完整格式，可以设置不同的求解参数，参数的意义和前面的介绍相同

例 6.29　求解二元函数的零点。

二元函数的方程组：

$$2x_1 - x_2 = \mathrm{e}^{-x_1}\ ,\quad -x_1 + 2x_2 = \mathrm{e}^{-x_2}$$

```
function F=fsolvefun(x)
% 求解函数的方程式
F=[2*x(1)-x(2)-exp(-x(1));
    -x(1)+2*x(2)-exp(-x(2))];

% fsolve_fun.m
% 求解二元函数的零点
x0=[-5;-5];
options=optimset('Display','iter');
[x,fval]=fsolve(@fsolvefun,x0,options)
```

【执行结果】

```
                                          Norm of step      First-order optimality   Trust-region radius
 Iteration   Func-count        f(x)
      0          3          47071.2                              2.29e+004                  1
      1          6          12003.4                 1           5.75e+003                  1
      2          9          3147.02                 1           1.47e+003                  1
      3         12          854.452                 1                 388                  1
      4         15          239.527                 1                 107                  1
      5         18          67.0412                 1                30.8                  1
      6         21          16.7042                 1                9.05                  1
      7         24          2.42788                 1                2.26                  1
      8         27         0.032658          0.759511               0.206                2.5
      9         30     7.03149e-006          0.111927             0.00294                2.5
     10         33     3.29525e-013        0.00169132           6.36e-007                2.5
Optimization terminated: first-order optimality is less than options.TolFun.
x =
    0.5671
    0.5671
fval =
   1.0e-006 *
    -0.4059
    -0.4059
```

6.8　数 值 积 分

数值积分在微积分中占有很重要的作用，在 MATLAB 7.x 中，提供了多种进行积分的方法和功能，如数值积分、符号积分、样条积分，以及 Simulink 模拟积分等。这些积分方法和功能强大，有些功能甚至可以通过 MATLAB 7.x 工具箱来方便地完成。在后面的介绍中，结合具体的方法进行数值积分求解，此处只对常见的数值积分部分进行介绍。

6.8.1　一元函数的数值积分

在 MATLAB 7.x 中，一元函数的数值积分可以通过 quad 和 quad1 函数来实现。quadl 函数的积分功能比 quad 积分更加有效，主要用于计算在闭区域上的数值积分，主要的命令格式如表 6.16 所示。

表 6.16　　一元函数数值积分的格式

格　式	说　明
q=quad(fun, a, b, tol, trace)	积分采用递推自适应的 simpson 方法进行，fun 为被积函数，可以用字符串、内联函数、M 函数文件句柄代替；a 和 b 为积分区域的上下限；tol 为控制的绝对误差；trace 的输入数值如果非零，则随积分的进程逐点绘制被积函数
q=quadl(fun,a,b,tol,trace,p1,p2, …)	积分过程采用递推自适应的 Lobatto 方法计算

例 6.30　一元函数积分（对 humps 函数）。

humps 函数表示为：

$$\mathrm{humps}(x)=\frac{1}{(x-0.3)^2+0.01}+\frac{1}{(x-0.9)^2+0.04}-6$$

```
% quadl_humps.m
% 积分求解 humps 函数的积分解
% 通过函数 cumtrapz 累计计算 humps 函数的积分数值序列
x=linspace(-1,2,100);
y=humps(x);
z=cumtrapz(x,y);
[AX,H1,H2]=plotyy(x,y,x,z,'plot');
set(get(AX(1),'Ylabel'),'String','humps(x)')
set(get(AX(2),'Ylabel'),'String','integral of humps(x)')
grid on;xlabel('x');
title('cumulative integral of humps(x)');
% 通过 quad 和 quadl 函数求积分
humps_hdl=@humps;
humps1=quad(humps_hdl,-1,2)
humps2=quadl(humps_hdl,-1,2)
```

【执行结果】

```
humps1 =
    26.3450
humps2 =
    26.3450
```

在上面的求解过程中，同时按照积分的定义计算了 humps 函数的积分结果，并在图形上画出来，结果如图 6.29 所示。

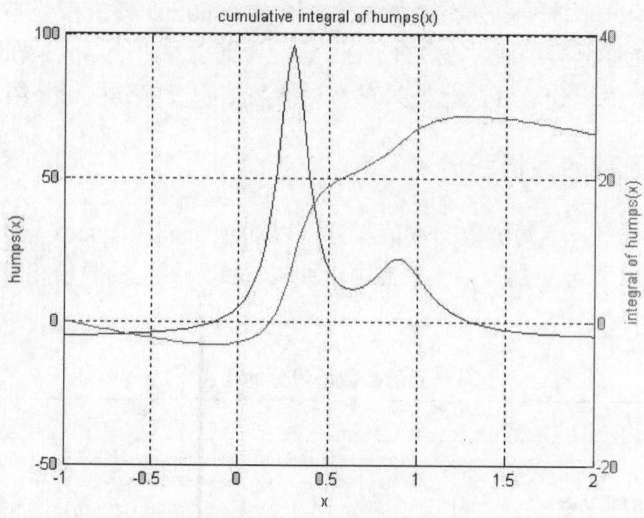

图 6.29 humps 函数及其积分的图形

6.8.2 多重数值积分

多重数值积分可以认为是一元数值积分的延伸与推广，但实际上的积分结果要比一元函数复杂。在 MATLAB 7.x 中，提供了二重数值积分的函数 dblquad。该函数的格式为：*q*=dblquad(*fun*, *xmin*, *xmax*, *ymin*, *ymax*, *tol*, *method*)。其中，*fun* 为需要积分的二元函数，*xmin* 和 *xmax* 为变量 *x* 的积分上下限，*ymin* 和 *ymax* 为变量 *y* 的积分上下限；*tol* 为积分的绝对误差；*method* 为积分选择的方法，默认选项为@quad，也可以选择其他的积分句柄函数。

三维函数的积分可以使用 triplequad 函数。

例 6.31 重积分函数示例。

```
function z=sncs(x,y)
% 二重积分函数
z=sin(x).*cos(y)+1;

% dblquads.m
% 二重积分函数示例
% 确定积分上下限
x=linspace(0,pi,20);
y=linspace(-pi,pi,20);
[xx,yy]=meshgrid(x,y);
zz=sncs(xx,yy);
% 绘制函数图形
mesh(xx,yy,zz);
title('sin(x)cos(y)+1')
% 计算积分及其相对误差
area=dblquad(@sncs,0,pi,-pi,pi)
rel_err=(area-2*pi^2)/(2*pi^2)
area =
   19.7392
rel_err =
   1.9820e-010
```

通过上面函数的执行后，可以得到被积函数的面积及其图像，如图 6.30 所示。

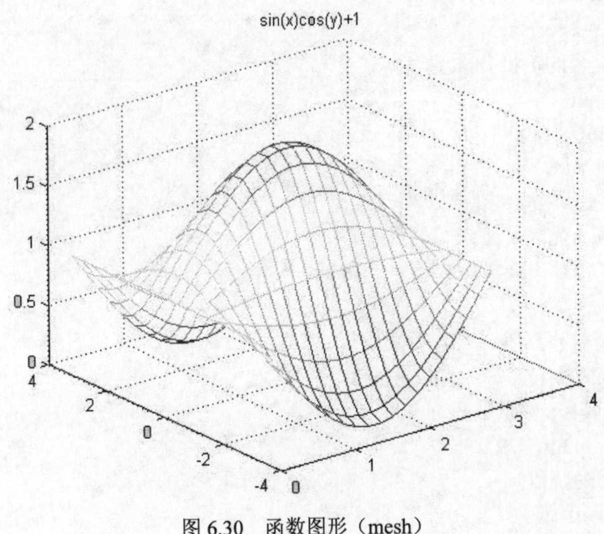

图 6.30　函数图形（mesh）

在 MATLAB 7.x 中，还提供了很多进行积分的函数，以及工具箱，能够方便地帮助用户完成积分的任务和功能。关于这些方面的介绍，读者可以通过 help 命令查阅相关的帮助文件。

6.9　概率论和数理统计

概率分析和数理统计是 MATLAB 7.x 提供的另外一个进行数学分析的比较大的分支。本节将通过示例来介绍概率论和数理统计方面的一些基本应用，更加复杂的功能读者可以翻阅相关的 MATLAB 7.x 书籍。关于概率论和数理统计方面的数学知识，读者可以翻阅相关的数学书籍作为参考。本节主要从概率分布、数理统计和假设检验 3 个方面对概率论和数理统计方面的内容加以介绍。

6.9.1　概率分布

在 MATLAB 7.x 中，提供了最常见的概率分布方面的统计命令，如二项分布、泊松分布，χ^2 分布、t 分布等各种概率分布。这些概率分布比较简单，在一般的数理统计教材中都有比较详细的介绍。此处，对概率分布的内容进行简单的介绍。在生成概率函数时，常常用到如表 6.17 所示的两个函数。

表 6.17　　概率分布常用函数

命　令	说　明
r=mvtrnd(C,df,cases)	从多变量的 t 分布中产生随机矩阵，其中，C 是相关系数矩阵（对称正定的方阵）；df 是自由度，可以是标量或包含 cases 个元素的向量；若 p 是矩阵 C 中列的数目，那么输出矩阵 r 为 cases × p 的矩阵
p=tcdf(X,V)	产生 t 分布的累计概率数值，计算 t 分布时，使用和 X 中对应于 V 中的自由度数值，X 和 V 可以是向量、矩阵或具有相同大小的多维数组

例 6.32 随机变量的数据分布图形绘制：两个相互独立的随机变量分别服从χ^2分布和 t 分布，随机变量参数为 Gamma(3, 1)和 $t(5)$。

```
% prob_tgamma.m
% 绘制两个相关变量的随机分布图形
% 设置概率分布参数
% n 数据点个数，nu 表示自由度
n=1000;rho=0.9;nu=1;
% 产生多元 t 分布随机数值矩阵
T=mvtrnd([1,rho;rho 1],nu,n);
% 计算 t 分布数值的累计概率分布数值
U=tcdf(T,nu);
% 产生两个概率分布的数值
% gaminv 为 Gamma 累计概率数值取反
% tinv 为 t 分布累计概率数值取反
X=[gaminv(U(:,1),3,1) tinv(U(:,2),5)];
% 计算两个直方图的数值
[n1,ctr1]=hist(X(:,1),20);
[n2,ctr2]=hist(X(:,2),20);
% 绘制概率分布图形
subplot(2,2,2);
plot(X(:,1),X(:,2),'.');
axis([0 15 -10 10]);
h1=gca;
title('1000 simulated dependent t and gamma');
xlabel('X1：Gamma(3,1)');
ylabel('X2：  t(5)');
% 绘制 gamma 自变量分布的直方图
subplot(2,2,4);bar(ctr1,-n1,1);
axis([0 15 -max(n1)*1.1 0]);
axis('off');
h2=gca;
% 绘制 t 分量分布的直方图
subplot(2,2,1);barh(ctr2,-n2,1);
axis([-max(n2)*1.1 0 -10 10]);
axis('off');
h3=gca;
% 设置 3 个子图的位置
set(h1,'Position',[0.35 0.35 0.55 0.55]);
set(h2,'Position',[0.35 0.1    0.55 0.15]);
set(h3,'Position',[ 0.1 0.35 0.15 0.55]);
colormap([0.8 0.8 1]);
```

执行上面的脚本文件后，可以通过使用 MATLAB 7.x 提供的概率分布函数，产生χ^2和 t 分布概率函数，绘制两概率分布自变量的图形，以及每个自变量分布的直方图，如图 6.31 所示。可以清楚地判断两个自变量的分布情况，以及所得到的概率情况。读者可以改变两个自变量之间的相关系数矩阵来判断分布的情况。

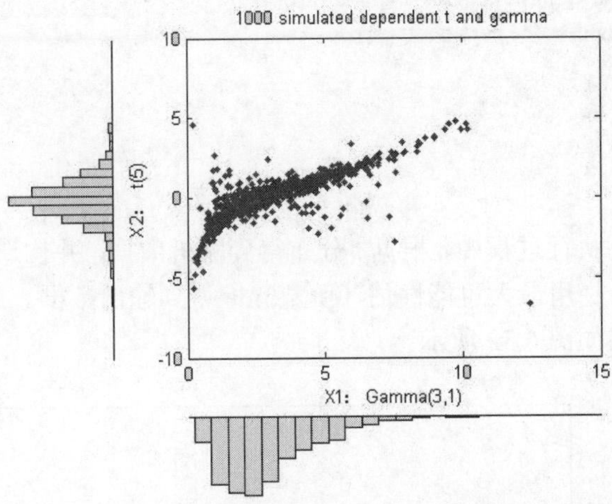

图 6.31 独立随机变量的概率分布图形

6.9.2 数据分布分析

数据分布分析常用于根据已经得到的有限的试验数据，推测样本数据所满足的分布情况。在概率统计的分析过程中，数据分布分析应用非常广泛。此处，通过示例对此加以介绍。在进行数据分布测量时，需要用到最大可能性估计函数 mle。

例 6.33 使用命令产生 t 分布的多元变量，根据自定义的概率密度函数推测两个变量是否满足多元正态分布 $N(\mu1,\mu2,\sigma1,\sigma2)$。

```
% prob_analysis.m
% 从 t 分布中得到随机数据
x=[trnd(20,1,50) trnd(10,1,100)+5];
% 设置混合概率密度函数
pdf_norm_mix=@(x,p,mu1,mu2,sigma1,sigma2) ...
      p*normpdf(x,mu1,sigma1)+(1-p)*normpdf(x,mu2,sigma2);
% 设置参数数值
pStart=0.5;
muStart=quantile(x,[0.25 0.75]);
sigmaStart=sqrt(var(x)-0.25*diff(muStart).^2);
start=[pStart muStart sigmaStart sigmaStart];
% 设置参数的上下限
lb=[0 -inf -inf 0     0];
ub=[1   inf   inf inf inf];
% 设置求解属性
options=statset('MaxIter',300,'MaxFunEvals',600);
paramEsts=mle(x,'pdf',pdf_norm_mix,'start',start, ...
      'lower',lb,'upper',ub,'options',options);
% 绘制基础数据的直方图
bins=-2.5:0.5:7.5;
h=bar(bins,histc(x,bins)/(length(x)*0.5),'histc');
set(h,'FaceColor',[0.9 0.9 0.9]);
xgrid=linspace(1.1*min(x),1.1*max(x),200);
% 绘制概率密度图形
```

```
pdfgrid=pdf_norm_mix(xgrid,paramEsts(1),paramEsts(2), ...
    paramEsts(3),paramEsts(4),paramEsts(5));
hold on;
plot(xgrid,pdfgrid,'-');
hold off;
xlabel('x');
ylabel('prob density');
```

在上面脚本函数的执行过程中，根据 t 分布得到随机数据，并构造匿名的概率随机函数，通过设置不同的参数，使用最大可能性估计函数 mle 得到输出数据。最后绘制概率密度图形及数据的直方图，结果如图 6.32 所示。

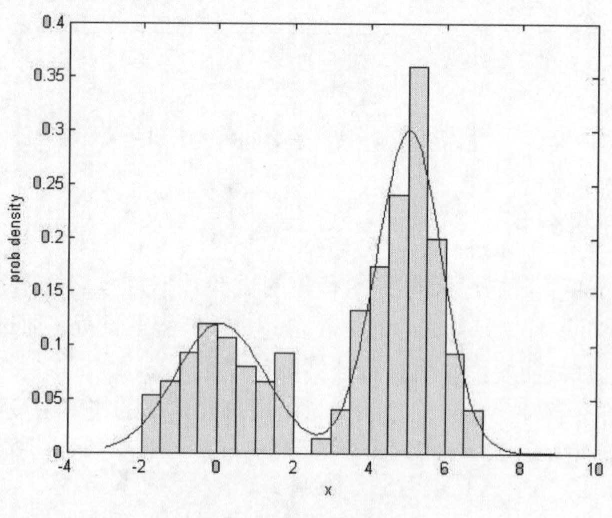

图 6.32　数据分析分布图

6.9.3　假设检验

概率论和数理统计的一个重要内容是进行假设检验，即根据已有的数据进行假设检验，得到最终的概率分布趋势。在 MATLAB 7.x 中，可以进行如单侧检验、双侧检验、均值检验、方差检验等多种假设检验运算。

例 6.34　对试验数据进行平均值的正态分布单侧检验，总体标准差已知，假设检验的置信水平为 5%，假设检验的平均值为 100。

```
% prob_check.m
% 假设检验演示程序
% 单侧假设检验 %
% 设置检验参数
mu0=100;sig=20;N=16;
% 设置假设检验的置信水平
alpha=0.05;conf=1-alpha;
% 设置正态分布的截断点
cutoff=norminv(conf,mu0,sig/sqrt(N));
% 产生数据点
x=[linspace(90,cutoff),linspace(cutoff,127)];
y=normpdf(x,mu0,sig/sqrt(N));
```

```
% 绘制正态分布图形
h1=plot(x,y);
xhi=[cutoff,x(x>=cutoff)];
yhi=[0,y(x>=cutoff)];
patch(xhi,yhi,'b');
% 添加注释
title('distribution hypothesis, N=16');
xlabel('sample mean');ylabel('density');
text(96,0.01,sprintf('rejected if mean>%.4g\nProb=0.05',cutoff),'color','b');

% 修改检验假设的数据 %
mu1=110;
y2=normpdf(x,mu1,sig/sqrt(N));
% 绘制图形
h2=line(x,y2,'color','r');
% 绘制假设检验的面积图
yhi=[0,y2(x>=cutoff)];
patch(xhi,yhi,'r','FaceAlpha',0.25);
% 添加图形注释
P=1-normcdf(cutoff,mu1,sig/sqrt(N));
text(115,0.06,sprintf('rejected if T>%.4g\nProb=%.2g',cutoff,P),'color',[1 0 0]);
legend([h1 h2],'null hypothesis','another hypothesis');

% 计算累计密度函数图形
ynull=normcdf(x,mu0,sig/sqrt(N));
yalt=normcdf(x,mu1,sig/sqrt(N));
% 绘制累计密度函数图形
figure;
plot(x,ynull,'b-',x,yalt,'r-');
% 计算置信条件水平下的反正态分布数值
zval=norminv(conf);
cutoff=mu0+zval*sig/sqrt(N);
% 绘制图形
line([90,cutoff,cutoff],[conf,conf,0],'linestyle',':');
msg=sprintf('cutoff=\\mu_0+%.2g\\sigma/\\surd{n}',zval);
text(cutoff,0.15,msg,'color','b');
text(min(x),conf,sprintf('%g%%test',100*alpha),'color','b',...
    'verticalalignment','top');
palt=normcdf(cutoff,mu1,sig/sqrt(N));
line([90,cutoff],[palt,palt],'color','r','linestyle',':');
text(91,palt+0.02,sprintf('power is 1-%.2g=%.2g',palt,1-palt),'color',[1 0 0]);

% 定义 power 需要的参数数值
desiredPower=0.80;
Nvec=1:30;
cutoff=mu0+norminv(conf)*sig./sqrt(Nvec);
% 计算假设检验的 power 数值
power=1-normcdf(cutoff,mu1,sig./sqrt(Nvec));
% 绘制图形
figure;
```

```
plot(Nvec,power,'bo-',[0 30],[desiredPower desiredPower],'k:');
xlabel('N=sample size');ylabel('Power')
title('power for the alternate hypothesis: \mu=110');

% 使用 Monte Carlo 方法检验 power 函数的结果
% 定义 Monte Carlo 模拟的参数
nsamples=400;
samplenum=1:nsamples;
N=25;
% 创建零值矩阵
hh0=zeros(1,nsamples);
hh1=hh0;
% 进行右侧已知方差条件下均值假设检验
for j=1:nsamples
    Z0=normrnd(mu0,sig,N,1);
    hh0(j)=ztest(Z0,mu0,sig,alpha,'right');
    Z1=normrnd(mu1,sig,N,1);
    hh1(j)=ztest(Z1,mu0,sig,alpha,'right');
end
p0=cumsum(hh0)./samplenum;
p1=cumsum(hh1)./samplenum;
% 绘制对应的图形
figure;
plot(samplenum,p0,'b-',samplenum,p1,'r-');
xlabel('sample number');
ylabel('proportion significant');
title('verification of power computation');
legend('null hypothesis','another hypothesis');
```

对假设检验的平均值进行不同的假设，得到的结果不同。此处通过对试验数据的平均值在 100 和 110 两种情况下进行单侧假设检验，检验得到的结果如图 6.33 至图 6.35 所示。

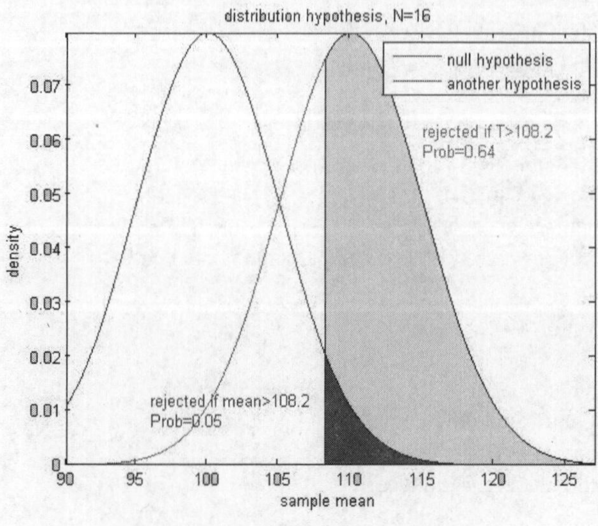

图 6.33　不同假设检验情况下的概率分布

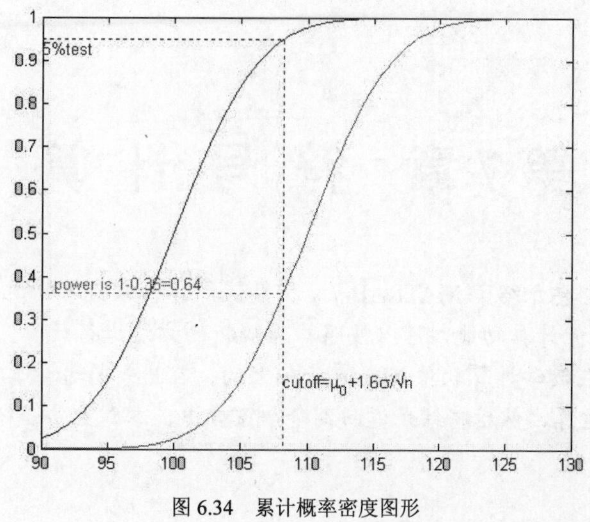

图 6.34　累计概率密度图形

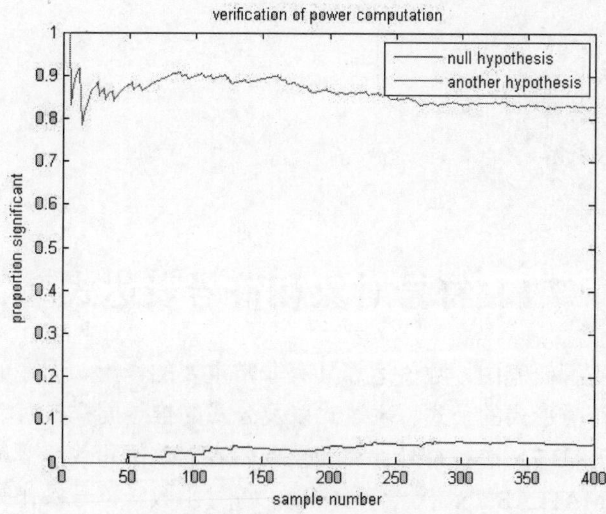

图 6.35　利用 Monte Carlo 法检验结果

6.10　本 章 小 结

本章对使用 MATLAB 7.x 进行数据分析进行了介绍，通过示例对数据分析比较常见的函数命令进行介绍，内容包括数据插值、曲线拟合、傅里叶分析、优化问题、常微分方程、函数零点、数值积分，以及概率论和数理统计等。关于这些方面的理论知识，读者可以翻阅相关的数学书籍或专业书籍，通过 MATLAB 7.x 对这些内容专业的实现和运算，可以寻找相关专题方向的介绍。

第7章　符 号 计 算

在前面章节中，主要介绍了MATLAB 7.x在数值计算和分析中的运用。此外，MATLAB 7.x也提供了强大的符号计算功能，可以按照推理解析的方法进行计算。在MATLAB 7.x中，符号计算功能是建立在数学计算软件Maple基础上的。在进行符号计算时，MATLAB 7.x会调用Maple软件进行运算，然后将结果返回到命令窗口中。本章主要介绍以下几方面的内容：

- 符号对象
- 符号表达式
- 符号函数
- 符号微积分
- 符号积分变换
- 符号代数方程求解
- 符号微分方程求解
- Maple符号计算

7.1　符号对象和符号表达式

在实际的科研或工程研究中，数值运算具有非常重要的作用。但在如数学、物理等基础学科的工作中，各种符号形式的公式、表达式以及公式的推导同样具有非常重要的地位和作用，因此，成为MATLAB 7.x进行符号计算的重要内容。数值和数值变量用于数值的存储和各种运算操作。但在MATLAB 7.x中，符号常量、符号函数、符号操作等成为符号计算的内容，这些符号运算都严格遵循数学中的规则、公式进行运算。

7.1.1　符号对象的创建命令

数值运算时，需要对数值变量进行赋值，然后进行数值运算的操作和执行。而符号运算同样遵循这种规则，需要首先创建符号对象，如符号常数、符号变量、符号表达式等，然后用这些符号对象构建符号表达式，得出相应的符号结果。

符号对象的定义可以通过两个命令来定义，即sym命令和syms命令。这两个命令的基本调用格式如表7.1所示。

表7.1　符号对象创建的常见命令

命　令	说　明
f=sym(argn, flagn)	将数值或数值表达式转化为符号对象f，参数flagn的作用是定义转换的符号对象应该符合的格式，可以选择以下几种。d为最接近十进制的浮点精确表示方法；e为当表示数值计算时，带估计误差的有理数方式表示；f为用十六进制浮点表示；r为用最接近有理的形式表示，是MATLAB 7.x的默认数值格式

续表

命　令	说　明
argv=sym('argv', flagv)	将指定的字符串变量 argv 转换为符号对象 argv，参数 flagv 定义转换的符号对象应该符合的格式，可以选择：positive 限定 A 表示为正的实型符号变量，real 限定 A 为实型符号变量，unreal 限定 A 为非实型符号变量
syms('arg1', 'arg2', 'arg3')	把字符 arg1、arg2、arg3 定义为基本符号对象
syms argv1 argv2 argv3	上面形式的简洁表示

使用 sym 和 syms 命令创建符号对象或创建符号表达式时，不同的创建方式产生的结果可能会有所差异，后面将通过示例加以介绍。

7.1.2　符号对象的创建示例

例 7.1　使用不同的格式将数值或数值表达式转化为符号对象。

```
>> % 数值或数值表达式的转换
>> a1=sym([1/3,pi/7,exp(3),log(10)+exp(3)],'d');
>> a2=sym([1/3,pi/7,exp(3),log(10)+exp(3)],'e');
>> a3=sym([1/3,pi/7,exp(3),log(10)+exp(3)],'f');
>> a4=sym([1/3,pi/7,exp(3),log(10)+exp(3)],'r');
>> a=[a1;a2;a3;a4]
a =
[   .33333333333333331482961625624739,   .44879895051282758799970906693488,   20.0855369231876679236847849097l0,22.388122016181714712956818402745]
[   1/3-eps/12,   pi/7-13*eps/165,   5653576037675270*2^(-48),   6301696123100073*2^(-48)]
[   '1.5555555555555'*2^(-2),   '1.cb91f3bbba140'*2^(-2),   '1.415e5bf6fb106'*2^(4),   '1.6635bf6e65ba9'*2^(4)]
[   1/3,   pi/7,   5653576037675270*2^(-48),   6301696123100073*2^(-48)]
```

在上面的程序中，数值表达式转换为符号变量时，将会不同的转换格式导致不同的转换结果。在 MATLAB 7.x 进行格式转换时，默认的转换格式为 r，即 a4 的转换形式。

例 7.2　比较不同的符号创建方法创建符号数组时的差异。

```
>> % 比较不同的符号对象创建的差异
>> b1=[2/3,sqrt(3),pi/5,pi+sqrt(3)]
b1 =
    0.6667    1.7321    0.6283    4.8736
>> b2=sym([2/3,sqrt(3),pi/5,pi+sqrt(3)])
b2 =
[   2/3,   sqrt(3),   pi/5, 5487234718902710*2^(-50)]
>> b3=sym('[2/3,sqrt(3),pi/5,pi+sqrt(3)]')
b3 =
[   2/3,   sqrt(3),   pi/5, pi+sqrt(3)]
```

在上例中的三种符号对象创建格式中，b1 是数值函数的表示方法，b2 采用最接近有理形式的方式表达，而 b3 的符号对象创建过程中，产生的结果完全正确。因此，在创建符号数组时，使用 b3 所示的方法，通过用逗号分割的符号数组直接创建。

例 7.3　使用 syms 命令创建符号对象。

```
>> % 使用 syms 命令创建符号对象
>> syms a b c d;
```

```
>> whos
  Name      Size                    Bytes  Class

   a        1x1                       126  sym object
   b        1x1                       126  sym object
   c        1x1                       126  sym object
   d        1x1                       126  sym object

Grand total is 8 elements using 504 bytes
```

7.1.3 符号计算中的运算符和函数

在 MATLAB 7.x 中，采用重载技术，使得构成符号计算表达式的运算符号和基本函数，与数值计算中的运算符号和基本函数几乎完全相同。因此，为用户使用符号计算和编程带来很大的方便。

在符号计算中，经常使用的运算符和函数的使用方法如下。

（1）计算符号："+"，"−"，"*"，"\"，"/"，"^"和数值计算中相同，可实现符号矩阵的加、减、乘、除、左除、右除、求幂运算；".*"，"./"，".\"，".^"同样分别实现符号矩阵运算中的元素和元素的乘、除、求幂运算；"'"，".'"分别实现符号矩阵的转置和非共轭转置。

（2）关系运算符号：在符号计算中，只存在是否"等于"的关系，其他的关系则不存在；"=="，"~="分别对算符两边的对象进行相等或不等的比较，当比较结果为真时，结果用 1 表示；否则，比较结果用 0 表示。

（3）三角函数、双曲函数及其反函数：除 atan2 能用于数值计算外，其余的三角函数（如 sin）、双曲函数（如 cosh）及其反函数（如 asin，acosh），在数值计算和符号计算中的使用方法相同。

（4）指数、对数函数：在数值计算和符号计算中，函数 sqrt、exp、expm 的使用方法完全相同；对数函数中，符号计算中只有自然对数 log（ln），而没有 log2、log10 等对数函数。

（5）复数函数：复数的求值函数如共轭（conj）、实部（real）、虚部（imag）、求模（abs），在符号计算中的使用方法和在数值计算中的方法相同，但在符号计算中没有求相角的命令。

（6）矩阵代数：MATLAB 7.x 提供的常用矩阵代数指令，如 diag、triu、tril、inv、dev、rank、rref、null、colspace、poly、expm、eig、svd 在符号计算中同样适用，只有 svd 函数有所不同。

7.1.4 符号对象的类别识别命令

在 MATLAB 7.x 中，数值对象、字符串对象和符号对象等常见的对象类型，遵循各种不同的运算规则，但在命令形式上却十分相似。因此，常用的对象识别命令，如 class、isa、whos 等也可以用于识别不同的命令。

例 7.4 数据对象及其类别指令的使用。

```
>> clear
>> number=[pi,sqrt(2),exp(2)]
number =
```

```
      3.1416      1.4142      7.3891
>> charr='[pi,sqrt(2),exp(2)]'
charr =
[pi,sqrt(2),exp(2)]
>> symrr=sym(charr)
symrr =
[          pi, sqrt(2),    exp(2)]
>> class(number),class(charr),class(symrr)
ans =
double
ans =
char
ans =
sym
>> is_array=[isa(number,'double');isa(charr,'char');isa(symrr,'sym')]
is_array =
      1
      1
      1
>> whos
  Name              Size                    Bytes    Class

  ans               1x3                         6    char array
  charr             1x19                       38    char array
  is_array          3x1                         3    logical array
  number            1x3                        24    double array
  symrr             1x3                       274    sym object

Grand total is 46 elements using 345 bytes
```

在上面的示例中，创建了数值对象、字符串对象和符号对象。这 3 种对象都可以通过 class、isa 函数来查询类别。

7.1.5　符号表达式中的变量确定

为进行符号操作和计算的需要，在 MATLAB 7.x 中，可以通过 findsym 函数，对符号表达式中的自由符号变量或指定数目的独立自变量自动认定。findsym 函数的常用格式如表 7.2 所示。

表 7.2　　findsym 函数的常用格式

格　式	说　明
r=findsym(s)	确定符号表达式或矩阵 s 中的自由符号变量
r=findsym(s, n)	确定符号表达式或矩阵 s 中靠 x 最近的 n 个独立符号变量

例 7.5　符号表示中的变量确定。

```
>> % 生成符号变量
>> syms a x y z t
>> findsym(x*sin(2*pi*t)+y*cos(pi/2))
ans =
t, x, y
>> s=a*sin(x*t)+cos(pi*x+t);
```

```
>> findsym(s,2)
ans =
x,t
>> findsym(s,3)
ans =
x,t,a
```

上面的示例中，findsym 函数能够查找 *s* 表达式中 *n* 个离 *x* 最近的自由符号变量。

7.1.6 符号精度计算

符号计算和数值计算相比较，符号计算过程中不存在舍入误差，符号计算的精度可以足够高。因此，如果要得到高精度的计算结果，那么可以使用符号计算方法来得到计算结果，而不会带来误差。在 MATLAB 7.x 中，能够计算的精度包括以下 3 种类型。

（1）数值类型：MATLAB 7.x 中的浮点算术计算精度；

（2）有理数类型：Maple 计算中的精确符号计算；

（3）VPA 类型：Maple 中的任意精度算术计算。

在符号计算工具箱中，常用到的和数值精度计算相关的命令如表 7.3 所示。

表 7.3 数值计算精度相关命令

命　令	说　明
double(x)	将符号常数转化为 16 位相对精度的浮点数值对象
digits(n)	设置今后的数值计算按照 n 位相对精度计算，默认精度为 32 位
xs=vpa(x)	在 digits 指定的精度下，给出 x 的数值型符号结果 xs
xs=vpa(x, n)	在 n 位相对精度下，给出 x 的数值型符号结果 xs

例 7.6 符号数值精度的计算和控制。

```
>> % 符号计算数值精度计算
>> p0=sym('(1+sqrt(5))/2')
p0 =
(1+sqrt(5))/2
>> p1=sym((1+sqrt(5))/2)
p1 =
7286977268806824*2^(-52)
>> p2=vpa(p0)
p2 =
1.6180339887498948482045868343656
>> digits
 Digits = 32
```

可以看出，符号表示的表达式精度最高，而经过 vpa 命令后，可以将数值计算的精度改为在默认精度位数下的相对近似精度。通过 digits 命令可以查看精度，也可以设置相对精度数值大小。

7.2 符号表达式的操作

符号表达式在运算结果表达方面比较繁杂。为此，在 MATLAB 7.x 中，可以通过符号表达式的操作命令，如合并同类项（collect）、对指定项展开（expand）、因式或因子分解（factor）、转换成嵌套形式（horner）、提取公因式（numden）、恒等式简化（simplify）、简洁形式表示（simple）、习惯书写方式表达（pretty）等，将结果转换为易于阅读和使用的表达式。这些操作命令对符号表达式结果的操作都属于恒等变换。

这些表达式的操作命令的调用形式大致相同，比较常用的是 simple 和 pretty 函数。此处对这两个函数进行简单介绍，其他的操作命令读者可以通过 help 命令查询。这些命令和数学表达式的数学习惯和方式一样，读者很容易掌握这些命令的使用。以 simple 函数为例，simple 函数的基本格式为：r=simple(s)，将符号表达式 s 简化为最短形式。

例 7.7　简化函数 simple 的使用，简化表达式 $\sqrt{\frac{1}{x^2}+\frac{1}{(x-1)^2}-\frac{2}{x(x-1)}}$。

```
>> syms x positive
>> f=sqrt(1/x^2+1/(x-1)^2-2*1/(x*(x-1)));
>> simple(f)
simplify:
1/x/abs(x-1)
radsimp:
1/x/(x-1)
combine(trig):
1/x/((x-1)^2)^(1/2)
factor:
(1/x^2/(x-1)^2)^(1/2)
expand:
(1/x^2+1/(x-1)^2-2/x/(x-1))^(1/2)
combine:
(1/x^2+1/(x-1)^2-2/x/(x-1))^(1/2)
convert(exp):
(1/x^2+1/(x-1)^2-2/x/(x-1))^(1/2)
convert(sincos):
(1/x^2+1/(x-1)^2-2/x/(x-1))^(1/2)
convert(tan):
(1/x^2+1/(x-1)^2-2/x/(x-1))^(1/2)
collect(x):
(1/x^2+1/(x-1)^2-2/x/(x-1))^(1/2)
mwcos2sin:
(1/x^2+1/(x-1)^2-2/x/(x-1))^(1/2)
ans =
1/x/(x-1)
```

例 7.8　使用 pretty 函数美化结果。

```
>> A=sym(magic(3))
A =
[ 8, 1, 6]
[ 3, 5, 7]
[ 4, 9, 2]
>> B=eig(A)
B =
            15
  2*6^(1/2)
```

```
-2*6^(1/2)
>> pretty(B)

                        [  15    ]
                        [        ]
                        [     1/2]
                        [2 6     ]
                        [        ]
                        [      1/2]
                        [-2 6    ]
```

7.3 符号表达式的替换

在符号表达式的计算过程中，由于同一表达式在不同的地方多次出现，导致计算结果往往都显得非常冗长凌乱。因此，在 MATLAB 7.x 中，提供了符号替换的方式使符号表达式的输出形式简化，从而得到比较简单的表达式。在符号表达式的替换中，常用到 subexpr 函数和 subs 函数。这两个函数的主要调用格式如表 7.4 所示。

表 7.4 符号表达式替换命令的调用格式

格　式	说　明
[y, sigma]=subexpr(x, sigma)	指定用符号变量（符号对象）来代替符号表达式中重复出现的字符串，替换结果由 y 返回，被替换字符串由变量 sigma 代替
[y, sigma]=subexpr(x, 'sigma')	在形式上和上面的表达式相同，但 sigma 为字符串或字符
r=subs(s)	用工作空间的变量替换符号表达式 s 中的所有符号变量，如果没有指定某符号变量的值，则返回值中的该符号变量不被替换
r=subs(s, new)	用新的符号变量 new 代替原来符号表达式中 s 中的默认变量，默认变量的规则和 findsym 的规则相同
r=subs(s, old, new)	用新的符号变量 new 替换原来符号表达式中 s 中的变量 old，当 new 是数值形式的符号时，实际上用数值替换原来的符号计算表达式的值，结果仍为字符串形式

例 7.9 将复杂表达式中的多个相同子表达式用符号代替。

```
>> syms a b c d W
>> [V,D]=eig([a b;c d]);
>> [RVD,W]=subexpr([V;D],W)
RVD =
[ -(1/2*d-1/2*a-1/2*W)/c, -(1/2*d-1/2*a+1/2*W)/c]
[                      1,                      1]
[        1/2*d+1/2*a+1/2*W,                    0]
[                      0,      1/2*d+1/2*a-1/2*W]
W =
(d^2-2*a*d+a^2+4*c*b)^(1/2)
```

在上例中，通过 *W* 替换结果中的子表达式，*W* 所代表的子表达式由及其自动查找。输出结果中，上两行表达式为特征向量，下两行为置换后的特征值矩阵。

例 7.10 函数 subs 置换示例。

```
>> syms a x;
>> f=a*sin(x)+5;
```

```
>> f1=subs(f,'sin(x)',sym('y'))
f1 =
a*y+5
>> f2=subs(f,{a,x},{2,sym(pi/3)})
f2 =
3^(1/2)+5
>> f3=subs(f,{a,x},{2,pi/3})
f3 =
    6.7321
```

在上面的示例中，演示了如何使用 subs 函数的不同格式来替换符号表达式的结果。

7.4　符号函数的操作

在 MATLAB 7.x 中，除对符号表达式提供操作之外，也提供常见的一些符号函数的操作，主要包括一些类型的操作，即求反函数和复合函数的操作等。下面通过示例对这两类符号函数的操作进行介绍。

7.4.1　反函数操作

高等数学中，反函数是一个最基本的内容，基本的定义为：对于函数 $f(x)$，如果在实数范围内，存在一个函数 $g(g)$，使得表达式 $g(f(x))=x$ 成立，那么函数 $g(g)$ 称为原函数 $f(x)$ 的反函数。在 MATLAB 7.x 中，反函数操作通过 finverse 函数进行。下面对 finverse 函数的基本调用格式进行小结，如表 7.5 所示。

表 7.5　finverse 函数的基本调用格式

格　式	说　明
g=finverse(f)	对原函数 $f(x)$ 的默认自变量求反函数 $g(g)$
g=finverse(f, v)	对指定的自变量 v 的 $f(v)$，求反函数 $g(v)$

例 7.11　求符号函数的反函数示例。

```
>> % 求反函数示例
>> syms t x
>> f1=finverse(log(t))
f1 =
exp(t)
>> f2=finverse(sin(2*x+pi))
f2 =
-1/2*asin(x)
>> % 对多变量函数求反函数
>> f3=finverse(exp(-t-3*x),t)
f3 =
-3*x-log(t)
>> f4=finverse(exp(-t-3*x),x)
f4 =
-1/3*t-1/3*log(x)
```

```
>> % 不止一个反函数
>> f5=finverse(2*x*t^2,t)
Warning: finverse(2*x*t^2) is not unique.
> In sym.finverse at 43
f5 =
1/2/x*2^(1/2)*(x*t)^(1/2)
```

上面的示例中，演示了如何使用 finverse 函数来求函数的反函数。当原函数中存在不止一个自变量时，可以指定需要求反函数的自变量。当求解的反函数不止一个时，此时，系统提示警告信息，并返回其中一个反函数。

7.4.2 复合函数操作

另一类比较常见的符号函数操作是复合函数操作，即在数学分析中，其中一个函数的自变量通过另外一个函数代替，将该函数带入后得到完整的函数结果，即函数 $z=f(y)$ 和 $y=g(x)$，将后者带入到前者的表达式中，得到第一个函数的最终表达形式。在 MATLAB 7.x 中，复合函数操作通过 compose 函数进行，该函数的常用格式如表 7.6 所示。

表 7.6 compose 函数的常用格式

格　式	说　明
compose(f, g)	将以 g 表示的 f 函数的自变量带入后得到最终表达式
compose(f, g, x, y, z)	对函数 $f(x)$ 和 $v=g(y)$，得到复合函数 $fg=f(g(y))\|_{y=z}$

例 7.12 复合函数操作示例。

```
>> % 复合函数求解示例
>> syms x y z t u;
>> f = 1/(1 + x^2); g = sin(y); h = x^t; p = exp(-y/u);
>> compose(f,g)
ans =
1/(1+sin(y)^2)
>> compose(f,g,t)
ans =
1/(1+sin(t)^2)
>> compose(h,g,x,z)
ans =
sin(z)^t
>> compose(h,g,t,z)
ans =
x^sin(z)
>> compose(h,p,x,y,z)
ans =
exp(-z/u)^t
>> compose(h,p,t,u,z)
ans =
x^exp(-y/z)
```

在上面的示例中，对不同的复合函数求解方法进行介绍。可以看出，当未指定复合函数的自变量时，系统自动判断复合函数的自变量；当指定函数的自变量时，则根据复合函数的自变量来进行替代。

7.5 符号微积分

微积分是数学分析中的一个十分重要的内容，是高等数学建立的基础和整个微分方程体系的基础内容。在 MATLAB 7.x 中，能够通过符号函数的计算实现微积分运算，如极限、微分、积分、级数求和等。此外，符号计算比数值计算消耗的内存更多一些。

7.5.1 级数求和

在 MATLAB 7.x 中，符号级数求和的形式如 $\sum_{v=a}^{b} f(v)$，可以通过 symsum 函数来进行求解。symsum 函数的基本调用格式如表 7.7 所示。

表 7.7 symsum 函数的调用格式

格 式	说 明
r=symsum(s, a, b)	求符号表达式 s 的和，默认自变量从 a 变化到 b
r=symsum(s, v, a, b)	将符号表达式 s 在自变量 v 从 a 变化到 b 的范围内求和

例 7.13 级数求和示例。

```
>> % 级数求和示例
>> syms t k
>> f1=[t;k^3];
>> f2=[1/(2*k-1)^2;(-1)^k/k];
>> s1=symsum(f1)
s1 =
 1/2*t^2-1/2*t
            k^3*t
>> s2=symsum(f2,1,inf)
s2 =
  1/8*pi^2
   -log(2)
>> s3=symsum(t^k/sym('k!'),k,0,inf)
s3 =
exp(t)
```

从上面的示例可以看出，当没有指定需要求和级数的自变量时，系统自动判断自变量；当没有指定级数的自变量变化范围时，默认的变换范围是从 0 到自变量为止；如果在求解的过程中，级数和包含不止一个自变量时，需要指定需要求和的自变量；如果进行求和的函数是矩阵，则对每个元素进行求和，得到最终结果。

7.5.2 符号极限

极限在高等数学中占有非常重要的地位，是高等数学中微分的基础。极限的定义为当自变量趋近某个范围或数值时，函数表达式的数值即为此时的极限。无穷逼近的思想也是符号极限中的求解方式之一，是函数微分的基本思想之一。

在 MATLAB 7.x 中，极限的求解通过 limit 函数来实现。limit 函数的常见调用格式如表 7.8 所示。

表 7.8 limit 函数的常见调用格式

格　式	说　明
limit(F, x, a)	当自变量 x 趋向于 a 时，求解函数 F 的极限
limit(F, a)	符号表达式采用默认自变量，求当自变量趋近于 a 时的极限数值
limit(F)	符号表达式采用默认自变量，求当 a=0 为自变量的趋近数值，该函数求得自变量趋近于 a 时的极限值
limit(F, x, a, ‘right’)	求表达式当 x 从右侧趋近于 a 时的极限数值
limit(F, x, a, ‘left’)	求表达式当 x 从左侧趋近于 a 时的极限数值

例 7.14 函数极限的求解示例。

```
>> syms x a t h;
>> limit(sin(x)/x)
ans =
1
>> limit((x-2)/(x^2-4),2)
ans =
1/4
>> limit((1+2*t/x)^(3*x),x,inf)
ans =
exp(6*t)
>> limit(1/x,x,0,'right')
ans =
Inf
>> limit(1/x,x,0,'left')
ans =
-Inf
>> limit((sin(x+h)-sin(x))/h,h,0)
ans =
cos(x)
>> v = [(1 + a/x)^x, exp(-x)];
>>   limit(v,x,inf,'left')
ans =
[ exp(a),          0]
```

从上面的示例可以看出，通过 limit 函数既可以求解有限极限，也可以求解无限极限。当需要求解的极限通过数组形式表示时，系统将自动对每个元素求解极限。

7.5.3 符号微分

当需要对符号表示求解微分结果时，可以通过 diff 函数来进行求解。在 MATLAB 7.x 中，diff 函数的常见调用格式如表 7.9 所示。

表 7.9 diff 函数的常见调用格式

格　式	说　明
diff(s, ‘v’)	以 v 为自变量，对表达式或数组表达式的每个元素求微分
diff(s, n)	以符号表达式 s 中的默认自变量来求解 n 阶微分，参数 n 的数值必须为正数
diff(s, ‘v’, n)	以 v 为自变量，对符号表达式或数组求 n 阶微分

例 7.15　符号微分的求解示例。

```
>> % 求解表达式或数组的微分示例
>> syms a t x;
>> f=[a,t^3;t*cos(x),log(x)];
>> df=diff(f)      % 默认对 x 求导数
df =
[              0,              0]
[ -t*sin(x),            1/x]
>> dfdtdt=diff(f,t,2)    % 对自变量 t 求 2 阶导数
dfdtdt =
[    0, 6*t]
[    0,    0]
>> dfdtdx=diff(diff(f,x),t)   % 求二阶混合倒数
dfdtdx =
[           0,           0]
[ -sin(x),              0]
```

从上面的示例可以看出，当未指定自变量时，系统采用默认的自变量来求导数；当需要求解的对象为数组时，diff 函数将根据指定的自变量或默认自变量，对每个元素求导数。

此外，在对多元向量函数和多元向量变量求导数时，常常需要求多元向量函数的 Jacobian 矩阵。如对于向量函数 $f=[f_1(v),f_2(v),\cdots,f_n(v)]'$，在对多元自变量 $v=[v_1,v_2,\cdots,v_m]$ 求导数时，函数 f 的 Jacobian 矩阵可以定义为：

$$\begin{bmatrix} \dfrac{\partial f_1}{\partial v_1} & \cdots & \dfrac{\partial f_1}{\partial v_m} \\ \vdots & \ddots & \vdots \\ \dfrac{\partial f_n}{\partial v_1} & \cdots & \dfrac{\partial f_n}{\partial v_m} \end{bmatrix}$$

求解 Jacobian 矩阵时，可以通过 jacobian 函数来求解，格式为：*r*=jacobian(*f*, *v*)，其中 f 为符号函数列向量，v 为自变量行向量。

例 7.16　求多元向量函数的 Jacobian 矩阵。

```
>> % jacobian 矩阵求解示例
>> syms x1 x2;
>> f=[x1*exp(x2);x2+x1;cos(2*x1)*sin(3*x2)]
f =
             x1*exp(x2)
                   x2+x1
 cos(2*x1)*sin(3*x2)
>> v=[x1,x2]
v =
[ x1, x2]
>> jac=jacobian(f,v)
jac =
[                      exp(x2),                   x1*exp(x2)]
[                            1,                            1]
[ -2*sin(2*x1)*sin(3*x2),    3*cos(2*x1)*cos(3*x2)]
```

在进行 Jacobian 矩阵的求解过程中，需要将需要求解的多元函数向量定义为列向量，将

自变量定义为行向量。在求解之后，得到的表达式形式一般都比较复杂，因此，可以通过符号表达式操作中的 simple 等命令进行简化。

7.5.4 符号积分

在高等数学的研究中，对于积分可以细分为不定积分、定积分、旁义积分和重积分等。这些积分过程比微分过程更为难求。符号积分指令简单，但积分时间可能会更长，给出的结果往往比较冗长，如果积分不能给出“闭”解时，积分运行结束将会给出警告信息。符号积分所用的函数为 int，常用的格式如表 7.10 所示。

表 7.10 符号积分 int 函数的常用格式

格　式	说　明
r=int(s)	用默认变量求符号表达式 s 的不定积分
r=int(s, v)	用指定变量 v 求符号表达式 s 的不定积分
r=int(s, a, b)	用默认变量求符号表达式 s 的定积分，变量从 a～b，如果 s 为数组，则对数组的每个符号表达式求积分，积分限 a 和 b 可以是常量，也可以是符号表达式或数值表达式
r=int(s, v, a, b)	用符号变量 v 作为自变量，求表达式 s 从 a～b 的定积分

例 7.17 符号积分 int 函数的求解示例。

```
>> syms x x1 alpha u t;
>> A = [cos(x*t),sin(x*t);-sin(x*t),cos(x*t)]
A =
[  cos(x*t),  sin(x*t)]
[ -sin(x*t),  cos(x*t)]
>> r1=int(1/(1+x^2))
r1 =
atan(x)
>> r2=int(sin(alpha*u),alpha)
r2 =
-1/u*cos(alpha*u)
>> r3=int(besselj(1,x),x)
r3 =
-besselj(0,x)
>> r4=int(x1*log(1+x1),0,1)
r4 =
1/4
>> r5=int(4*x*t,x,2,sin(t))
r5 =
2*t*(sin(t)^2-4)
>> r6=int([exp(t),exp(alpha*t)])
r6 =
[                    exp(t), 1/alpha*exp(alpha*t)]
>> r7=int(A,t)
r7 =
[ 1/x*sin(x*t),   -cos(x*t)/x]
[    cos(x*t)/x, 1/x*sin(x*t)]
```

从上面的示例可以看出，使用 int 函数对符号表达式或符号表达式数组求积分时，不但可以求解定积分，也可以求解不定积分；当求解对象为符号表达式数组时，将对数组的每个元素依次求积分。

7.6 符号积分变换

积分变换方法在自然科学和工程实际中有非常广泛的应用，如常见的 Fourier 变换、Laplace 变换和 Z 变换在信号处理和动态特性研究中起着非常重要的作用。从数学上来讲，所谓积分变换，就是通过数学变换将复杂的计算转变为简单的计算。如通过积分变换，把一类函数 A 变换为另一类函数 B，函数 B 一般是含有参量 a 的积分 $\int_a^b f(t)k(t,a)\mathrm{d}t$；变换的结果是将函数 A 中的函数 $f(t)$ 变换为另一类函数 B 中的函数 $f(a)$。其中，$k(t,a)$ 为积分变换的核，而 $f(t)$ 和 $f(a)$ 分别称为原函数和象函数。

7.6.1 傅里叶变换及其反变换

时域中的 $f(t)$ 与它在频域中的傅里叶变换 $F(\omega)$ 之间存在如下关系：

$$\begin{cases} F(\omega)=\int_{-\infty}^{\infty} f(t)\mathrm{e}^{-\mathrm{j}\omega t}\mathrm{d}t \\ f(t)=\dfrac{1}{2\pi}\int_{-\infty}^{\infty} F(\omega)\mathrm{e}^{\mathrm{j}\omega t}\mathrm{d}\omega \end{cases}$$

可以看出，求解傅里叶变换，方法之一是直接通过符号函数的积分命令 int 来进行积分求解；另一种方法则是使用 MATLAB 7.x 提供的傅里叶变换函数 fourier 和 ifourier 来进行变换。这两个函数的基本调用格式如表 7.11 所示。

表 7.11　　傅里叶变换的基本调用格式

格　式	说　明
fw=fourier(ft, t, w)	将时域上的函数 ft 经过 fourier 变换到 fw，其中，ft 是以 t 为自变量的时域函数，而 fw 为以 w 为自变量的频域函数
ft=ifourier(fw, w, t)	求频域上函数 fw 的傅里叶反变换函数 ft，ft 和 fw 与傅里叶正变换命令 fourier 的意义相同

例 7.18　符号函数傅里叶变换示例。

```
>> % 傅里叶变换
>> syms x u v w;
>> f=exp(-x^2);
>> fw1=fourier(f)
fw1 =
pi^(1/2)*exp(-1/4*w^2)
>> g=exp(-abs(w));
>> fw2=fourier(g)
fw2 =
2/(1+t^2)
>> f3=x*exp(-abs(x));
>> fw3=fourier(f3,u)
fw3 =
```

```
-4*i/(1+u^2)^2*u
>> f4=exp(-x^2*abs(v))*sin(v)/v;
>> fw4=fourier(f,v,u)
fw4 =
2*exp(-x^2)*pi*dirac(u)
```

从上面的示例可以看出，当未指定函数傅里叶变换的变量时，将自动根据默认自变量进行求解；当被变换函数含有多个自变量时，可以指定需要变换的自变量；此外，还可以在变换命令中指定傅里叶变换后的自变量名。

例 7.19　傅里叶反变换示例。

```
>> syms w v t
>> f=exp(-w^2*abs(v))*sin(v)/v;
>> ft1=fourier(f,v,t)
ft1 =
atan((t+1)/w^2)-atan((t-1)/w^2)
```

7.6.2　拉普拉斯变换及其反变换

拉普拉斯变换及其反变换也是信号处理领域中应用十分广泛的一种变换。拉普拉斯变换及其反变换可以定义为以下形式：

$$\begin{cases} F(s)=\int_0^{\infty} f(t)\mathrm{e}^{-st}\mathrm{d}t \\ f(t)=\dfrac{1}{2\pi \mathrm{j}}\int_{c-\mathrm{j}\infty}^{c+\mathrm{j}\infty} F(s)\mathrm{e}^{st}\mathrm{d}s \end{cases}$$

同样，求解函数的拉普拉斯变换及其反变换也可以直接根据定义来求解，或者通过使用 MATLAB 7.x 提供的变换命令 laplace 和 ilaplace 实现正变换和反变换。这两个函数的常见调用格式如表 7.12 所示。

表 7.12　拉普拉斯变换的常用格式

格　式	说　明
fs=laplace(ft, t, s)	求时域函数 ft 的拉普拉斯变换 fs，其中，ft 为以 t 为自变量的时域内的函数，fs 为以复频率 s 为自变量的频域函数
ft=ilaplace(fs, s, t)	求频域函数 fs 的拉普拉斯反变换 ft，fs 和 ft 的意义同上

例 7.20　拉普拉斯变换的求解示例。

```
>> % 求函数的 laplace 变换
>> syms t s;
>> syms a b positive;
>> Dt=sym('Dirac(t-1)');
>> Ut=sym('Heaviside(t-b)');
>> Mt=[Dt,Ut;exp(-a*t)*sin(2*b*t),t^2*exp(-2*t)]
Mt =
[              Dirac(t-1),          Heaviside(t-b)]
[ exp(-a*t)*sin(2*b*t),           t^2*exp(-2*t)]
>> Ms=laplace(Mt)
Ms =
[                        exp(-s),                     exp(-s*b)/s]
[ 1/2/b/(1/4*(s+a)^2/b^2+1),                     2/(s+2)^3]
```

在上例中，通过 laplace 函数对数组函数的每个元素求 laplace 变换。

例 7.21　拉普拉斯反变换求解示例。

```
>> syms x u
>> syms a real
>> f=1/(u^2-a^2)
f =
1/(u^2-a^2)
>> ft=ilaplace(f)
ft =
1/a*sinh(a*t)
```

对于更复杂的 laplace 变换，读者可以在相关专业知识的基础上来进行求解。使用 laplace 和 ilaplace 变换可以很方便地实现这些求解变换过程。

7.6.3　Z 变换及其反变换

Z 变换在离散信号的处理中，应用十分广泛。一个离散的因果序列的 Z 变换及 Z 反变换的定义如下：

$$\begin{cases} F(z)=\sum\limits_{n=0}^{\infty} f(n)z^{-n} \\ f(n)=Z^{-1}\{F(z)\} \end{cases}$$

在进行 Z 反变换时，最常见的计算方法有 3 种：幂级数展开法、部分分式展开法和围线积分方法。在 MATLAB 7.x 中，所提供的 Z 反变换方法为围线积分方法，相应的数学表达形式为：$f(n)=\frac{1}{2\pi \mathrm{j}}\oint_{\Gamma} F(z)z^{n-1}\mathrm{d}z$ 。

具体而言，在 MATLAB 7.x 中，可以实现 Z 变换和 Z 反变换的命令为 ztrans 和 iztrans。这两个函数常见的调用格式如表 7.13 所示。

表 7.13　　Z 反变换命令的常用格式

格　式	说　明
fz=ztrans(fn, n, z)	求时域函数 fn 的 Z 变换 fz，其中，fn 为以 n 为自变量的时域序列，fz 为以复频率 z 为自变量的频域函数
fn=iztrans(fz, z, n)	求频域函数 fz 的 Z 反变换 fn，fz 和 fn 的意义同上

例 7.22　Z 变换示例。

```
>> % Z 变换示例
>> syms k n w z
>> z1=ztrans(2^n)
z1 =
1/2*z/(1/2*z-1)
>> z2=simple(ztrans(sin(k*n),w))
z2 =
w*sin(k)/(w^2-2*w*cos(k)+1)
>> z3=simple(ztrans(cos(n*k),k,z))
z3 =
(z-cos(n))*z/(z^2-2*z*cos(n)+1)
```

```
>> z4=simple(ztrans((n*k),n,w))
z4 =
k*w/(w-1)^2
>> z5=simple(ztrans(sym('f(n+1)')))
z5 =
z*ztrans(f(n),n,z)-f(0)*z
```

上面的示例中，对 ztrans 命令的多种格式进行演示。当存在多个自变量时，可以指定需要变换的自变量；如果需要指定变换后的自变量名称，则可以在命令中指定自变量的符号进行变换。

例 7.23 Z 反变换示例。

```
>> % Z 反变换示例
>> syms z n k a
>> f1=2*z/(z-2)^2;
>> f2=n*(n+1)/(n^2+2*n+1);
>> f3=z/(z-a);
>> z1=iztrans(f1)
z1 =
2^n*n
>> z2=simple(iztrans(f2))
z2 =
(-1)^k
>> z3=simple(iztrans(f3))
z3 =
a^n
>> z4=simple(iztrans(exp(a/z),z,k))
z4 =
a^k/k!
```

7.7 符号代数方程求解

运用矩阵方法是求解线性方程组的最简单有效的方法，无论是数值矩阵的求解，还是符号矩阵的求解，在 MATLAB 7.x 中的求解命令基本上是相同的。和数值方法求解代数方程一样，符号矩阵求解的代数方程也可以从线性方程、非线性方程以及超越方程等类型去求解。在数值代数方程求解过程中，已经对此做过比较详细的介绍，此处不再赘述。

符号代数方程求解的命令同样使用 solve 函数，常见的调用格式如表 7.14 所示。

表 7.14 符号代数方程求解命令的基本格式

格　式	说　明
g=solve(eq)	求解方程 eq=0 的结果，其中，eq 为符号表达式或不带符号的字符串表达式，自变量选择系统默认的自变量
g=solve(eq, var)	求解方程 eq=0 的结果，自变量通过 var 指定，其他参数的意义同上所述
g=solve(eq1, eq2, …, eqn)	求解有符号表达式或不带符号的字符串表达式 eq1 到 eqn 构成的方程组，自变量采用系统默认的自变量
g=solve(eq1, eq2, …, eqn, var1, var2, …, varn)	求解有符号表达式或不带符号的字符串表达式 eq1 到 eqn 构成的方程组，自变量为所指定的变量 var1 到 varn

例 7.24 符号代数方程组的求解示例。

```
>> % 符号代数方程组求解示例
>> syms u v w y z
>> res=solve('u*y^2+vz+w=0','y+z+w=0','y','z')
res =
      y: [2x1 sym]
      z: [2x1 sym]
>> res.y
ans =
   1/u*(-u*(vz+w))^(1/2)
  -1/u*(-u*(vz+w))^(1/2)
>> res.z
ans =
  -1/u*(-u*(vz+w))^(1/2)-w
   1/u*(-u*(vz+w))^(1/2)-w
```

在上面示例的求解过程中，求解符号代数方程组的结果以属性和维数信息显示。如果读者需要了解详细的信息，可以和结构体的显示方法一样来显示所求得的结果。

7.8 符号微分方程求解

在数值计算中，对于微分方程的求解，边值类型的微分方程求解比初值类型的微分方程求解更为复杂一些。此时，可以使用 MATLAB 7.x 提供的符号微分方程求解方法来得到微分方程的结果，求解过程相对比较简单。但是，符号微分方程的求解也并非存在一般的通用解法，因此，在求解过程中，可以和数值解法相结合之后进行求解，互为补充。

符号微分方程的求解可以通过 dsolve 函数来求解，常见的调用格式如表 7.15 所示。

表 7.15 dsolve 函数的调用格式

格 式	说 明
r=dsolve('eq1, eq2, …', 'cond1, cond2, …', 'v')	其中，eq1，eq2，…为指定的常微分方程的符号解，常微分方程以 v 作为自变量，参数 cond1，cond2，…用于指定方程的边界或初始条件，如果没有指定 v 作为自变量，则采用默认自变量 t
r=dsolve('eq1', 'eq2', …, 'cond1', 'cond2, …', 'v')	意义同上

例 7.25 求解微分方程组示例：求微分方程组 $\begin{cases}\dfrac{\mathrm{d}x}{\mathrm{d}t}=y\\ \dfrac{\mathrm{d}y}{\mathrm{d}t}=-x\end{cases}$ 的解，其中 $x(0)=1, y(0)=2$ 。

```
>> % 求解微分方程组示例
>> res=dsolve('Dx=y,Dy=-x')
res =
      x: [1x1 sym]
      y: [1x1 sym]
>> disp([res.x;res.y])
 -C1*cos(t)+C2*sin(t)
  C1*sin(t)+C2*cos(t)
```

```
>> % 给定初值问题的求解
>> res=dsolve('Dx=y,Dy=-x,x(0)=1,y(0)=2')
res =
     x: [1x1 sym]
     y: [1x1 sym]
>> res.x
ans =
cos(t)+2*sin(t)
>> res.y
ans =
-sin(t)+2*cos(t)
```

在上述求解示例中，系统默认的自变量为 t，常数 C1 和 C2 为待定常数。如果在给定的初值问题下求解，则可以得到微分方程组的一般解形式。

例 7.26 求解微分方程 $y = xy' - (y')^2$ 的通解，并将结果通过图形表示。

```
% dsolve_exp.m
% 微分方程通解及奇解的表示
y=dsolve('x*Dy-(Dy)^2-y=0','x')
% 绘制奇解的图线
hold on;
ezplot(y(1),[-6,6,-4,8],1);
cc=get(gca,'Children');
set(cc,'color','r','Linewidth',4);
for k=-2:0.5:2
     ezplot(subs(y(2),'C1',k),[-6,6,-4,8],1);
end
title('results of equations');
hold off;
```

在 MATLAB 7.x 中，也可以实现对微分方程通解和奇解的求解。通过上面的脚本函数得到微分方程的解为：

```
y =
    1/4*x^2
 C1*x-C1^2
```

同时，通过绘图函数将通解和奇解在图形上表现出来，如图 7.1 所示。

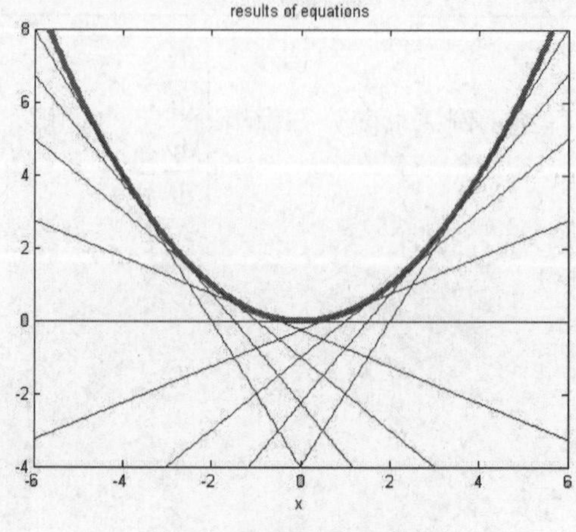

图 7.1 通解和奇解的曲线

7.9　利用 Maple 进行符号计算

Maple 软件提供了大量的符号计算命令，来完成符号计算的功能和任务。由于 MATLAB 7.x 的符号计算和 Maple 软件的计算功能结合在一起，因此，在 MATLAB 7.x 中，可以利用多种接口命令实现 Maple 和 MATLAB 7.x 之间的接口功能，从而充分利用 Maple 软件的符号计算能力。这样，可以利用 Maple 的深层资源，Maple 软件和 MATLAB 7.x 之间的交互命令可以通过以下几条命令来实现交互，如表 7.16 所示。下面将对这几条命令进行介绍。

表 7.16　　Maple 和 MATLAB 7.x 的交互命令

命　令	说　明
mfun	对 Maple 中的若干经典特殊函数实施数值计算
mfunlist	可以被 mfun 使用的 Maple 经典函数列表
mhelp	查阅 Maple 中的库函数及其调用方法
maple	进入 Maple 的工作空间，结果返回 MATLAB 7.x 工作空间
procread	将按 Maple 格式书写的源程序读入到 Maple 工作空间

7.9.1　Maple 函数的使用

在 MATLAB 7.x 中，使用 Maple 函数进行符号计算，可以使用 Maple 命令来实现。对于 Maple 软件中的相关命令，可以通过 sym 命令进行定义，然后使用定义后的命令来调用。Maple 命令的常用格式如表 7.17 所示。

表 7.17　　Maple 命令的常用格式

格　式	说　明
r=maple('statement')	运用 Maple 格式的语句 statement 进行计算
r=maple('function', arg1, arg2, …)	运用以 arg1、arg2 等为输入参数的 Maple 函数 function
[r, status] = maple(…)	运行结果通过 r 和 status 返回。如果运行正确，r 返回结果，status 返回 0；反之，r 返回警告或错误，status 返回正数
maple('traceon') / maple trace on	打开 Maple 调试跟踪
maple('traceoff') / maple trace off	关闭 Maple 调试跟踪

一般，如果用户对 Maple 函数的参数和指令不熟悉，可以输入 mhelp 命令来获取命令方面的详细信息。关于 mhelp 的使用在后面进行介绍。

例 7.27　求递归函数 $f(n)=3f(n-1)-5f(n-2)$ 的通解。

```
>> % Maple 函数使用示例
>> mres1=maple('rsolve(f(n)=3*f(n-1)-5*f(n-2),f(k));')
mres1 =
(1/2*f(0)-3/22*i*f(0)*11^(1/2)+1/11*i*f(1)*11^(1/2))*(3/2-1/2*i*11^(1/2))^k-1/11*i*(-3/2*11^(1/2)*f(0)+1
1/2*i*f(0)+11^(1/2)*f(1))*(3/2+1/2*i*11^(1/2))^k
>> class(mres1)
ans =
char
>> mres2=maple('rsolve','f(n)=-3*f(n-1)-5*f(n-2)','f(k)')
```

```
mres2 =
-1/11*i*(3/2*11^(1/2)*f(0)+11/2*i*f(0)+11^(1/2)*f(1))*(-3/2+1/2*i*11^(1/2))^k+(1/2*f(0)+3/22*i*f(0)*11^(1/2)+1/11*i*f(1)*11^(1/2))*(-3/2-1/2*i*11^(1/2))^k
```

上面的示例中，通过两种方式来调用 Maple 函数，这两种方式得到的结果均为字符串形式，而非 syms 符号函数或表达式的形式。

例 7.28 求函数 $f = x^2 + yz + zxy$ 的 hessian 矩阵。

```
>> res1=maple('hessian(x^2+y*z+z*x*y,[x,y,z]);')
res1 =
matrix([[2, z, y], [z, 0, 1+x], [y, 1+x, 0]])
>> res2=maple('hessian','x^2+y*z+z*x*y','[x,y,z]')
res2 =
matrix([[2, z, y], [z, 0, 1+x], [y, 1+x, 0]])
>> % 将输出结果变为符号类型
>> class(res2)
ans =
char
>> res=sym(res2)
res =
[   2,    z,    y]
[   z,    0, 1+x]
[   y, 1+x,    0]
>> class(res)
ans =
sym
```

上面的示例中，同样通过两种方法来演示 Maple 函数的使用方法。最后，使用 sym 函数将 Maple 函数的计算结果由字符串类型转换为符号类型。

7.9.2 Maple 经典函数的调用

在 MATLAB 7.x 中，可以直接使用 Maple 软件中的一些函数，如完全椭圆积分、正弦积分等经典特殊函数。引入这些函数的主要目的是为了工程计算的方便和实用，在符号积分和微分方程操作中也常常使用到这些函数。

如果不知道在 MATLAB 7.x 中提供了哪些与此相关的经典函数，可以使用 mfunlist 命令或 help mfunlist 函数来查询。对于具体的函数名，如果不知道函数的使用格式或说明，可以使用 mhelp 命令来查询。

例 7.29 MATLAB 7.x 中提供的经典 Maple 函数。

```
>> mfunlist
 MFUNLIST Special functions for MFUN.
    The following special functions are listed in alphabetical order
    according to the third column. n denotes an integer argument,
    x denotes a real argument, and z denotes a complex argument. For
    more detailed descriptions of the functions, including any
    argument restrictions, see the Reference Manual, or use MHELP.

 bernoulli       n         Bernoulli Numbers
 bernoulli       n,z       Bernoulli Polynomials
```

BesselI	x1,x	Bessel Function of the First Kind
BesselJ	x1,x	Bessel Function of the First Kind
BesselK	x1,x	Bessel Function of the Second Kind
BesselY	x1,x	Bessel Function of the Second Kind
Beta	z1,z2	Beta Function
binomial	x1,x2	Binomial Coefficients
EllipticF -	z,k	Incomplete Elliptic Integral, First Kind
EllipticK -	k	Complete Elliptic Integral, First Kind
EllipticCK -	k	Complementary Complete Integral, First Kind
EllipticE -	k	Complete Elliptic Integrals, Second Kind
EllipticE -	z,k	Incomplete Elliptic Integrals, Second Kind
EllipticCE -	k	Complementary Complete Elliptic Integral, Second Kind
EllipticPi -	nu,k	Complete Elliptic Integrals, Third Kind
EllipticPi -	z,nu,k	Incomplete Elliptic Integrals, Third Kind
EllipticCPi -	nu,k	Complementary Complete Elliptic Integral, Third Kind
erfc	z	Complementary Error Function
erfc	n,z	Complementary Error Function's Iterated Integrals
Ci	z	Cosine Integral
dawson	x	Dawson's Integral
Psi	z	Digamma Function
dilog	x	Dilogarithm Integral
erf	z	Error Function
euler	n	Euler Numbers
euler	n,z	Euler Polynomials
Ei	x	Exponential Integral
Ei	n,z	Exponential Integral
FresnelC	x	Fresnel Cosine Integral
FresnelS	x	Fresnel Sine Integral
GAMMA	z	Gamma Function
harmonic	n	Harmonic Function
Chi	z	Hyperbolic Cosine Integral
Shi	z	Hyperbolic Sine Integral
GAMMA	z1,z2	Incomplete Gamma Function
W	z	Lambert's W Function
W	n,z	Lambert's W Function
lnGAMMA	z	Logarithm of the Gamma function
Li	x	Logarithmic Integral
Psi	n,z	Polygamma Function
Ssi	z	Shifted Sine Integral
Si	z	Sine Integral
Zeta	z	(Riemann) Zeta Function
Zeta	n,z	(Riemann) Zeta Function
Zeta	n,z,x	(Riemann) Zeta Function

Orthogonal Polynomials (Extended Symbolic Math Toolbox only)

T	n,x	Chebyshev of the First Kind
U	n,x	Chebyshev of the Second Kind
G	n,x1,x	Gegenbauer
H	n,x	Hermite
P	n,x1,x2,x	Jacobi

```
L        n,x              Laguerre
L        n,x1,x           Generalized Laguerre
P        n,x              Legendre

    See also mfun, mhelp.
    Reference page in Help browser
       doc mfunlist
```

上面通过使用 mfunlist 命令，列出了在 MATLAB 7.x 中所提供的经典特殊函数命令。如果用户单击 mfunlist 超链接，就可以得到这些经典函数文档形式的列表。在该列表中详细介绍了这些函数的定义和说明，此处不再详细介绍。

7.9.3 Maple 库函数的帮助

前面两节介绍了使用 Maple 函数进行符号计算的方法，以及在 MATLAB 7.x 中所提供的经典函数的函数列表。这些函数功能比较强大，如果读者需要对这些函数功能进行进一步的了解，一方面可以从 Maple 软件的角度进行学习，另一方面可以借助 Maple 库函数的帮助文档，获得这些函数的使用说明和帮助。下面通过命令行的列表示例来说明库函数帮助文件的使用方法。

例 7.30 查询 Maple 库函数的帮助文件。

```
>> % maple 库函数使用
>> mhelp
 MHELP   Maple help.
    MHELP topic prints Maple's help text for the topic.
    MHELP('topic') does the same thing.

    MHELP is not available with MATLAB Student Version.

    Example:
       mhelp gcd

    Reference page in Help browser
       doc mhelp
```

例 7.31 查询 maple 帮助索引条目。

```
>> % 查询 maple 索引帮助条目
>> mhelp index

Index of help descriptions

Calling Sequence
    ?index[category]    or    help(index, category)


Description
- The following categories of topics are available in the help subsystem:

    expression   operators for forming expressions
    function     list of Maple functions
```

```
    misc            miscellaneous facilities
    module          topics related to modules
    packages        descriptions of library packages
    procedure       topics related to procedures and programming
    statement       list of Maple statements

  To access these help pages, you must prefix the category with index, thus ?
  index[category].
```

从例 7.31 可以看出，实际上 maple 函数的帮助文档包括 expression、function、misc、module、package、procedure 和 statement 等一些帮助索引条目。每个索引条目的具体内容，同样可以通过使用帮助命令来查询。

例 7.32　函数 maple 的分类查询目录。

```
>> % 具体分类内容的查询
>> mhelp index[function]

Index of descriptions for standard library functions

Description
- The following are the names of Maple's standard library functions. For more
  information, see ?f where f is any of these functions.

    about           abs             add             addcoords
    additionally    addproperty     addressof       AFactor
    AFactors        AIrreduc        AiryAi          AiryAiZeros
    AiryBi          AiryBiZeros     algebraic       algsubs
    alias           allvalues       anames          andmap
    AngerJ          antihermitian   antisymm        apply
    applyop         applyrule       arccos          arccosh
    arccot          arccoth         arccsc          arccsch
    arcsec          arcsech         arcsin          arcsinh
    arctan          arctanh         argument        Array
    array           ArrayDims       ArrayElems      ArrayIndFns
----------------------------------------------------------------------------------------------------------------
    WhittakerW      with            worksheet       WRAPPER
    writebytes      writedata       writeline       writestat
    writeto         zero            Zeta            zip
    ztrans          _

See Also
libname, index[package]
```

通过该命令查询之后，可以发现 Maple 所提供的所有的 function。可以看出，Maple 提供了非常强大的函数系统。此处，为节省篇幅，省略了其中一部分内容。如果读者对其中函数感兴趣或需要查询其具体的使用和调用方法，则可以直接通过 mhelp 来查询。

例 7.33　查询函数的帮助和说明。

```
>> % 查询函数的帮助和说明
>> mhelp rsolve
 rsolve - recurrence equation solver
```

```
Calling Sequence
        rsolve(eqns, fcns)
        rsolve(eqns, fcns, 'genfunc'(z))
        rsolve(eqns, fcns, 'makeproc')
Parameters
        eqns - single equation or a set of equations
        fcns - function name or set of function names
        z       - name, the generating function variable
---------------------------------------------------------------------------------------------------------------
Description
See Also
asympt, dsolve, genfunc, msolve, solve
```

通过查询该函数，可以对函数具体的使用方法、参数说明、函数示例等内容有进一步的了解，可以直接使用。此处为便于描述，同样删去部分内容。

7.10 符号分析可视化

在 MATLAB 7.x 中，除前面小节中提供的函数分析功能之外，还提供了函数可视化分析界面。通过这些图形界面的可视化分析工具，可以很方便地进行相关性能的分析和研究。当这些函数可视化工具出现后，分析过程可以直接在图形界面上进行。本节将通过示例对单变量函数分析界面 funtool 和泰勒级数分析界面 taylortool 进行介绍。

7.10.1 funtool 分析界面

单变量函数分析界面实际上是已经做好的一个 GUI 界面。在命令行中输入 funtool 命令后，系统弹出单变量分析界面，如图 7.2 所示。该界面包括两个图形窗口、一个函数分析和操作界面。在函数分析和操作界面中，可以输入两个函数，可以改变这两个函数的表达式，以及函数变量的取值范围等。图形界面可以对这两个函数进行图形显示。

此处，将这两个函数的内容更改为：

```
f=a*sin(2*x)*cos(x/3)，g=exp(-x/5)*sin(2*x)
```

其中，变量 x 的取值范围为[−2π, 2π]，常数 a 为 1/2。当输入这两个函数之后，图形界面同时可以显示这两个函数在取值范围内的曲线，如图 7.3 所示。可以看出，通过单变量分析界面可以很方便地对函数的性能进行简单的分析和操作。

在函数操作界面中，可以对函数 f 进行一系列的操作，如求导（df/dx *f*），积分（int *f*），简化（simple *f*），提取函数因式（num *f*），提取函数表达式分母（den *f*），求导数（1/*f*）和取反（inv *f*）等。第二行的操作命令涉及对函数 f 和常数 a 的加减乘除等操作。第三行的操作命令则涉及函数 f 和函数 g 的操作。在该函数分析界面中，对函数的操作只涉及对 f 的操作，如果需要对函数 g 进行操作，则可以使用 swap 命令，交换两个函数后进行分析。

在函数操作界面的最后一行，和一般的计算功能相似。如果需要查看该函数界面的代码，则可以单击 help 按钮，选择查看代码超链接，既可以查看代码，也可以对函数代码做一些修改，如图 7.4 所示。

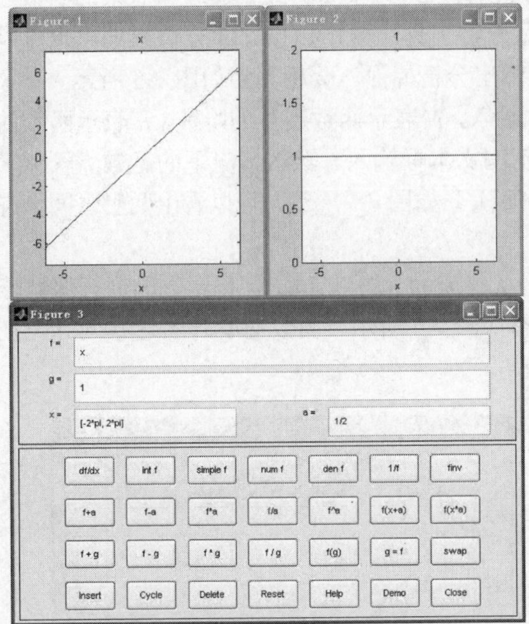

图 7.2　单变量分析界面

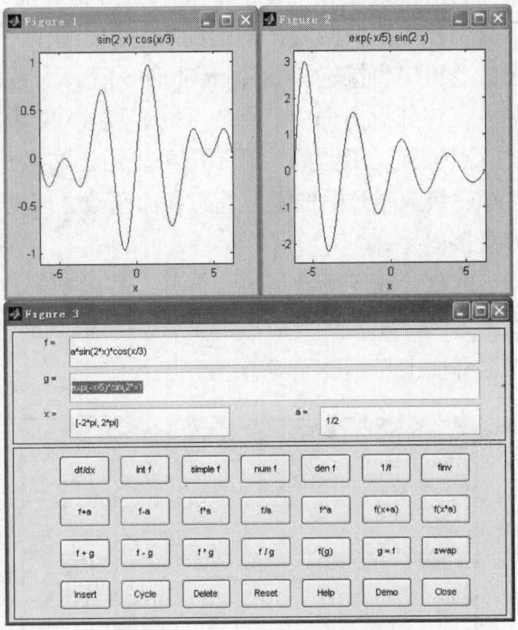

图 7.3　不同函数表达式的分析结果

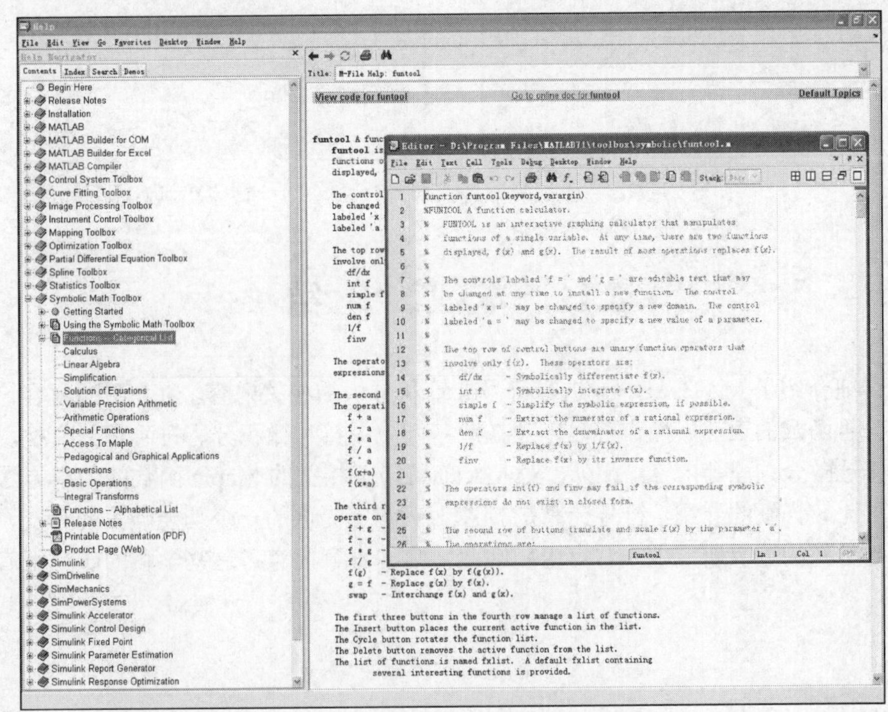

图 7.4　查看单变量分析界面的 M 代码

7.10.2　taylortool 分析界面

泰勒级数分析是数学分析和工程分析中常见的一种分析方法，常常可以分析某一变化范围内的函数性态。通过 taylortool 分析界面，可以直观地观察泰勒级数逼近和原来的函数之间的偏差，以及两者之间的性态差异。和单变量分析工具一样，taylortool 分析界面，也可以在命令窗口直接输入 taylortool 命令后，由系统弹出分析界面。分析界面如图 7.5 所示。

在该分析界面中，函数可以通过 $f(x)$文本框输入，N 表示函数展开的阶数，a 表示函数的展开点位置，函数的展开范围可以通过右端的范围文本框输入。默认情况下的函数 $x\times\cos(x)$ 的泰勒级数展开后的函数性态和原函数之间的图形关系如图 7.5 所示，可以看出两者之间性态的直接差异。

此处，改变函数后进行展开，将函数修改为 $f(x)=\exp(-x/3)\times\sin(x)$，将函数的展开级数修改为 N=9，此时展开后的级数性态和函数的性态如图 7.6 所示。函数的展开表达式同样也在图形界面上显示。

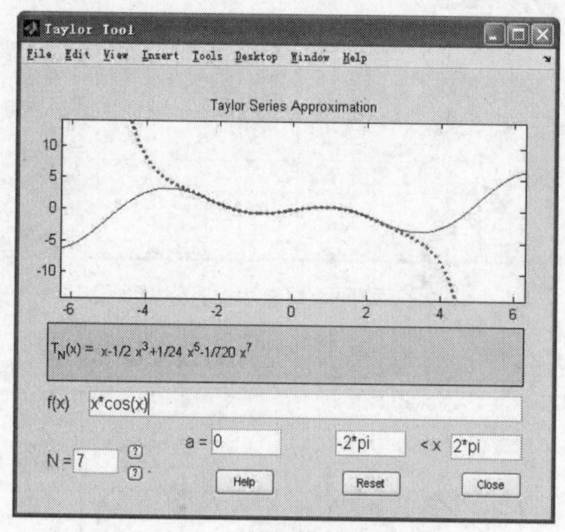

图 7.5　泰勒级数分析界面

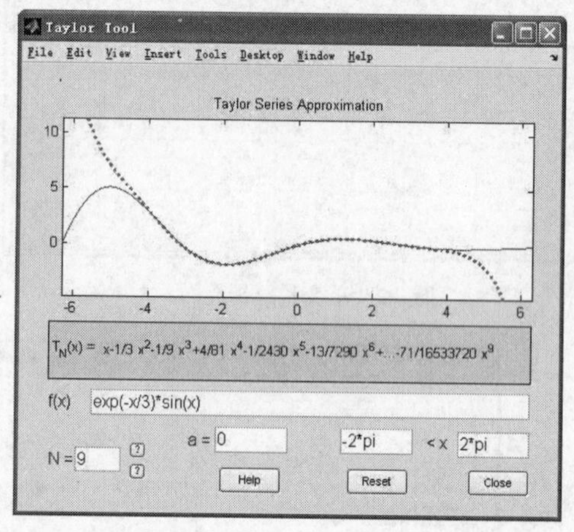

图 7.6　函数 $f(x)=\exp(-x/3)\times\sin(x)$展开 9 阶后的性态

7.11　本章小结

本章详细介绍了 MATLAB 7.x 进行符号计算和分析的相关内容。所介绍的内容包括符号表达式、符号函数的表达、操作等，以及在此基础上的符号微积分、符号积分变换、符号代数方程、符号微分方程等内容。此外，对 MATLAB 7.x 相关的 Maple 函数的使用方法和帮助系统也做了比较详细的介绍。符号计算是 MATLAB 7.x 提供的一个功能强大的分支，在工程研究、基础学科的分析研究中非常有用，因此，掌握本章内容对这些学科的研究很有帮助。

第 8 章 Simulink 仿真系统

Simulink 仿真系统是 MATLAB 7.x 最重要的组件之一，能够使用户和系统交互进行动态系统建模、仿真和综合分析。在 MATLAB 7.x 的 Simulink 仿真系统中，系统提供了标准的模型库，能够帮助用户在此基础上创建新的模型库，描述、模拟、评价和细化系统的行为，从而达到系统分析的目的。此外，还可以通过和其他软件包产品来完成更多的分析任务。

在 MATLAB 7.x 中，可以实现和运行的工具包很多，并且随着版本的不断更新，新加入的包也越来越多，专业范围也越来越广泛，如通信、控制、电力等领域都有比较系统和深入的包提供。本章对在 MATLAB 7.x 中使用 Simulink 系统进行分析进行介绍，更详细的内容用户可以在专业知识的基础上，结合这些基础原理以及所提供的帮助系统来完成这些分析功能。因此，本章的主要内容包括：

- Simulink 基础知识
- Simulink 的创建
- Simulink 的信号和属性设置
- 连续系统建模
- 封装子系统创建及其执行
- 离散时间系统和混合系统

8.1 Simulink 基础知识

和 MATLAB 7.x 的其他组件相比较，Simulink 仿真模拟支持完全的图形化界面。用户只要根据需要选择相应的组件模型后，将相应的图标放在仿真系统的创建界面内就可以实现功能的仿真和运行。用户能够通过图块方式，分层设计流程，将主要的精力放在算法和模块结构的实现上，而不必将大量的精力放在算法的实现上。因此，从分析研究的角度来看，Simulink 模型可以让用户知道具体环节的动态细节，也可以让用户清楚地了解到系统各组件、各子系统、各分系统之间的信息交换。

8.1.1 Simulink 的启动

使用 Simulink 时，需要在安装 MATLAB 7.x 的过程中，选择自定义安装方式，在接下来选择安装组件时，可以选择安装与 Simulink 相关的组件。可以选择安装的组件包括：Signal Processing Toolbox，SimMechanics，SimPowerSystems，Simulink Accelerator，Simulink Control Design，Stateflow，Real-Time Workshop，Virtural Reallity Toolbox 等。

当安装完成之后，可以从命令行中输入 Simulink 直接启动 Simulink 运行界面；或者在 MATLAB 7.x 菜单栏中，选择 Simulink 图标来打开运行界面。启动后，系统弹出 Simulink

模型库，如图 8.1 所示。

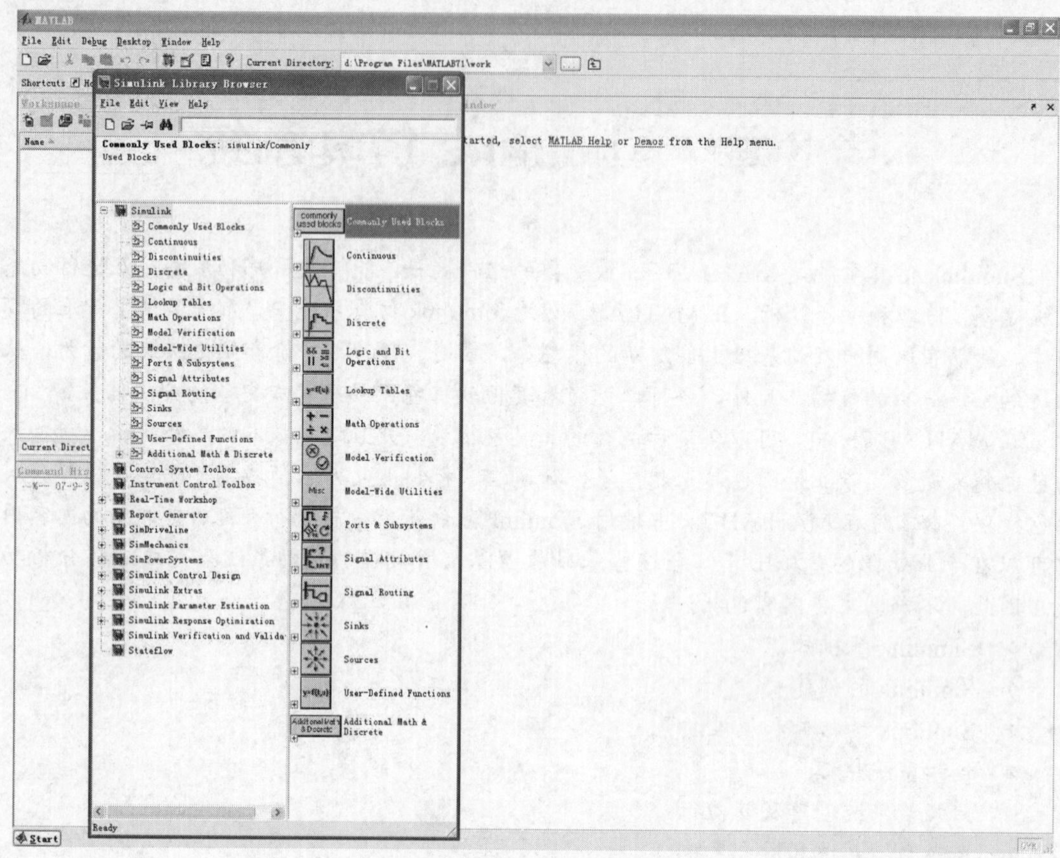

图 8.1　启动 Simulink 模型库

在该模型库中，显示了安装在 MATLAB 7.x 中的所有 Simulink 模型库函数（图标形式）。对于不同类型的模型库，选择相应的类型类别，就可以显示出相应图标形式的模型库函数。用户需要选择使用时，可以直接将该函数选中后拉入工作界面即可。

8.1.2　Simulink 创建仿真示例

以下将结合具体的示例操作过程，来简单介绍 Simulink 的创建过程，以及添加模块、设置属性、连接模块等内容。

例 8.1　用 Simulink 模拟 chirp 信号和正弦信号叠加后的信号输出。

1．创建新模型界面

从图 8.1 所示的 Simulink Library Browse 库函数界面中，单击创建新的模型（Create a new model）按钮。或者从菜单中选择 File/New/Model 命令来打开一个新的模型窗口，如图 8.2 所示。

2．添加 Chirp 信号

从 Simulink Library Browse 库函数中选择 Sources 库函数类别，选择 Chirp Signal 模块。此时，在库函数顶部的空白框内将会显示该函数的简单信息介绍，如此处对 Chirp 信号的介绍为："Chirp Signal: Output a linear chirp signal (sine wave whose frequency varies linearly with time)."。

此时，按下鼠标左键，将所选择的 Chirp Signal 模块拖动到新建模型窗口内。选择适当位置后松开鼠标在模型窗口内将显示该信号模块的图标。显示后的图形如图 8.3 所示。此时，可以通过拖动鼠标来改变图形的大小和位置。

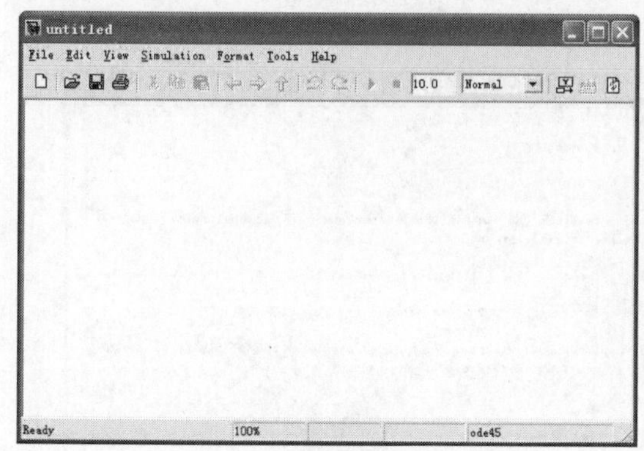

图 8.2 新建模型窗口

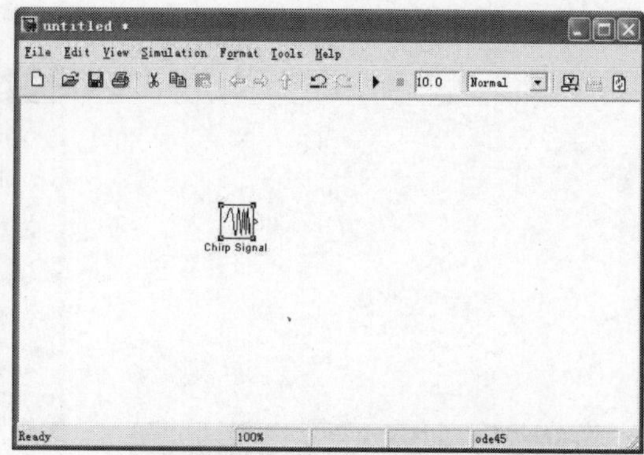

图 8.3 在模型窗口中添加信号模型组件

3. 设置 Chirp 信号组件的外观属性

在上面示例进行的基础上，继续进行模块组件的添加修改和编辑。在刚才所添加的组件上，单击鼠标右键，系统弹出菜单，可以对该组件进行设置，包括组件的外观属性、组件的模块参数等。如设置组件的外观属性，可以选择组件的背景颜色，如图 8.4 所示。如在此处设置背景颜色为 Dark Green。

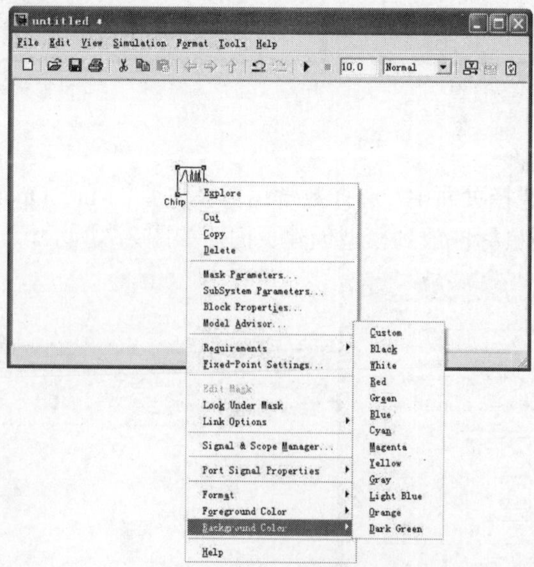

图 8.4 改变组件的外观属性

4. 改变组件的参数设置

在组件模型窗口中，用鼠标双击所添加的 Chirp 信号模块。此时，系统弹出 Chirp 信号的参数设置对话框，如图 8.5 所示，将 Frequency at target time (Hz) 的数值设置为 4Hz，完成 Chirp 信号模块参数的设置。

5. 添加正弦信号（Sine Wave）模块

重复上述操作步骤，在 Simulink 库函数选择窗口的 Source 选项中，选择 Sine Wave 模块，用鼠标拖放到模型窗口。

6. 设置正弦信号模块的属性

和 Chirp 信号设置使用同样的方法，在组件创建页面上，双击该组件，可以设置该组件的组件属性。设置后如图 8.6 所示。

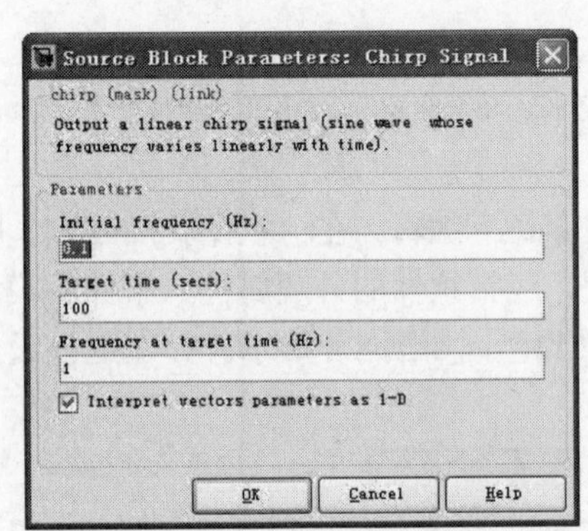

图 8.5 改变组件的参数设置

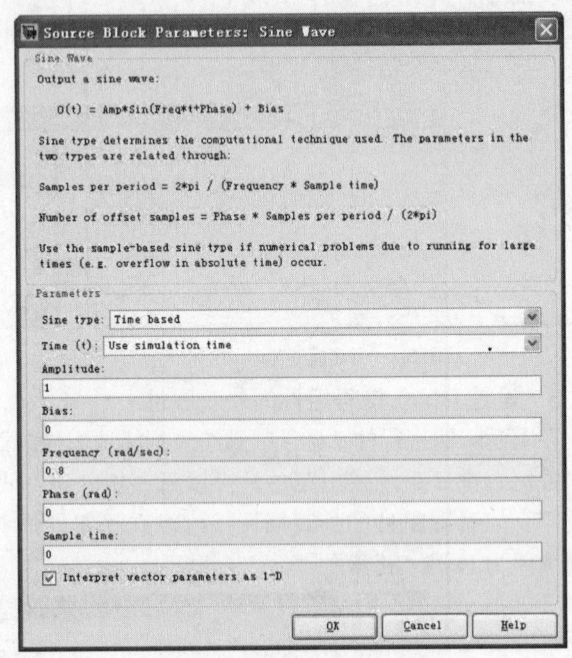

图 8.6 正弦波形属性设置界面

7. 添加数学运算模块

从 Simulink 库函数选择页面中，选择数学运算模块库（Math Operations），在该模型库中选择加（Add）模块，用鼠标拖放到模型创建页面后如图 8.7 所示。

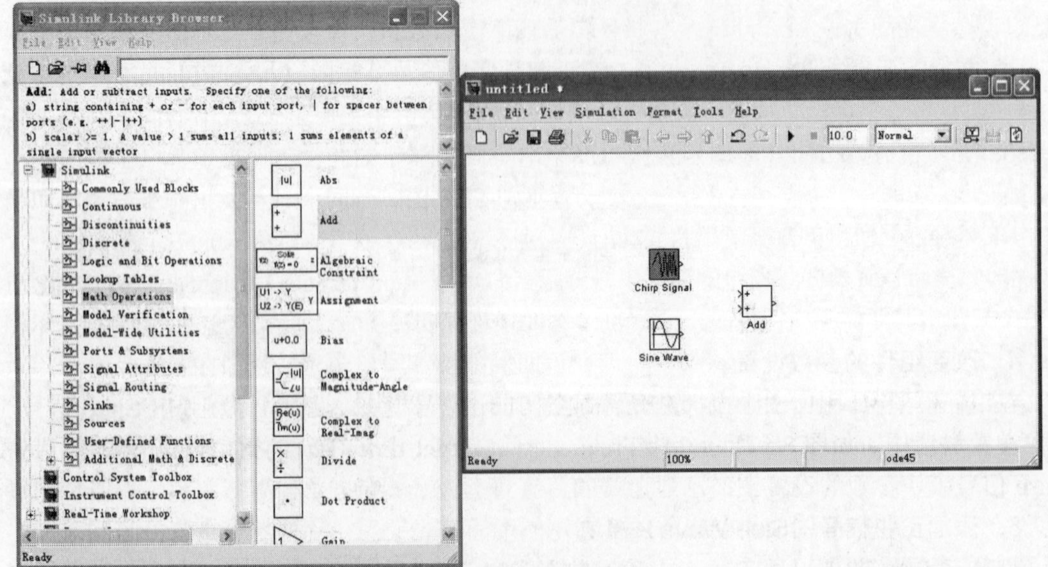

图 8.7 添加数学运算模块

8．添加波形显示（Scope）模块

同样的方式，从 Simulink 库函数页面中选择 Sinks 选项块。在该选项块中，选择波形显示（Scope）模块。通过鼠标将该选项拖放到模型创建页面后，设置外观属性，设置后如图 8.8 所示。

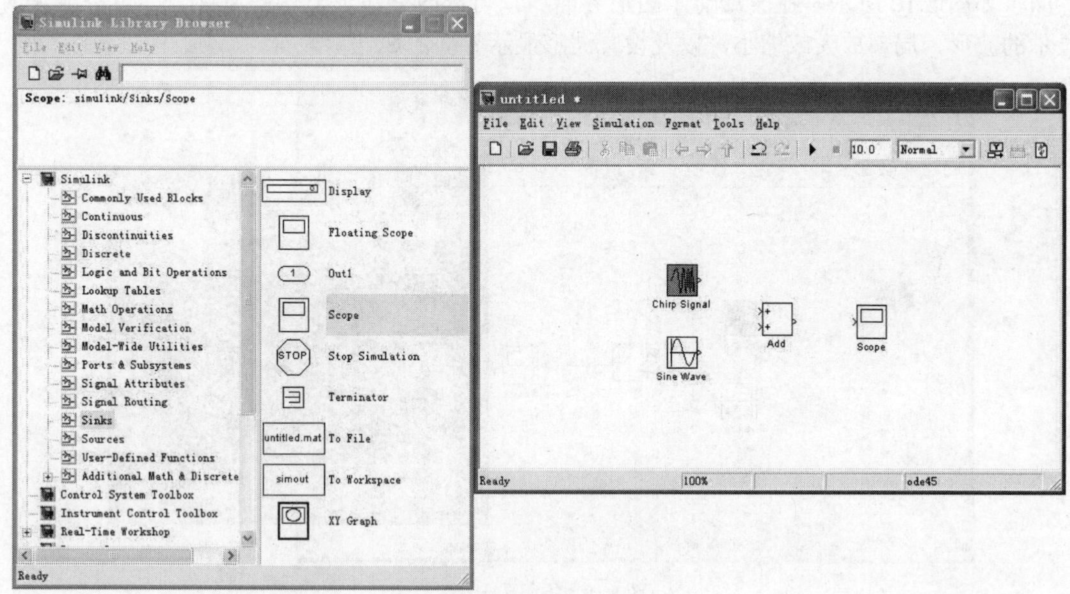

图 8.8　添加波形显示模块

9．连接各部分模块

通过鼠标将 Chirp 信号以及正弦信号的输出端连接到 Add 模块的输入端，将 Add 模块的输出端连接到波形显示模块，连接后如图 8.9 所示。在连线的过程中，Simulink 会根据线路的行走方向自动调整连线的位置和方位。

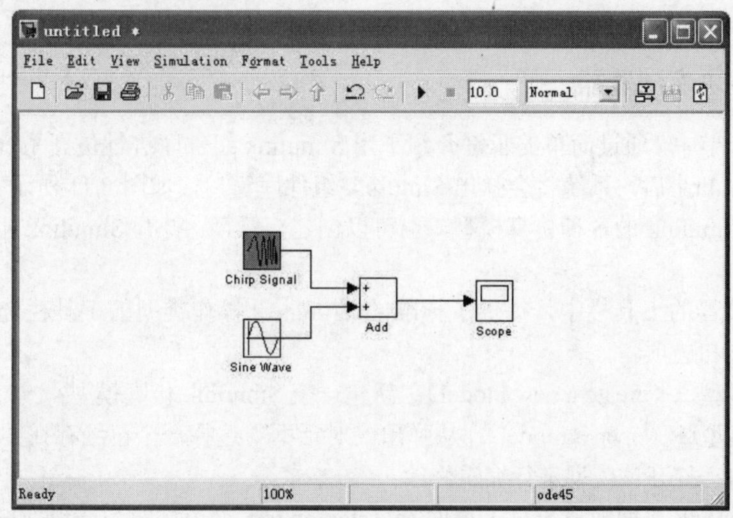

图 8.9　连接后的完整模块

10. 运行仿真系统

模拟运行的时间采用默认的 10.0s。在仿真程序界面上单击开始仿真（Start Simulation）按钮，系统将进行整个波形的仿真过程。

此时，如果单击仿真系统中的波形显示组件，系统弹出波形显示界面，即模拟示波器界面，如图 8.10 所示。在波形显示图形界面内，可以改变波形显示的属性，如可以放大所显示的波形、局部放大或缩小，以及设置波形显示界面的属性参数等。

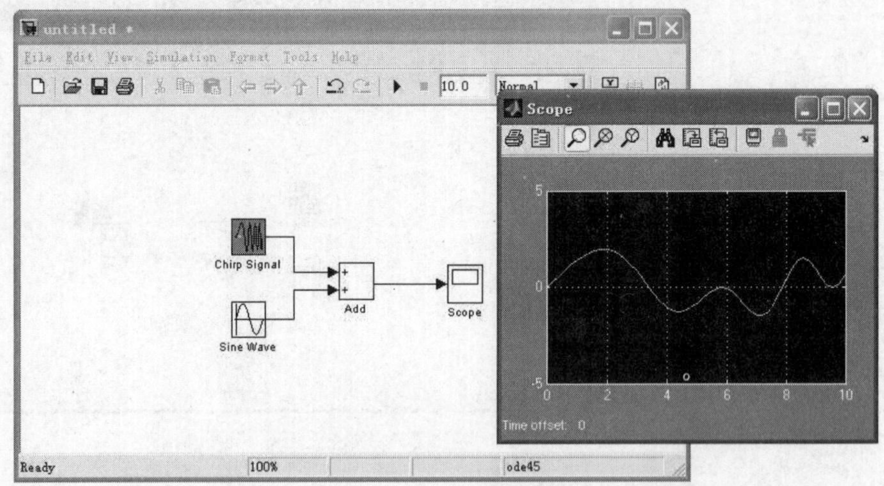

图 8.10　仿真系统运行

如果选择单击波形显示界面内的自动刻度显示（Autoscale）按钮后，波形显示将会充满整个显示波形的示波器界面。

如果改变仿真系统运行的时间，那么可以改变输出结果中的波形显示，能够更清楚地反映整个波形的变化过程。感兴趣的读者可以自己修改仿真系统运行的时间后进行观察。

最后，单击仿真系统创建页面的保存按钮或通过选择 File/Save 菜单项后将该仿真系统保存为“simu_example.mdl”。

8.1.3 模块库浏览器

在前面的小节中，通过简单的示例介绍了用 Simulink 组件库进行仿真系统分析的过程和运行。启动 Simulink 后，系统将会弹出 Simulink 组件库窗口，如图 8.11 所示。在该窗口中，可以浏览选择 Simulink 的各种仿真模型，也可以创建、保存、打开 Simulink 组件，或者查找 Simulink 组件。

在组件浏览器的工具栏中，提供了标准的 Windows 操作类型的工具栏选项，包括以下几个主要的功能和选项。

（1）新建模型🗋（create a new model）：新建一个 Simulink 仿真模型；

（2）打开模型📂（open a model）：从弹出的对话框中选择一个已经存在的 Simulink 仿真模型后，系统自动打开该模型进行编辑修改；

（3）将 Simulink 界面放置于最上页面（stay on top）：该按钮为一切换按钮，单击后可以使得 Simulink 的界面环境位于整个编辑环境的最上面；

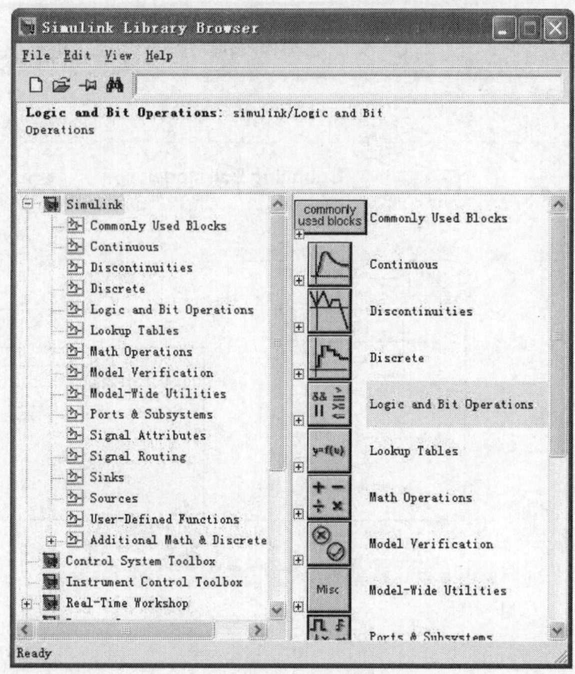

图 8.11　Simulink 组件浏览器界面

（4）查询组件（Find block）：在后面的文本框中输入需要查找的组件关键词，可以查询找到需要寻找的相关组件模块。如果查找到的组件多于一个，则可以循环查找直至找到合理的组件为止。

在该窗口中，同时可以显示所选择组件的信息。如图 8.11 中，选择“逻辑和移位操作”组件选项目录时，此处将显示该选项目录的信息。用户可以通过此处对所选择组件对象及组件目录有所了解。

此外，在 Simulink 组件浏览器界面中，还有 Simulink 组件模型库的总览表以及子目录选项。当选择列表项左侧的总览表和下一层次的子目录之后，在右侧的列表框中，将会显示所选择的总览表或子目录中的 Simulink 组件。如此处安装的 Simulink 包含的总览表，包括 Simulink、Control System Toolbox、Instrument Control Toolbox 等，即在安装过程中，所选择的 Simulink 组件都将在此处显示出来。

8.1.4　Simulink 模型窗口

当创建新的 Simulink 模型或者打开一个已经存在的 Simulink 模型时，都会弹出 Simulink 模型窗口。此处，打开系统所提供的演示 Simulink 模型：Bouncing Ball Model，如图 8.12 所示。如果单击工具栏中的 Toggle Model Browser 按钮，那么将在模型窗口的左侧显示该模型子系统的分级目录，切换该按钮可以显示或取消这部分区域。图 8.12 中已经显示了这部分区域。

Simulink 模型窗口同样包括菜单栏、工具栏、编辑框和状态栏等部分。

工具栏中包括常见软件的一些功能，如新建、打开、保存、打印、剪切、复制和粘贴等常用功能按钮。此外，在工具栏中还包括撤销上一个操作步骤、返回下一个操作步骤按钮。

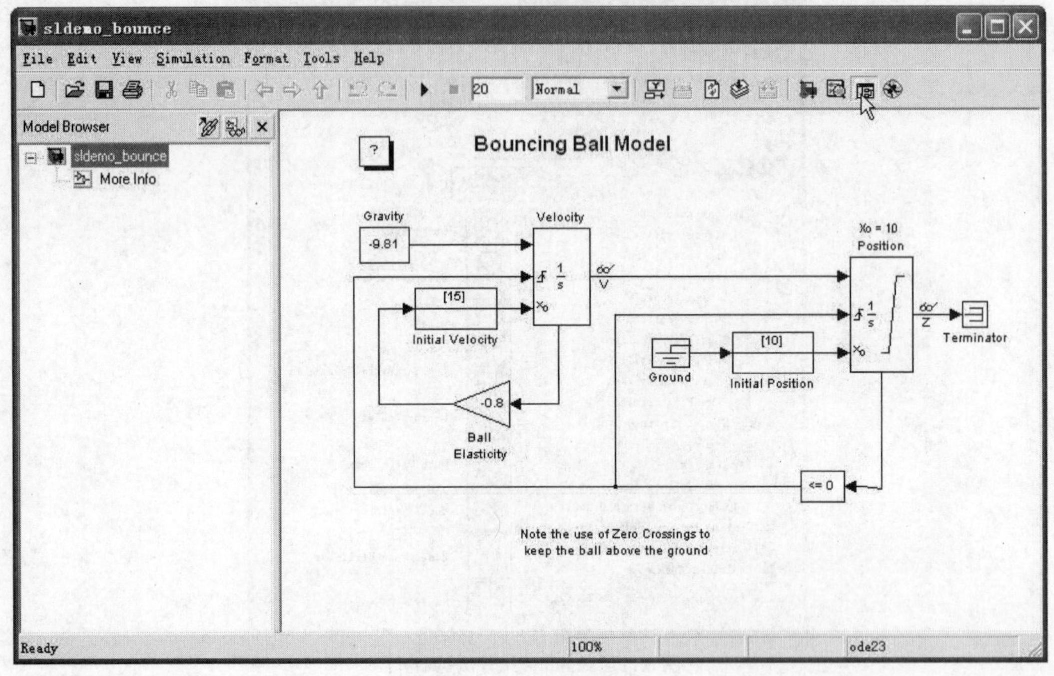

图 8.12　Simulink 模型窗口

仿真部分的按钮主要包括开始仿真按钮、停止仿真按钮、设置仿真时间文本输入框。对于仿真过程的加速方式，可以通过下拉列表选择 Normal、Accelerator、External 3 种加速模式。

其他的按钮选项依次为准备系统的仿真、产生 RTW 程序代码、刷新整个系统、更新整个系统、为子系统产生程序代码、显示 Simulink 的模块库浏览器、打开模块管理器、打开或隐藏模型浏览器、转到上一级系统、打开调试器等。

工具栏中这些按钮的意义都比较明显。当然，对于不同的仿真系统，MATLAB 7.x 会显示不同的工具栏选项。

在模型窗口中，状态栏的显示内容会显示模型窗口的一些状态属性：Ready 表示模型已经准备就绪，等待系统的仿真命令；100%表示编辑框的显示比例；ode23 表示仿真选择的积分算法为 ode23（不同的仿真系统所选择的算法模型不同）。

对于模型窗口，其他部分的功能主要通过菜单栏中的菜单项来实现。下面将具体介绍这些菜单栏的菜单项的意义和内容。

8.1.5　模型窗口的菜单栏

Simulink 模型窗口中的很大一部分功能是通过菜单栏中的菜单项实现的。下面将对这些菜单项进行介绍。

1．File 菜单

File 菜单的主要功能是完成一般软件实现的部分功能，如新建、打开、保存、打印等。该菜单中的主要菜单项及其意义如表 8.1 所示。

表 8.1　　File 菜单的主要菜单项

主要的菜单项	说　明
Model Property	设置 Simulink 的模型属性
Preference	设置 Simulink 界面的默认属性
Source Control	设置 Simulink 和 SCS 的接口
Print Details	生成 HTML 格式的模型报告文件，包括模型参数设置等主要信息

如果选择 Print Detail 选项，则弹出如图 8.13 所示的对话框，可以对模型的打印属性以及系统的报告选项进行选择。

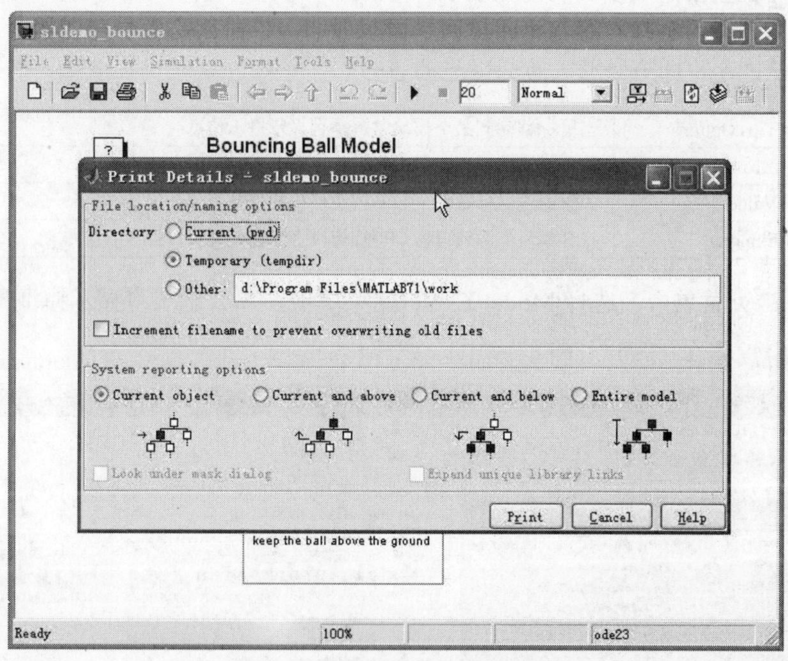

图 8.13　Print Details 设置打印选项

当设置完这些选项后，选择打印，系统将会根据选择的选项打印出模型的详细信息，并以 HTML 的文档形式来显示。

2．Edit 菜单

Edit 菜单中可以实现对所编辑仿真模型的编辑属性。有些编辑选项在适当的操作中才能够显示。此处，将 Edit 菜单中的主要菜单项列出，如表 8.2 所示。其中涉及子系统相关的菜单项将在后面子系统相关的部分进行介绍。

表 8.2　　Edit 菜单中的主要菜单项

主要的菜单项	说　明
Find	搜索 Simulink 系统内的模型块、信号、声明等各种对象
Block Properties	打开模块属性对话框
Create Subsystems	创建子系统
Mask Subsystems	封装子系统
Look under Mask	查看封装子系统的内部结构

续表

主要的菜单项	说　明
Signal Properties	设置信号属性
Edit Mask	编辑封装子系统
Subsystem Parameters	设置子系统的参数
Mask Parameters	封装子系统的参数设置
Update Diagram	更新模型框图的外观属性

3．View 菜单

View 菜单的主要选项及其功能如表 8.3 所示。

表 8.3　　View 菜单的主要选项

主要的菜单项	说　明
Block Data Tips Options	当鼠标移动到某个模块时，是否显示提示信息
Library Browser	打开模块库的浏览器
Port Value	如果通过鼠标操作，显示模块端口的当前值
Model Explorer	打开模块资源管理器，进行模块资源的管理

如果在 View 菜单中，选择 Model Explorer 菜单项，那么系统将显示模型浏览器窗口，如图 8.14 所示。

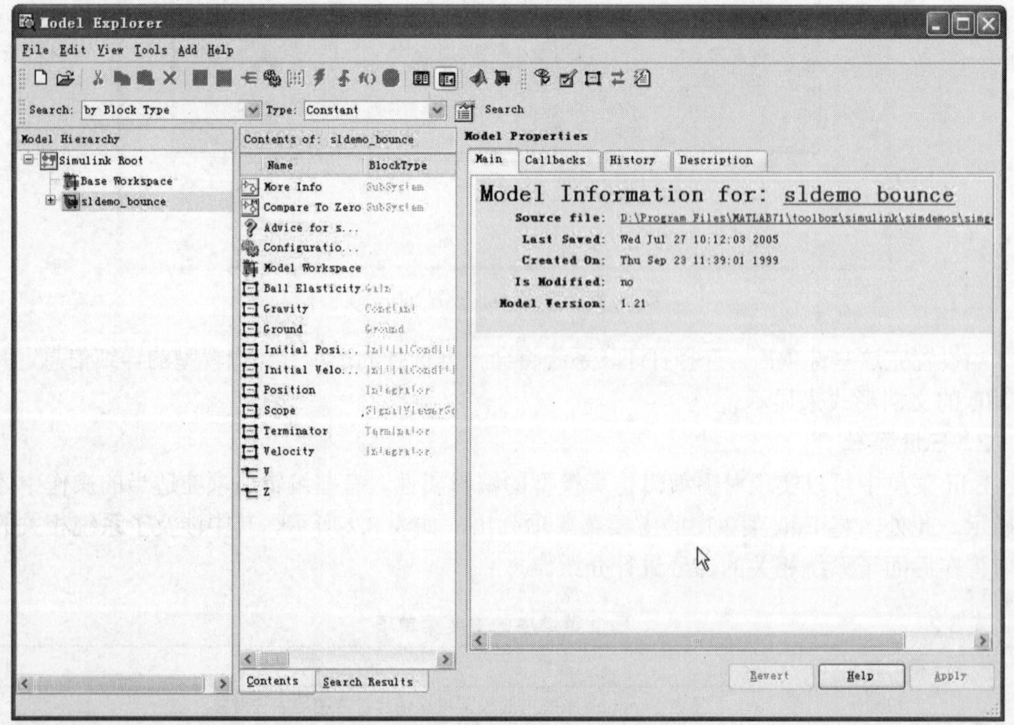

图 8.14　模型浏览器窗口

4．Simulation 菜单

Simulation 菜单主要包括和系统仿真运行相关的命令。如 Start 表示开始运行仿真系统，

Stop 表示停止仿真系统的运行，Configuration Parameters 则可以设置仿真系统的仿真参数和解法器。

5．Help 菜单

Help 菜单的菜单项和系统的帮助文件相关，主要的菜单项如表 8.4 所示。

表 8.4　　　　Help 菜单的主要菜单项

主要的菜单项	说　明
Using Simulink	显示 Simulink 的帮助文件
Blocks	按字母顺序显示 Blocks 的帮助文件
Block Support Table	显示模型所支持的数据类型
About Simulink	显示 Simulink 的版本信息

选择 Block Support Table 菜单项后，系统将弹出如图 8.15 所示的帮助文档，在该文档中显示了 Simulink 模型所支持的数据类型。

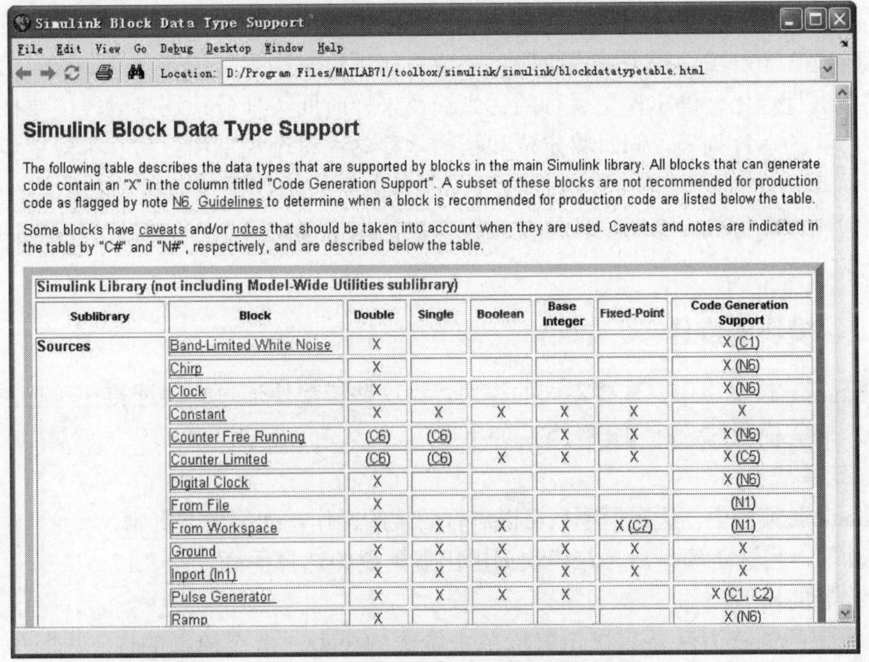

Simulink Block Data Type Support

The following table describes the data types that are supported by blocks in the main Simulink library. All blocks that can generate code contain an "X" in the column titled "Code Generation Support". A subset of these blocks are not recommended for production code as flagged by note N6. Guidelines to determine when a block is recommended for production code are listed below the table.

Some blocks have caveats and/or notes that should be taken into account when they are used. Caveats and notes are indicated in the table by "C#" and "N#", respectively, and are described below the table.

Simulink Library (not including Model-Wide Utilities sublibrary)

Sublibrary	Block	Double	Single	Boolean	Base Integer	Fixed-Point	Code Generation Support
Sources	Band-Limited White Noise	X					X (C1)
	Chirp	X					X (N6)
	Clock	X					X (N6)
	Constant	X	X	X	X	X	X
	Counter Free Running	(C6)	(C6)		X	X	X (N6)
	Counter Limited	(C6)	(C6)	X	X	X	X (C5)
	Digital Clock	X					X (N6)
	From File	X					(N1)
	From Workspace	X	X	X	X	X (C7)	(N1)
	Ground	X	X	X	X	X	X
	Inport (In1)	X	X	X	X	X	X
	Pulse Generator	X	X	X	X		X (C1, C2)
	Ramp	X					X (N6)

图 8.15　Simulink 模型支持的数据类型

8.2　Simulink 模型操作

前面介绍了 Simulink 创建仿真系统的示例，以及 Simulink 创建仿真系统的基本界面以及模型选择等功能。本节将对 Simulink 创建比较复杂的仿真系统进行介绍。

8.2.1　Simulink 模型的原理

Simulink 进行仿真系统的编程可以省去许多烦琐的编程工作。Simulink 每个模型的基础原理在层次和结构上基本是相同的。从层次上来讲，Simulink 编程可以通过直观的框图形式来表示；在文件保存方面通过以 .mdl 格式的 ASCII 码形式保存；从数学行为上来讲，则通过一组微分方程或积分方程来体现；从模型的行为上来讲，模型可以模拟物理器件构成实际系统的动态特性。

从模型的结构上来讲，Simulink 模型包括输入、输出和中间状态值等。以积分器（Integrator）为例，大部分的 Simulink 模型通常包括 3 部分：信号源、系统和信号接收器（信宿），如图 8.16 所示。信号源通常可以包括常数，正弦波，阶梯波等信号源；信宿可以为示波器，图形记录仪等。这三部分组件可以从 Simulink 模块库中直接获得，或者用户根据信号系统的创建而得到。

信号源　Integrator　信号接收器
系统

图 8.16　Simulink 模型

当然，对于具体的 Simulink 仿真系统而言，不一定完全包括这 3 大部件，如用于研究初始条件对系统影响的 Simulink 模型就不需要包括信号源组件。

Simulink 对模型系统的仿真过程，可以看作是在用户给定的时间段内根据模型提供的信息计算系统的状态和输出。一般来讲，Simulink 的仿真过程可以分为模型编译阶段、连接阶段和仿真阶段 3 个阶段。模型编译阶段，完成系统评价模型参数的表达式、确定信号属性、对系统模型进行优化、确定模型运行的优先级及采样时间等任务；连接阶段主要按照执行的次序安排方法的运行列表，同时将定位和初始化存储在每个模型中；仿真阶段主要包括两个阶段，即仿真初始化阶段和仿真迭代阶段，前者用于初始化系统的状态和输出；后者在定义的时间间隔内，每隔一个时间段重复运行一次，用于确定每个时间段计算模型的新输入、输出和状态。

8.2.2　模块的操作

从 Simulink 模型库中，选择不同的模块，将这些模型块通过连线连接在一起，形成一个仿真系统。这些模型的选择和操作方法如下所述。

1．选定模块

在 Simulink 编程中，选定模型后可以进行后续的操作，如剪切、复制、粘贴、移动等。当选定模型后，在模块周围出现黑色的选择手柄，图 8.17 所示为选择后的模型。

图 8.17　选定的模型

单个模型的选择方法是直接用鼠标单击待选的模型。多个模型的选择有两种方法：可以按下 Shift 键后，用鼠标依次点选模型；也可以用鼠标拖动出一个虚线框后完成选择。

2．模块的复制

在不同的模型窗口之间进行模块复制时，在待选择窗口内选中模块，按下鼠标左键，将其拖至另一模型窗口；或选中模块后，单击复制按钮，然后将鼠标移动到目标窗口后，单击粘贴按钮即可。

如果在同一窗口内复制，则可以按下鼠标右键，将模型拖动到合适的位置，释放鼠标即可；或按下 Ctrl 键，再按下鼠标左键，拖动到合适位置，释放鼠标。

经过复制后的模型，其属性和原来的模型属性一样。如果在同一窗口中复制，则会在复制后的模型名称后添加数字。

3. 移动和改变模块的大小

选中模块后，按下鼠标左键，直接将模块移动到合适的位置后即可。在模块移动过程中，模块之间的连线也会随之而移动；在不同窗口之间移动时，需要同时按下 Shift 键后再移动。

如果需要改变模块的大小，则选中模块后，在手柄上直接拖放即可。

4. 旋转模块

在 Simulink 中，用户可以很方便地修改模块的方向属性，即可以改变模块的方向。当需要修改时，可以在选中的模块的弹出菜单中选择 Format 菜单下的 Flip Block 和 Rotate Block 命令。这两个命令的作用分别为：Flip Block 命令可以将模块旋转 180°，Rotate Block 命令将模块按照顺时针方向旋转 90°。

5. 查看模块的属性

在模型创建界面中，从菜单栏中选择 View/Block Data Tips Options 菜单项，在弹出的子菜单项中选择 Parameter Names And Values 菜单项，如图 8.18 所示。那么，当仿真系统运行后，系统将会显示所在模块的属性和参数数值。如继续前面的示例，那么显示结果如图 8.19 所示。

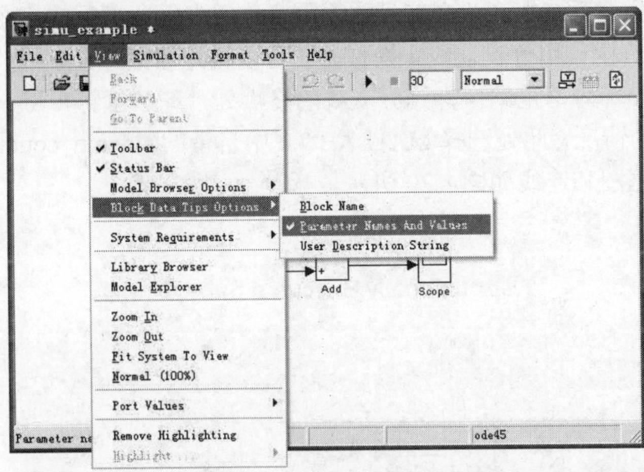

图 8.18 设置模块的显示属性

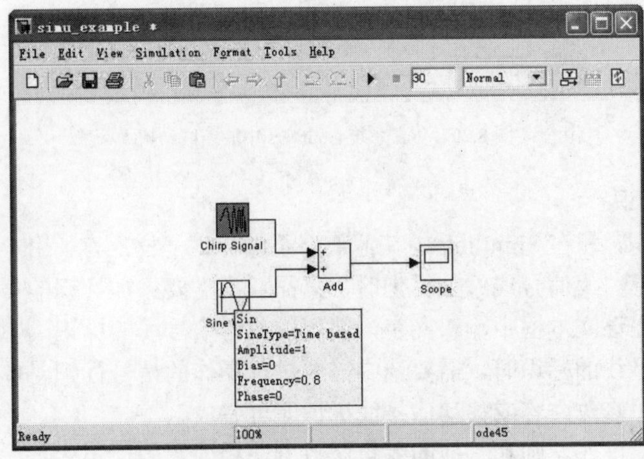

图 8.19 显示模块的属性和数值

8.2.3 信号线的操作

在 Simulink 中，信号由模块之间的连线传送，因此，在添加模块后，需要通过连线连接起来。本节对信号线的连接进行简单介绍。

1．连接信号线

（1）水平或垂直信号线的连接。将光标放在某模块的输出端，待光标变为十字形时，按下鼠标左键拖动到待接入的模块输入端。Simulink 会根据输入输出端自动形成起点到终点的连线。

（2）斜连线方式连接。和上面的连接方式相同，但在连接过程中，需按下 Shift 键拖动光标。

（3）移动或删除连线。选中需要进行操作的连线，并将光标指向该连线，按下鼠标左键，拖动到指定位置处，释放鼠标。如果需要删除连线，则可以在选中连线后，按 Delete 键删除该连线。

2．连接线的分支

在比较复杂的仿真系统中，一个信号往往需要分送到不同模型的多个输入端口，此时，需要在 Simulink 仿真中使用分支连线。操作时，可以将光标指向分支线的起点，按下鼠标左键，光标变为十字光标时，拖动鼠标到分支线的终点处，释放鼠标，Simulink 自动生成分支线。为显示分支线的情况，此处选择 MATLAB 7.x 中自带的 sldemo_counters.mdl 文件进行演示。该仿真系统的框图和连线如图 8.20 所示。

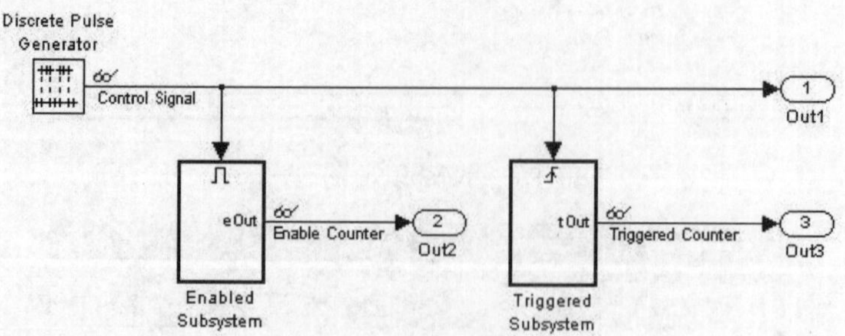

图 8.20　仿真系统 Counters 中的连线结构

3．信号线的标识

添加信号的标识，和在 Simulink 中其他部分添加标识一样，为了用户更容易理解和掌握所使用信号线的信息。为信号线添加标识时，只需双击需要添加标识的信号线，系统就会弹出空白的文本框，在该文本框中输入文字，就可以作为信号线的标识。

修改、移动信号线的标识时，需要选中需要进行操作的信号标识，单击该标识后，就会出现标识的编辑框，修改内容或移动信号线标识即可完成。

对于复制和删除操作，则和其他的编辑修改方法相同。

此处，在上面 sldemo_counters.mdl 的连线上添加标识后如图 8.21 所示。

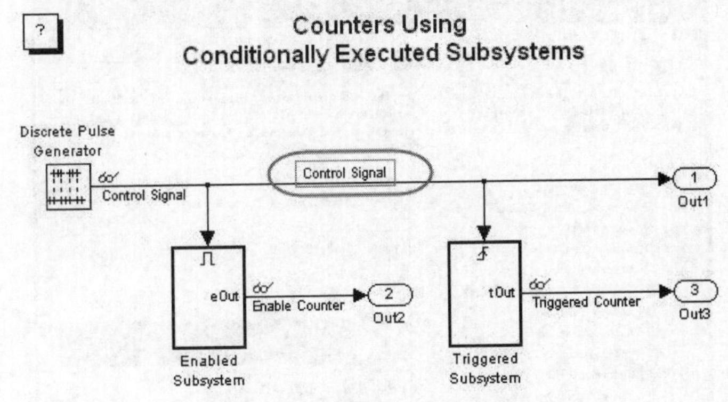

图 8.21 在信号线上添加标识

4．设置信号线的连接属性

信号线的连接属性，对 Simulink 具有同样重要的作用。设置信号线的连接属性时，可以在弹出菜单中选择 Signal Properties 菜单项，系统弹出信号线连接属性的设置对话框，可以在该对话框中设置或改变信号线的连接属性。

仍在上面的示例中，设置连接线的属性，如图 8.22 所示。

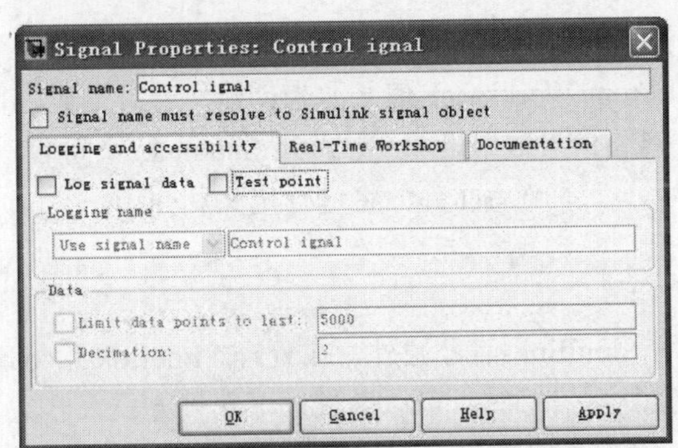

图 8.22 设置信号线的连接属性

8.3 Simulink 信号

在 Simulink 中，信号是动态系统的输出，信号之间的关系通过数学关系连接起来，代表数学逻辑上的关系。在使用 Simulink 进行信号仿真系统的模拟中，为了更直观地显示相互之间的这种数学逻辑关系，通过图标形式来定义模块以及模块之间的信号传递关系。

8.3.1 常见信号

在 Simulink 中，信号源可以使用 Simulink 模块库中的 Sources 模块中所提供的信号源，这些信号源提供了比较常见的仿真信号源，如图 8.23 所示。这些信号如 Clock 信号、Chirp 信号、Sine 信号等，都是系统自动提供的，可以直接使用，也可设置信号的属性。这些常见的信号比较简单，读者可以翻阅信号处理相关的书籍来详细查阅这些信号的定义和特点。

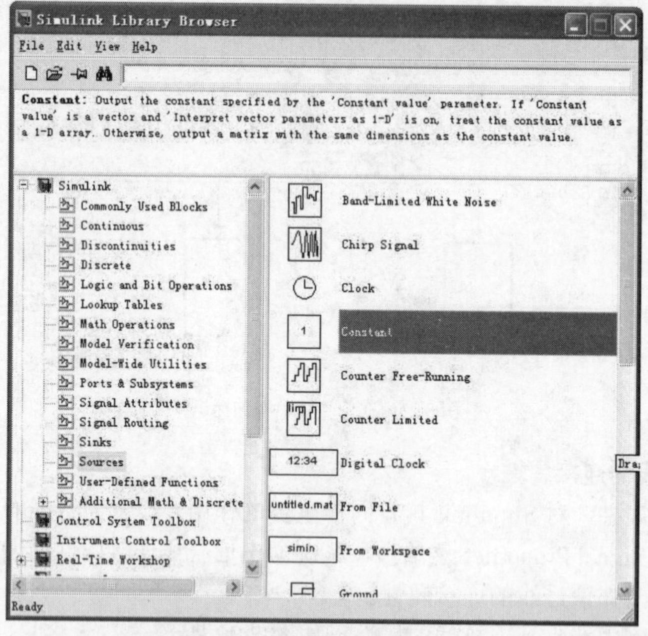

图 8.23　信号源信号选择位置

此外，在 Simulink 中用户还可以自己创建新的仿真信号。如果用户需要创建自己的信号，则可以使用 From File 和 From Workspace 信号源来创建信号。通过这两种方式创建信号时，通常在文件或工作空间中产生信号数据矩阵，导入到 Simulink 空间后，再产生新的仿真信号。对于自定义产生新的信号，在本节后面部分将进行定义和介绍。

8.3.2　复数信号

除上节中提到的常用 Simulink 信号源外，在处理 Simulink 信号时，还常常会处理复数信号。在 Simulink 中产生复数信号时，可以通过以下几种方式来产生复数信号。

（1）在模型中加入一个常数（Constant）模块，将该模块设置为复数；

（2）可以分别产生实部和虚部，然后再通过 Real-Imag to Complex 模块将这两个部分复合成为复数信号对象；

（3）分别产生复数的幅值和幅角，然后通过 Magnitude-Angle to Complex 模块将这两个部分复合为一个复数对象。

如果将复数信号转化为实数方式来表示，则可以选择使用 Complex to Real-Imag 或 Complex to Magnitude-Angle 模块，将复数信号转化为实数方式来分别表示。

下面的示例将对通过实数产生复数信号以及将复数信号转化为实数形式进行分别表示，并加以介绍。

例 8.2　复数信号处理和仿真。

实际进行仿真时，在 Simulink 仿真空间中放入常数模块，将其中一个设置为复数形式表示，另外两个常数模块设置为常数。对于后面两个常数模块分别通过 Magnitude-Angle to Complex 和 Real-Imag to Complex 模块转化为复数信号。对于将复数信号转化为实数形式表示，将前面产生的复数信号通过 Complex to Magnitude-Angle 和 Complex to Real-Imag 模块转化为实数形式表示。数据显示通过 Display 进行显示。运行仿真程序后，Simulink 仿真模块图及运行结果如图 8.24 所示。

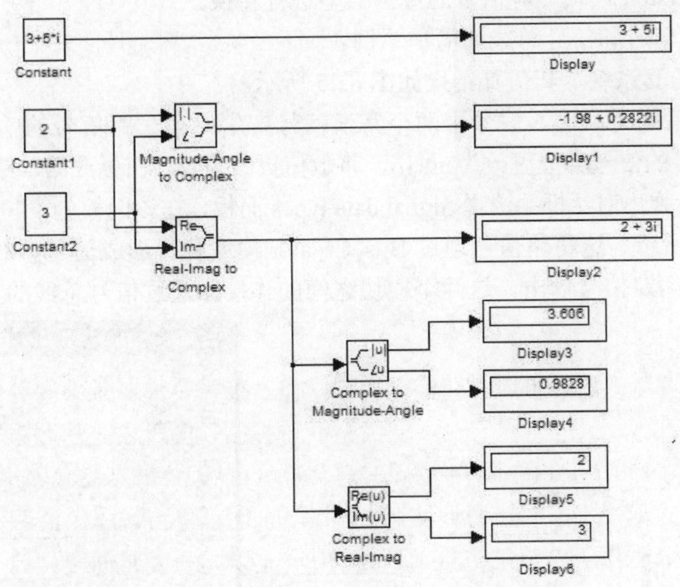

图 8.24 Simulink 复数信号及实数形式之间的转化和表示

8.3.3 虚拟信号和信号总线

在 Simulink 仿真系统的模拟中，虚拟信号是通过图形来代表其他信号的一个信号模块，能够产生虚拟信号的模块主要包括 Bus Creator、Import、Output blocks 等。这些模块产生的虚拟信号在数学和逻辑上不具备作用，当系统进行仿真时，仿真系统会直接忽略虚拟信号的存在。当然，在 Simulink 中，虚拟信号模块不仅可以代表虚拟信号，也可以代表非虚拟信号模块。

和虚拟信号直接相关的模块是信号总线。所谓 Simulink 的信号总线，是一个组合信号，通过一束连接线来代表。信号总线的组件可以包含不同的数据类型，也可以是复合信号。信号总线也可以使用 Bus Creator 或 Import 模块来创建。信号总线的输入信号比较复杂，如果需要直接了解某个信号总线的信号个数，则可以在选中该总线对象后，选择 Format/Port/Signal Displays/Signal Dimensions 菜单项，这样就会在信号总线上显示信号总线的组成个数。

信号总线上可以传输虚拟信号，也可以传输非虚拟信号。和虚拟信号相连接的模块从分配给组件信号的内存空间中读取输入变量，因此，信号保存在不同的内存空间中。如果在信号总线上传输的是非虚拟信号，那么信号总线从 Simulink 保存的组件信号副本上读取输入变量数据，信号保存在连续内存空间内。

因此，这也就说明，能够和信号总线相连接的信号模块是可以同时通过虚拟信号和非虚拟信号的模块。所有的虚拟信号都可以和信号总线相连接。能够和信号总线连接的非虚拟信号模块包括 Memory、Merge、Switch、Multiport Switch、Rate Transition、Unit Delay 等。

一般情况下，Bus Creator 模块产生的是虚拟模块，因此，可以接收信号总线作为输入变量。如果该模块在仿真程序执行状态下或子系统状态下，与该模块相连接的组件或某个子系统的输出端口相连接。此时，通过 Bus Creator 产生的信号数据类型可能不相同，仿真程序进行仿真时，Simulink 就会终止程序的仿真，并显示错误信息。为解决此问题，可以在线路中添加 Signal Conversion 模块，对信号的数据类型进行转换。

例 8.3　虚拟信号和信号总线的简单示例。

设计得到的仿真系统及其仿真结果如图 8.25 所示。

上面的仿真系统中，输入信号由两个常值信号产生。第一路信号的输入输出采用默认设置。第二路信号的信号类型更改为 int16，将数值更改为 2。在更改第二路信号的信号类型时，双击该模块后弹出对话框，选择 Signal data types 面板，在该面板的下拉列表中选择 int16 类型，如图 8.26 所示。这两路信号通过 Bus Creator 模块复合形成信号总线，然后通过 Bus Selector 模块作为两路信号输出。这两个模块之间的连接即通过信号总线的方式进行连接。

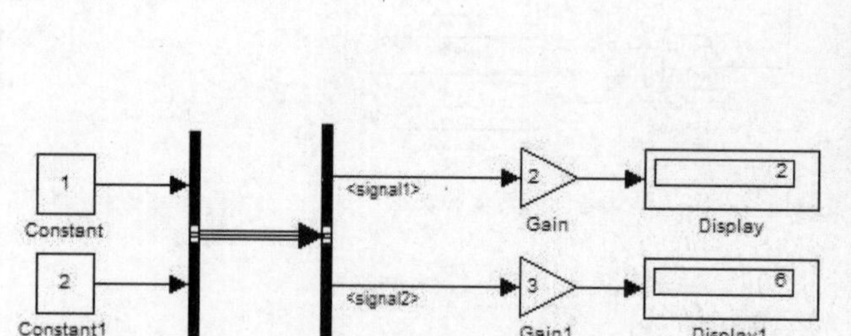

图 8.25　虚拟信号和信号总线示例

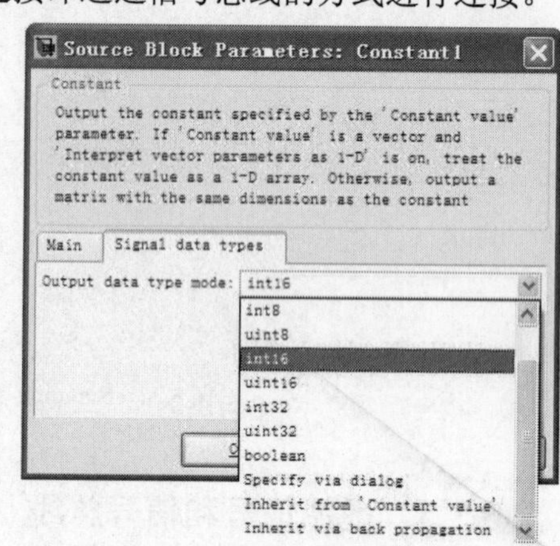

图 8.26　更改信号的数据类型

通过 Bus Selector 将两路信号分解后，通过两个增益变化器改变信号的增益。一路信号的增益采用默认的数值格式来产生信号放大，而二路信号的增益数值格式却不相同。此时，如果运行仿真系统，那么系统弹出错误对话框，提示数据类型不匹配。因此，可以改变二路信号的增益后，使数据类型相匹配。改变时，双击该模块，在 Signal data type 面板的输出数据类型中，将数据类型选择为 Same as input，如图 8.27 所示；在 Parameter data types 面板中，将参数的数据类型方式改为 Same as input 选项，如图 8.28 所示。通过这些改变后，可以改变输入输出参数的类型，从而实现数据类型的匹配关系。当然，读者也可以尝试选择 Signal Conversion 模块完成信号数据类型的变化。

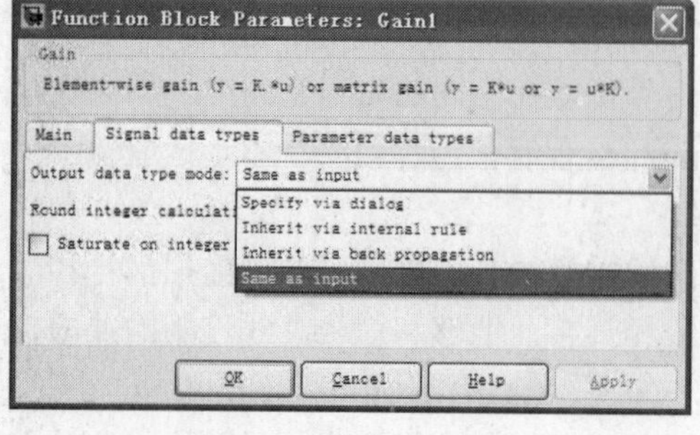

图 8.27　改变信号的类型

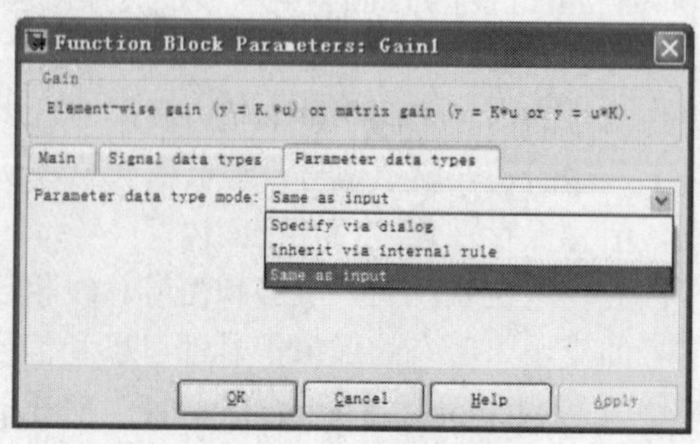

图 8.28　改变参数的类型

仿真系统运行后，信号的输出结果通过 Display 模块显示，显示的结果如图 8.26 所示。

8.3.4　创建信号组

在 Simulink 中，除在 Sources 模块库中提供的默认信号外，用户还可以选择使用模块库中的 Signal Builder 模块。通过该模块，用户可以完成比较复杂的信号的创建和编辑工作。在 Signal Builder 模块中可以完成信号的编辑工作，如添加新的信号、修改原有信号的属性、选择输出的信号对象等。

在仿真系统中，添加 Signal Builder 模块后，双击该模块弹出如图 8.29 所示的信号组编辑窗口，默认的信号为方波信号。在该窗口中，主要包括以下几个部分。

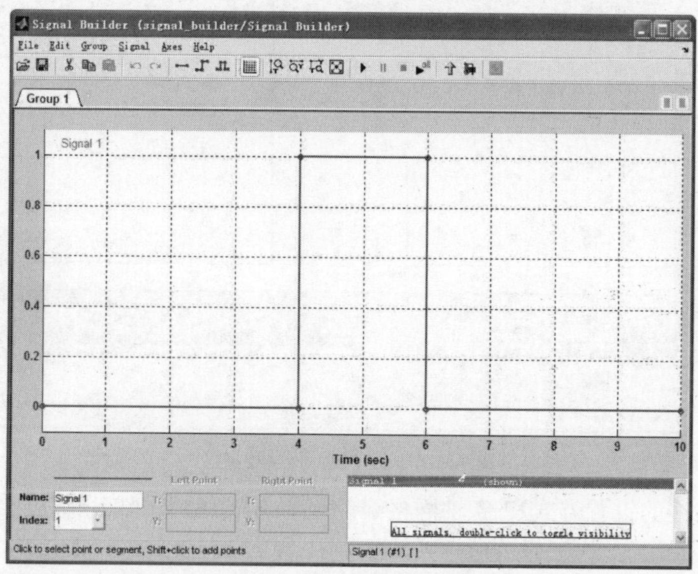

图 8.29　信号组编辑对话框

（1）Group 面板：在该面板中，显示所要编辑或修改的信号组的波形和属性。如果有多个信号组，则在该面板中会显示多个 Group 选项卡。在编辑过程中，只能选择一个 Group 面板来进行信号的编辑。

（2）信号坐标轴：在对应于同一个信号组中，不同的信号分别出现在独立的坐标轴中。这些坐标轴的时间轴相同，以便于比较不同信号随时间的变化过程。此外，在该窗口中，系统还为每组信号产生自适应的坐标系统。如果需要改变坐标轴的属性，则用户可以选择对话框的 Axes 菜单，在对应的菜单项中，可以选择修改坐标轴的时间范围（T）和振幅（Y）的数值。

（3）信号列表：在窗口右下角的列表框中，列出了不同信号组的名称。选择不同的信号组，在信号显示框中显示不同的信号。

此外，用户可以通过鼠标直接改变信号组的波形情况，从而完成对信号的编辑和修改。

下面将在示例的基础上来说明 Signal Builder 模块编辑信号的方法。

例 8.4　通过 Signal Builder 模块编辑信号组。

在创建本示例时，首先从 Simulink 模块库中选择 Signal Builder 模块及示波器显示模块。仿真系统如图 8.30 所示。

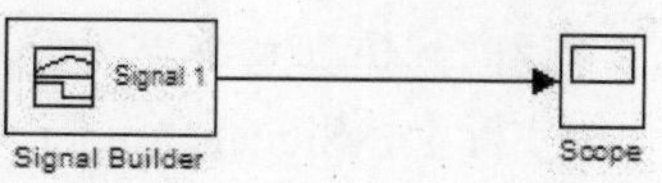

图 8.30　信号组创建仿真系统示例

双击 Signal Builder 信号创建器后，弹出如图 8.29 所示的窗口。

此处，修改信号组的 Y 轴网格线属性。在对话框中，选中波形对象后，选择 Axes/Set Y snap grid 菜单项，在子菜单项中，可以选择网格线的设置数值。改变该数值后，更改波形时，捕捉的网格距离将会随之而改变，修改如图 8.31 所示。当网格线的最小单位设置越为精细时，就越容易移动需要移动的波形或数据点。

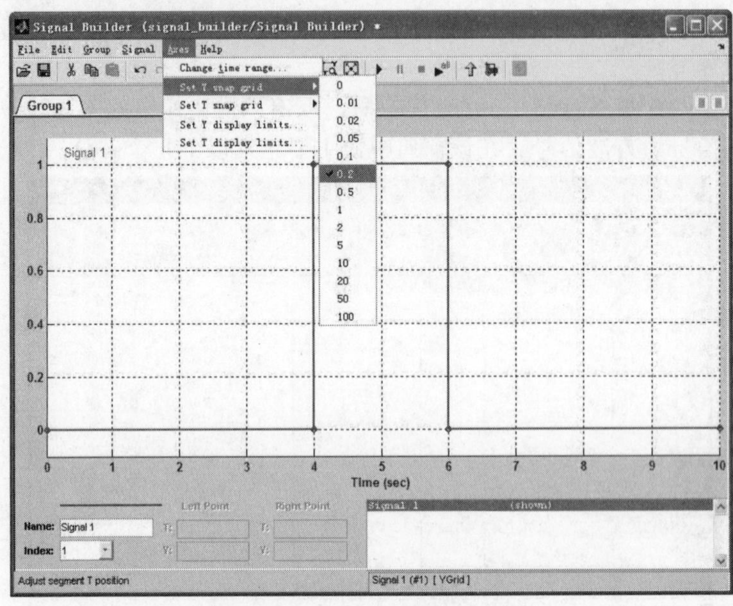

图 8.31　改变 Y 轴的网格线属性

对 X 轴网格线的设置方式和 Y 轴网格线的设置方式相同。默认情况下，Y 轴和 X 轴的网格线最小单位均为 0，便于修改波形。

移动波形。此时，可以直接通过鼠标来移动波形上的数据点，或选择波形中的一些片段来完成修改和编辑。修改之后，可以设置和改变信号波形的形状。信号波形的线型可以通过菜单栏中 Signal/Line Style 的子菜单项来选择和设置。此外，还可以修改波形的时间范围，选中波形后，同样在 Axes 菜单栏中，设置时间范围。

如果用户希望将所定义的波形输出到工作空间，则可以选择 File/Export to WorkSpace 菜单项，将波形输出到工作空间，如图 8.32 所示。

在 Signal Builder 窗口中，还可以添加其他信号，此处，添加高斯噪声信号。从菜单栏中选择 Signal/New/Sampled Gaussian noise 菜单项，系统弹出高斯噪声信号的设置对话框，如图 8.33 所示。设置相应的参数选项后，得到的信号组如图 8.34 所示。如果用户不需要其中的某个信号，可以选择列表中的信号，单击鼠标右键删除即可。

此处，完成上述设置后，通过信号组的创建后得到两路信号的输出。将示波器的输入设置为两路输出。设置 Signal Builder 的仿真属性，从 File/Simulation Options 中选择菜单项后，弹出对话框，可以设置信号的仿真方式。设置后的数值显示如图 8.35 所示。

返回到仿真系统界面后，运行仿真程序，示波器的输出结果如图 8.36 所示。

实际上，Signal Builder 系统提供了比较多的仿真信号，用户可以根据需要修改波形，改变信号类型，完成一定功能的仿真分析任务。

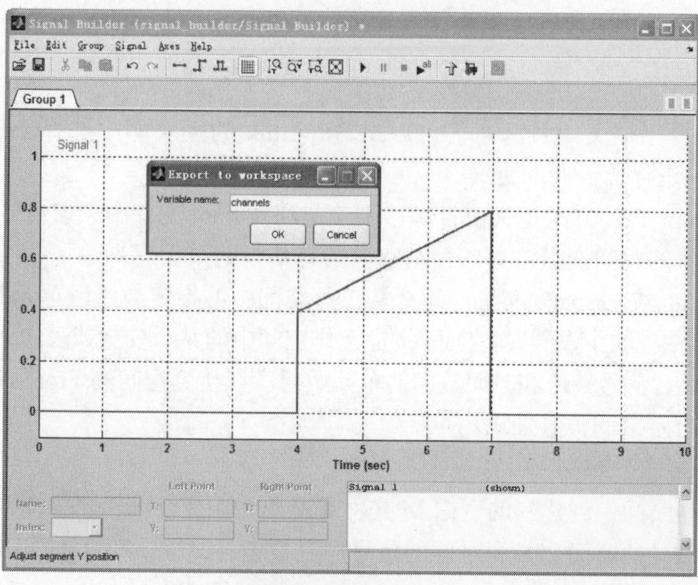

图 8.32　将修改后的波形输出到工作空间

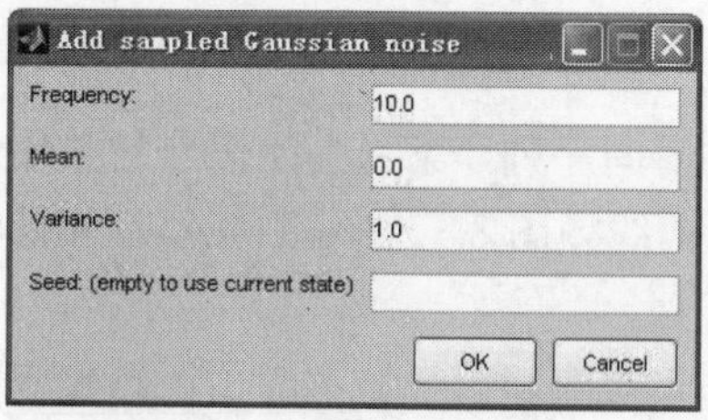

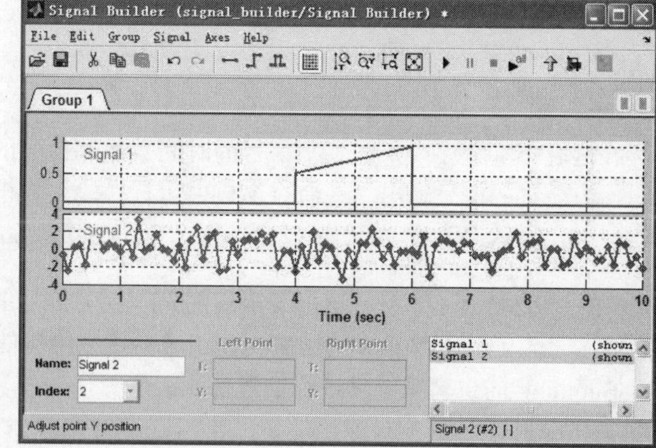

图 8.33　添加高斯噪声信号

图 8.34　添加噪声信号

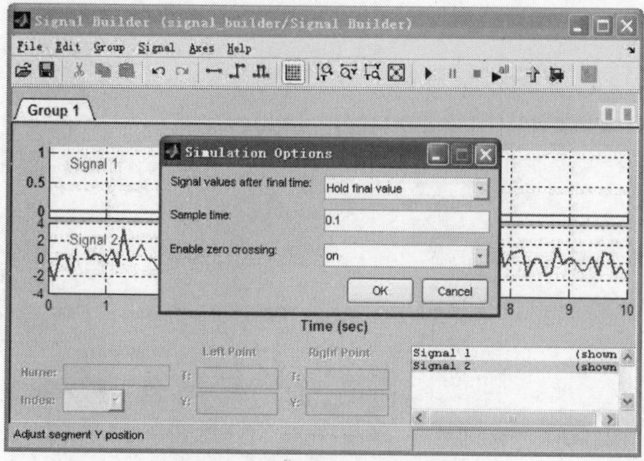

图 8.35　设置信号组的仿真属性

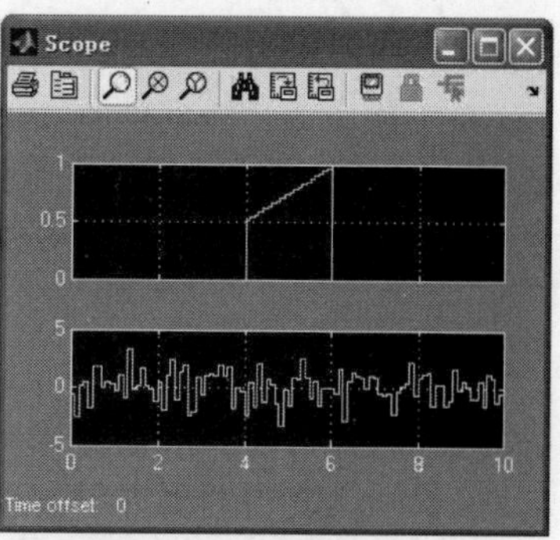

图 8.36　仿真结果输出

8.3.5 自定义信号源

当用户需要自己定义信号源时，可以从 Simulink 的模块库中选择 From File 或 From Workspace 模块来进行信号源的定义。

如果使用 From File 方式定义信号源，则信号将从.mat 文件中读取信号数组，信号数组的第一行表示信号的时间变量，第二行则存储的是信号的数据序列。

如果使用 From Workspace 模块，那么从工作空间中的指定数组或单元数组中读取数据。在 From Workspace 模块中设置时，Data 指定工作空间中的某个变量或表达式，该表达式代表一个二维数组或包含信号数值和时间数值的单元数组。在仿真空间的 From Workspace 图标上显示的曲线即为所定义的信号曲线。

例 8.5 自定义信号源示例。

首先，在工作空间中创建新的空白 M 文件编辑器。在文件编辑器中输入程序代码来定义输出信号，包括信号的时间变量和对应的信号序列数值。此处，产生函数 $y=a\mathrm{e}^{-t/b}\cos(t)$ 的信号序列。在函数中，参数 a 和 b 是可变化的参数。所编写的仿真信号 M 文件如下：

```
function Ts=Sources(a,b)
% 产生自定以仿真信号
t=linspace(0,4*pi,100);
y=a*exp(-t/b).*cos(t);
Ts=[t',y'];
```

在这段仿真程序中，产生了信号的时间数组和信号的空间序列。最后构成一个信号二维数组作为最终的信号输出。在命令窗口中运行，输入如下命令：

```
>> Ts=Sources(1,3);
>> plot(Ts(:,1),Ts(:,2))
```

此处产生了信号数组，该信号数组的第一列为信号的时间序列，第二列为信号的数值序列。同时，还可以使用 plot 函数来绘制信号曲线，绘制的曲线如图 8.37 所示。当然，此处将通过 Simulink 的仿真系统来进行信号仿真。

在 Simulink 仿真窗口添加模块，包括 From Workspace 模块和信号显示的示波器模块，下面对此模块的使用进行简单的介绍。添加后的仿真系统如图 8.38 所示。

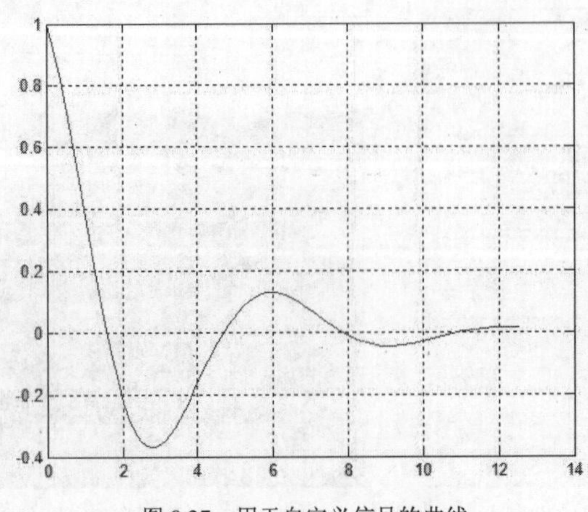

图 8.37 用于自定义信号的曲线

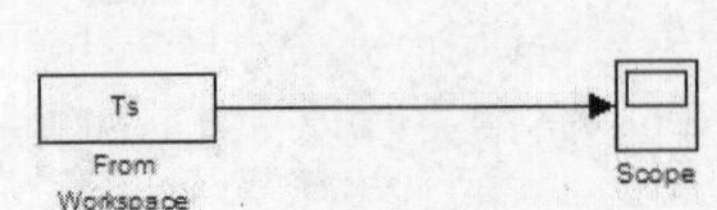

图 8.38 From Workspace 模块示例

此时，双击图 8.38 中的 From Workspace 模块，在弹出的对话框中设置该模块的数据来源 Data 为 Ts，如图 8.39 所示。

设置完毕后，单击 OK 按钮返回到仿真系统界面，设置仿真运行时间为 12s，即设置为产生信号序列的时间长度。运行该仿真程序，单击示波器模块后，系统弹出仿真结果，如图 8.40 所示。

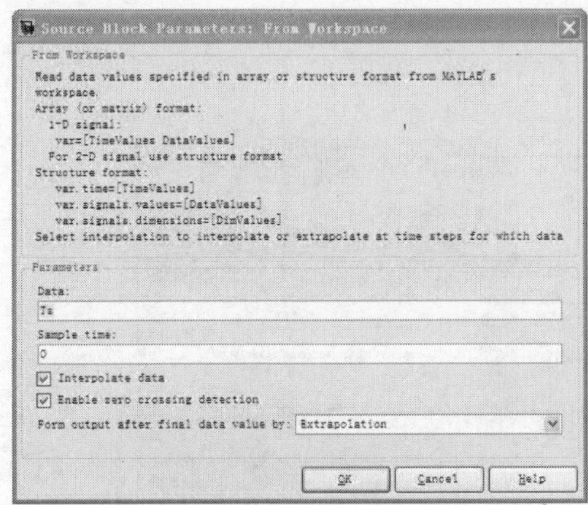

图 8.39　设置工作空间模块的数据来源

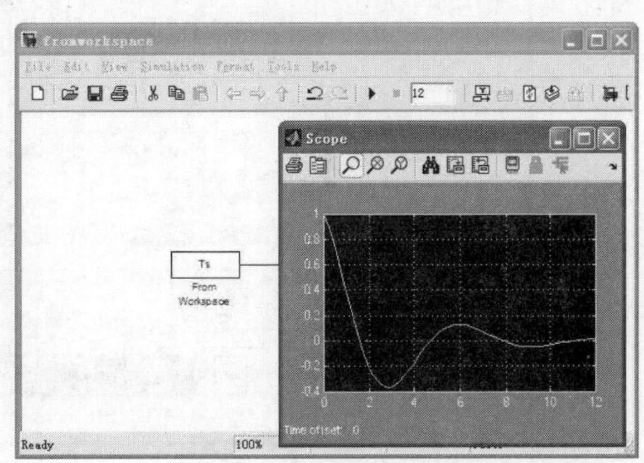

图 8.40　仿真运行结果显示

8.4　常用的 Sink 模块

在 Simulink 仿真系统完成系统的仿真之后，需要将产生的结果进行显示或存储为数据文件等。此时，可以添加不同的仿真结果显示或存储方式，常见的存储或显示模块在 Simulink 模块库的 Sinks 子项下，如数值显示、示波器、终止仿真、把数据保存为文件、把数据输出为矩阵、显示 X-Y 图形等，如图 8.41 所示。

此处，只对示波器模块（Scope）做以介绍。示波器在仿真程序运行后，其仿真缓冲区就可以接收来自仿真系统传送过来的仿真信号。该仿真缓冲区最多可以接收 30 多路信号，均以列方式来排列。示波器可以接收的信号包括向量信号，在实时仿真中，可以实时显示（标量或向量）信号波形，但是，所显示的波形不能直接打印或嵌入到文件中。

在示波器显示界面中对工具栏中的一些命令进行设置，可以改变示波器对波形的显示。下面在前面示例的基础上，对示波器的工具栏的命令使用进行简单的介绍。

例 8.6　示波器属性的编辑和修改。

在例 8.5 的基础上，改变示波器的属性。

改变纵坐标的属性。从示波器界面中选择 Autoscale 选项或者在右键单击的弹出菜单中选择 Autoscale 选项，可以改变示波器中显示的波形的完整情况，能够在纵坐标的范围内（显示波形的最大最小值作为纵坐标的上下限）调整所显示的波形。

纵坐标范围的手动设置。如果读者需要手动改变纵坐标的范围，在右键单击的弹出菜单中选择 Axes Properties 菜单项，在弹出的窗口中设置纵坐标的显示范围，如图 8.42 所示。

改变横坐标的范围。此时，可以单击工具栏中的 Parameters 命令，系统弹出如图 8.43

所示的窗口。该窗口中主要可以改变的选项如下。

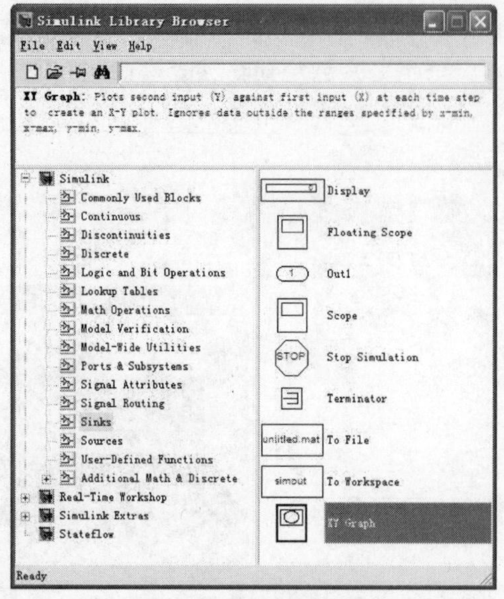

图 8.41　常见的 Sink 模块

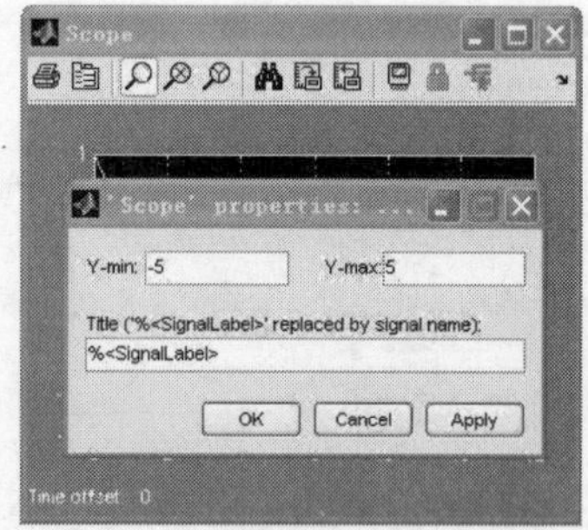

图 8.42　设置纵坐标的显示范围

（1）Time range 文本框。在该文本框中可以输入或改变示波器显示的横坐标属性，即改变时间轴的显示范围。默认情况下显示的时间范围为仿真系统的运行时间范围，即[0, 10]范围内的波形。当选择自动改变坐标范围时，该文本对话框中显示 auto。

（2）Sampling 下拉列表。在该下拉列表中，可以选择设置波形的采样频度 Decimation 以及采样时间 Sampling 数值。默认的采样频率（n）为 1，即每隔（n−1）个数据点进行显示。如果设置数值为 0，那么表示信号连续进行显示；如果设置的数值为−1，则表示波形的显示取决于输入信号；如果所设置的数值大于 1，那么显示的波形为离散信号。

当设置完毕该选项后，用户可以设置该对话框的另一个选项面板，即 Data history 面板。该面板中可以选择设置的页面如图 8.44 所示。在图 8.44 所示的窗口中包括以下选项。

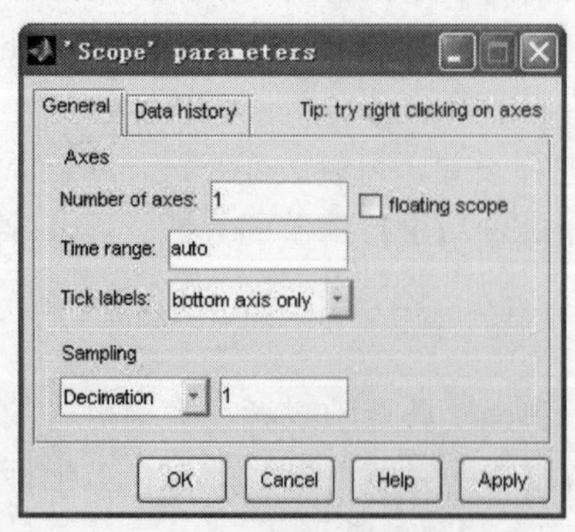

图 8.43　设置横坐标属性

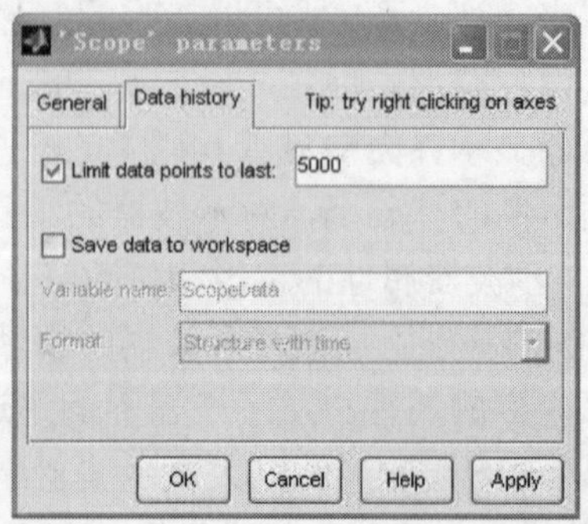

图 8.44　设置显示数据的历史信息

（1）Limit data point to last 文本框。在该文本框中，可以输入在示波器缓冲区中的采样点数据保存个数。默认的设置数据为 5000 个，当数据超过 5000 个之后，系统将自动将最前面的历史数据清除，而保留最新的 5000 个数据。

（2）Save data to workspace 选项。在该选项中，示波器中显示的波形数据将会输送到工作空间，在工作空间中的变量名称可以在 Variable name 文本框中输入，而数据的格式可以在 Format 下拉列表中进行设置，可以选择的格式包括 Structure with time、Structure、Array 3 种方式。

在示波器界面中，还有其他一些命令可供选择和使用，进行坐标轴缩放的缩放工具，如 X-Y 双向缩放、X 轴向缩放、Y 轴向缩放。在该工具栏中，还可以将所设置的坐标轴属性保存下来作为示波器的默认设置，或将保存的坐标轴属性恢复为示波器的显示。这些命令都比较简单，此处不做详细介绍。

当输入示波器的信号为多路信号，即通过信号向量的形式输入到示波器时，那么可以使用游离示波器选项，此时将输入的多个信号进行选择和设置。此处在例 8.4 的基础上来介绍游离示波器的设置和显示。

例 8.7　游离示波器的设置和使用。

从 Simulink 模块库中选择 Mux 模块，将通过 Signal Builder 模块创建的两路信号复合成一个信号组，输入到示波器，仿真系统如图 8.45 所示。

按照默认的设置，在示波器的显示结果中，复合后的两路信号将在同一套坐标中进行显示。运行仿真程序后，示波器显示的波形如图 8.46 所示。如果在示波器显示界面中，从工具栏中选择 Parameter 命令，弹出如图 8.43 所示的坐标轴设置对话框，将坐标轴改为两个，那么示波器的输入端会多出一个输入端。将该输入端连接到复合信号后，两路信号将同时在示波器的两个窗口中显示，如图 8.47 所示。

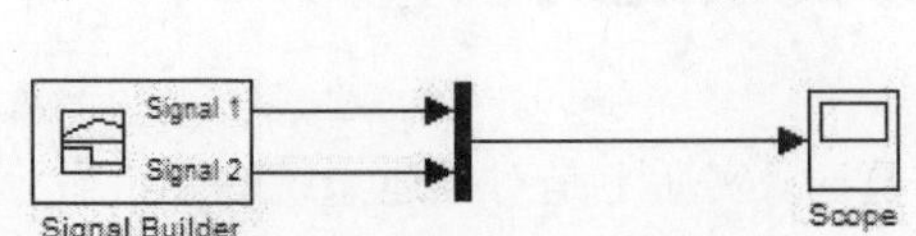

图 8.45　示波器显示多路信号

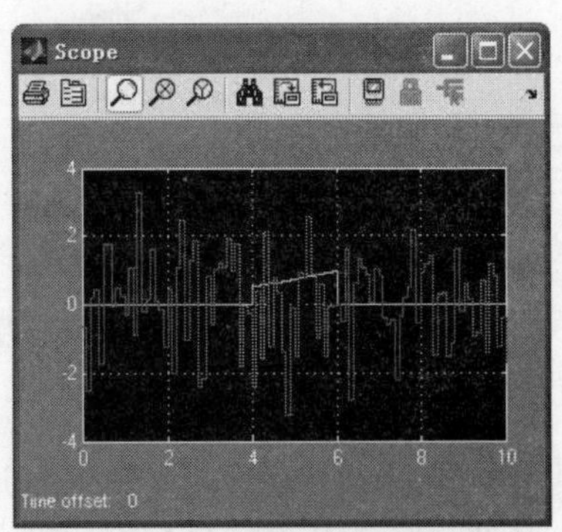

图 8.46　示波器显示复合信号

此时，如果选择示波器界面工具栏中的 Floating scope 命令，工具栏中会显示游离示波器设置的命令，或者通过弹出菜单来选择两个窗口中的示波器信号。选择时，在对应的示波器窗口中单击鼠标右键，选择 Signal selection 菜单项，如图 8.48 所示。

选择该选项后，系统弹出如图 8.49 所示的对话框。从该对话框的下拉列表中选择 Axes 1，在右下方的列表框中选择 Signal Builder: 1，则为第一路游离示波器显示选择了第一路信号。同样的方式可以为第二路游离示波器选择第二路信号。

运行仿真程序后，游离示波器分别显示两路信号，如图 8.50 所示。

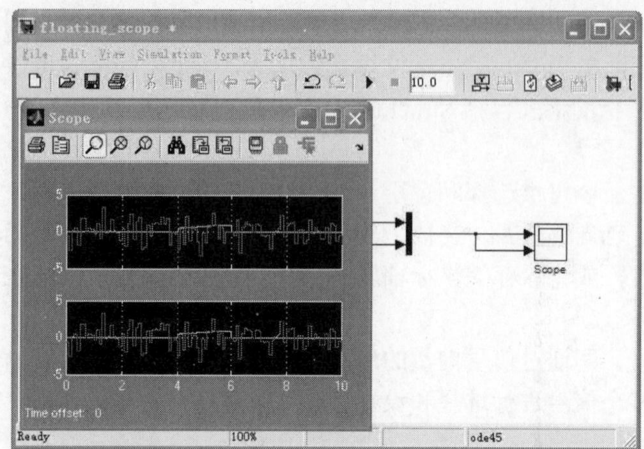

图 8.47　示波器的两个坐标轴显示两路信号

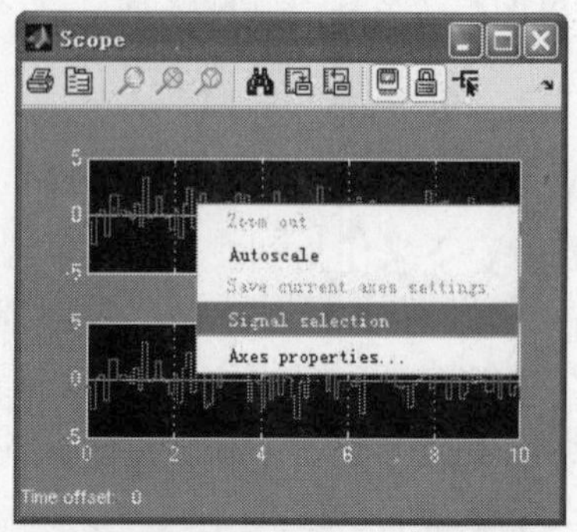

图 8.48　为游离示波器的不同界面选择信号

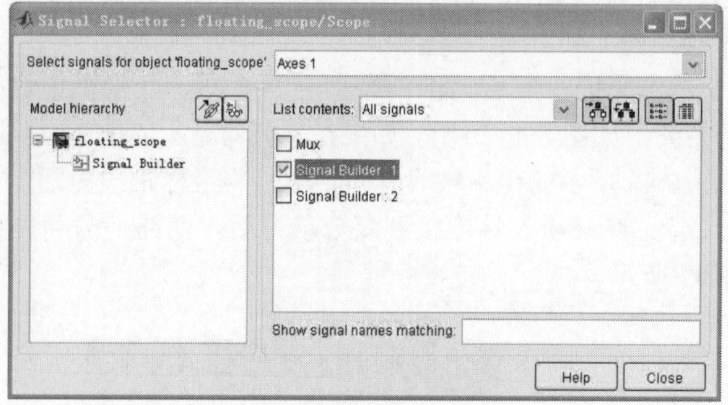

图 8.49　为第一个游离示波器窗口选择信号

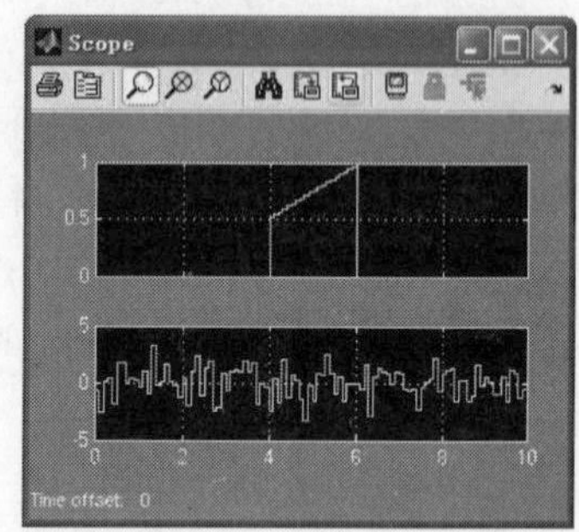

图 8.50　游离示波器显示两路信号

8.5　Simulink 仿真系统的设置

使用 Simulink 仿真程序对仿真系统进行仿真时，实质上是对描述系统的一组微分或差分方程进行求解。在使用 Simulink 对这组微分方程或差分方程进行求解时，通常需要设置一种差分求解方法，如果用户不对默认设置的求解方法进行更改，那么系统将采用默认的差分方法进行求解。

在使用 Simulink 进行仿真时，需要设置的仿真参数主要包括仿真系统的起始时间和终止时间、仿真步长选择、各种仿真容差的选择或设置、数值方法、是否从外部获得数据、是否向外界传输数据等。这些仿真参数的设置主要在仿真系统的 Configuration Parameters 对话框中来设置和完成。该对话框通过选择仿真系统中的 Simulatin/Configuration Parameters 菜单项显示，该对话框如图 8.51 所示。

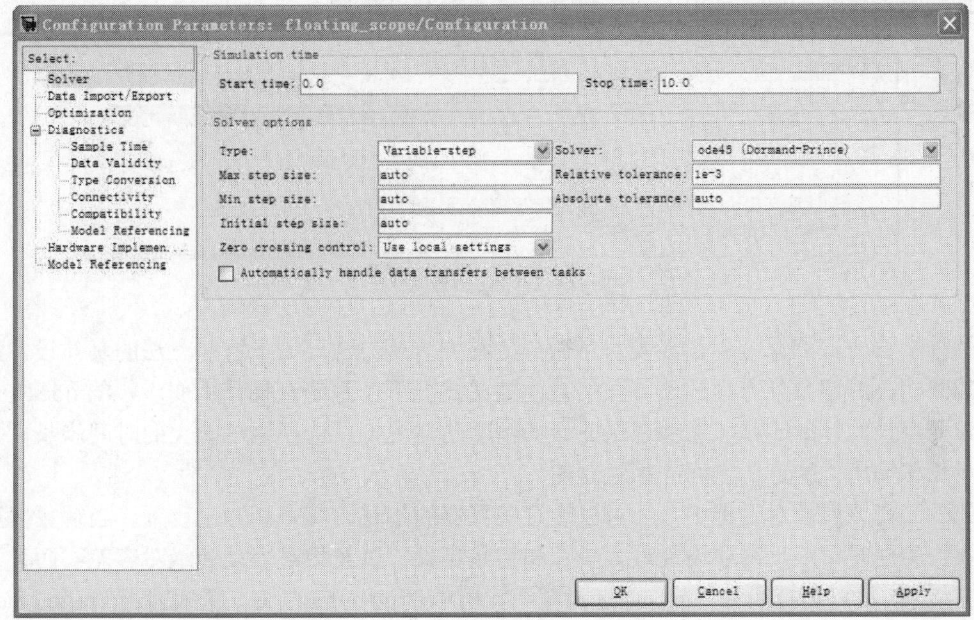

图 8.51　仿真参数设置对话框

8.5.1　解算器（Solver）的设置

在图 8.51 所示的对话框中，左侧为面板选择列表，此处选择 Solver 选项，显示的面板中可以设置解算器的属性。在该属性面板中主要包括两部分内容。

（1）Simulation time 面板：在该面板中可以设置仿真的起始时间和终止时间。

（2）Solver options 面板：在该面板中可以选择解算器类别和解算器的算法类型。从解算器类别来讲，主要分为变步长（variable-step solver）解算器和定步长（fixed-step）解算器两种类型。默认的解算器求解算法是变步长的 ode45 算法。这种解算器可以在保证精度的条件下，使用尽可能大的步长，能完全排除积分步长和输出的数据点之间相互制约的关系。

实际上，两种解算器都是在当前仿真时间的基础上添加一个时间步长，来进行求解计算。两者的主要区别在于，变步长的解算器的时间步长是根据求解的仿真系统的动态特性来选择仿真步长的；而定步长的解算器在求解时选择的步长是相等的时间步长。

当用户选择不同的解算器时，在右侧对应的数值求解方法的下拉列表选项中，将会显示不同的解算器列表。选择变步长解算器时，可以选择的算法如图 8.52 中的下拉列表所示。

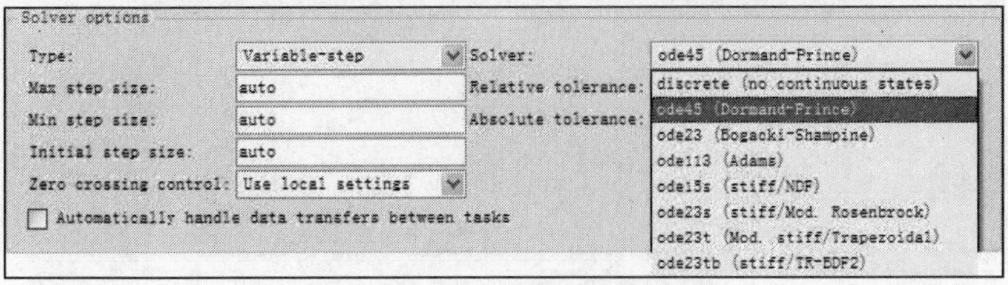

Solver options
Type: Variable-step
Solver: ode45 (Dormand-Prince)
Max step size: auto
Relative tolerance:
Min step size: auto
Absolute tolerance:
Initial step size: auto
Zero crossing control: Use local settings
Automatically handle data transfers between tasks
discrete (no continuous states)
ode45 (Dormand-Prince)
ode23 (Bogacki-Shampine)
ode113 (Adams)
ode15s (stiff/NDF)
ode23s (stiff/Mod. Rosenbrock)
ode23t (Mod. stiff/Trapezoidal)
ode23tb (stiff/TR-BDF2)

图 8.52　变步长解算器的常见算法

而当选择定步长解算器时，可以选择的解算器算法如图 8.53 所示。

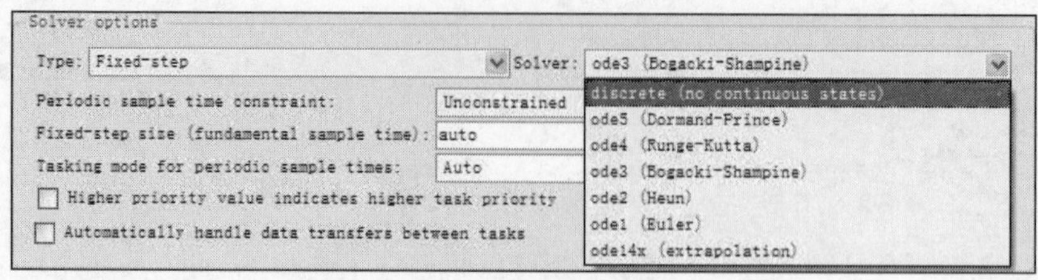

图 8.53　定步长解算器算法

两种步长方式的算法中都涉及对常微分方程的求解方法。关于这些方法的具体设置用户可以翻阅相关的常微分方程数值算法书籍。默认情况下，系统选择使用变步长的 ode45 计算方法。变步长的 ode45 算法能够在保证计算精度的情况下，选择尽可能大的时间步长，排除积分步长和输出“解点”之间的相互制约。

此外，在该属性对话框中，还可以设置解算器的步长、容差和输出设置。当解算器选择为变步长类别时，用户需要设置最大步长和初始步长，以及相对容差和绝对容差。而计算后的输出结果，可以选择多种方式，如选择精细输出（refine output）时，精细因子（refine factor）可以设置为 1。

8.5.2　仿真数据的输入输出设置

当用户选择 Data Import/Export 面板时，可以设置仿真数据的输入输出情况，如读入工作空间的仿真数据，或将仿真结果数据输出到工作空间。在 Simulink 内部，可以按照一组联立的微分方程或差分方程来模拟仿真模型。构成模型的传递函数模块、状态方程模块、非线性模块等都伴随有相应的状态变量。此时，系统需要面对状态变量的存取问题（Access）。解决的方式可以在仿真数据的输入输出面板中进行设置，如图 8.54 所示。

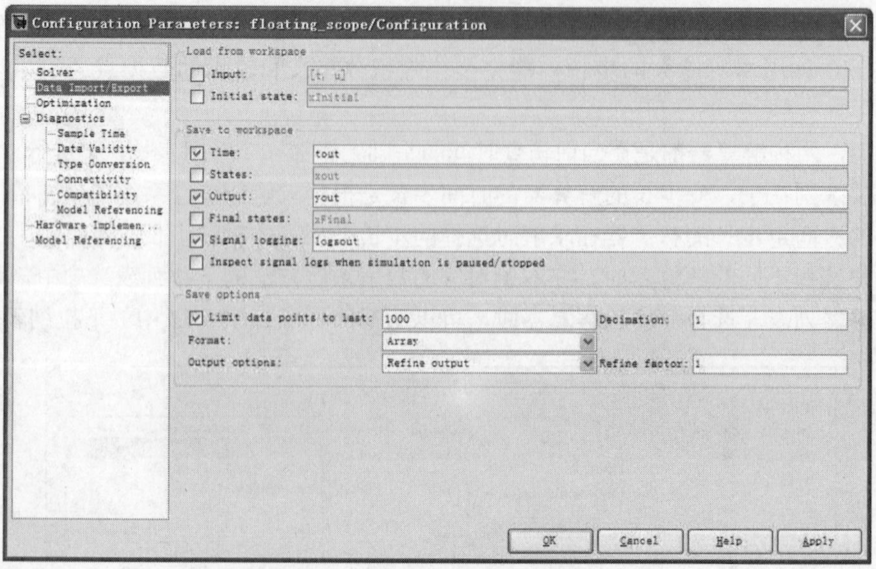

图 8.54　仿真数据的输入输出设置

在该面板中，主要包括 3 部分选项区域，即从工作空间中加载数据、将仿真结果输出到工作空间、保存选项 3 个部分。

（1）从工作空间中加载数据（Load from workspace）。如果设置从工作空间读入数据，则可以将 Load from workspace 面板中的 Input 和 Initial state 两个选项选中后进行设置。这两个选项的设置如下。

- Input 选项设置：选中该选项后，需要将工作空间中的输入数据变量名添加在此处，如[*t*, *u*]或 *TU* 等，如果输入数据有 *n* 个模块，那么输入数据中 *u* 的第 1，2，…，*n* 列分别被输入到相应的 *n* 个输入模块中。
- Initial state 选项设置：选中该选项后，强迫系统从工作空间中获取所有状态变量的初始数据，不管构成仿真模型的积分块设置怎样的初始数据。当然，必须保证输入的初始数据是工作空间中存在的变量。

（2）Save to workspace 选项区。在该选项区内可以设置包括 Time、States、Output 和 Final state 等在内的多个选项。具体的设置说明如下。

- Time 选项框：选中该选项框，仿真过程的独立时间变量将按照指定的变量名称（默认为 tout）输出到工作空间。
- States 选项框：选中该选项后，系统将会将其状态变量以指定的变量名称（默认名称为 xout）输出到工作空间中。
- Output 选项框：如果仿真系统使用输出模块 out，那么需要选中该选项框，同时需要指定输出数据变量的名称。数据的存放方式和输入数据的情况相似。
- Final state 选项框：选中该选项后，系统将向工作空间中以指定的名称（默认为 xFinal）将系统仿真的最后数据存放在工作空间。当进行下一轮的仿真循环时，存放的最终状态向量将会被重新利用。

（3）Save options 选项区。在该选项区内可以设置系统仿真结果的保存属性。此处的设置和 Save to workspace 选项的数据保存有直接的关系，应当配合使用。

- Limit rows to last 选项框：在该选项框中，可以设置保存变量接收数据的长度，默认的长度数值为 1000。如果输入数据长度超过所设定的数值，将会清除最初的数据。
- Decimation 选项框：设置求解数据点的保存频率。如果选择的保存频率为 *n*，那么系统将会每隔 *n*−1 个数据点保存一个数据结果。默认的数值为 1，即按照连续的方式来保存数据结果。
- Format 选项框：可以选择使用 Simulink 提供的数组格式、单元数组或带时间的单元数组来保存最终的数据。

8.5.3 仿真诊断设置

如果在 Simulation Configuration 对话框中，选择 Diagnostics 选项，那么可以设置仿真系统的仿真选项。在该面板左侧 Diagnostics 选项下的自选项中可以设置多种不同的诊断方式，如取样时间（Sample Time）、数据有效性（Data Validity）、类型转换（Type Conversion）、连接诊断（Connectivity）、兼容性（Compatibility）、模型参考属性（Model Referencing）等。选择诊断选项 Diagnostics 后的选项面板如图 8.55 所示。

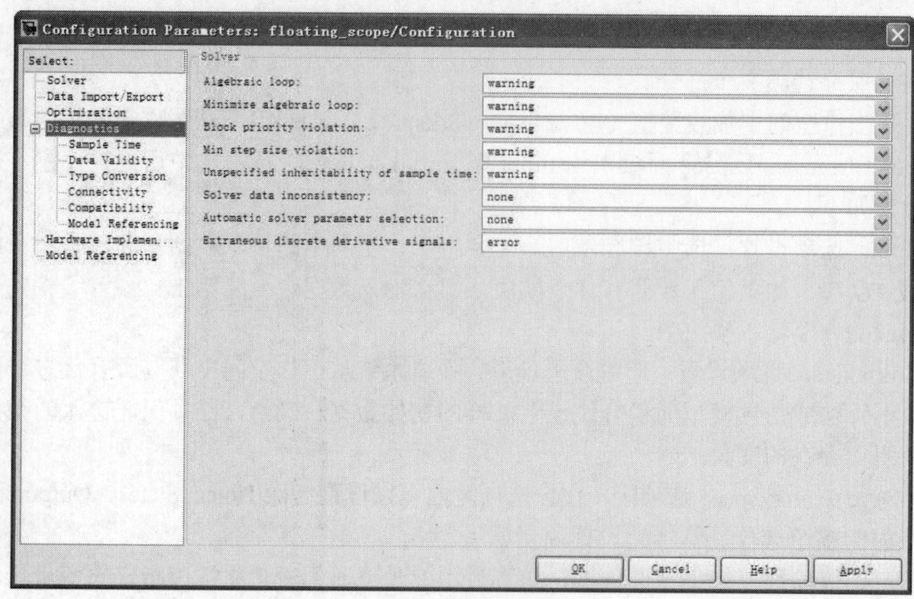

图 8.55　诊断对话框

在诊断中，常常会碰到以下几种类型的处理方法，此处做以小结，如表 8.5 所示。

表 8.5　　　　　　　　　　　　诊断处理方法

处 理 方 法	说　　明
None	在 Simulink 进行诊断处理时，将会忽略仿真过程中的异常
Warning	当遇到该异常时，系统给出警告信息
Error	此时，系统将给出错误信息并终止仿真过程的执行

关于诊断属性的设置比较复杂，读者可以翻阅帮助文件来查询。当选择数据兼容性诊断选项后，可以设置和改变的诊断属性对话框如图 8.56 所示。

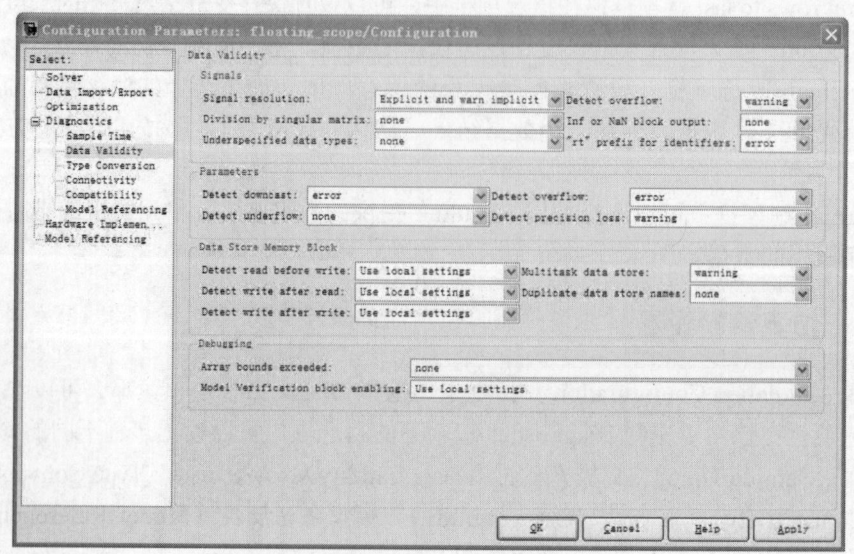

图 8.56　数据兼容性诊断设置

此处，将对比较常见的几种兼容性问题的诊断项目选择后，做以小结进行介绍，内容如表 8.6 所示。

表 8.6 常见的几种诊断选项

诊 断 选 项	说 明
Algebraic loop	代数环的异常处理，默认的处理方式为 Warning。当代数环出现异常时，仿真速度将会减慢，设置失败。如果已知代数环的存在，仿真性能还可以接受，那么将处理方式改为 None
Min step size violation	最小步长过小的异常处理。当解算器为达到指定精度而采用更小步长处理时，将会出现此异常，解决方法可选择更高阶解算器来放松对步长的要求，常见的处理方式为 Warning 或 Error
Unconnected block input	输入模块未接入。出现此种问题时，如果未接入的输入模块有其他用处，那么可以先接地处理。处理方式主要为 Warning 和 Error
Unconnected block output	输出未接入。此时如果输出有其他用途，可以选择将输出端和终端模块相接，处理的方式为 Warning 和 Error
Consistency checking	一致性检验。一般这种检验方式针对用户自定义仿真模块，对于 Simulink 提供的标准模块，则不需要提供此种检验。可以选择 None 来提高系统的仿真速度
Invalid root import/outport block connection	该选项可以用于处理其他模块和根目录级别输出模块的异常连接情况，选中该选项后，当发现不正常连接后，系统将会按照异常进行处理

在仿真系统设置对话框中，还有其他一些选项可以进行设置，如进行仿真系统的优化等。这些设置相对比较简单，读者可以根据需要进行适当的设置。

8.6 线性连续系统建模

连续系统建模所针对的仿真系统通常都能够通过微分方程来对系统进行描述和仿真。通常可以将连续系统分为两大类，即线性系统和非线性系统。非线性系统仿真的常用模块在 Simulink 模块组的 Continuous、Math 以及 Nonlinear 模块中可以找到。

8.6.1 使用积分模块

下面将通过积分模块的使用来演示线性系统的仿真和建模方法。

例 8.8 创建积分仿真系统进行仿真模拟。

在 Simulink 仿真界面中，添加基本的系统仿真模块，如图 8.57 所示，其中积分模块从 Continuous 模块组中选择。其中，一些模块的属性设置在后面将依次进行设置。

下面对积分环节的属性进行设置。在仿真系统界面中，双击积分环节，弹出如图 8.58 所示的对话框。在该对话框中，可以设置积分环节的一些属性。此处设置积分环节的触发时间为 falling，表示在信号变化的下降沿进行变化和设置。同时，选中对话框中的 Show state port 选项，此时，在积分器模块中将会添加一个输出端口，该端口输出积分状态的信号。

设置完毕后，连接其他部分的仿真系统。在仿真系统中加入了 Sum 模块，该模块位于 Math Operations 模块库中，可用于输入信号相加减。此处同样对该模块进行设置。在 List of signs 文本框中输入数学运算符号，可以改变输入信号之间的运算关系。此处进行设置后，如

图 8.59 所示。

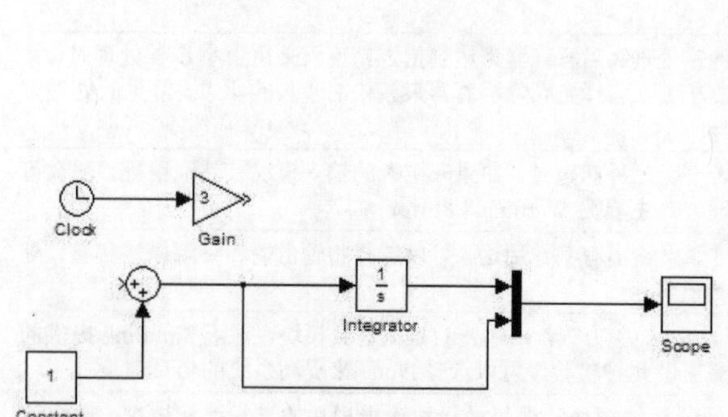

图 8.57　添加基本仿真模块

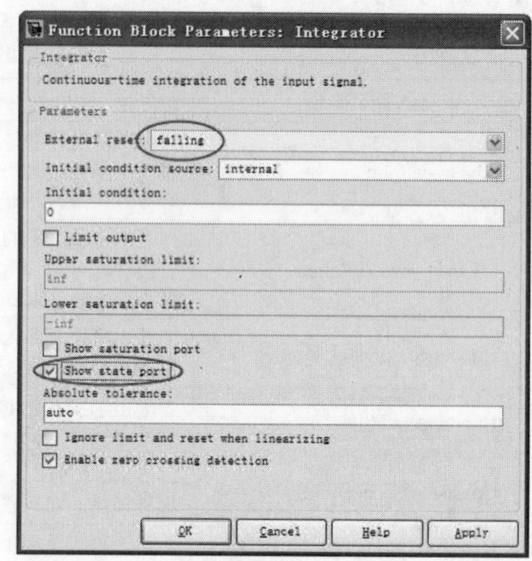

图 8.58　设置积分模块属性

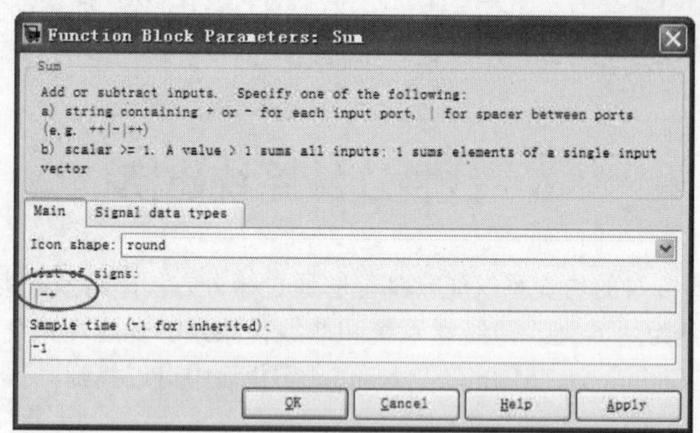

图 8.59　设置 Sum 模块

以上设置完毕之后，将得到完整的仿真系统，如图 8.60 所示。在仿真界面中，将仿真时间设置为 6s，运行后的仿真结果如图 8.61 所示。

在上面的仿真示例中，系统经由 Clock 模块产生仿真时间，通过增益模块后得到变量 $3t$，经积分器积分后得到积分输出结果 $f(t)=\int_0^t 3t\mathrm{d}t=\frac{3}{2}t^2$。此外，在积分器设置状态变量后，将状态变量的输出结果通过 Sum 模块和常数信号 1 相减，这样设置积分器的状态重设端口信号为 $1-\frac{3}{2}t^2$。同时，由于设置积分器的 External reset 选项为 falling，因此，在 $1-\frac{3}{2}t^2=0$ 的时候，积分器将积分的起始点设置为 t 的结果。

积分器求解的最后结果和中间结果通过 Mux 模块复合后输出到示波器进行显示和输出。

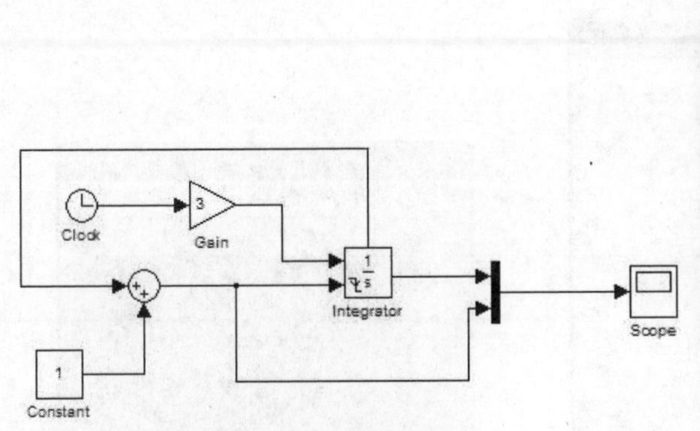

图 8.60 完整的仿真系统

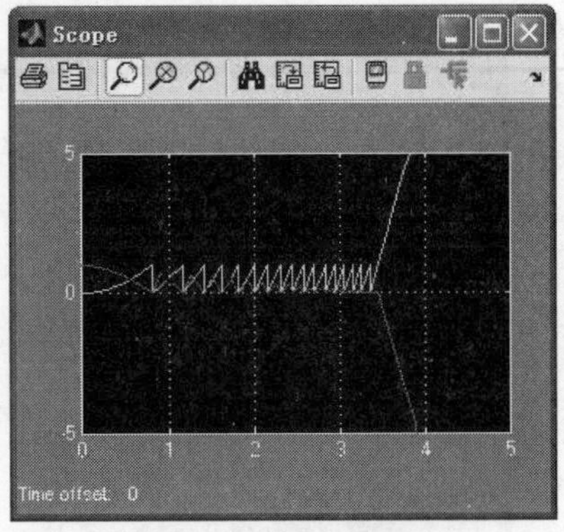

图 8.61 仿真结果显示

8.6.2 使用积分器求解微分方程

如果使用积分器来求解微分方程，通常需要将微分方程进行改写后再进行求解。下面通过示例对积分器求解微分方程的方法进行介绍。

例 8.9 使用积分器求微分方程：$x''+0.2x'+0.4x=0.2u(t)$，其中，$u(t)$ 为单位阶跃函数。

将微分方程改写为：$x''=0.2u(t)-0.2x'-0.4x$。通过积分器求解微分方程的基本思想是通过积分器积分后得到低阶变量，再进一步得到最终的变量数值，此处，将两个积分器将 x'' 依次积分得到 x' 和 x。基本的仿真系统框图如图 8.62 所示。

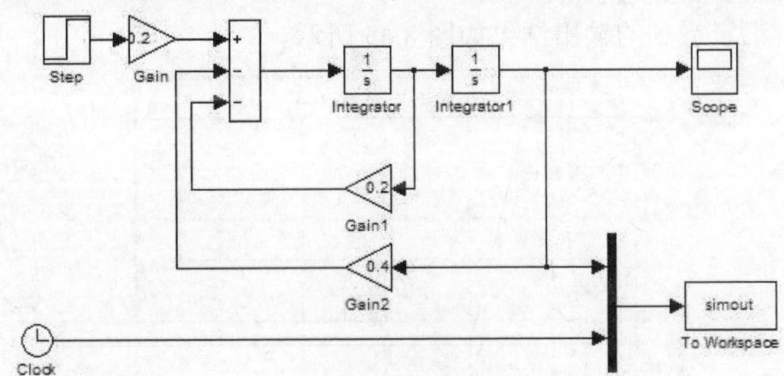

图 8.62 微分方程求解的仿真系统

在该仿真系统中，3 个增益分别用于设置和相应积分部分的系数相乘方式，积分器的设置采用默认的设置方式，最后的积分结果将输出到示波器显示，同时数据结果输出到工作空间中进行显示和处理。Sum 模块设置中将模块外形改用方形显示，同时将符号串表示为“+--”方式，具体的设置方式和上个示例中的设置方式相同。

此处，对输出到工作空间的模块进行设置。输出的数据格式以 Array 方式表示，设置如图 8.63 所示。

设置仿真运行时间为 40，运行仿真程序，得到仿真结果用示波器显示如图 8.64 所示。在输出结果时，选择自动坐标尺度。

同时，仿真系统的运行结果以数组形式在工作空间中存储，变量名为 simout。此时，可以在工作空间中通过绘图方式来绘制仿制运行的结果。编写以下的 M 脚本文件。

Sink Block Parameters: To Workspace

To Workspace

Write input to specified array or structure in MATLAB's main workspace. Data is not available until the simulation is stopped or paused.

Parameters

Variable name:

simout

Limit data points to last:

inf

Decimation:

1

Sample time (-1 for inherited):

-1

Save format: Array

Log fixed-point data as a fi object

OK Cancel Help Apply

图 8.63　设置输出到工作空间模块的输出选项

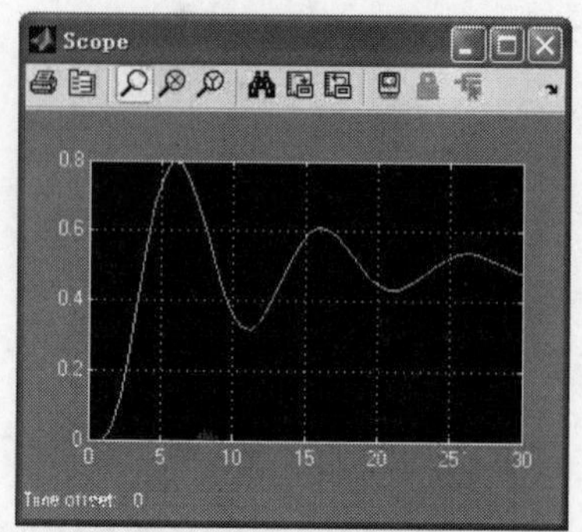

图 8.64　仿真结果显示

```
% 通过工作空间来查看仿真程序的输出结果
t=simout(:,2);
x=simout(:,1);
% 通过内置函数查找最大数据点坐标
[xm,km]=max(x);
plot(t,x),hold on;
plot(t(km),xm,'r.','markersize',30),hold off;
grid on;title('results of Simulink simulation')
```

运行脚本文件后，得到的输出结果如图 8.65 所示。

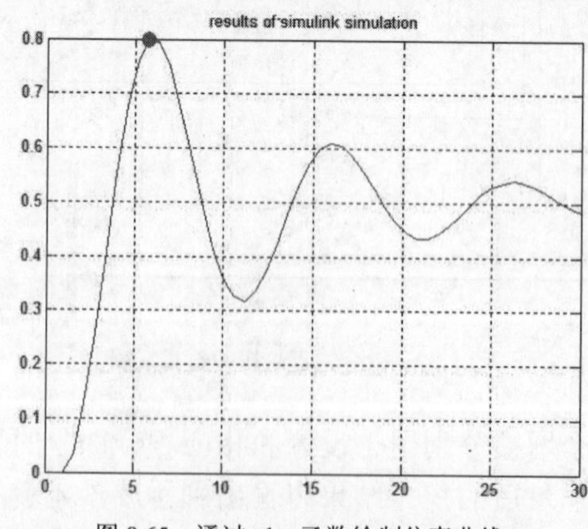

图 8.65　通过 plot 函数绘制仿真曲线

当然，读者也可以在仿真界面的 Simulation Configuration 对话框中设置数据的输出方式及其输出格式。

8.6.3　传递函数进行仿真

利用传递函数也可以很容易实现对微分方程的求解过程。仍然以上例的微分方程为例，即 $x''+0.2x'+0.4x=0.2u(t)$，假设初始状态为 0，$u(t)$ 为单位阶跃函数。对该微分方程进行 Laplace 变换后得到该微分方程表示形式：

$$s^2X(s)+0.2sX(s)+0.4X(s)=0.2U(t)$$

整理后可以得到该微分方程的传递函数表达形式：

$$G(s)=\frac{X(s)}{U(s)}=\frac{0.2}{s^2+0.2s+0.4}$$

此时，可以从 Simulink 模块库中直接选择模块函数来求解微分方程的解。下面将通过示例来对此进行说明。

例 8.10　使用传递函数求解微分方程。

根据前面分析得到的传递函数关系，创建如图 8.66 所示的仿真系统框图。

在设置传递函数框图时，需要设置传递函数的函数形式，双击积分器后，弹出如图 8.67 所示的对话框。在 Numerator coefficient 文本框中输入分子的一维系数数组，在 Denominator coefficient 文本框中输入一维数组，作为传递函数分母各幂次前的系数。设置完毕后，即可完成传递函数的设置。

设置仿真时间为 30，运行仿真程序，单击示波器后，可以得到如图 8.68 所示的仿真分析结果。比较直接通过积分器求解的结果，可以看出通过两种不同的方法来求解同一个微分方程后，求解结果相同。

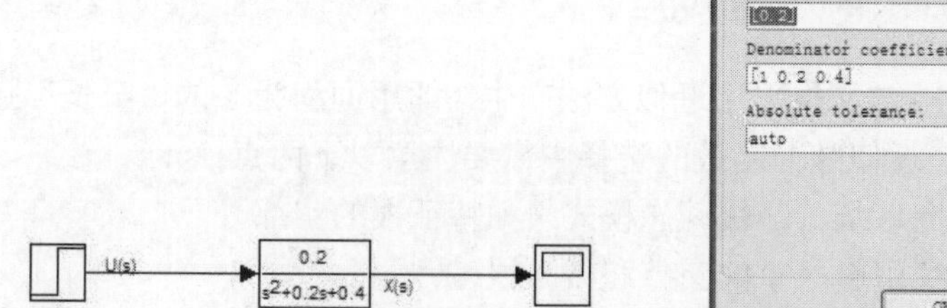

图 8.66　传递函数框图

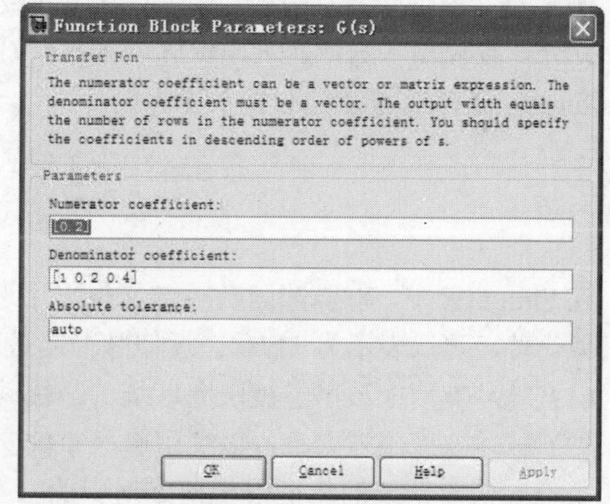

图 8.67　积分器的设置

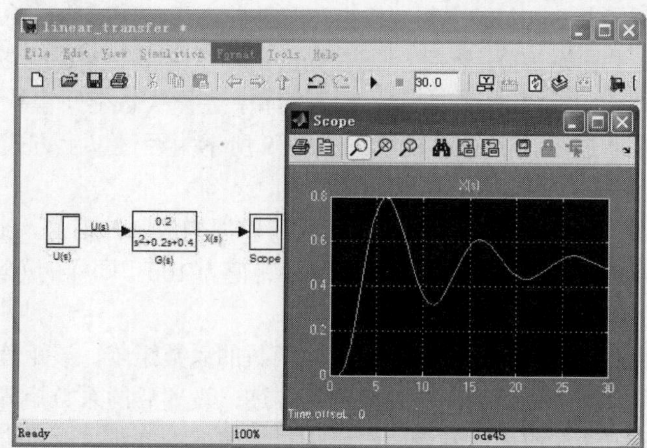

图 8.68　传递函数进行仿真的结果显示

8.6.4 状态空间方法进行系统仿真

通过状态空间法进行线性系统的仿真是现代控制系统研究的一种方法。此处通过示例对利用 Simulink 进行微分方程的求解进行介绍。

假设 $x(1)=x$，$x(2)=x'$，那么例 8.9 中求解的微分方程可以改写为：

$$x'=\begin{bmatrix} x(1)' \\ x(2)' \end{bmatrix}=\begin{bmatrix} x(2) \\ -0.4x(1)-0.2x(2)+0.2u(t) \end{bmatrix}=\begin{bmatrix} 0 & 1 \\ -0.4 & -0.2 \end{bmatrix}\begin{bmatrix} x(1) \\ x(2) \end{bmatrix}+\begin{bmatrix} 0 \\ 0.2 \end{bmatrix}u(t)$$

此时，可以根据状态空间的表示方法，将以上的形式表示为状态空间函数的形式：

$$\begin{cases} x'=Ax+Bu \\ y=Cx+Du \end{cases}$$

其中，$A=\begin{bmatrix} 0 & 1 \\ -0.4 & -0.2 \end{bmatrix}$，$B=\begin{bmatrix} 0 \\ 0.2 \end{bmatrix}$，$C=\begin{bmatrix} 1 \\ 0 \end{bmatrix}$，$D=\begin{bmatrix} 0 \\ 0 \end{bmatrix}$，而 u 可以作为任意形式的输入数据。

在 Simulink 中，可以直接采用状态空间模块很方便地进行状态空间法的求解方式。此处通过简单的示例对使用状态空间模块进行系统仿真进行介绍。

例 8.11 通过状态空间模块对例 8.9 中的微分方程进行求解。

此处，假设输入函数 u 是单位脉冲函数 $\delta(t)$。所谓单位脉冲函数（Unit impulse 或 Dirac delta function）在数学上可以定义为：

$$\begin{cases} \delta(t-a)=0, t\neq a \\ \int_{-\infty}^{\infty}\delta(t)\mathrm{d}t=1 \end{cases}$$

在 Simulink 中，对脉冲函数的定义也采用近似方法产生，即用面积为 1 的“窄长”脉冲来近似代替，可以表示为 Md=1。近似脉冲函数的选择中需要注意以下两点。

（1）脉冲宽度应该小于被研究系统的最快动态模式（如特征根的实部）；

（2）脉冲宽度不能太小，以免引起严重的圆整和截断误差。

由于本仿真系统的特征根实部绝对只为 0.1，因此，宽度可以选择为 d=0.01，幅度选择为 100，即脉冲函数可以表示为：$\delta(t)\approx 100u(t)-100u(t-0.01)$。

经过上面的分析，从 Simulink 模块库中选择两个阶跃函数模块，将各自的截断时间设置为 0 和 0.01，幅值设置为 100。然后，通过 Simulink 模块库中的 Sum 模块构成阶跃信号。对于状态空间函数的模拟，从连续信号仿真模块库中选择状态空间模块后设置相应的系数矩阵，最后仿真结果通过示波器进行显示。图 8.69 所示为经过以上方式进行仿真的系统方框图。

在该仿真系统中，需要设置阶跃函数的属性，以便构成脉冲信号，此处以 u2 的设置为例，如图 8.70 所示。设置 u2 的阶跃时间为 0.01，终值为 100。同样的方式设置 u1 的阶跃时间为 0，终值幅值为 100。

状态空间模块的设置中，需要设置状态空间函数的系数矩阵。该矩阵的描述方法和一般的矩阵描述方式相同，可以按照行列关系来进行描述，设置后的系数矩阵如图 8.71 所示。

其余模块的设置方法在前面的示例中已经做过比较多的介绍。设置仿真时间为 30，运行仿真系统后，得到仿真结果如图 8.72 所示。

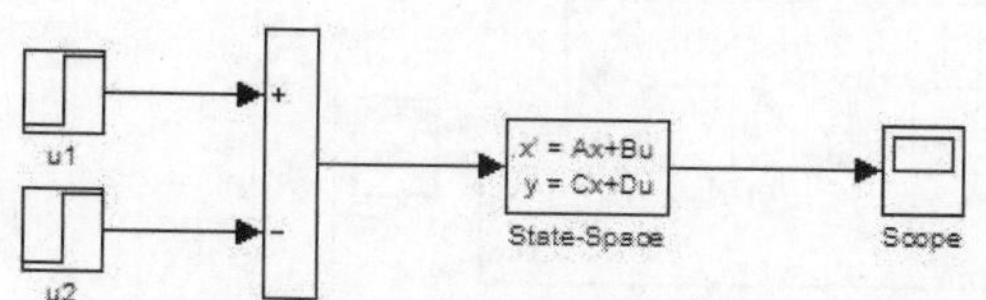

图 8.69　状态空间仿真系统方框图

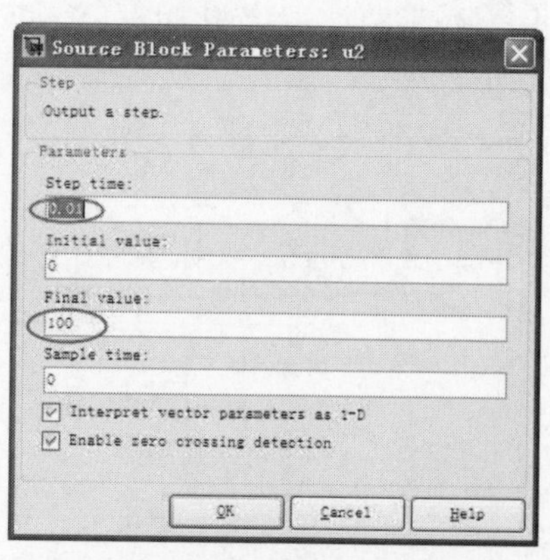

图 8.70　设置阶跃模块 u2 的属性

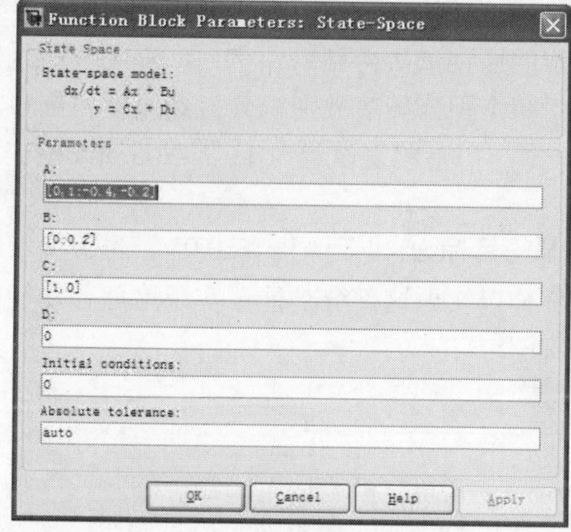

图 8.71　状态空间模块的设置

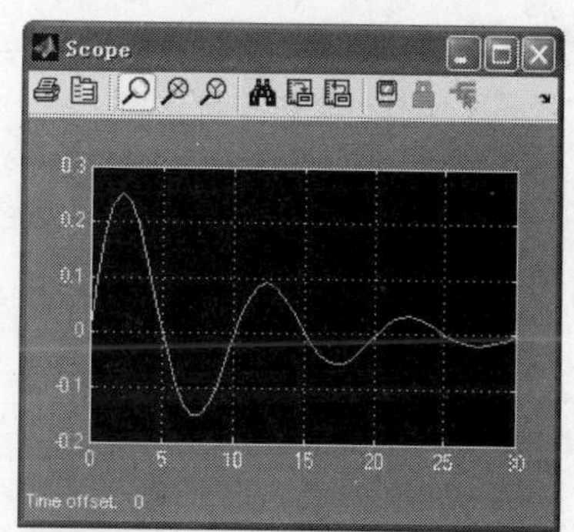

图 8.72　状态空间方法仿真结果

8.7　非线性连续系统建模

在实际进行系统仿真过程中，常常需要对非线性连续系统进行仿真建模。关于非线性系统的仿真建模，在 Simulink 中提供了专门的模块库 Discontunuities。在该模块库中已经提供了多种非线性仿真模块，用户可以选择使用间歇非线性模块 Backlash、继电器非线性模块 Relay、死区非线性模块 Dead zone 等模块。下面将通过示例介绍非线性系统仿真的基本方法，对于更加复杂的非线性系统仿真问题，读者可以翻阅相关的专业书籍。

8.7.1　非线性仿真系统建模简介

非线性仿真系统建模中，常常需要根据实际的仿真系统来抽象和提取仿真系统模块，并通过仿真系统控件进行系统的仿真。下面对一汽车加速问题进行非线性仿真。

例 8.12　设计非线性控制仿真系统：某一加速机车，左右各有一加速器，以向右方向为正方向，当机车的位移或速度为正时，点燃右侧加速器；反之，点燃左侧加速器。

根据物理条件，做简化假设后，可以得到描述机车运动的方程组及其初始条件。描述方程组为：

$$\begin{cases} x''=F/m \\ x'(0)=0, x(0)=1 \end{cases}$$

其中，F=1，m=6。在该条件下，可以创建机车仿真的基本仿真系统，如图 8.73 所示。

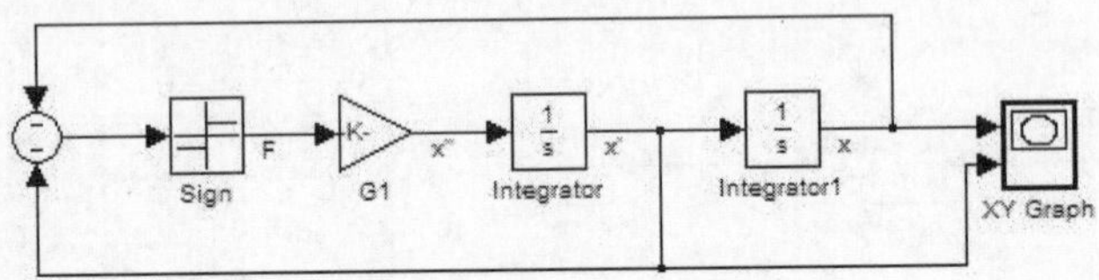

图 8.73　基本的仿真系统模型

该仿真系统中的模块包括：求和 Sum 模块，将其加减属性设置为相减；Sign 符号模块，选择输入信号的符号，按照输入为正、负和零的原则依次得到+1、−1 和 0；G1 增益模块，设置数值为加速度系数 F/m 的数值，即 1/6；两个积分环节分别积分得到速度和位移，其中速度积分器的初始数值设置为 0，而位移积分器的初始数值设置为 1；X-Y Graph 模块，用于显示上下端口的图形坐标。

在该非线性系统的仿真过程中，仿真控制的目标为：$|x'|+|x|\leqslant 0.01$。为实现这部分控制功能，在仿真系统中需要加入专门的控制部分以实现这部分功能。实现这部分功能的模块如图 8.74 中仿真系统的下半部分控制模块所示。

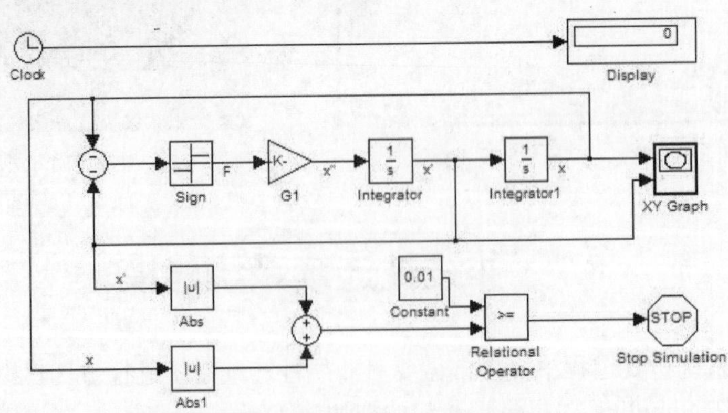

图 8.74　加入控制部分后的仿真系统

在控制部分中加入的模块，主要包括：两个绝对值及求和模块，两个绝对值模块用于得到速度和位移的绝对值；关系运算操作模块用于将绝对值求和后得到的数值与系统给定的控制精度进行比较；控制精度模块通过一个常值模块来得到。当满足条件后仿真系统结束仿真。此外，由于在系统中未加入仿真信号，因此，仿真控制所用的时间通过一个时钟模块和显示模块来进行显示。此处，在设置过程中需要设置关系模块的属性，选择关系符号下拉列表中的>=方式即可，如图 8.75 所示。

在仿真求解器的算法方面，为更好地模拟实际物理过程中进行加速度切换过程中的非瞬时性变化，采用定步长求解器，求解的时间步长设置为 0.05。那么，可以在仿真系统界面的菜单中选择 Configuration Parameters 菜单项，将弹出对话框中的求解器属性设置为 Fixed Type，解算器算法设置为 ode5，固定时间步长（Fixed step size）设置为 0.05，工作时间设置为 200，设置后如图 8.76 所示。

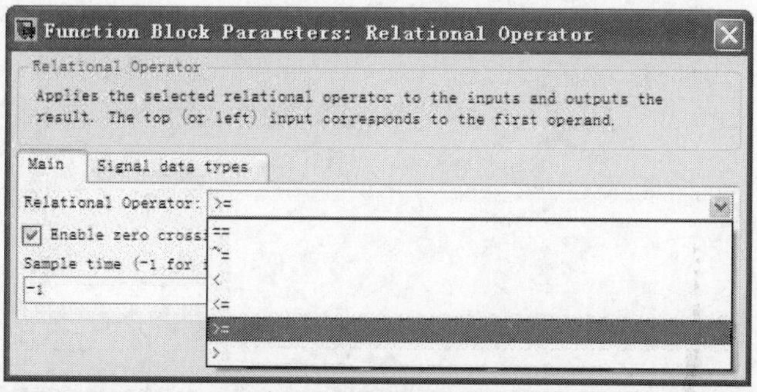

图 8.75 设置关系模块

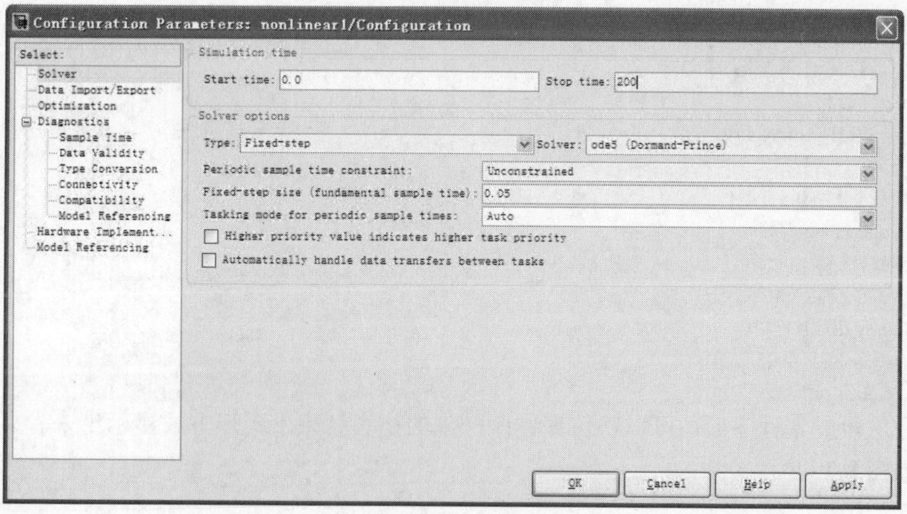

图 8.76 解算器的设置

在每次进行加速度切换过程中，在接近求解数值的原点附近都可能存在颤震现象。因此，为分析颤震现象，可以设置将仿真结果输出到工作空间中。在前面的示例中，已经介绍过如何使用输出到工作空间模块的输出参数。此处，将在 Configuration Parameters 对话框中选择数据输出来进行设置。在如图 8.76 所示的对话框中，选择 Data Import/Export 选项，在右侧出现的设置面板中，可以设置输出选项，设置后如图 8.77 所示。

在以上设置之后，运行仿真程序，在 X-Y Graph 中可以看到随着位移和速度形成的相轨迹图形。为便于观察可以双击 X-Y Graph 模块，设置显示的两坐标轴范围。经过设置后的波形图如图 8.78 所示。

在上面的仿真过程中，将仿真数据输出到工作空间中，因此，可以利用输出到工作空间的数据来绘制图形，以便观察某些变化关系。此处编写 M 脚本文件，来完成仿真图形的绘制和局部细节观察。

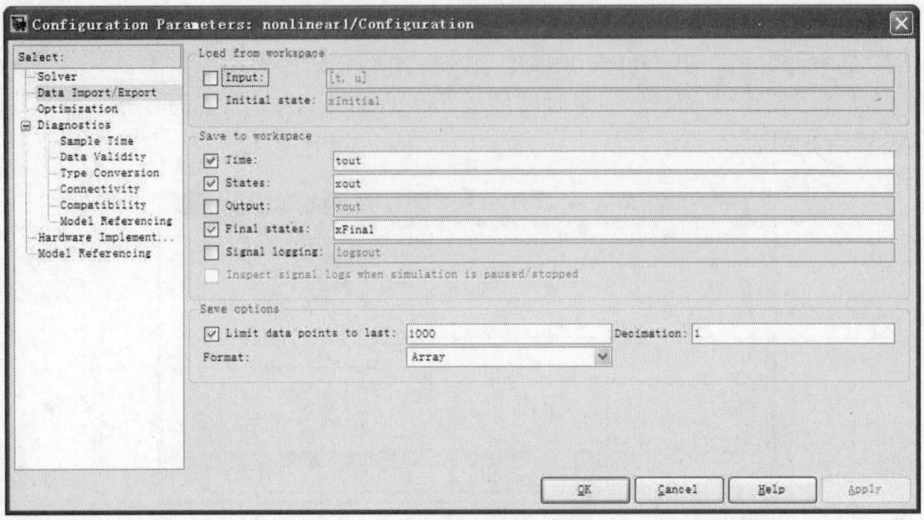

图 8.77 设置输出到工作空间属性

```
% nonlinear_plot.m
% 非线性仿真系统图形绘制
subplot(1,2,1)
plot(xout(:,2),xout(:,1));
title('x - v graph');
axis([-0.5 1.2 -0.5 0.4]);
grid on;axis square;
subplot(1,2,2)
plot(xout(:,2),xout(:,1));
title('x - v detail');
axis([-0.2 0.05 -0.05 0.2]);
grid on;axis square;
```

运行这段脚本程序后，可以将仿真程序产生的仿真结果用图形方式显示出来。显示得到的结果如图 8.79 所示。

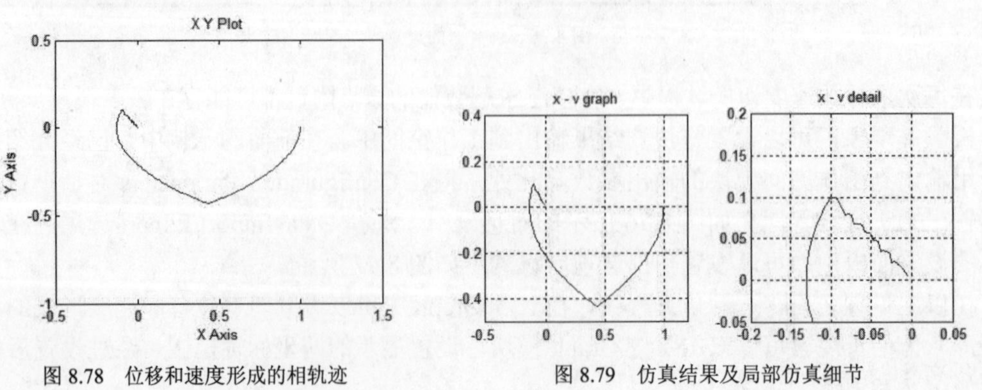

图 8.78 位移和速度形成的相轨迹

图 8.79 仿真结果及局部仿真细节

8.7.2 任意非线性函数的仿真

在 Simulink 仿真系统的函数库中的 Discontinuities 模块库中提供了比较常见的非线性仿

真模块。此外，用户还可以自定义任意函数来得到任意非线性函数。任意函数定义模块位于 Simulink 的用户定义函数模块组中。

图 8.80 所示为常见的函数模块。对于这些函数更为详细的使用说明，用户可以通过查阅相关帮助文件。下面通过示例对其中的两个用户自定义函数模块——Fcn 函数模块和 Matlab Fcn 模块的定义和使用方法进行介绍。

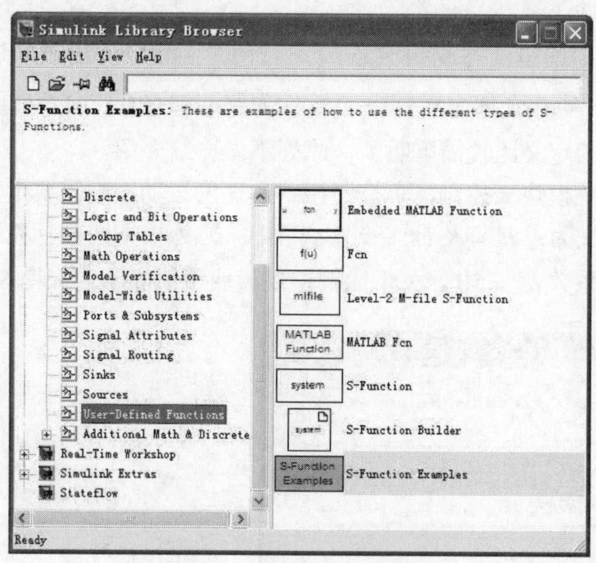

图 8.80　用户定义函数模块

例 8.13　某移动机车沿一倾角为 θ 的斜坡向上运动，动力为 F_e，空气产生的阻力为 F_w，重力分量为 F_h，设计简单的比例放大器使得机车能够以指定的速度向上运动。

根据物理的基本定理，机车的运动方程可以描述为：$mx''=F_e-F_w-F_h$。机车的质量为 m=100；F_e 为机车的驱动力，数值范围为 $-2000\leqslant F_e\leqslant 1000$；空气阻力和机车的运动速度成正比，可以表示为 $F_w=0.001[x'+20\sin(0.01t)]^2$；机车的重力分量可以表示为：

$$F_h=30\sin(0.0001x)$$

根据上面所建立的机车动力学模型，可以得到机车运动仿真的基本系统，如图 8.81 所示。

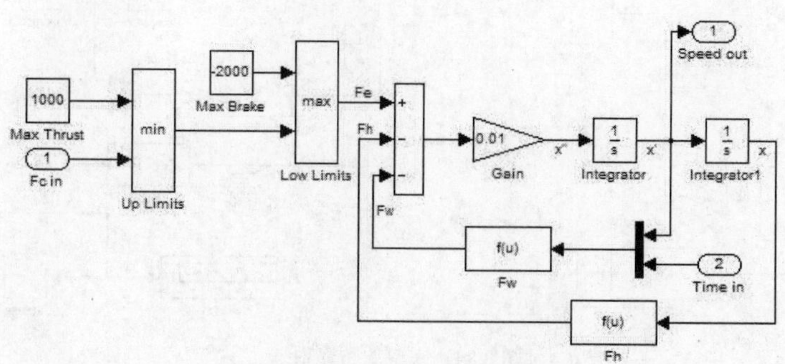

图 8.81　机车动力学仿真的基本模型

该仿真系统中的大部分模块在前面的示例中已经做过介绍。此处，对用户自定义非线性函数模块的定义使用做以介绍。该模块位于 Simulink 模块库的用户自定义选项中。该函数模块的输入量可以为向量和标量，但输出结果为标量。如果输入为向量，则向量分量的书写需要遵循 *u*[1]、*u*[2]等向量元素方式。自定义函数表达式的书写和一般的 C 语言的书写形式相同。图 8.82 所示为自定义函数 F_w 的定义对话框。另一个自定义函数 F_h 的书写方式与此相同，表达式为：30×sin(0.0001×*u*)。

在机车仿真系统中的驱动力或制动力 F_e 通过两个 MinMax 函数来进行比较设置该驱动力或制动力的范围，当机车在向上爬行时，F_e 作为驱动力存在；而当机车向下运动时，F_e 作为制动力存在。该力的定义比较简单明了，此处不做详细介绍。

如果使用比例控制模块来控制机车按照指定的速度运动，则需要定义比例控制模块。此处，比例函数可以定义为：$F_c = K_e(x_c' - x')$。其中，F_c 为根据期望行驶速度和实际速度之差产生的驱动力，比例系数 $K_e = 50$。关于比例控制模块可以表示为如图 8.83 所示的情况。

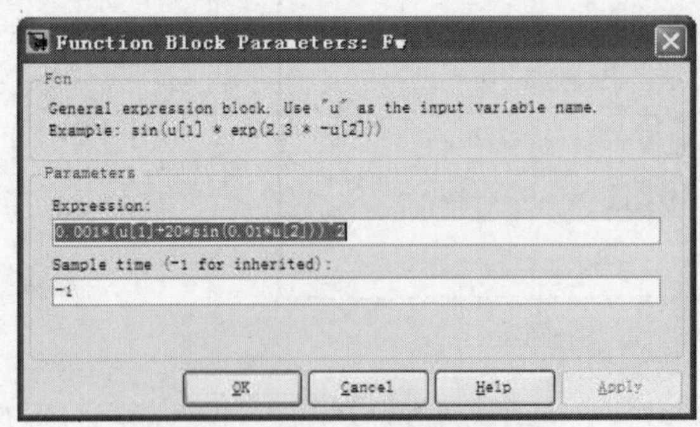

图 8.82　自定义函数的设置和书写

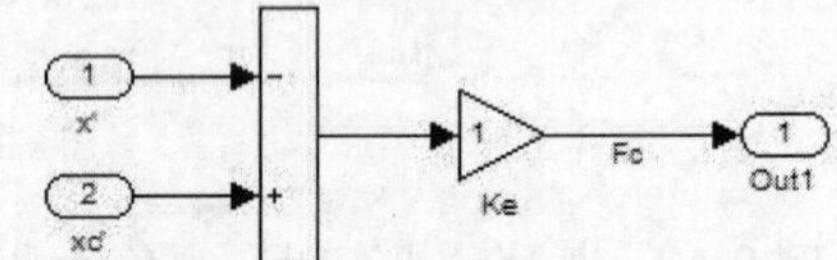

图 8.83　比例控制器的基本模型

将此比例控制器应用到前面设计的基本仿真系统中，构成机车运动的控制部分。在仿真系统中加入显示模块，可以观察运动过程中的数据输出。完成的仿真系统如图 8.84 所示。对于机车的期望速度的变化，加入 Slider Gain 模块。

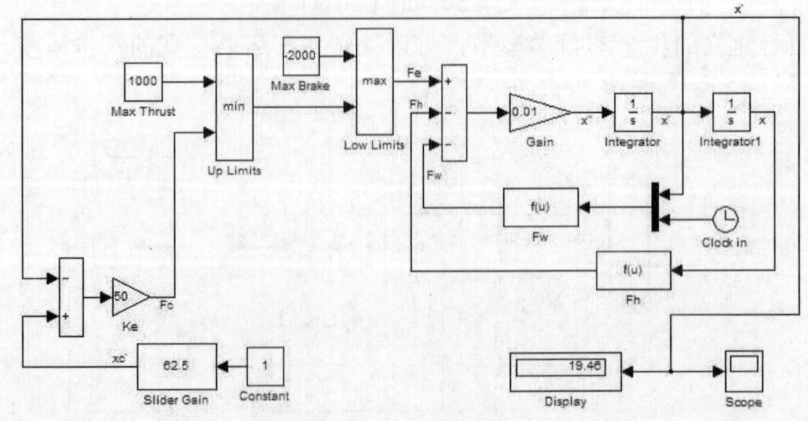

图 8.84　完整的仿真系统

将仿真运行时间设置为 10000，解算器算法采用 ode45。执行仿真过程，如果改变期望速度的大小，即改变 Slider Gain 的数值，则可以看到随着不断变化的期望速度，实际速度会相应地发生变化。在整个仿真过程中，机车的速度调节变化过程如图 8.85 所示。

对于非线性系统的仿真涉及实际运行过程的仿真和调节，因此，此种类型的仿真系统应用十分广泛，关于这方面的仿真操作，读者可以在工作学习中利用此处的基本设置方式来进一步深入练习，完成相应的仿真工作。

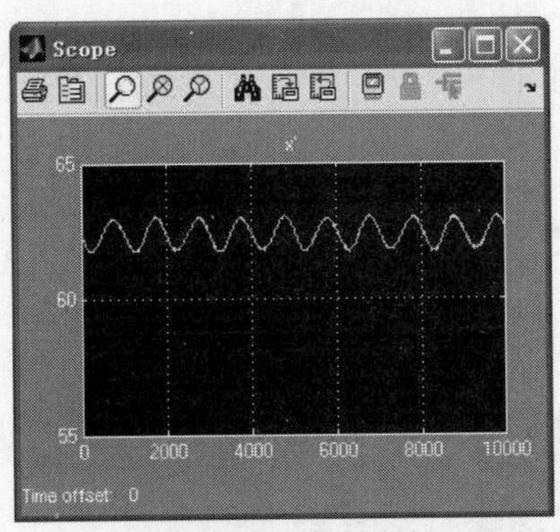

图 8.85 比例控制对期望速度的调节过程

8.8 封装子系统创建和受控执行

在 Simulink 创建的仿真系统中，如果研究的系统比较复杂，那么直接使用 Simulink 模块构成的模型比较庞大，系统不容易辨认。如果能够把整个模型按照实现功能或对应的物理器件划分成块进行研究，那么将有利于整个系统的概念研究，使整个模块更加简洁，可读性也更高。使用子系统创建仿真系统具有以下几个优点。

（1）减少模块窗口中的模块个数，使模型窗口更加简洁；

（2）将一些功能相关的模块进行集成，可以实现功能复用；

（3）可以提高整个系统的运行效率和可靠性；

（4）符合面向对象的概念，方便用于进行概念抽象。

8.8.1 使用模块组合子系统

采用这种方法创建子系统时，按照系统的要求创建对应的系统模块；如果希望创建子系统的系统模块，则可以选择 Edit/Create Subsystem 命令来创建；单击所创建的子系统模块，可以编辑子系统的名称或其他属性。这种创建子系统的方法，实际上是先有内容后进行包装的方法。下面在例 8.13 的基础上通过模块创建子系统。

例 8.14 通过模块组合方式创建子系统。

在例 8.13 创建的仿真系统中，创建两个子系统，分别为机车动力学模型子系统和机车运动控制子系统。

选择机车动力学模型部分创建子系统，选择的模块如图 8.81 所示。选择这些模块后，选择 Edit/Create Subsystem 菜单项来创建子系统，得到如图 8.86 所示的子系统。此时，系统中模块之间的连线比较凌乱，将在后面进行进一步的调整。

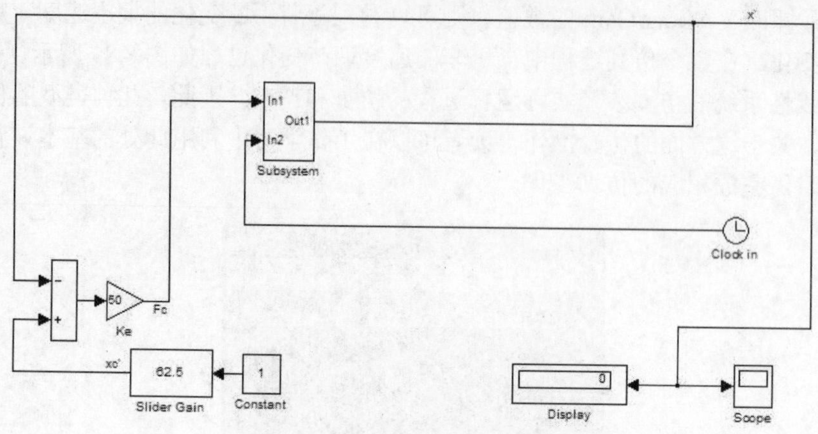

图 8.86　创建机车动力学子系统

选择机车运动控制部分创建子系统。选择的模块包括期望速度和实际速度相加减及增益模块构成的子系统，选择后用同样的方法创建子系统。

将上面两个子系统进行调整后，得到完整的由子系统方式表示的机车动力学模型及其控制部分的子系统，改变子系统的名称，如图 8.87 所示。

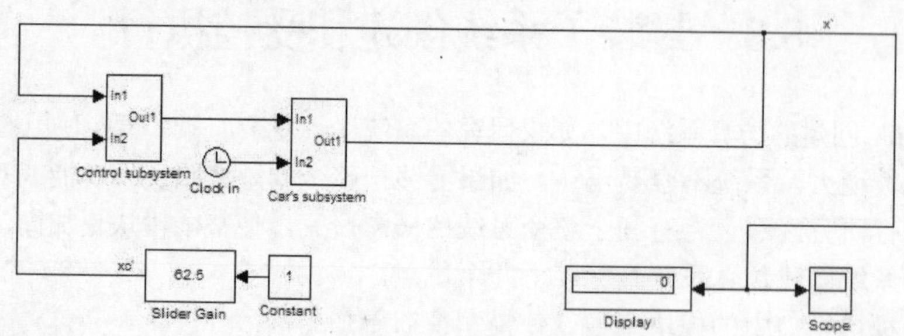

图 8.87　按照子系统方式创建的完整系统

仿真系统的运行和显示与例 8.13 运行后的结果完全相同。但采用子系统方式创建时，能够更加清晰地表示机车动力学的子系统及控制部分的子系统，整个系统部分清楚，可读性比较强，也比较利于阅读和比较。

8.8.2　通过子系统模块创建子系统

通过子系统模块创建子系统时，创建步骤为：从 Simulink 模块库中选择相对应的子系统，添加到仿真系统中，双击打开需要编辑的子系统；然后在该子系统中添加模块，完成子系统的创建及功能。通过这种方式创建子系统时，实际上采用先创建包装然后封装内容的方式。

下面仍然在例 8.13 的基础上，按照这种方式创建机车动力学模型和控制部分的子系统模型，从而完成最终的模型创建。

例 8.15　使用子系统模块创建子系统。

在使用这种方法创建子系统时，首先从 Simulink 模块库中选择空白子系统，分别用于封装机车动力学模型和控制部分的模型。

首先，从 Ports & Subsystems 模块项中，选择 Subsystem（子系统）加入到仿真系统界面上。子系统的选择位置如图 8.88 所示。从该模块库中选择两个 Subsystem（子系统）加入到仿真系统界面上，分别用于机车动力学模型子系统和控制部分子系统模块。添加后的仿真系统的界面如图 8.89 所示。

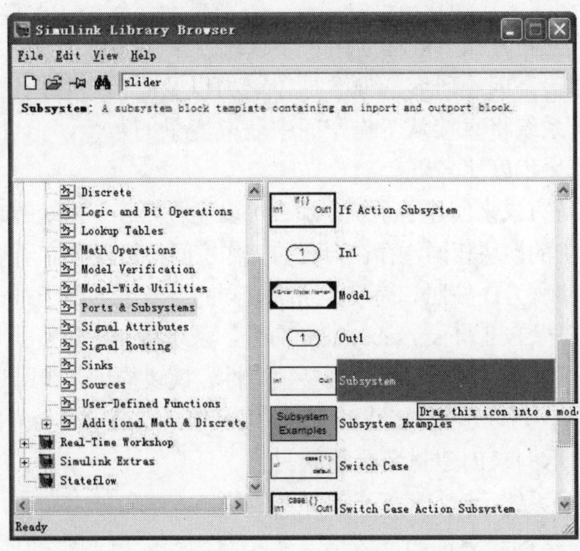

图 8.88　Subsystem（子系统）选择位置

图 8.89　添加两个仿真子系统

双击两个子系统，分别加入各自的子系统控制模块。子系统中的模块和例 8.14 中封装的模块相同。更改两个子系统的名称，然后在子系统和其他模块之间进行连线，得到完整的仿真系统，如图 8.90 所示。

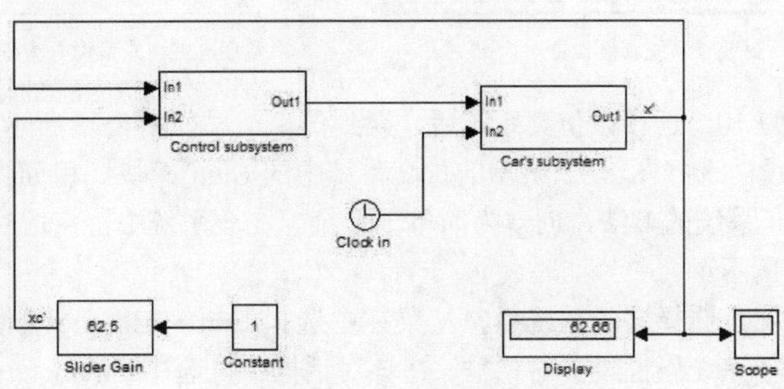

图 8.90　完整仿真系统

完成以上的仿真系统设计之后，设置仿真参数以及解算器方法，运行仿真系统，得到的结果和例 8.13 的结果相同。

8.8.3　封装子系统

前面介绍的子系统创建方法一般称为简装子系统方法，优点比较明显，在子系统情况下，模型更加简洁，也能够提高问题研究的概念抽象能力以及面向对象的访问能力。但是，使用简装子系统创建时，子系统将直接从工作空间中获取变量的数值，但容易发生变量冲突；同时，简装子系统的规范化程度比较低。

如果采用封装子系统方式来创建子系统，那么可以克服简装子系统的缺点，得到的子系统和普通的 Simulink 模块库中的模块相同，存在自己的工作空间，以及独立于基础模块的工作空间。

封装子系统的创建步骤为：按照和简装子系统相同的方法来创建子系统；选择需要进行封装的子系统，从菜单栏中选择 Edit/Mask subsystem 命令，系统将弹出封装子系统对话框，如图 8.91 所示；在该对话框中，可以设置封装子系统的参数属性、模块描述、帮助说明等。如果需要对已经封装的子系统进行编辑，可以选择 Edit/Edit Mask 菜单项，系统同样会弹出封装子系统对话框。

下面将通过简单的示例来创建封装子系统。

例 8.16　创建封装子系统示例：编写仿真系统模块，求解微分方程 $\sin x-\frac{1}{2}x=x'$ 的数值解。

在 Simulink 仿真系统创建界面中，添加一个积分模块，以及示波器和输入信号，得到基本的求解仿真系统，如图 8.92 所示。

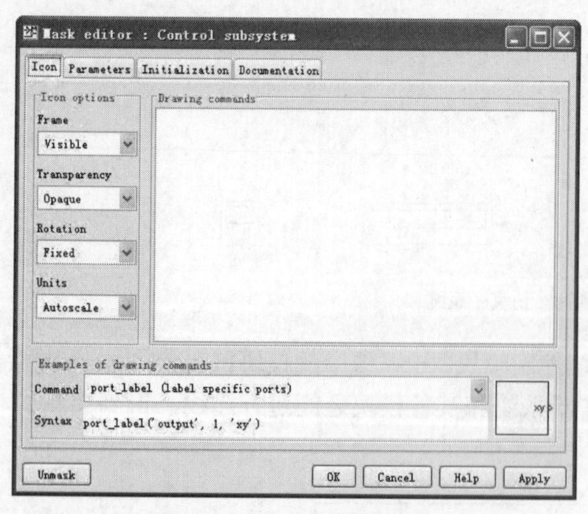

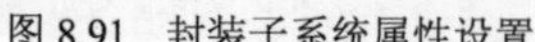
图 8.91　封装子系统属性设置

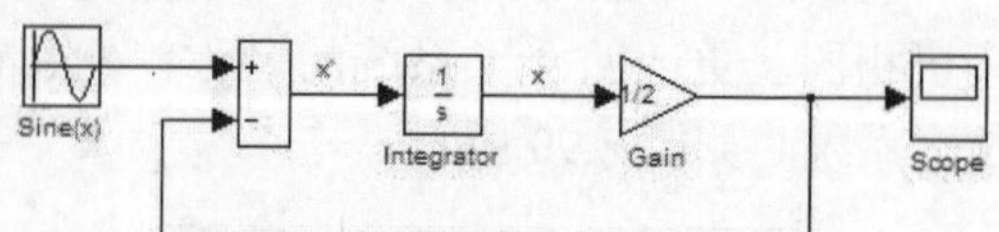

图 8.92　求解微分方程的仿真系统

设置运行时间为 10，运行该仿真系统后，得到仿真结果如图 8.93 所示。

创建简单子系统。选择图 8.92 所示的仿真系统中的 Sum 模块、积分模块以及增益模块后，按照创建简单子系统的方法，创建为简单子系统。在该系统中，将增益模块的增益改为变量 *m*，如图 8.94 所示。

创建封装子系统。选择该子系统后，从菜单中选择 Edit/Mask subsystem 命令，弹出如图 8.91 所示的封装子系统属性设置对话框。在该对话框中，选择 Parameters 选项卡，在该选项卡添加参数 *m*，并添加输入变量检测代码段，如图 8.95 所示。

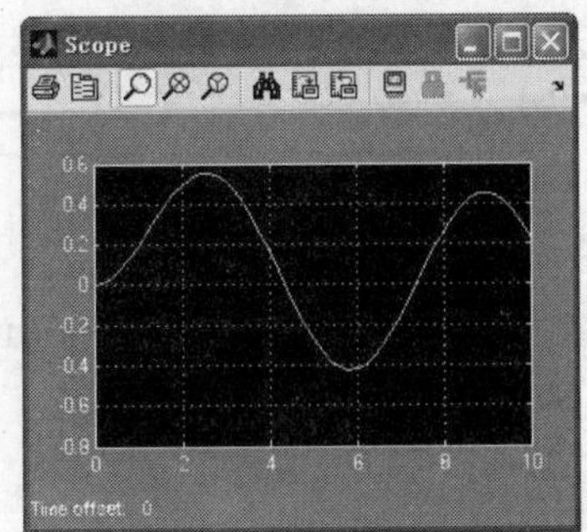

图 8.93　仿真结果

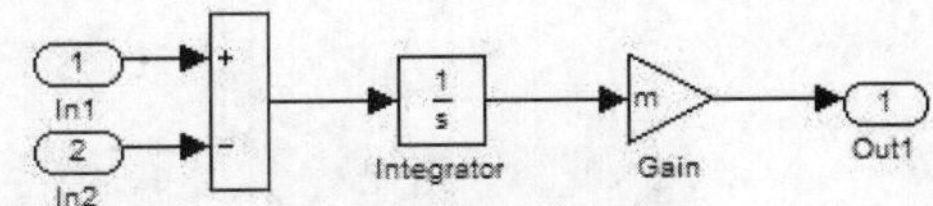

图 8.94　创建简单子系统

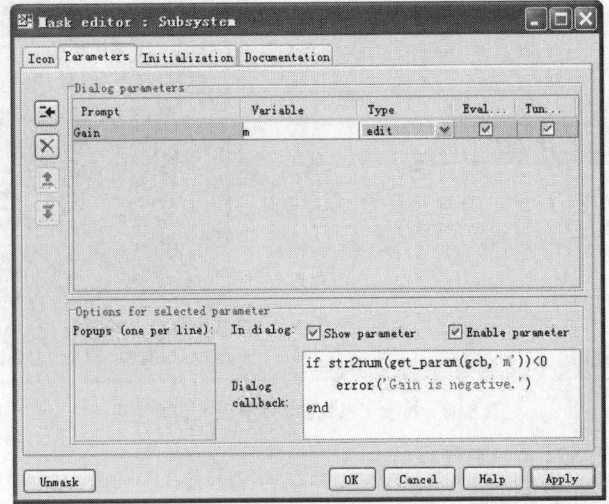

图 8.95　设置封装子系统参数

当设置完毕参数选项后，可以设置封装子系统的初始化参数。选择 Initialization 选项卡，在该面板中可以设置封装子系统的初始化参数数值。设置后如图 8.96 所示。

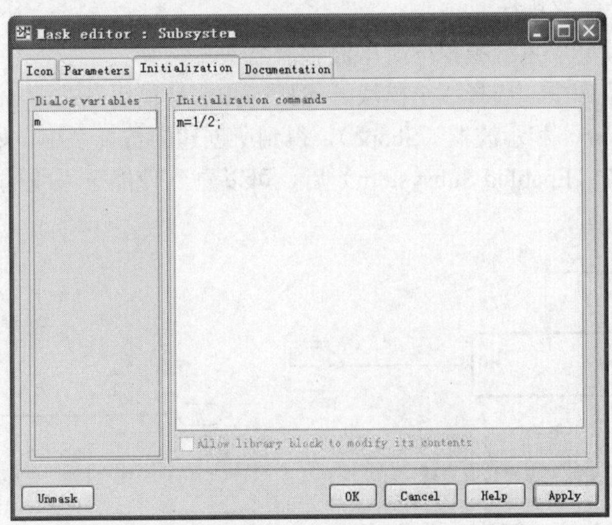

图 8.96　设置封装子系统初始化参数

在该对话框中还可以设置封装子系统的图标以及封装子系统的说明文档。这两个设置选项可以在 Icon 和 Documentation 选项卡中进行设置。

此时的仿真系统模块如图 8.97 所示。

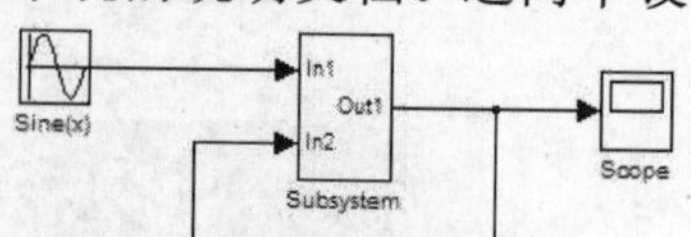

图 8.97　封装子系统下的仿真系统

在仿真系统中单击封装子系统，系统弹出参数设置对话框，设置参数后，运行仿真程序，得到的仿真结果如图 8.98 所示。

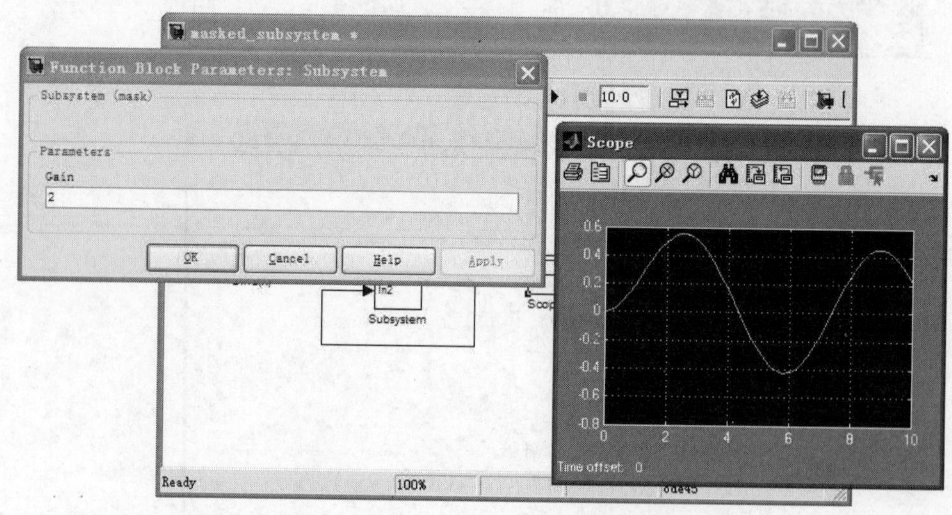

图 8.98　封装子系统参数设置及其仿真结果

8.8.4　使能控制子系统

在 Simulink 仿真系统中，使能（Enabled）子系统为条件执行子系统的一种。只有当控制信号满足一定的条件，即当控制信号为正值时，使能子系统才能够执行。使能子系统的控制信号和输入信号都可以为标量和向量，当子系统的输入变量大于零或每个数组元素都大于零时，使能子系统才能够执行。

例 8.17　利用使能子系统模拟一个半波整流器。

从 Simulink 模块库中，选择 3 个模块，包括正弦信号模块（Sine wave）、使能子系统模块（Enabled Subsystem）和示波器（Scope），得到所创建的仿真系统，如图 8.99 所示。

单击使能子系统（Enabled Subsystem）后，可以看到使能子系统的模块图，如图 8.100 所示。

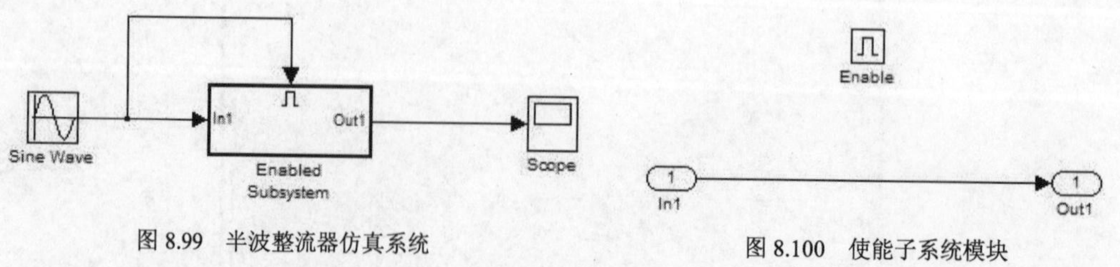

图 8.99　半波整流器仿真系统

图 8.100　使能子系统模块

设置仿真系统的仿真时间为 20，运行仿真系统，通过该仿真系统得到的波形如图 8.101

所示，可以看到通过使能子系统实现了半波整流模拟。

打开使能子系统的仿真图后，单击使能（Enabled）模块，弹出使能模块设置对话框，如图 8.102 所示。在使能模块对话框中，可以设置使能状态选项。可以选择的选项为 held 和 reset。如果设置为 held，那么系统把使能子系统的内部状态保存在前次使能的终值上；如果设置为 reset，那么所在子系统将会设置为指定的初值。在该对话框中，如果选中 Show output port 复选框，那么使能子系统将会产生一个输出端，向外输出使能子系统接收到的信号。

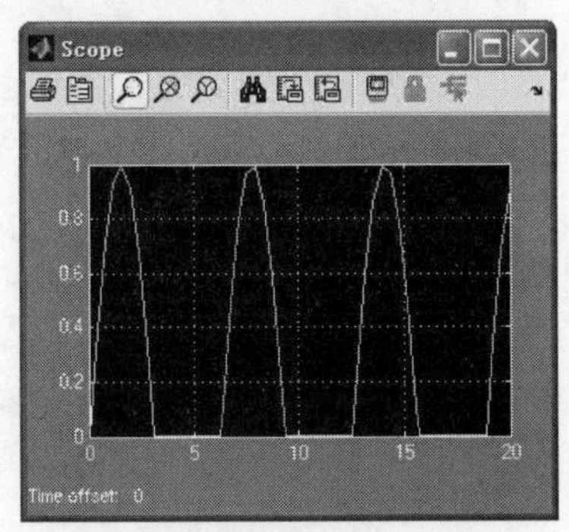

图 8.101 半波整流器仿真系统结果

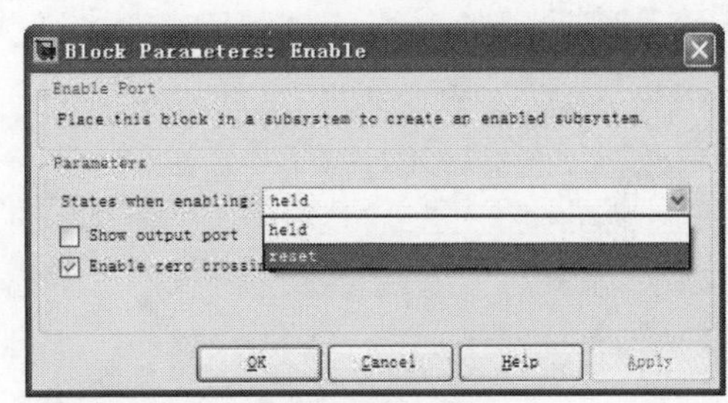

图 8.102 设置使能模块

8.8.5 触发控制子系统

触发控制子系统同样是条件子系统的一种，只有当系统触发事件（或信号）发生时，触发控制子系统才能够执行。一般的触发子系统都包括信号控制输入端口，即触发数端口，该端口的输入信号将控制子系统的执行。

在触发子系统中，触发信号可以是标量和向量。触发时，可以将触发子系统中的事件触发方式定义为以下 3 种方式之一。

（1）rising：上升沿触发，当信号以增长方式从负数或零转换到正数时产生触发。

（2）falling：下降沿触发，当信号以减小方式从正数或零减小到负数时产生信号触发。

（3）either：下降沿或上升沿触发方式中的任意一种。

例 8.18 通过触发子系统获得采样信号。

需要采样的信号为正弦信号，振幅为 1，频率为 1；触发信号通过脉冲发生器产生，脉冲发生器的幅值设置为 0.5，脉冲周期设置为 0.5s，脉冲宽度设置为 50%，设置后的属性面板如图 8.103 所示；从子系统列表中选择触发子系统，将脉冲信号作为触发子系统的触发控制信号，正弦信号设置为触发子系统的采样信号。

为便于比较采样信号、触发信号以及原始信号之间的关系，此处选择使用 Mux 模块，将这 3 路信号进行复合，复合后的信号经由示波器显示。进行设置后的脉冲仿真系统如图 8.104 所示。

如果单击触发子系统，将出现触发子系统的模块图。双击触发源后可以设置触发子系统的触发属性，如图 8.105 所示，可以更改触发方式。

将系统的仿真时间设置为 20，运行仿真系统后，得到的仿真结果如图 8.106 所示。

本节所介绍的触发子系统和上节所介绍的使能子系统是两种比较常见的控制子系统。关于这两种子系统的使用可以进一步阅读相关的资料。

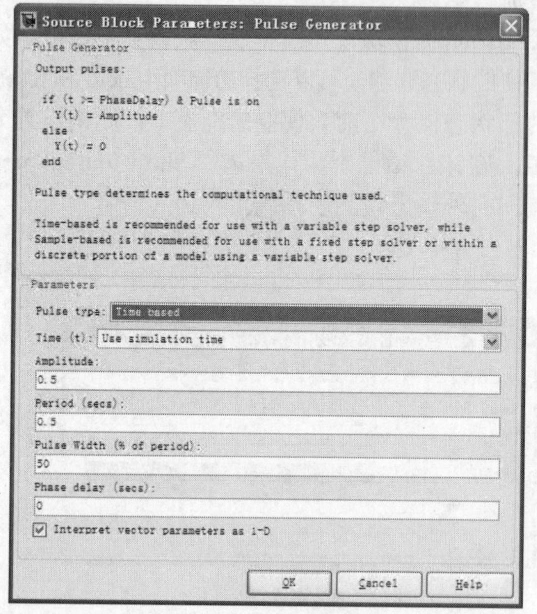

图 8.103　设置脉冲信号属性

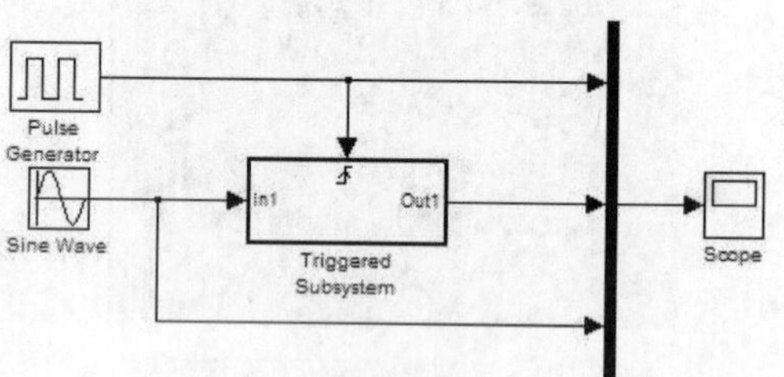

图 8.104　脉冲仿真系统

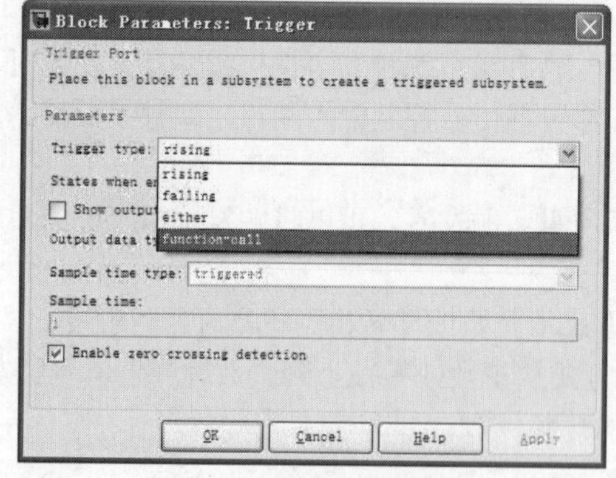

图 8.105　触发方式设置

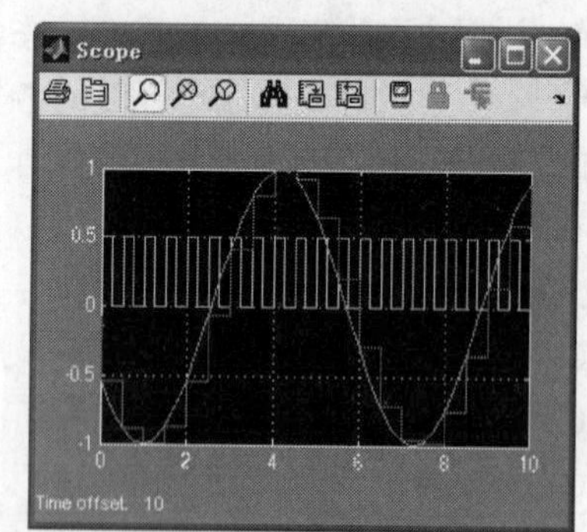

图 8.106　采用触发子系统后的采样信号结果

8.9　离散时间系统和混合系统

离散时间系统通过差分方程来描述。在实际中碰到的采样系统，一般都是采用差分方程和微分方程联立描述的离散—连续混合系统。因此，离散时间系统的仿真也是系统仿真很重要的部分。在 Simulink 中，提供了专门的 Discrete 模块子库用于离散系统的仿真建模。同时在 Simulink 的其他子库中，如 Math、Signals & Systems、Sink、Sources 等，所提供的模块也都可以用于离散系统的系统建模。

在离散系统中，比较重要的参数为采样时间。在和离散模块相关的设置对话框中，采样时间（Sampling time）文本框中，都需要输入标量方式的 T_s 或向量[T_s, offset]。其中，T_s 为系统的采样周期，而 *offset* 为采样的偏移量，绝对值小于 T_s。因此，实际的采样时间为

$t=nT_s+offset$。

如果只用于处理离散时间系统的仿真和描述，那么在设置解算器时，可以选择使用 discrete 解算器。在解算器中的其他算法则既可以用于连续时间系统的求解，也可以用于离散时间系统的求解。

离散时间系统的仿真模块和连续时间系统的仿真模块在一定程度上相同。此处简单介绍其中的一些模块。

（1）单位延迟模块（Unit delay）：算法为 $y(k)=u(k-1)$，传递函数可以描写为 $Y(z)/U(z)=1/z$。

（2）零阶保持器（Zero-Order hold）：该模块的输入端为采样器，输出端为常数保持器，实现的算法为 $y(t)=u(kT)$。

（3）传递函数模块：包括离散传递函数模块（Discrete Transfer Fcn）以 z 的降幂形式排列两多项式之比；离散滤波器（Discrete Filter）以 z^{-1} 升幂形式排列两多项式之比；零极点增益函数模块（Discrete Zero-Pole）设置时需要分子零点向量、分母极点向量和增益标量。

（4）离散时间积分器（Discrete-time Integrator）：实现 $y(k)=y(k-1)+\int_{T(k-1)}^{T(k)}u(t)\mathrm{d}t$。该积分器的输入端为一个零阶采样保持器，在每个积分步长期间，对于输入 $u(t)$，该模块都存放两个数值，即输入 $u\left[(T(k)\right]$ 和经过单位延迟作用的 $u\left[T(k-1)\right]$。积分方式的不同可以采用 3 种处理方式，即向前积分、向后积分以及梯形方法积分。

实际中的离散时间系统常常包括不同采样速率、不同时间偏移的子系统。因此，实际的离散时间系统建模为多速率系统的建模。在建模过程中，建模方法和单速率时间系统的建模方式相同，但需要注意采样时间和采样速率的不同。在 Simulink 中，用户可以在设置参数后，跟踪不同采样速率的运行范围和信息流向。如选择 Format/Sample time colors 菜单项后，可以为模型窗口进行着色；当选择 Edit/Update Diagram 菜单项时，系统将会实现色彩的更新。

一般在离散控制系统中，控制器的更新频率比对象本身的工作频率要低，显示系统的更新频率比显示器的可读频率要低得多。此处通过示例对离散时间系统的仿真建模进行介绍。

例 8.19 假设某过程的离散状态方程为：

$$\begin{cases}x_1(k+1)=x_1(k)+0.2x_2(k)\\x_2(k+1)=-0.05\sin x_1(k)+0.094x_2(k)+u(k)\end{cases}$$

其中，$u(k)$ 为输入信号，过程的采样周期为 0.1s，控制器应用采样周期为 0.25s 的比例控制器，显示系统的更新频率为 0.5s。

根据离散系统的方程式建立离散仿真系统，如图 8.107 所示。创建完毕后，选择 Format/Sample time colors 菜单项，可以改变仿真系统的显示颜色。

在上面的示例中，所设置的一些模块的属性为：两个单位延迟模块的采样周期均设置为 0.1s，零阶保持模块的采样周期设置为 0.25s 和 0.5s。在示波器的显示窗口中，单击 parameters 选项，设置数据历史输出到工作空间。

设置离散系统的仿真时间为 10，那么运行仿真系统后得到实时的仿真结果，在示波器中的仿真过程如图 8.108 所示。

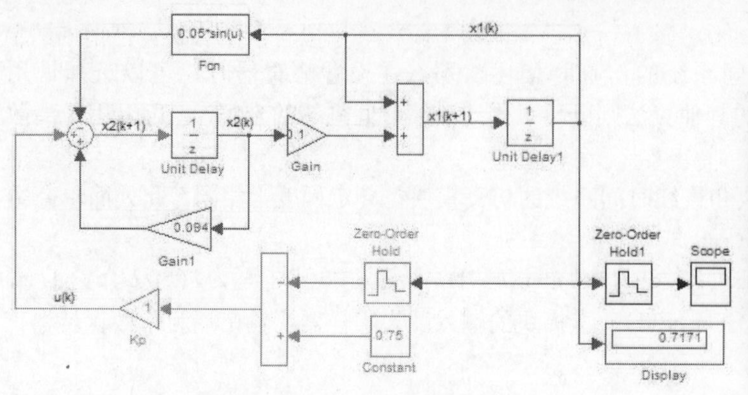

图 8.107　用不同颜色表示的仿真系统

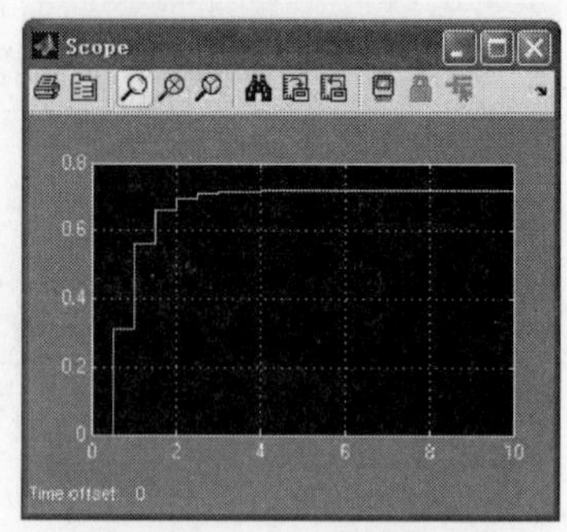

图 8.108　离散系统的仿真结果

离散时间系统的仿真模拟和连续时间系统的仿真模拟相差并不太大，因此，此处不做过多介绍。如果读者对此感兴趣，可以翻阅相关的书籍或查阅帮助文件。

8.10　命令方式运行 Simulink

在 MATLAB 7.x 中，不但允许用户直接在 Simulink 创建的仿真界面中运行仿真程序，还允许用户使用命令方式来运行 Simulink 仿真程序，因此，用户可以通过 M 文件来修改或变化 Simulink 运行仿真程序中的一些参数，也允许用户在 M 文件中实现复杂的仿真过程。在命令行中直接调用 Simulink 仿真程序，可以解决在 Simulink 界面中运行程序时对固定设置参数的仿真不足问题。

在命令行中调用 Simulink 仿真程序，常用的格式如表 8.7 所示。

表 8.7　　sim 函数的常用格式

格　式	说　明
[t, x, y]=sim(model)	——
[t, x, y]=sim(model, timespan, options, ut)	——
[t, x, y1, y2, ···, yn]=sim(model)	——

在这些调用命令中，参数的意义相同，此处分别做以介绍：

（1）model：运行在工作空间搜索路径中的 Simulink 模型，不包括仿真程序的扩展名；

（2）y：输出矩阵，输出 Simulink 模型输出端口的记录，其中 y 的第 *k* 列数值为第 *k* 个端口的输出数据；

（3）y1, y2, ···, yn：将输出端口的 n 个输出记录存储在这些向量中；

（4）x：状态矩阵，记录状态变量的的变化，可以从 statecell 中读取；

（5）timespan：仿真运行的时间区间，可以通过以下 3 种方式给定：[]，使用模块编辑器中的时间；T_final，指定系统的终值仿真时间，标量；[T_start T_final]，二维向量参数，给定系统仿真的起始和终止时间；

（6）OptionTimes：指定输出时间点的向量；

（7）Options：设置仿真参数中具有最高级别的优先权，可以覆盖模型参数对话框中的参数设置；

（8）ut：赋予仿真对象输入端口模块的数值，具有最高的设置优先权。

关于优先权和 sim 函数的使用方法，读者可以进一步通过 help 查询 simset、simget 和 sim 函数来阅读相关的帮助文献。

8.11 本章小结

通过 Simulink 仿真系统可以方便地实现功能强大的系统仿真能力。随着版本的不断升高，能够提供和执行的仿真学科范围和能力也都不断地提高，因此，图形化的 Simulink 仿真系统是 MATLAB 7.x 的重要内容。本章介绍了 Simulink 仿真的基础知识，如仿真界面、模型操作、信号、仿真结果输出显示等，以及对线型时间系统、非线性时间系统、离散时间系统等不同子系统的仿真内容都做了介绍。由于通过 Simulink 进行仿真系统的设计涉及比较多的专业知识和领域，因此用户可以在相关专业知识的帮助下，进行仿真系统的设计。

第9章 句 柄 图 形

在第 5 章中，已经详细介绍了图形可视化的内容。在 MATLAB 7.x 中，还提供了句柄图形命令，能够将每一个可视化对象作为一个对象，每个对象都通过一个唯一的标识（句柄）来对应。用户可以通过该句柄对象使用句柄图形对象及其属性（函数），可以对 MATLAB 7.x 提供的图形特征进行任何方式的控制。本章将在第 5 章的基础上，详细介绍句柄图形的相关内容，主要包括：

- ◆ 句柄图形体系
- ◆ 图形对象创建
- ◆ 图形对象设置
- ◆ 高级绘图对象
- ◆ 坐标轴对象

9.1 句柄图形体系

句柄图形的基本思想是将 MATLAB 7.x 的每个可视化部分都视为一个对象，并通过唯一标识的句柄进行标识，提供一组用户可以修改的属性。句柄图形提供创建计算机图形所必须的基本工具。句柄图形所支持的命令，可以用于创建线、文字、网格线、面以及图形用户界面等。此外，在第 5 章中所介绍的高层图形命令，如 plot、mesh 等都是以图形句柄为基础编写的。而通过使用低层图形句柄，即本章所要介绍的命令，可以生成新的图形。低层图形句柄函数可以生成更为细致和复杂的图形，常常用于开发专用的绘图函数。

9.1.1 图形对象

在 MATLAB 7.x 中，每个图形的每个组成部分都是一个句柄图形对象，每个对象都有一系列的句柄与其相关联，每个句柄图形对象都通过一组对象属性与其相联系，根据需要可以改变这些属性。

实际上，在 MATLAB 7.x 中，所有的图形对象都按照父对象和子对象的方式组成层次结构。句柄图形对象的层次结构如图 9.1 所示。在该结构图中，图形窗口为根对象的子对象；坐标轴和用户图形界面对象是图形窗口的子对象；线条、文本、曲面、补片和图形对象是坐标轴对象的子对象。

在图 9.1 所示的结构中，根包含一个或多个图形窗口，每个图形窗口包含一组或多组坐标轴，所有其他的对象都是坐标轴的子对象，并且在坐标轴上显示这些对象。所有创建对象的函数当父对象或对象不存在时，系统都会创建它们。如在系统创建过程中，如果没有图形窗口显示，那么系统的 plot 函数将会自动创建一个新的图形窗口和一组坐标轴，然后在这组坐标轴内绘制曲线。

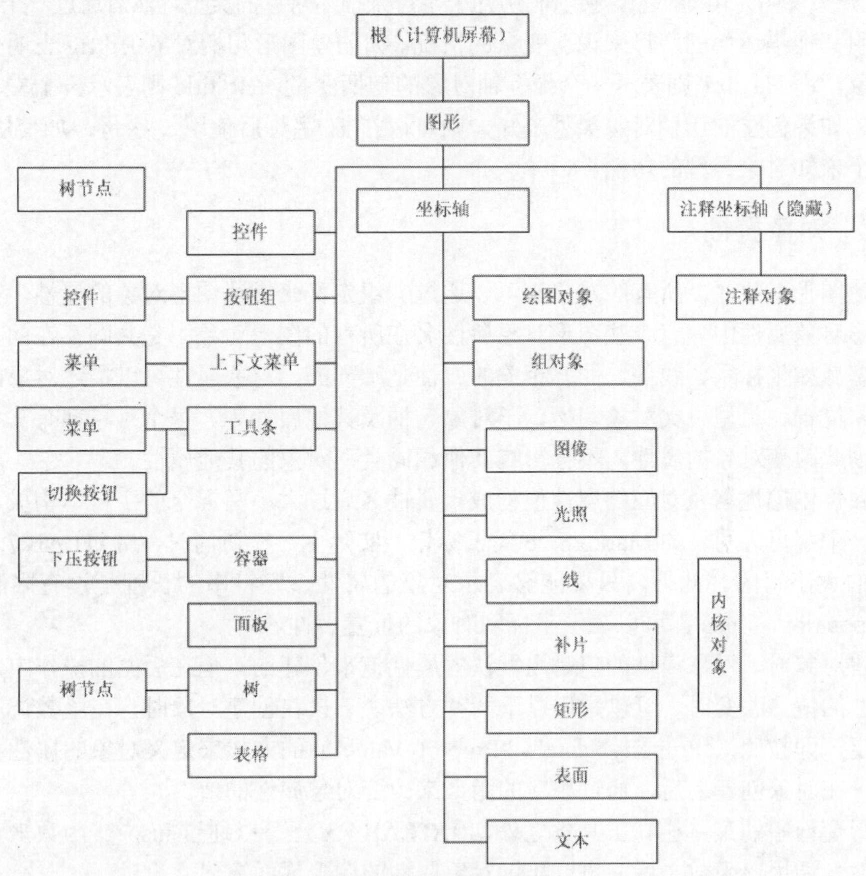

图 9.1 句柄对象的结构

9.1.2 句柄对象

在 MATLAB 7.x 中，每个对象都有一个与之相对应的标识符，该标识符即为句柄，实际上是一个双精度数据。当 MATLAB 7.x 创建一个对象时，系统将自动为该对象创建一个唯一的句柄。默认情况下，系统将根对象（计算机屏幕）的句柄设置为 0。命令 Hf_fig=figure 用于建立一个新的图形，并将创建后的图形句柄值返回给变量 Hf_fig。图形句柄在默认情况下为整数值，并在图形窗口的标题栏中显示，而其他对象的句柄数值一般为双精度的浮点数。所有对象的生成函数都会将创建对象的句柄数值返回给所创建的变量。

高级图形创建命令（如 plot、mesh、surf 等图形创建命令）在创建图形时，都会返回一个列向量用于保存所创建的每个内核对象的句柄值。如通过命令 H1=plot(…)创建图形时，将会返回 plot 函数创建的所有曲线的句柄数值；而命令 Hs=surf(…)则返回一个表面对象的句柄数值。高级绘图命令在创建图形时，还会返回所创建对象的属性数值，如通过命令 H1_wfall=waterfall(peaks(20))创建对象时，系统将返回包含 20 个线列的句柄数值。

在创建句柄对象时，句柄对象的变量名称可以任意选择，但在创建过程中如果能够遵循一些约定的规则，那么所创建的句柄对象会更易于理解和阅读。如在创建句柄对象变量时，可以以 H 开头说明为句柄对象，接着利用几个字母来描述对象的类型，然后通过一个下划线，最后可以用其他描述性的字母来说明变量的情况。如创建图形句柄对象 Hf_fig 表明是一个图形句柄对象，而 Ha_ax1 则表示一个坐标轴对象的句柄变量，Ht_title 则表示一个文本对象的句柄变量。如果创建的句柄对象类型未知，则可以在 H 字母后使用 x 字母，如使用 Hx_obj 来表示一个未知对象类型的句柄。

9.1.3 对象属性

在创建图形对象时，所有的对象都可以通过一组定义来描述图形对象的属性。在所创建的这些图形对象属性中，有一些图形对象属性名在所有的图形对象中是共同存在的，但与每个对象类型（如坐标系、线条、面）相关的属性是唯一的。对象属性可以描述对象的诸多属性，如对象位置、类型、父对象句柄、子对象句柄及其他属性等。每个对象都有其自身独立的属性，因此改变对象的属性，不会影响其他相同类型对象的其他属性。

对象属性由属性名及对应的属性值构成。属性名通过大小写混合的字符串构成，并且字符串的第一个字母大写，如 MarkerSize 代表标记。实际上，在访问时，MATLAB 7.x 是不区分字符串的大小写的。此外，只要能够表示对象的属性，字符串的长度是没有限制的，如 Position、position 和 pos 都可以表示坐标轴对象的位置属性。

在创建对象时，对象属性的值是用默认的属性值来创建的。但在后面的操作中，可以改变对象属性的值。改变时，可以采用以下两种方法之一：在创建对象时，在函数调用中包括属性的设定，即按照（‘PropertyName’，‘PropertyValue’）的方式来定义对象的属性；另一种方法则是，在对象创建之后，通过相应的函数来改变对象属性的值。

除图形窗口中的菜单栏和工具条之外，MATLAB 7.x 还可以通过 inspect 函数来查询和修改对象属性。调用该函数之后，可以显示对象属性的图形界面窗口。

9.1.4 图形对象句柄创建示例

例 9.1 创建图形对象句柄和通过 inspect 函数查询图形对象属性。

```
>> % 创建图形对象句柄
>> t=linspace(1,10,100);
>> y=exp(-t/2).*sin(2*t);
>>Hf_plot=plot(t,y,'--rs','LineWidth',2,'MarkerEdgeColor','k','MarkerFaceColor','g','MarkerSize',10)
Hf_plot =
   154.0034
>> % 查询图形对象属性
>> inspect(Hf_plot)
```

运行 plot 函数后，系统返回创建的 plot 图形对象创建的句柄函数，以及该函数句柄的数值，从上面的运行结果可以看出，返回的数值为双精度类型的 Hf_plot 数值，同时创建生成如图 9.2 所示的 plot 函数图形。

接下来通过图形句柄对象查询函数 inspect 来查询该函数句柄的属性及其相对应的值。执行该命令后，系统弹出如图 9.3 所示的图形句柄对象的属性窗口。

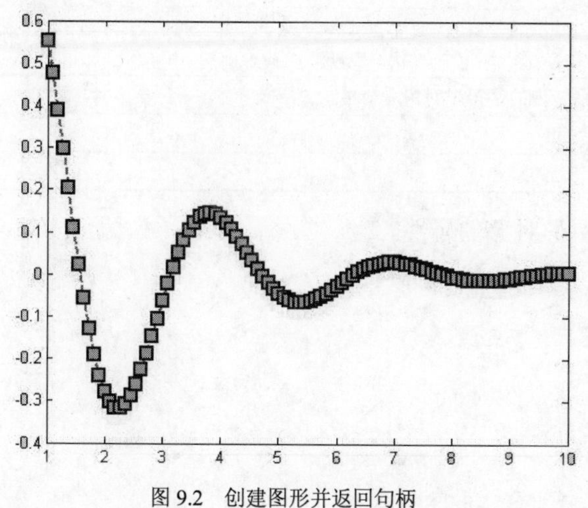

图 9.2　创建图形并返回句柄

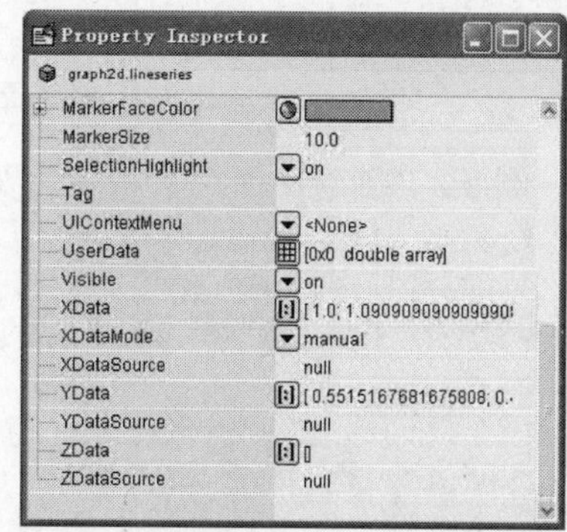

图 9.3　通过查询函数查询对象的属性

9.2　图形对象创建

在 MATLAB 7.x 中，除根屏幕对象之外，所有其他的图形对象都可以根据相应的图形对象属性来创建，即通过同名的图形对象命令来创建图形对象句柄。如 text 函数能够创建一个 text 对象，同时返回该图形对象的句柄，用户可以根据该图形对象句柄来查询或修改图形对象的属性值。如 Hf_figure=figure(*n*)命令，可以打开或创建 *n* 号图形窗口，并且返回所创建的图形句柄。其他的图形创建命令的使用方法与此相同。

9.2.1　创建图形对象

在 MATLAB 7.x 中，已经内置提供了 11 种图形对象的创建命令。这些图形对象在创建时，如果在执行创建命令时，该图形对象句柄不存在，那么 MATLAB 7.x 将会自动创建图形对象及其句柄；如果在创建图形对象时，这些对象已经存在，那么系统将会在之前已经存在的坐标轴对象中来创建新的图形对象，而不会影响坐标轴对象中的其他对象。即使用底层的图形对象命令创建对象时，不会将原有的图形对象覆盖，而是在原来存在对象的基础上继续添加对象或修改属性。

MATLAB 7.x 内置的图形对象创建函数如表 9.1 所示。

表 9.1　图形对象创建函数

函　数	说　明
axes	创建图形的坐标轴对象
figure	创建或打开图形窗口对象
image	使用颜色映射索引表或 rgb 数值来创建二维图形
light	位于坐标轴内，影响曲面或补片的光源方向
line	通过顺序连接坐标数据的直线构成线条
patch	将矩阵的每列数据构成多边形的小面，创建一个块对象
rectangular	创建一个方形对象，设置矩形或椭圆的二维填充图案
Surface	根据矩阵数据的定义来创建曲面对象

续表

函　数	说　明
Text	创建位于坐标轴系统内的字符串对象
uicontrol	创建用户界面的空间
uimenu	创建指定图形窗口上的菜单项

例 9.2　创建图形对象，并简要设置图形对象的属性。

```
% create_obj_handle.m
% 创建图形对象句柄函数
x=-2*pi:0.5:2*pi;
y=x;
[X,Y]=meshgrid(x,y);
Z=X.^3/2-Y.^3/2;
% 创建坐标轴句柄对象
Ha_axes=axes('color',[0.8 0.8 0.8],'xtick',[-8:2:8],'ytick',[-8:2:8])
% 绘制图形
Ha_surface=surface('xdata',X,'ydata',Y,'zdata',Z,'Facecolor',get(Ha_axes,'color')+0.1,...
    'edgecolor','k','marker','o','markersize',3)
```

运行该脚本函数后，在命令窗口中显示所创建的坐标轴对象和曲面对象的句柄数值，同时在默认的图形窗口中显示所绘制的曲面。默认情况下，绘图窗口中显示的图形为二维图形。在上述脚本中，坐标轴对象函数设置了坐标轴颜色、x 和 y 方向的坐标刻度；在曲面对象创建中，设置了数据点的颜色属性、标记以及标记大小等。同时在该函数中通过 get 函数获取了坐标轴对象的颜色，用于设置曲面的前景颜色。运行后的结果如下所示，产生的图形如图 9.4 所示。

```
Ha_axes =
    0.0060
Ha_surface =
  154.0060
```

通过该句柄函数所创建的曲面为二维形式的曲面，因此，可以设置曲面的观察方向，在命令窗口中输入以下命令来显示三维坐标系中的图形。

```
>> % 显示三维坐标系统
>> view(3)
```

该命令执行后，得到的曲面如图 9.5 所示。

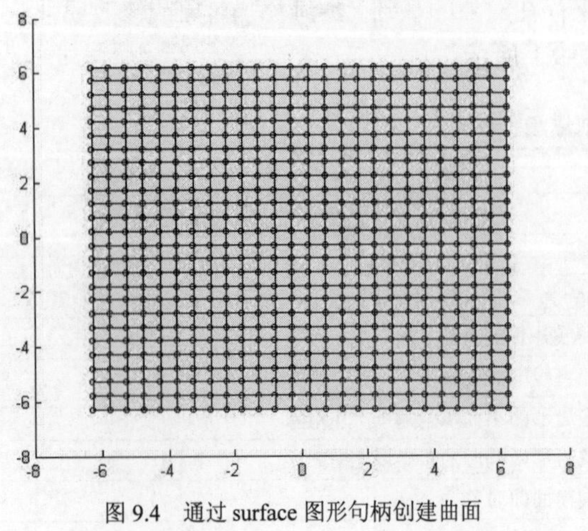

图 9.4　通过 surface 图形句柄创建曲面

图 9.5　在三维坐标视角中显示曲面

9.2.2　访问图形对象句柄

在 MATLAB 7.x 运用图形对象创建图形时，系统都会产生一个图形句柄，并且返回该对象的句柄。如果需要访问该图形对象的属性，那么在创建图形对象时，将该对象句柄赋予一个变量，然后获取图形句柄，并访问其属性就可以得到图形对象句柄的属性。

在 MATLAB 7.x 中，获得图形对象的句柄主要可以通过以下几种方式实现。

（1）通过图形对象创建命令来获取对象的句柄。在 MATLAB 7.x 中，无论是高层命令，还是底层命令，都可以返回图形对象的句柄。可以表示为：

H_gc=graphiccommand(…)s

绘图的同时给出图形对象的句柄 H_gc。

（2）get 函数访问图形对象句柄。如果已知某图形对象句柄，那么在程序中或命令行中可以通过 get 函数来获得图形对象的句柄。常见的调用格式为：

① get(h)，返回图形对象句柄 h 的所有属性；

② get(h,'PropertyName')，返回图形对象句柄 h 属性名为'PropertyName'的值。

（3）当前对象的图形句柄获取。如果需要获取当前进行操作的图形对象的属性值，那么可以使用 MATLAB 7.x 提供的 3 个指令式命令来获取。这 3 个命令为：

① gcf，返回当前图形窗口的句柄；

② gca，返回当前坐标轴的句柄；

③ gco，返回鼠标点击后最近的图形对象的句柄。

（4）根据对象特性获取句柄。利用图形对象句柄获得句柄的常用格式如下：

① h=findobj，返回根对象及其子对象的图形句柄；

② h=findobj('PropertyName',PropertyValue,…)，返回图形对象的句柄，并将属性名为 PropertyName 的属性设置为 PropertyValue。用户可以设置属性/值对来设置图形对象句柄。

（5）使用对象标签来访问图形对象句柄。在设置图形对象时，用户可以为对象设置一个标签，然后通过图形对象的标签来访问对象的句柄。如：

```
>> plot(x,y,'Tag', 'A2')
>> set(gca,'Tag','A2')
```

例 9.3　访问图形对象的句柄。

此处在例 9.2 的基础上进行操作。在命令窗口中输入以下命令进行图形对象的访问。

```
>> % 通过 get 函数获取图形句柄
>> get(Ha_surface)
    AlphaData = [1]
    AlphaDataMapping = scaled
    CData = [ (3 by 3) double array]
    CDataMapping = scaled
    EdgeAlpha = [1]
    EdgeColor = [0 0 0]
    EraseMode = normal
    FaceAlpha = [1]
    FaceColor = [0.9 0.9 0.9]
    LineStyle = -
    LineWidth = [0.5]
```

```
    Marker = o
    MarkerEdgeColor = auto
    MarkerFaceColor = none
    MarkerSize = [3]
    MeshStyle = both
    XData = [ (26 by 26) double array]
    YData = [ (26 by 26) double array]
    ZData = [ (26 by 26) double array]
    FaceLighting = flat
    EdgeLighting = none
    BackFaceLighting = reverselit
    AmbientStrength = [0.3]
    DiffuseStrength = [0.6]
    SpecularStrength = [0.9]
    SpecularExponent = [10]
    SpecularColorReflectance = [1]
    VertexNormals = [ (26 by 26 by 3) double array]
    NormalMode = auto

    BeingDeleted = off
    ButtonDownFcn =
    Children = []
    Clipping = on
    CreateFcn =
    DeleteFcn =
    BusyAction = queue
    HandleVisibility = on
    HitTest = on
    Interruptible = on
    Parent = [0.00646973]
    Selected = off
    SelectionHighlight = on
    Tag =
    Type = surface
    UIContextMenu = []
    UserData = []
    Visible = on
>> % 设置文本注释，并添加标签
>> text(-4,2,'\fontsize{12} surface','Tag','A1')
>> % 查找标签句柄对象
>> Ht_text=findobj(0,'Tag','A1')
Ht_text =
  155.0065
>> % 设置新属性
>> set(Ht_text,'position',[-2 3])
>> H_figure=get(gca,'children')
H_figure =
  155.0065
  154.0065
>> T_figure=get(H_figure,'type')
```

```
T_figure =
    'text'
    'surface'
```

上面的示例中，比较集中地显示了使用 MATLAB 7.x 的访问方式来访问图形句柄对象的方法。可以看出，通过这些访问方式可以很容易完成对图形句柄函数的访问。

9.2.3　使用句柄操作图形对象

在前面的小结中，已经介绍了如何通过各种方式来访问图形对象的句柄，如通过 findobj 函数可以查找当前图形对象的子对象。此外，还可以使用 MATLAB 7.x 提供的其他函数，通过图形句柄来修改图形对象的属性。下面介绍两个比较常用的图形对象句柄操作命令。具体介绍如表 9.2 所示。

表 9.2　　句柄操作函数

命　令	说　明
new_handle=copyobj(h,p)	创建新的图形对象，并将一个对象从一个父对象复制到另外一个父对象中。复制后新的图形对象和原来的图形对象相比，主要差别在于父对象属性及图形句柄的不同
delete(h)	删除句柄为 h 的图形对象。如果操作的对象为窗口，则该函数将会删除对象而不要求确认

例 9.4　对象句柄函数操作图形对象。

```
% copyobj_example.m
% 复制图形对象
h=surf(peaks);
colormap hot
% 创建新的图形窗口
figure
% 在新窗口中创建坐标轴对象
axes
% 将原来的图形对象复制到新图形窗口
new_handle=copyobj(h,gca);
colormap cool
view(2)
grid on
```

在本例中首先通过 surf 函数创建图形对象。然后，创建新的图形窗口和坐标轴，通过对象复制函数 copyobj 后，将源图形窗口中的图形对象通过图形句柄复制到目标图形窗口中。为便于区别，此处将目标图形窗口中的图形对象由原来的三维显示为二维。图 9.6 和图 9.7 分别所示为源图形窗口和目标图形窗口中的图形对象。

例 9.5　删除图形对象句柄。

```
% delete_example.m
% 创建图形对象句柄
 t=linspace(1,10,100);
 y=exp(-t/2).*sin(3*t);
 Hf_plot=plot(t,y,'-r*','LineWidth',2,'MarkerEdgeColor','k',...
       'MarkerFaceColor','g','MarkerSize',10);
 % 添加文本注释
 text(2.1,-0.3,'\fontsize{12}y=exp(-t/2).*sin(2*t)','Tag','A2');
```

执行该脚本文件后，得到的图形如图 9.8 所示，在该曲线上用文本标记了曲线方程。

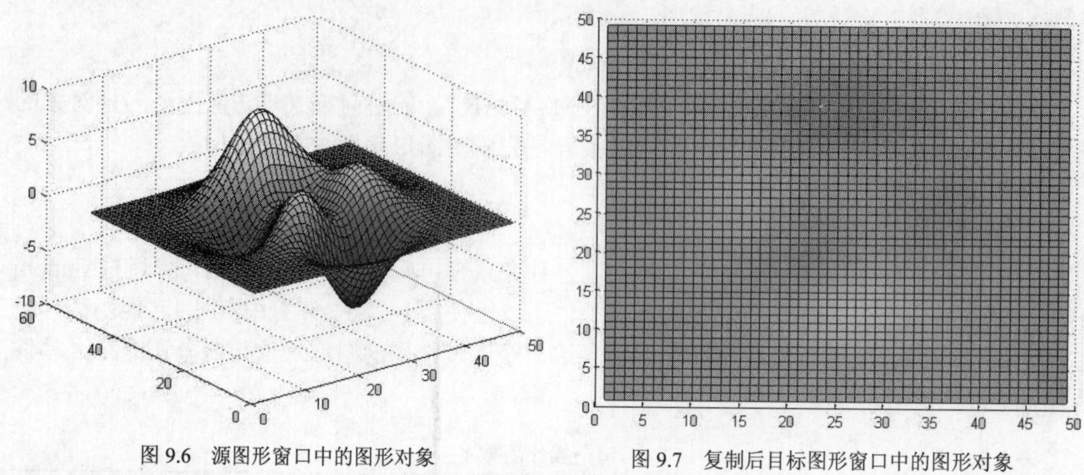

图 9.6　源图形窗口中的图形对象　　图 9.7　复制后目标图形窗口中的图形对象

在命令行中输入以下命令，可以删除图上的文本注释。

```
>> H_tag=findobj(0,'Tag','A2');
>> delete(H_tag);
```

执行这两个命令之后，系统将曲线上的文本注释删除，得到曲线如图 9.9 所示。

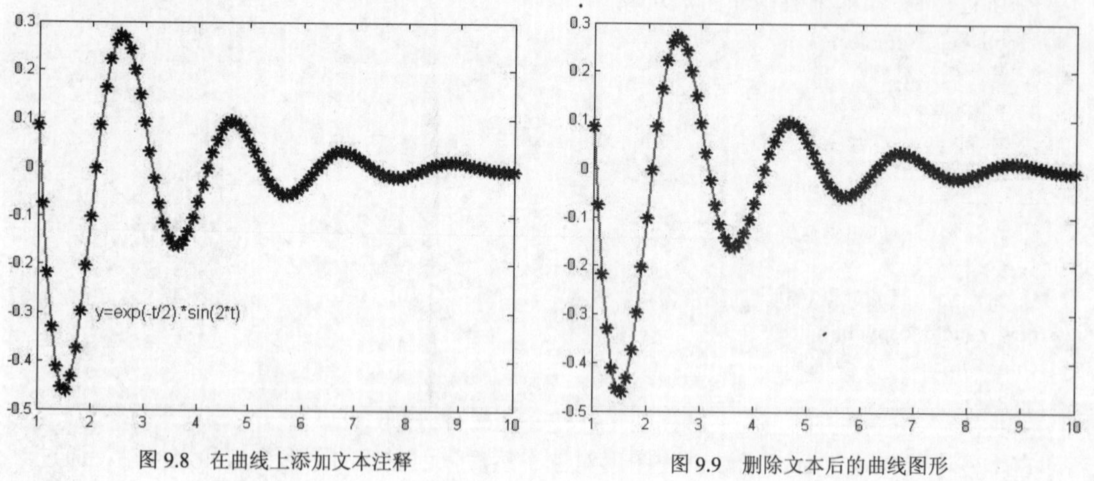

图 9.8　在曲线上添加文本注释　　图 9.9　删除文本后的曲线图形

9.3　图形对象设置

在上一节中，详细介绍了图形对象的创建方法。本节将介绍对图形对象的一些操作，如查询、修改或设置图形对象的各个属性值等。用户可以根据查询得到的属性值来设置新的属性数值。此外，用户还可以设置图形对象的默认属性值。

9.3.1　用 set 命令设置属性

在 MATLAB 7.x 中，可以通过多种方法来创建图形对象的属性。最常见的设置方法包括在创建图形对象时进行属性参数设置、使用 set 函数设置相关属性，或通过单元数组来定义图形对象的属性。

（1）创建图形对象时设置属性。创建命令如下：

① H_gc=GraphicCommand(…, 'PropertyName',PropertyValue)，利用属性对设置对象属性；

② H_gc=GraphicCommand(…, PropertyStructure)，通过属性单元数组来定以对象属性。

（2）通过 set 函数来设置对象属性。命令格式如下：

① set(H,'PropertyName',PropertyValue,…)，通过属性名/值对来设置图形句柄指向的图形对象的属性；

② set(H,a)，通过单元数组设置句柄指向的图形对象的属性；

③ set(H,pn,pv,…)，设置句柄为 H 的图形对象属性，pn 和 pv 分别为图形对象的单元数组及其数值。

通过 set 函数设置图形对象属性的命令格式比较多，用户可以通过 help 命令来查询其他的命令格式。

例 9.6　通过 set 命令设置图形对象的属性。

```
% set_obj.m
% 使用 set 函数设置图形对象的属性
x=-2*pi:pi/40:2*pi;
y=sin(x);
z=cos(x);
Hls_line=plot(x,y,x,z)
% 通过 set 函数为两条曲线设置颜色
set(Hls_line(1),'Color',[1,0.5,0],'LineWidth',3);
set(Hls_line(2),'Color',[0,0,1]);
```

执行该脚本文件后，生成如图 9.10 所示的曲线。

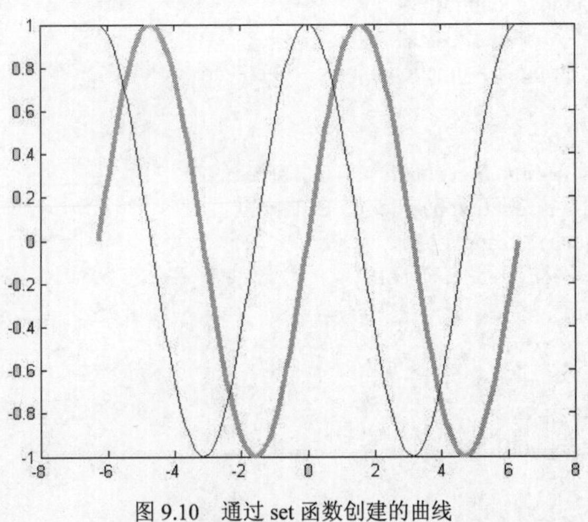

图 9.10　通过 set 函数创建的曲线

例 9.7　绘制和查看 peaks 图形，并查看该图形对象的属性。

```
>> h_figure=surface(peaks(30))
h_figure =
    0.0098
>> set(h_figure)
    AlphaData
```

```
        AlphaDataMapping: [ none | direct | {scaled} ]
        CData
        CDataMapping: [ direct | {scaled} ]
        EdgeAlpha: [ flat | interp ] -or- {an Alpha}.
        EdgeColor: [ none | flat | interp ] -or- {a ColorSpec}.
        EraseMode: [ {normal} | background | xor | none ]
        FaceAlpha: [ flat | interp | texturemap ] -or- {an Alpha}.
        FaceColor: [ none | {flat} | interp | texturemap ] -or- a ColorSpec.
        LineStyle: [ {-} | -- | : | -. | none ]
        LineWidth
        Marker: [ + | o | * | . | x | square | diamond | v | ^ | > | < | pentagram | hexagram | {none} ]
        MarkerEdgeColor: [ none | {auto} | flat ] -or- a ColorSpec.
        MarkerFaceColor: [ {none} | auto | flat ] -or- a ColorSpec.
        MarkerSize
        MeshStyle: [ {both} | row | column ]
        XData
        YData
        ZData
        FaceLighting: [ none | {flat} | gouraud | phong ]
        EdgeLighting: [ {none} | flat | gouraud | phong ]
        BackFaceLighting: [ unlit | lit | {reverselit} ]
        AmbientStrength
        DiffuseStrength
        SpecularStrength
        SpecularExponent
        SpecularColorReflectance
        VertexNormals
        NormalMode: [ {auto} | manual ]

        ButtonDownFcn: string -or- function handle -or- cell array
        Children
        Clipping: [ {on} | off ]
        CreateFcn: string -or- function handle -or- cell array
        DeleteFcn: string -or- function handle -or- cell array
        BusyAction: [ {queue} | cancel ]
        HandleVisibility: [ {on} | callback | off ]
        HitTest: [ {on} | off ]
        Interruptible: [ {on} | off ]
        Parent
        Selected: [ on | off ]
        SelectionHighlight: [ {on} | off ]
        Tag
        UIContextMenu
        UserData
        Visible: [ {on} | off ]
>> set(h_figure,'Marker')
[ + | o | * | . | x | square | diamond | v | ^ | > | < | pentagram | hexagram | {none} ]
```

从例 9.7 可以看出，通过 set 函数可以查询图形句柄的对象属性，还可以通过某个具体的属性查询来得到该属性的数值。

9.3.2　图形的默认属性

在 MATLAB 7.x 中，创建图形对象时都会使用系统提供的默认属性值。默认属性是系统所提供的对象的属性值，可以通过 get 函数和 set 函数来获得或进行设置。但需要注意的是，默认的属性设置只对当前的图形对象有效；在新创建对象时，系统仍然使用默认的属性进行设置。如果用户需要进行默认属性的设置，那么需要在设置之前查询或创建一个以 default 开头的属性变量。

此外，MATLAB 7.x 还提供了 3 个参数用于取消、覆盖或查询用户自定义的默认属性。这 3 个关键字为 remove、factory 和 default。如果用户改变了一个对象的默认属性，那么可以使用 remove 属性来取消此次改动，而将对象的属性重新设置为原来的默认值；default 属性则强迫 MATLAB 7.x 沿着对象层次向上搜索，直至找到所需要的属性默认值；factory 属性则返回 MATLAB 7.x 的出厂默认值。

例 9.8　设置默认属性。

```
>> % 获取默认属性值
>> get(0,'default')
ans =
            defaultFigurePosition: [360 502 560 420]
                defaultTextColor: [0 0 0]
                defaultAxesXColor: [0 0 0]
                defaultAxesYColor: [0 0 0]
                defaultAxesZColor: [0 0 0]
            defaultPatchFaceColor: [0 0 0]
            defaultPatchEdgeColor: [0 0 0]
                 defaultLineColor: [0 0 0]
      defaultFigureInvertHardcopy: 'on'
               defaultFigureColor: [0.8000 0.8000 0.8000]
                 defaultAxesColor: [1 1 1]
           defaultAxesColorOrder: [7x3 double]
           defaultFigureColormap: [64x3 double]
          defaultSurfaceEdgeColor: [0 0 0]
           defaultFigurePaperType: 'A4'
          defaultFigurePaperUnits: 'centimeters'
>> % 绘制图形
>> h_figure=surface(peaks(30))
h_figure =
  157.0120
>> view(3)
>> grid on
```

执行这几个命令后得到的图形如图 9.11 所示。

根据前面查询命令得到的默认属性，输入以下命令行，得到新的三维图形，结果如图 9.12 所示。

```
>> % 改变默认设置
>> set(gcf,'DefaultSurfaceMarker','*');
>> set(h_figure,'Marker','default');
```

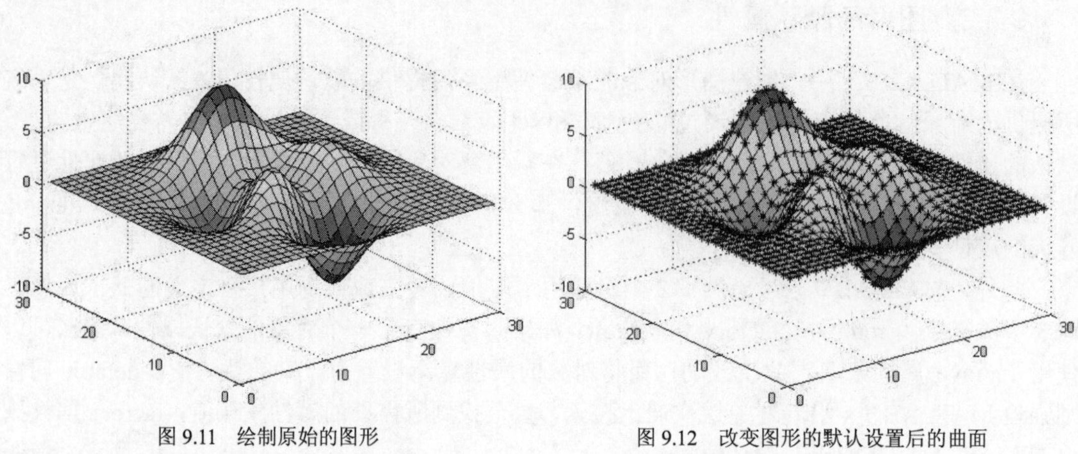

图 9.11　绘制原始的图形　　　　图 9.12　改变图形的默认设置后的曲面

9.3.3　句柄图形的通用属性

在使用 MATLAB 7.x 绘图时，除前面通过 get 和 set 函数设置的默认属性外，还有一些属性是所有句柄图形都具有的。这些通用属性对句柄图形的绘制和使用意义也比较大。此处将这些通用属性进行小结，如表 9.3 所示。

表 9.3　　句柄图形的通用属性

属　性	说　明
BeingDeleted	表示句柄图形对象能否被删除，只有将该属性设置为 on 时，用户才可以删除图形对象
BusyAction	用于决定对象的回调过程如何被其他回调过程中断
ButtonDownFcn	当鼠标在一个句柄图形对象上按下时，需要执行的回调代码
Children	返回句柄对象的所有可见子对象句柄
Clipping	用于激活或禁用对坐标轴子对象的范围限制（即是否能超出坐标轴的范围）
CreateFcn	指定当一个对象被创建后需要立即返回执行的回调代码
DeleteFcn	执行当一个对象被删除后需要立即返回执行的回调代码
HandleVisibility	确定对象句柄是否在命令窗口或执行回调时可见
HitTest	决定该对象是否能被鼠标选中并成为当前对象
Interruptible	决定该对象的回调是否可以被中断
Parent	该属性返回所有可见的父对象句柄
Selected	确定对象是否已经被选择为当前对象
SelectionHighlight	确定该对象在选定时是否显示可见的选择句柄
Tag	用户自定义字符串来标示对象或给对象添加一个标签，通过 findobj 函数来使用，即 findobj(0, 'Tag', 'string')
Type	返回标示对象类型的字符串
UIContextMenu	返回与该对象有关的上下文菜单的句柄
UserData	储存与该对象相关的所有用户自定义变量
Visible	该属性表示对象是否可见

在这些通用属性中，ButtonDownFcn、CreateFcn 和 DeleteFcn 需要用户执行描述回调过程的代码。在大多数情况下，这些代码以函数的形式出现。

例 9.9　通用属性的使用。

```
>> x=-pi:pi/50:pi;
>> y=sin(x);
>> plot(x,y);
>> grid on
>> set(gca,'Tag','new define axes');
>> ha_newaxis=findobj(0,'tag','new define axes')
ha_newaxis =
   153.0099
```

在上面的示例中，为新绘制的图形的坐标轴添加新的 Tag 标签。然后通过 findobj 函数按照所定义的 Tag 属性来查找该句柄图形对象，绘制得到的曲线如图 9.13 所示。

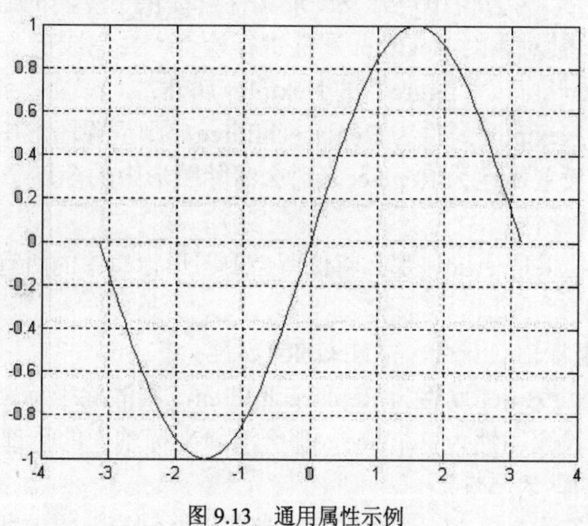

图 9.13　通用属性示例

9.4　高级绘图对象

和 plot 等绘图命令相比，高级绘图对象命令提供了更为灵活的绘图方式。在介绍各个对象属性之前，首先介绍高级绘图命令的组成，由此读者可以更好地理解高级绘图命令，以及底层绘图命令如何为高级绘图命令的属性设置做准备。高级绘图命令主要包括两个命令，即 Nextplot 属性和 NewPlot 命令。

下面首先介绍 Nextplot 属性和 NewPlot 命令的使用方法和说明。

9.4.1　Nextplot 属性

在 MATLAB 7.x 中，使用底层命令来创建线、面、块等子对象时，常常涉及如何为这些绘图命令准备坐标轴和图形区域的父对象属性。即在进行这些命令的绘图操作过程中，需要设置如何绘制 figure 和 axes 的 Nextplot 属性问题。

设置 figure 对象的绘制属性时，Nextplot 函数的属性设置如下：

- Add：在当前状态下，允许添加子对象，对应的高级命令为 hold on；
- Replacechildren：表示在当前状态下清除所有的子对象，对应的高级命令为 clf；

- Replace：表示清除所有的子对象，重新设置为默认值，高级命令为 clf reset。

设置 axes 对象的绘制属性时，Nextplot 函数的属性设置如下：

- Add：在当前状态下，允许添加子对象，对应的高级命令为 hold on；
- Replacechildren：表示在当前状态下清除所有的子对象，对应的高级命令为 cla；
- Replace：表示清除所有的子对象，重新设置为默认值，高级命令为 cla reset。

在默认情况下，figure 函数的默认 Nextplot 属性为 Add，而 axes 的默认 Nextplot 属性为 replace。此外重设命令 reset 并不影响到 position、units 等的属性。

9.4.2 Newplot 命令

在 MATLAB 7.x 中，为方便用户开发图形文件，提供了专门的绘图命令 Newplot，该命令自动对当前的图形、轴对象的 Nextplot 属性进行检查，并完成下一个的设置。

检查和设置当前图形窗口（figure）的 Nextplot 属性：

- 如果检查到的 Nextplot 属性为 Replacechildren，则清除图形中的所有子对象；
- 如果检查到的设置属性为 Replace，那么清除图形中的全部子对象，并将图形的对象属性设置为系统的默认属性；
- 如果检查到的结果是 Add，那么将保留当前图形窗口中的所有子对象并保持所有属性不变化。

检查和设置当前坐标轴（axes）的 Nextplot 属性：

- 如果检查到的 Nextplot 属性为 Replacechildren，则清除坐标轴中的所有子对象；
- 如果检查到的设置属性为 Replace，那么清除坐标轴中的全部子对象，并将坐标轴的对象属性设置为系统的默认属性；
- 如果检查到的结果是 Add，那么将保留当前坐标轴窗口中的所有子对象，并保持坐标轴所有属性不变化。

9.4.3 高级绘图命令

高级绘图命令如 mesh、surf 等函数都是通过 surface 命令延伸出来的，因此，在执行这些命令时，都会执行 surface 命令。下面将通过示例来说明在 MATLAB 7.x 中是如何利用底层绘图命令来完成高级图形绘图的。

例 9.10 底层 surface 命令衍生高级绘图命令 mesh、surface。

```
% mesh_surf_surface.m
% 通过 surface 底层命令来创建高层命令 mesh，surf
clf reset
t=0:0.5:20;
r=3-sin(3*pi*t);
[x,y,z]=cylinder(r,50);
% 获取坐标轴的背景颜色
fcolor=get(gca,'color');
% 使用 surface 函数来绘制图形
h=surface(x,y,z,'facecolor',fcolor,'edgecolor','flat',...
      'facelighting','none','edgelighting','flat');
view(3);
grid on;
```

执行以上脚本函数后，可以绘制出如图 9.14 所示的图形。

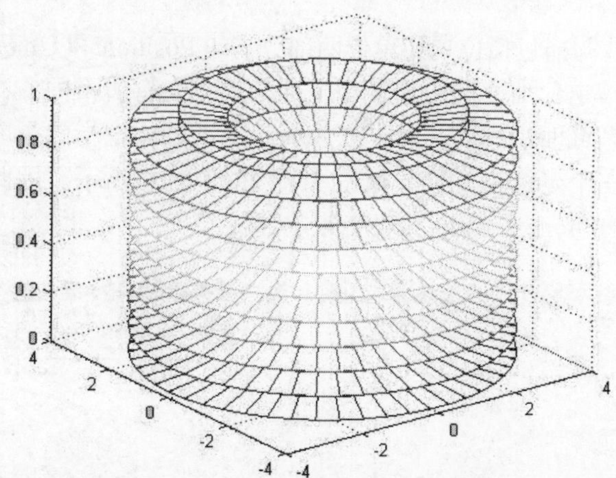

图 9.14　底层 surface 命令绘制的曲面

```
>> % 改变 facecolor 的设置属性或轴背景颜色不为 none
>> set(h,'facecolor','flat','linestyle','-','edgecolor',[0.8 0.8 0.8])
```

执行后得到如图 9.15 所示的曲面。

```
>> % 将 meshstyle 设置为单线设置
>> set(h,'facecolor','interp','meshstyle','column')
```

在命令窗口中执行该命令后，得到曲线 mesh 将沿着一个方向生成网格曲线，得到的曲面如图 9.16 所示。

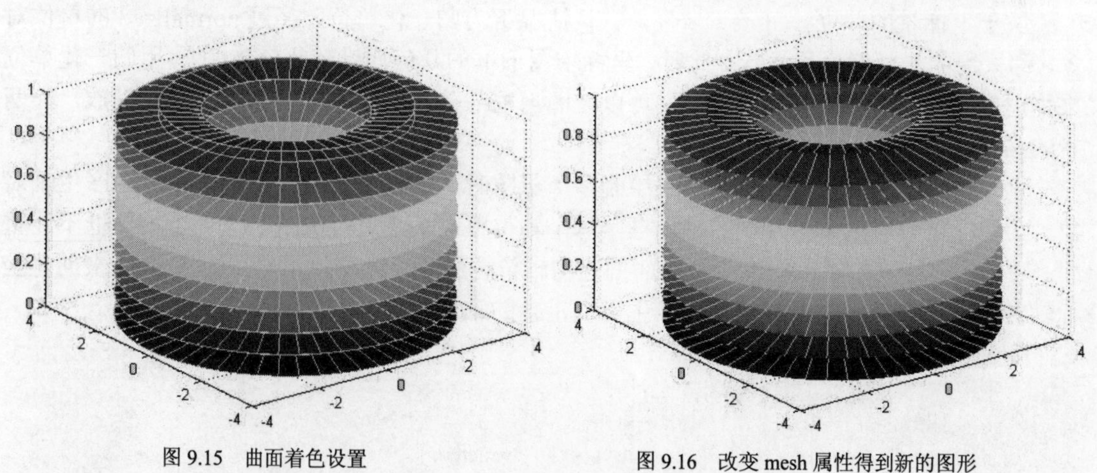

图 9.15　曲面着色设置

图 9.16　改变 mesh 属性得到新的图形

9.5　坐标轴对象

在 MATLAB 7.x 绘图的图形句柄中，坐标轴对象是一个非常重要的部分。坐标轴对象的属性比较多，如坐标轴名称、标尺、标识等。此处，对比较常见和重要的坐标轴属性进行介绍。

9.5.1 坐标轴的几何属性

坐标轴的几何属性同样包括位置和单位两部分，即 Position 和 Units。在 MATLAB 7.x 中，坐标轴通过轴位框来指定。轴位框的定义和坐标轴的含义有所不同：在二维绘图情况下，轴位框和坐标轴所占的区域面积相同；而在三维情况下，轴位框指的是所绘制图形所占用的最大平面面积，而不是三个坐标轴位置，如图 9.17 和图 9.18 所示。因此，坐标轴的位置属性 Position 可以用坐标[left bottom width height]来描述。

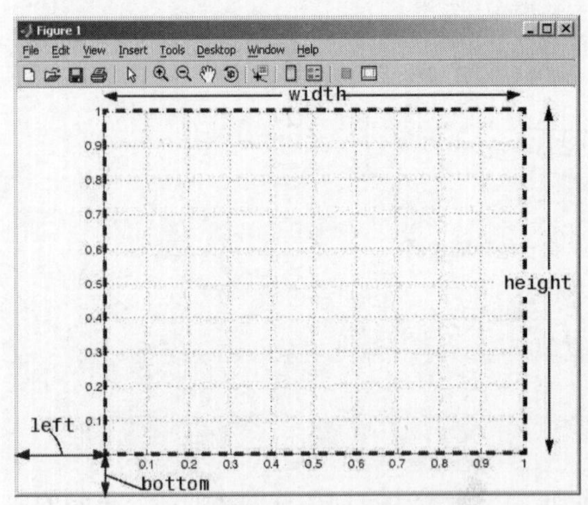

图 9.17 二维图形下的坐标轴位置

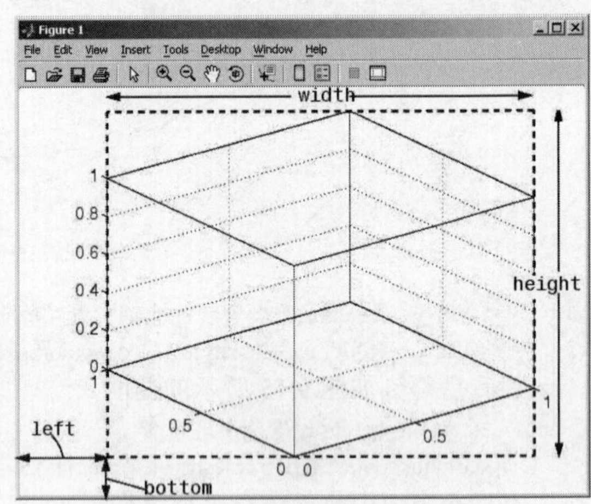

图 9.18 三维图形下的坐标轴位置

关于坐标轴的单位（Units）属性，默认情况下为归一化单位，经过 normalized 的单位对象，即采用的是相对单位设计。此时，坐标轴图形框的几何属性值为[0 0 1 1]。用归一化单位来描述坐标轴与图形框的相对大小，可以在图形框缩放时，同时使得坐标轴一起缩放，而两者的相对大小保持不变。

当使用高级绘图指令 subplot 来绘制多个子图时，通过等分的方法为每个子图产生轴对象。此时，可以产生多个子图的轴位框，每个轴位框的大小可以改变，但各个轴位框不能重叠。否则，后绘制的轴位框将会把前面创建的轴位框删除。如果使用底层命令 axes 来创建坐标轴对象，那么产生的轴对象将会产生可以重叠的轴对象。

例 9.11 坐标轴位置属性查询。

```
>> % 查询坐标轴的单位属性
>> set(gca,'Units')
[ inches | centimeters | {normalized} | points | pixels | characters ]
>> % 绘制图形
>> t=0:pi/20:pi;
>> [X,Y,Z] = cylinder(4*cos(t));
>> subplot(2,2,1); mesh(X)
>> subplot(2,2,3); mesh(Y)
>> subplot(2,2,[2 4]);mesh(X,Y,Z)
>> % 查询坐标轴属性
>> get(gca,'Units')
ans =
```

```
normalized
>> get(gca,'Position')
ans =
      0.5703      0.1100      0.3347      0.8150
```

从上面的示例可以看出，坐标轴的单位属性包括[inches | centimeters | {normalized} | points | pixels | characters]等，默认属性为 normalized。接着，通过 subplot 函数绘制 3 个子图，通过查询函数可以看出坐标轴位置及单位属性。绘制后的图形如图 9.19 所示。

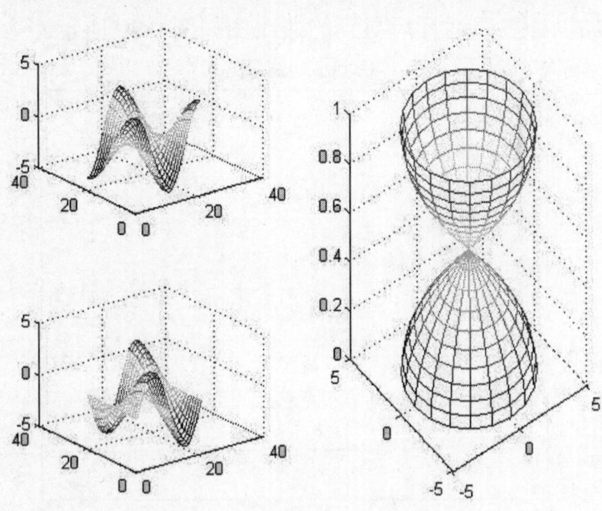

图 9.19　查询坐标轴的几何属性

9.5.2　坐标轴的刻度属性

坐标轴的刻度指令在前面章节绘图过程中已经使用得比较广泛，此处把坐标轴的主要刻度属性进行小结，如表 9.4 所示。

表 9.4　　坐标轴的刻度属性

属　性	说　明
XTick, YTick, ZTick	设置坐标轴的刻度数组，在设置时需要给出确定刻度位置的向量数据，向量数据中的元素必须严格按照增加的方向放置
XTickMode, TickMode, ZTickMode	系统自动控制刻度的间隔或用户自定义来控制刻度的间隔，对应的属性分别为{auto} | manual，自动指定时将在刻度范围内自动生成；而用户指定时，则会根据用户指定的数据来指定
XTickLabel, TickLabel, ZTickLabel	设置坐标轴刻度的标签，用户可以指定刻度的标签名称，默认情况下系统自动按照数据范围给定，当用户给定时，需要用户指定名称，如 set(gca,'XTickLabel',{'One';'Two';'Three';'Four'})
XTickLabelMode, YTickLabelMode, ZTickLabelMode	指定刻度标签的指定方式，可以选择{auto} | manual，由系统指定或用户手动指定

当用户指定坐标轴的刻度标签方式时，可以选择指定方式，此处通过示例加以说明。

例 9.12　坐标轴刻度设置。

```
>> % 绘制 humps 曲线
x=0:0.05:10;
y=humps(x);
```

```
plot(x,y,'r-','LineWidth',2)
>> % 设置坐标轴刻度属性
>> set(gca,'xtick',[0:1:10],'ytick',[11.69,21.7,96.5],'yticklabel',{'11.69';'21.7';'96.5'})
>> grid
>> hold on
>> set(gca,'ygrid','on')
>> title('max and min of humps')
```

在上面的示例中，通过绘制 humps 函数曲线，并在 humps 函数的 3 个极值位置处添加网格线，设置刻度，并加以标签。运行后得到的曲线图如图 9.20 所示。

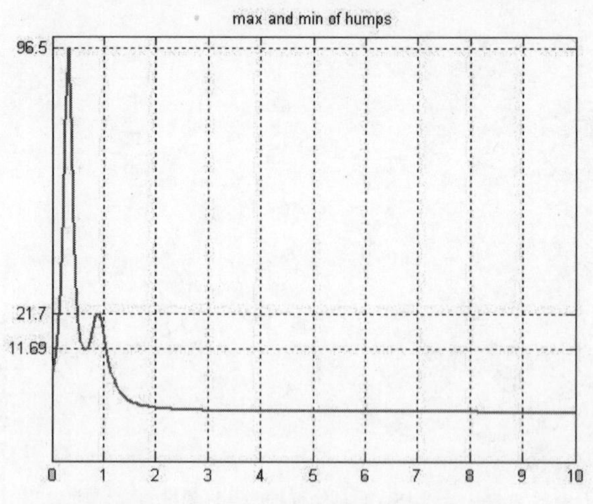

图 9.20　在 humps 函数曲线上添加极值位置

9.5.3　坐标轴的照相机属性

在一般的设置属性中，用户观察到的图形仅限于一定位置的观察图像。在 MATLAB 7.x 中，同时提供了照相机性质的观察功能，可以调节远近焦距等，从而能够动态地观察到图像的变化方式。图 9.21 所示为照相机属性的示意图。可以非常清楚地看出，此图按照坐标轴的形式来定义照相机的变化方式。

和图 9.21 对应的属性相对应，可以设置照相机观察的属性值。可以设置的照相机属性主要包括以下一些，如表 9.5 所示。

表 9.5　坐标轴的照相机属性

属　性	说　明
CameraPosition	设定照相机的位置
CameraPositionModel	设定照相机位置的取值模式
CameraTarget	设定照相机的目标
CameraTargetMode	设置照相机目标的取值模式
CameraUpVector	设置照相机的正位向量
CameraUpVectorMode	设置照相机正位向量的取值模式
CameraViewAngle	设置照相机的视角
CameraViewAngleModel	设置照相机的取值模式
Projection	设置照相机的投影方式

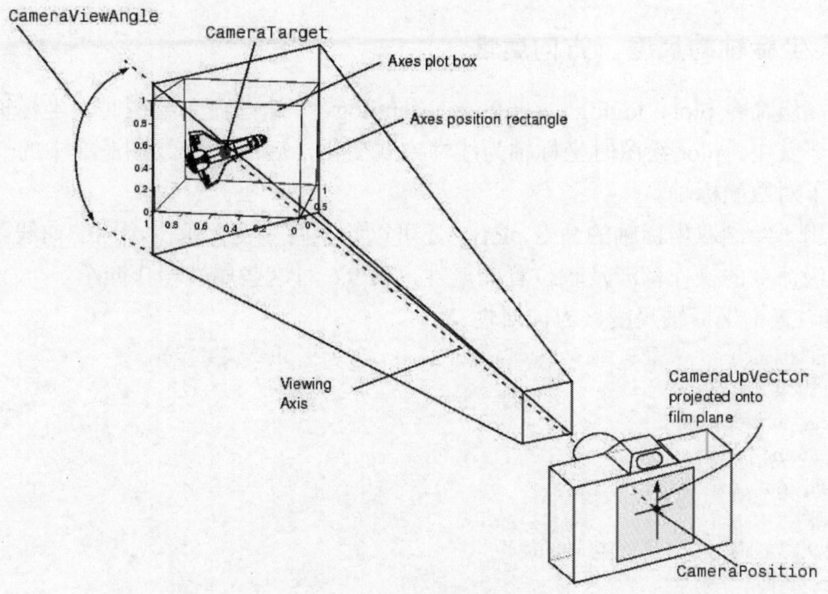

图 9.21　照相机属性示意图

例 9.13　坐标轴照相机属性及其演示。

```
% camara_axes.m
surf(peaks);
axis vis3d
xp=linspace(-150,15,50);
xt=linspace(0,10,50);
for i=1:50
    campos([-xp(i),-xp(i),-xp(i)]);
    camtarget([xt(i),30,0])
    drawnow
end
```

在上面的脚本中，设置照相机的位置向量及投影向量，在进行模拟的过程中，照相机不断地产生新的模拟场景，模拟过程如图 9.22 所示。

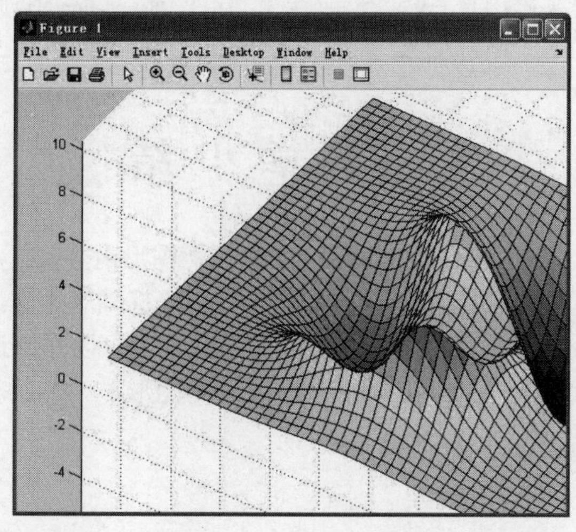

图 9.22　照相机属性示例

9.5.4 坐标轴的尺度、方向属性

在使用高级命令 plot、loglog、semilogx、semilogy 等绘图命令绘图时，坐标轴的尺度属性设置不同。其中，plot 绘图时坐标轴为线性方式变化，后面 3 个绘图命令中的一个或两个坐标轴使用了对数坐标轴。

此外，用于绘制双坐标轴的命令 plotyy 还可以绘制两个变化范围不同的曲线。

这些高级命令的操作都涉及轴位置的属性，表 9.6 对这些属性稍作介绍。

例 9.14 查询坐标轴尺度、方向属性。

```
>> set(gca,'xscale')
[ {linear} | log ]
>> set(gca,'xaxislocation')
[ top | {bottom} ]
>> set(gca,'xdir')
[ {normal} | reverse ]
>> 在例 9.13 的基础上查询坐标轴的属性
>> get(gca,'xscale')
ans =
linear
>> get(gca,'XAxisLocation')
ans =
bottom
>> get(gca,'Xdir')
ans =
normal
```

表 9.6 坐标轴的尺度和方向属性

属　性	说　明
XScale, YScale, ZScale	设置坐标轴的变化方式为线性或对数方式，可选择的选项为{linear} | log，默认情况下的变化方式为线性方式，而在涉及对数尺度的坐标系中，则使用 log 属性
XDir, YDir, ZDir	设置坐标轴的方向，可以选择{normal} | reverse 方式，默认情况下使用笛卡尔坐标轴系统，设置方式如：set(gca,'XDir','reverse')
XAxisLocation, YAxisLocation	这两个属性用于设置坐标轴的位置，其中 XAxisLocation 可以选择使用 top | {bottom}方式，默认为 bottom；YAxisLocation 可以选择使用 right | {left}方式，默认为 left

9.6 本 章 小 结

本章在第 5 章的基础上介绍了 MATLAB 7.x 的句柄图形内容，主要内容包括句柄图形体系、图形对象创建、图形对象设置，以及高级绘图对象、坐标轴对象等。这些内容是 MATLAB 7.x 提供的底层绘图命令，不仅是高级绘图命令的基础，也可以作为进行底层图形开发的工具，充分利用句柄图形命令可以绘制更为细腻和复杂的图形。

第 10 章　图形用户界面

当用户和计算机之间或用户与计算机程序之间进行交互操作时，通常需要使用如键盘、鼠标、跟踪球、绘图板、麦克风等设备实现用户与计算机之间的信息交换接口。因此，操作系统或计算机应用程序之间的交互成为用户选择或使用程序的一个重要基础。而舒服高效的用户接口功能则会对用户产生极大的吸引力。图形用户界面（GUI）则通过窗口、图标、按钮、菜单、文本等图形对象构成用户界面。用户选中或激活这些对象来导致某个操作或变化的发生，从而实现用户和计算机或计算机程序之间的交互操作。

在第 9 章中通过句柄图形功能使用户实现信息的显示操作。而本章的句柄图形用户接口函数同样可以使用户实现用户和计算机之间的交互操作过程，如 MATLAB 7.x 的预定义对话框，句柄图形 uicontrol 对象、uimenu 对象、uicontextmenu 对象、uitoolbar 对象等。此外，在 MATLAB 7.x 中，用户还可以使用 GUIDE 提供的多种设计模板，来帮助用户定制或创建自己的图形用户界面，同时还可以自动生成对应的 M 文件。本章的主要内容包括：

- 图形用户界面介绍
- 用户控件对象
- 对话框对象
- 界面菜单对象
- M 文件编写示例
- 图形界面创建工具 GUIDE

10.1　图形用户界面介绍

在 MATLAB 7.x 中，主要通过一系列的函数来创建图形用户接口，这些函数主要是用来创建用户接口（UI）类型的句柄图形对象。对于这一类函数，在第 9 章中已经做过一些介绍。在 MATLAB 7.x 中，图形用户对象包括了众多的 GUI 对象。为便于读者翻阅，此处将该图重新绘制，如图 10.1 所示。

在图形用户对象中，包括多个图形用户对象以及多个图形用户接口容器对象，这些容器对象可以成为图形用户对象或其他容器的接口容器。此处，为便于读者对这些对象有比较基本的了解，将这些图形用户界面对象的函数进行小结，如表 10.1 所示。

表 10.1　常见的 GUI 图形对象表

UI 对象	说　明
uicontrol	通用用户接口控制对象。常用的 uicontrol 对象如复选框（checkbox）、文本编辑框（edit）、组选框（frame）、列表框（listbox）、下拉式菜单（popmenu）、按钮（pushbutton）、单选按钮（radiobutton）、滑动框（slider）、静态文本框（text）、切换按钮（togglebutton）

续表

UI 对象	说　明
uimenu	用户接口菜单对象。创建图形窗口的顶部菜单时，作为该图形对象的子对象；而当创建菜单项或子菜单时，则会作为其他 uimenu 对象的子对象
uicontextmenu	用户接口上下文菜单，图形对象的子对象。通常出现在包含上下文菜单的句柄图形对象的 UIContext Menu 属性中。uicontextmenu 对象都包括一个或多个 uimenu 对象
uitoolbar	用户接口工具条对象，图形对象的子对象。通常包括一系列切换按钮（uitoggletool）对象和按钮（uipushtool）对象
uitoggletool	用户接口双向切换按钮，位于工具条上，是 uitoolbar 对象的子对象
uipushtool	用户接口瞬时按下对象，位于工具条上，uitoolbar 对象的子对象
uitable	用户接口表格对象，图形对象的子对象，可以包含多个行和列
uitree	用户接口树结构对象，图形对象的子对象，通常用于创建可视化的分级信息。如 help 中的 Navigator/Browser 以及 Windows 资源管理器即为此对象的示例
uitreenode	用户接口树节点对象，用于定义一个 uitree 对象中的节点
uibuttongroup	用户接口容器对象，图形对象的子对象。通常以 uicontrol 对象及其他句柄图形对象作为其子对象，该对象主要用于管理包含排他性选择的按钮对象的行为（如单选按钮和切换按钮）
uicontainer	用户接口容器对象，包含其他一些用户接口对象并成为这些对象的父对象，在该容器对象中的子对象的位置和移动属性通常是相对于该容器对象而言的
uipanel	用户接口容器对象，与 uicontainer 接口容器对象比较相似，但 uipanel 对象可以设置边界和标题

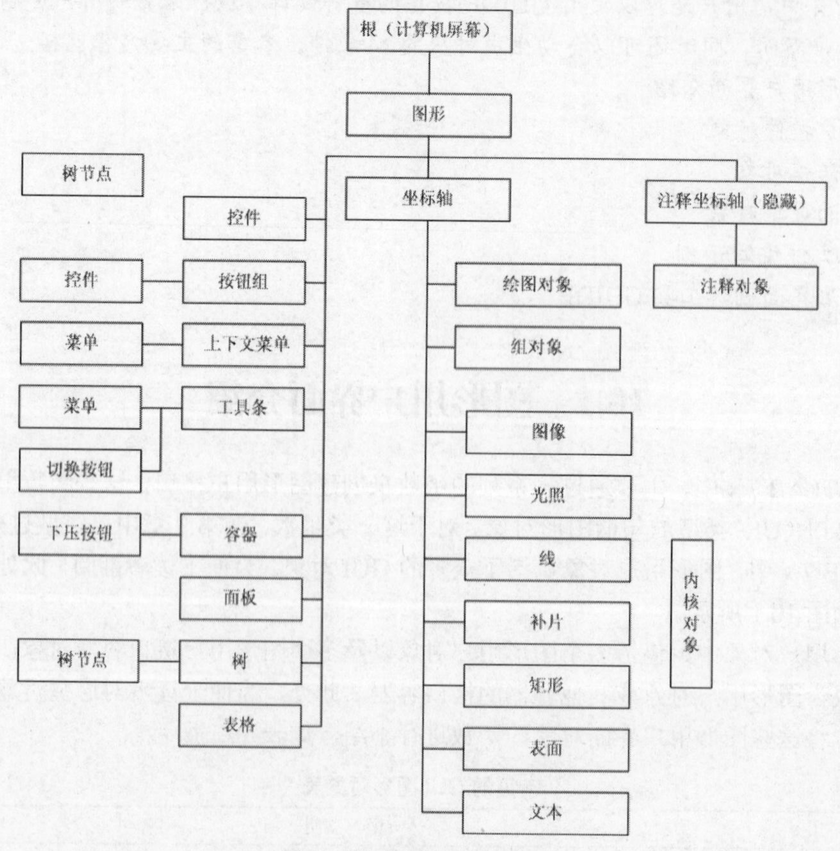

图 10.1　句柄图形对象层次树

从表 10.1 中可以看出，除容器类接口对象之外，uicontrol 对象提供了多种类型的用户接口控制对象。这些控制类型的对象是创建图形用户接口对象的基本控件。因此，读者应当对这些基本控件有所了解，表 10.2 中对这些用户接口控制对象进行了小结和介绍。关于这些图形用户界面对象更为详细的介绍和使用说明，读者可以通过 get 和 set 函数进行访问和修改句柄图形对象的相应属性。

表 10.2　　uicontrol 对象的基本构件

uicontrol 对象	说　明
checkbox	复选框创建对象，每个复选框对象由复选项和相应的标签对象构成。当复选项选择激活后，复选框中会出现×，取消复选后，则会消失
edit	创建可编辑的文本，用户可以动态地修改或替换文本框中的内容。对于文本框对象，用户可以在属性中设置单行或多行文本输入属性。如果设置单行文本输入，那么用户只能输入一行文本，键入回车后表明输入结束；如果设置为多行文本输入，那么用户可以输入多行文本，换行时需要 Ctrl 和 Enter 键一同使用
frame	创建组选框，组选框为一个透明的、带边框和阴影的矩形区域，和 uimenu 对象的 seperator 属性一样，提供可视化分割，常用于对单选按钮或其他 uicontrol 对象的逻辑分组。组选框需要先于 uicontrol 对象创建，否则将会覆盖所产生的 uicontrol 对象，uicontainer 对象和 uipanel 对象同样可以代替组选框类型的 uicontrol 对象
listbox	列表框对象创建，产生的文本条目可以用于选择，但不能进行编辑
popupmenu	产生下拉式菜单。用户可以从下拉式菜单的多个选项中选择一个选项。当关闭菜单选择时，将会成为一个包含用户选择项的矩形或按钮，位于一定的矩形区域内。有些菜单项中还有其他子菜单选项，同样的方式可以用鼠标完成选择过程
pushbutton	按钮创建对象，在按钮上通常显示文本标签。当用户在按钮上点击鼠标时，可以使系统 MATLAB 7.x 的回调函数执行某个操作，而不能用于属性或状态的选择。按钮按下后，可以恢复到原来的弹起状态
radiobutton	单选按钮创建对象，通常通过一个文本标签和一个圆圈或菱形构成组件，当选中时，该圆圈或菱形会处于填充状态；而取消选择时，圆圈和菱形则会恢复到无填充状态。单选按钮选择时，通常只能从一组选择对象中选择单个对象
slider	创建滑动框对象，和其他编程语言中的滑动条一样，由滑杆、指示器等部分组成对象。滑动框通常用于从一个数据范围中选择一个数据值。滑动框通常和其他的文本对象一起使用，用来表示滑动框的标题、当前值以及滑动框的范围等
text	创建静态文本，用于显示文本字符串，通常用于显示标题、标签、用户信息和当前值。此时，用户不能对显示的文本进行修改和编辑
togglebutton	创建切换按钮。和普通按钮不同，切换按钮通常会交替呈现两种不同的状态（弹起或按下）。而普通按钮将会在按下后会立即弹起。切换按钮和普通按钮一样，每次单击鼠标都会产生相应的操作

实际上，图形用户界面创建所使用的这些界面对象和其他编程语言中的图形对象一样。因此，熟悉其他编程语言的用户对此不会陌生，如 VB、VC 等。

10.2　图形用户界面控件

图形用户界面（GUI）控件对象（uicontrol）是创建图形用户界面时最为常见的控件对象，这些对象如表 10.2 所示。此处，将通过用户界面控件（uicontrol）对象命令来创建所需要的图形用户界面控件对象，并对图形用户界面对象创建的一些属性进行介绍。同时，还将对动作、事件和回调程序等方面的内容加以介绍。

10.2.1　图形用户界面控件的创建

用户创建图形用户界面控件（uicontrol）时，通常可以使用一些命令格式，此处将 uicontrol

对象的常见的命令格式进行小结和整理，如表 10.3 所示。

表 10.3　　　　创建 uicontrol 的常用命令格式

格　式	说　明
handle = uicontrol('PropertyName',PropertyValue,…)	创建图形用户控件，并将默认的属性值分配给控件，默认的父对象为当前的图形
handle = uicontrol(parent,'PropertyName',PropertyValue,…)	在指定的图形对象 parent 中创建图形用户控件，父对象 parent 可以是 figure、uipanel、uibuttongroup 等对象
handle = uicontrol	在当前图形中创建按钮，并为该按钮分配所有的默认属性值
uicontrol(uich)	将焦点转移到句柄对象 uich 上

表 10.3 中提到的属性名称和属性值对于大多数的图形用户界面控件都是使用的。通过设置属性可以改变所创建的 uicontrol 控件对象的外观、字体、事件响应，以及函数回调处理等功能和作用。所实现的这些功能和其他编程语言所实现的界面编程方法得到的界面事件处理方法和效果是一致的。

实际上，这些属性名称及其属性值的意义和可以设置的属性值等内容都可以通过查看相应的帮助文档来获得。在命令窗口中，可以通过使用 help uicontrol 对象的帮助文件来详细查询，其中包括对常用的使用命令格式和参数的一些比较简单的介绍。如果使用 MATLAB 7.x 提供的导航器/浏览器帮助系统来进行查询，读者就可以获得更为详尽的帮助说明。

此处以 uicontrol 对象的创建为例通过导航器/浏览器帮助系统来进行查询。图 10.2 所示为通过帮助系统查询属性的一些结果。

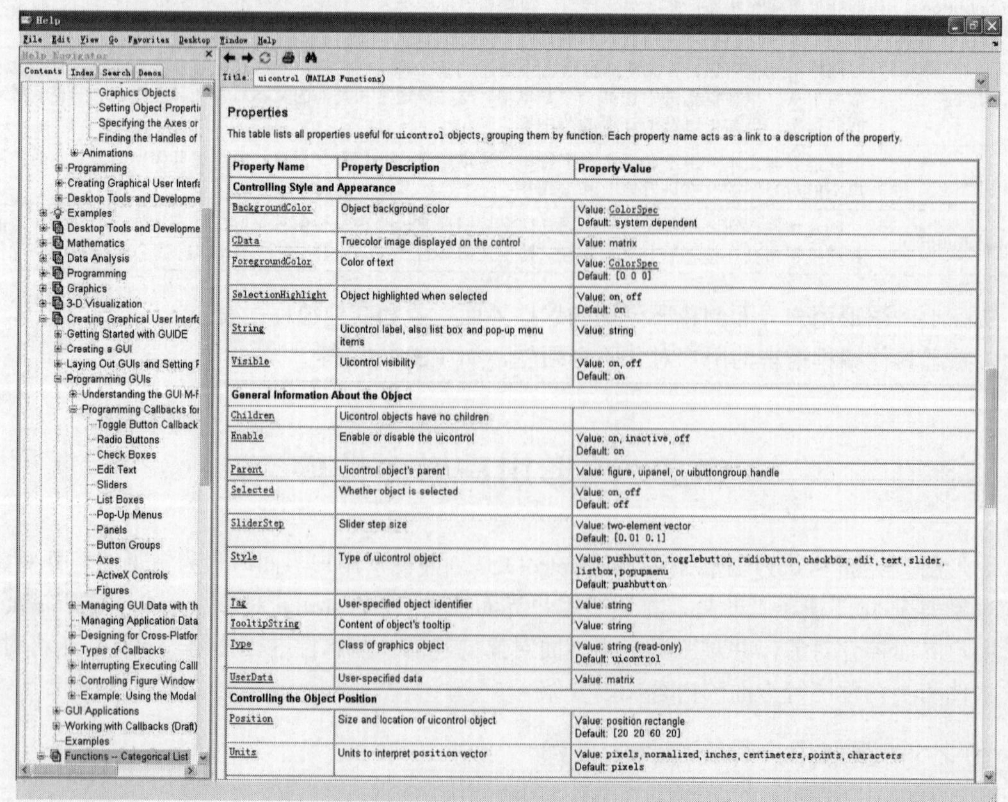

图 10.2　uicontrol 对象的部分属性名及其值

为便于读者对 uicontrol 对象比较常见的属性有所了解。此处对 uicontrol 创建对象中，使用得比较多和比较常见的一些属性进行小结和简单介绍，如表 10.4 所示。这些属性名/属性值对于读者更好地创建图形用户界面对象及更为美观的图形界面非常有帮助。关于此方面更为详细的内容和介绍请参阅帮助文档。

表 10.4 常见的 uicontrol 对象的属性

属性名（PropertyName）	属性值（PropertyValue）	说 明
控件样式和外观		
BackgroundColor	Value: ColorSpec Default: system dependent	控件的背景颜色
CData	Value: matrix	控件显示的图形颜色
ForegroundColor	Value: ColorSpec Default: [0 0 0]	文本颜色
SelectionHightlight	Value: on, off Default: on	选择时的强调对象
String	Value: string	控件标签，列表框、弹出菜单项名称
Visible	Value: on, off Default: on	控件是否可见
对象的一般信息		
Children		用户控件对象没有子对象
Enable	Value: on, inactive, off Default: on	允许或禁止用户控件对象
Parent	Value: figure, uipanel, or uibuttongroup handle	用户控件对象的父对象
Selected	Value: on, off Default: off	对象是否被选择
SliderStep	Value: two-element vector Default: [0.01 0.1]	滑动杆的步长大小
Style	Value: pushbutton, togglebutton, radiobutton, checkbox, edit, text, slider, listbox, popupmenu Default: pushbutton	控件对象的类型
Tag	Value: string	用户指定的对象标签
TooltipString	Value: string	用户控件对象的提示框内容
Type	Value: string (read-only) Default: uicontrol	图形对象的类
UserData	Value: matrix	用户指定的数据
控制对象的位置		
Position	Value: position rectangle Default: [20 20 60 20]	uicontrol 对象的大小和位置
Units	Value: pixels, normalized, inches, centimeters, points, characters Default: pixels	位置向量的单位
控制对象的字体及标签		
FontAngle	Value: normal, italic, oblique Default: normal	文字的倾斜角度
FontName	Value: string Default: system dependent	字体名称
FontSize	Value: size in FontUnits Default: system dependent	字体大小

续表

属性名（PropertyName）	属性值（PropertyValue）	说　明
FontUinits	Value: points, normalized, inches, centimeters, pixels Default: points	字体大小的单位
FontWeight	Value: light, normal, demi, bold Default: normal	文字的大小
HorizontalAlignment	Value: left, center, right Default: depends on uicontrol object	标签字符的排列
String	Value: string	Uicontrol 对象的标签，以及列表框、弹出菜单项的标签
回调程序执行		
BusyAction	Value: cancel, queue Default: queue	回调程序终止
ButtonDownFcn	Value: string or function handle	按下按键回调程序
Callback	Value: string or function handle	控件动作
CreateFcn	Value: string or function handle	在对象创建过程中执行回调程序
DeleteFcn	Value: string or function handle	在对象删除过程中执行回调程序
Interruptible	Value: on, off Default: on	回调程序终止模式
KeyPressFcn	Value: string or function handle	键盘按键按下回调程序
UIControlMenu	Value: handle	和 uicontrol 对象相关的上下文菜单对象
当前状态信息		
ListboxTop	Value: scalar Default: [1]	列表框中最上面显示的序号
Max	Value: scalar Default: object dependent	最大值（取决于 uicontrol 对象）
Min	Value: scalar Default: object dependent	最小值（取决于 uicontrol 对象）
Value	Value: scalar or vector Default: object dependent	uicontrol 对象的当前值
对象接触控制		
HandleVisibility	Value: on, callback, off Default: on	处理句柄是否可以通过命令行或 GUI 图形界面对象接触
HitTest	Value: on, off Default: on	通过鼠标单击是否可选

例 10.1　uicontrol 的简单示例。

```
>> help uicontrol
 UICONTROL Create user interface control.
    UICONTROL('PropertyName1',value1,'PropertyName2',value2,...)
    creates a user interface control in the current figure
    window and returns a handle to it.

    UICONTROL(FIG,...) creates a user interface control in the
    specified figure.

    UICONTROL properties can be set at object creation time using
    PropertyName/PropertyValue pair arguments to UICONTROL, or
```

```
        changed later using the SET command.

        Execute GET(H) to see a list of UICONTROL object properties and
        their current values. Execute SET(H) to see a list of UICONTROL
        object properties and legal property values. See a reference
        guide for more information.

        See also set, get, uimenu.


        Reference page in Help browser
           doc uicontrol
>> % 创建简单的图形用户界面对象
>> h = uicontrol('Style', 'pushbutton', 'String', 'Clear',...
    'Position', [20 150 100 70], 'Callback', 'cla')
h =
    0.0032
>> 将图形对象的焦点转移到所创建的对象上
>> uicontrol(h)
```

通过上面的创建函数之后，可以得到一个比较简单的图形对象界面，如图 10.3 所示。在该图形对象的创建中还使用了默认的回调函数 cla 来清除图形对象中的所有对象。单击图形界面中的按钮，清除图形对象的内容后，如图 10.4 所示。

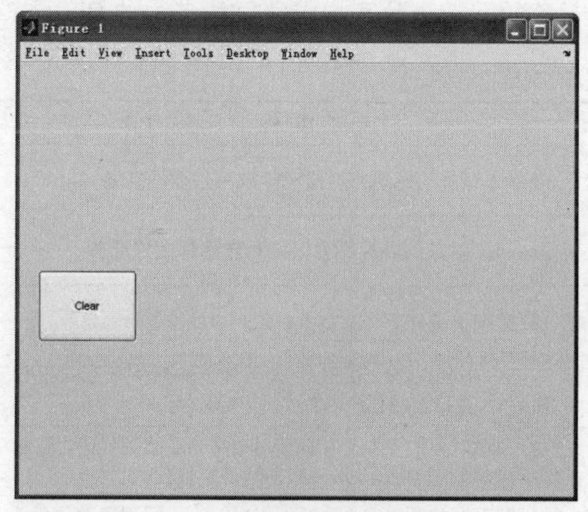

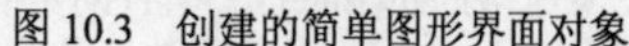
图 10.3　创建的简单图形界面对象

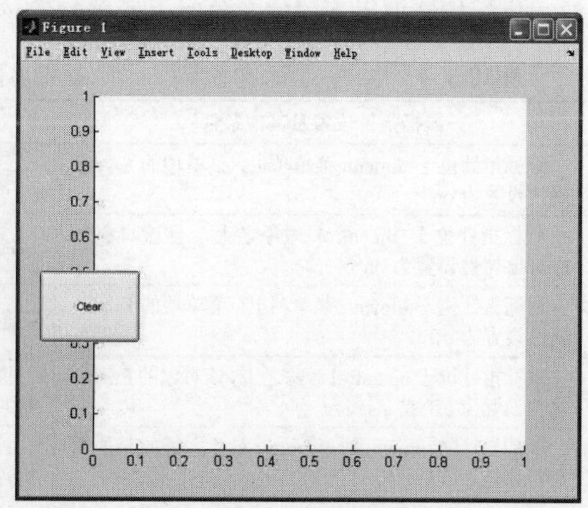

图 10.4　单击按钮清除图形界面对象

10.2.2　鼠标动作执行

创建图形用户界面对象时，图形的外观属性、位置、大小、字体属性等都可以通过直接设置来完成。而当创建完成图形用户界面后，需要通过鼠标、键盘等的响应和操作来完成一定的事件处理和操作过程。这些操作和处理过程往往是实现图形用户界面对象的关键部分。此处，对响应鼠标动作事件进行介绍。这些鼠标响应时间不仅仅对 uicontrol 对象适用，对其他的图形界面对象也同样适用。

在 MATLAB 7.x 中，所有的句柄图形对象都拥有一个 ButtonDownFcn 属性，大部分的

UI 对象也都拥有 Callback 属性，对于 uicontrol 对象还拥有一个 KeyPressFcn 属性。图形对象则拥有如 WindowButtonDownFcn、WindowButtonUpFcn、WindowButtonMotionFcn、KeyPress Fcn、CloseRequestFcn 以及 ResizeFcn 属性。此外，所有的图形对象还拥有 CreateFcn 和 DeleteFcn 属性。这些属性值都是一个回调字符串，当这些属性激活时，鼠标指针的位置将会决定事件发生时的回调和执行函数。

在选择执行回调函数时，MATLAB 7.x 通常会根据图形中的区域来决定回调函数的执行和选择。在选择时，通常根据 3 个区域来进行选择：当鼠标指针位于句柄图形对象的 Position 属性确定的范围内时，即可认为鼠标指针位于该对象之上；如果鼠标指针没有位于对象之上，但位于对象的有效选择区域之内，那么可以认为鼠标指针位于该对象附近；如果鼠标指针既不在一个对象之上，也不在一个对象附近，那么鼠标指针远离该对象。当对象或选择区域出现重叠时，通常会利用对象的叠放次序来确定哪一个对象被鼠标选中。

鼠标单击被定义为当鼠标指针位于一个对象上方或附近时，按下鼠标后立刻释放该鼠标键，即为鼠标单击过程。如果在鼠标指针附近的 uimenu、uicontextmenu、uicontrol 对象的 Enable 属性被设置为 on，那么鼠标单击过程将会触发对象的 Callback 属性字符串的执行。当按下鼠标键时，uicontrol 对象将会做好被触发的准备，通常会改变 uicontrol 对象或 uimenu 的外观，释放鼠标键，则会触发相应的回调函数执行过程。如果鼠标指针不在一个 uicontrol 对象或 uimenu 对象之上，那么鼠标键将会按照鼠标按下和鼠标释放过程来进行执行。

鼠标指针位于不同的对象时，所能触发该对象的回调函数及响应结果如表 10.5 所示。

表 10.5　鼠标事件的响应

鼠标指针位置及其他条件	响 应 事 件
鼠标指针位于 uimenu 菜单项上，菜单项的 Enable 属性设置为 on	改变 uimenu 对象的外观并为鼠标释放事件做好准备
鼠标指针位于 uicontrol 对象之上，且该对象的 Enable 属性设置为 on	改变 uicontrol 对象的外观并为鼠标释放事件做好准备
鼠标指针位于 uimenu 菜单项上，菜单项的 Enable 属性设置为 off	忽略鼠标键按下事件
鼠标指针位于 uicontrol 对象之上，该对象的 Enable 属性设置为 off 或 inactive	执行 WindowButtonDownFcn 回调函数，然后执行 uicontrol 对象的 ButtonDownFcn 回调代码
鼠标指针除 uimenu 和 uicontrol 对象之外的其他图形对象之上或附近	首先执行图形对象的 WindowButtonDownFcn 回调代码，然后执行鼠标所指对象的 ButtonDownFcn 回调函数代码
鼠标指针位于图形对象的内部，但不在其他对象之上或附近	首先执行图形对象的 WindowButtonDownFcn 回调函数代码，然后执行该对象的 ButtonDownFcn 回调函数代码

当鼠标键释放时，系统将会产生一个鼠标释放事件。当该事件发生时，图形对象的 CurrentPoint 属性首先更新，同时图形对象的 WindowButtonUpFcn 回调函数代码被触发执行。如果没有定义 WindowButtonUpFcn 回调函数代码，那么鼠标释放时系统将不会产生图形对象更新的 CurrentPoint 属性。

如果鼠标指针在图形对象的内部移动，将会产生鼠标指针的移动事件。当该事件发生时，图形的 CurrentPoint 属性将会被更新，同时图形的 WindowButtonMotionFcn 回调函数将会被触发执行。如果回调执行函数 WindowButtonMotionFcn 没有被定义，那么鼠标指针移动时，图形对象的 CurrentPoint 属性将不会被更新。

10.2.3 事件队列的执行顺序

当用户创建图形用户界面后，用户可以通过任意方式与该图形用户界面产生相互交互操作。在进行相互交互操作执行的过程中，每次交互都会产生一个事件，这些事件将会形成一系列的事件序列。同时，图形窗口的输入和输出事件，也将会作为图形用户界面对象的事件被放入到事件队列中。

列入到事件队列中的事件包括鼠标指针的移动和触发回调执行的鼠标按键按下或释放操作，以及 waitfor、waitforbuttonpress、drawnow、figure、getframe、pause 等事件。这些事件在需要处理的事件队列中将会按照顺序依次进行执行和操作。大多数情况下系统都会按照顺序进行执行，但如果对句柄图形对象的 Interruptible 属性以及 BusyAction 属性进行设置后，那么将会改变动作或优先执行操作的顺序。

一般情况下，终止回调函数代码的执行过程是不允许的，但在优先级比较高的命令如 waitfor、drawnow、waitforbuttonpress、getframe、pause 或 figure 等命令执行时，系统将会把执行过程中的回调函数代码挂起，并检测事件队列中的未完成的每个事件。

如果将回调函数相应对象的 Interruptible 属性设置为 on，那么在系统处理完所有未完成事件后，将会恢复被挂起回调过程，并执行完毕。如果将该属性设置为 off，那么系统将会只处理没有完成的屏幕刷新事件。

此外，如果对象的 BusyAction 属性被设置为 cancel，那么中断回调执行的事件将会被忽略；如果将该属性设置为 queue，那么中断回调执行的事件将会被保存在队列中，直到被中断的回调函数执行完毕后再响应该事件。

在回调执行过程中，有一些命令，如 waitfor、drawnow、waitforbuttonpress、getframe、pause 等的优先级别比较高，即使回调函数的执行过程不能被中断，那么未完成的屏幕更新事件也将会被执行。

10.2.4 回调函数的编写

在图形用户界面编写的过程中，使用句柄图形和图形用户界面函数可以充分利用回调函数的代码编写来扩展用户选择的任务执行过程。在执行回调函数的过程中，可以将回调函数设置为回调函数字符串。然后，将这些回调字符串传递给 eval 函数来完成执行过程。如对按钮对象执行 buttonfcn click 命令，则可以设置为：

```
h_uic=uicontrol('Style', 'PushButton', 'Callback', 'buttonfcn click')
```

此时，系统将会把该命令解释为一个在命令行中执行的函数，然后进行函数的执行和操作。因此，可以将需要执行回调的函数都编写在一个回调函数 M 文件中。当图形用户对象运行执行回调函数代码时，将会根据该函数来进行函数代码的回调执行过程。如果有多个回调函数需要执行，则可以把这些回调过程编写为 switch 切换结构来完成回调执行过程。

但通过这种方法来编写回调函数代码时，数据的获取和传递将是需要解决的一个重要问题。如可以使用 persistent 声明来限定数据，通过 persistent 函数进行限定时，工作空间中所存储的该数据将会在函数执行过程中被使用。但如果有多个图形用户界面对象存在，那么多个图形用户界面对象将只共享该 persistent 数据。

当然，传递数据也可以通过句柄图形对象的 tag 属性来进行。由于句柄图形对象的 tag

属性是句柄图形对象的唯一标识字符串。因此，用户可以使用 findobj 函数来寻找指定的 tag 字符串的图形用户对象。当寻找到该对象后可以通过 getappdata、setappdata、rmappdata、isappdata 等函数来对所得到的对象数据进行处理。这 4 个函数的常用格式如表 10.6 所示。

表 10.6　图形用户对象数据处理函数的格式

数 据 函 数	说　明
value = getappdata(h, name)	获得应用程序中定义的数值
setappdata(h, name, value)	设置应用程序中的数值
rmappdata(h, name)	删除应用程序中的数值
isappdata(h, name)	判断是否为句柄函数值

在 MATLAB 7.x 中，还可以通过使用函数句柄的方式来进行函数的回调定义。如对按钮命令定义回调函数句柄 myguiclick，那么回调过程可以表示为：

```
h_pui=uicontrol('Style', 'PushButton', 'Callback', @myguiclick)
```

被回调的函数可以以图形用户对象的 M 函数文件形式进行定义或定义内嵌函数。这样在创建回调函数的过程中，将不再需要进行函数的切换编程操作。

下面将通过一个比较简单的示例，对鼠标事件及此处的事件序列进行简单的介绍，其中会涉及回调函数的编程以及 M 文件的编写等内容。

例 10.2　函数回调编程。

```
function ui_events
% 创建 uipanel 事件处理示例
% 生成两个向量:在 matlab 的基础工作空间内生成向量
evalin('base','data_x = 0:pi/24:2*pi;')
evalin('base','data_y = exp(-(0:pi/24:2*pi)/3).*cos(2*(0:pi/24:2*pi));')

% 获取系统背景颜色
panelColor = get(0,'DefaultUicontrolBackgroundColor');

% 回调函数编写
% 图形调整回调函数
function figResize(src,evt)
    fpos = get(f,'Position');
    set(botPanel,'Position',...
        [1/20 1/20 fpos(3)-.1 fpos(4)*8/35])
    set(rightPanel,'Position',...
        [fpos(3)*85/120 fpos(4)*8/35 fpos(3)*35/120 fpos(4)*27/35])
    set(centerPanel,'Position',...
        [1/20 fpos(4)*8/35 fpos(3)*85/120 fpos(4)*27/35]);
end

% 底面板大小调整函数
function botPanelResize(src, evt)
    bpos = get(botPanel,'Position');
    set(plotButton,'Position',...
        [bpos(3)*10/120 bpos(4)*2/8 bpos(3)*24/120 2])
    set(holdToggle,'Position',...
        [bpos(3)*45/120 bpos(4)*2/8 bpos(3)*24/120 2])
```

```
        set(popUp,'Position',...
            [bpos(3)*80/120 bpos(4)*2/8 bpos(3)*24/120 2])
        set(popUpLabel,'Position',...
            [bpos(3)*80/120 bpos(4)*4/8 bpos(3)*24/120 2])
    end

    % 右侧面板大小调整函数
    function rightPanelResize(src,evt)
        rpos = get(rightPanel,'Position');
        set(listBox,'Position',...
            [rpos(3)*4/32 rpos(4)*2/27 rpos(3)*24/32 rpos(4)*20/27]);
        set(listBoxLabel,'Position',...
            [rpos(3)*4/32 rpos(4)*24/27 rpos(3)*24/32 rpos(4)*2/27]);
    end

    % 列表框回调函数处理
      function listBoxCallback(src,evt)
            % 从工作空间中得到向量
            vars = evalin('base','who');
            set(src,'String',vars)
        end % listBoxCallback

    % plot 按钮的回调函数
        function plotButtonCallback(src,evt)
            % 获得工作空间的变量
            vars = get(listBox,'String');
            var_index = get(listBox,'Value');
            if length(var_index) ~= 2
                errordlg('You must select two variables',...
                'Incorrect Selection','modal')
            return
            end
            % 从基础工作空间中获得函数变量
            x = evalin('base',vars{var_index(1)});
            y = evalin('base',vars{var_index(2)});
            % 获得绘图命令
            selected_cmd = get(popUp,'Value');
            % 使图形用户界面的坐标轴为当前坐标轴并处理绘图命令选择
            axes(a)
            switch selected_cmd
            case 1 % plot 方式绘图
                plot(x,y)
            case 2 % bar 方式绘图
                bar(x,y)
            case 3 % stem 方式绘图
                stem(x,y)
            end
        end

    % hold 状态回调函数切换回调
```

```
    function holdToggleCallback(src,evt)
        button_state = get(src,'Value');
        if button_state == get(src,'Max')
            % 使回调函数为按下时的状态
            hold(a,'on')
            set(src,'String','Hold On')
        elseif button_state = = get(src,'Min')
            % 为按下或选择时的状态
            hold(a,'off')
            set(src,'String','Hold Off')
        end
    end

% 图形用户界面对象的布局

% 设置图形对象界面和默认属性值
f = figure('Units','characters',...
        'Position',[30 30 120 35],...
        'Color',panelColor,...
        'HandleVisibility','callback',...
        'IntegerHandle','off',...
        'Renderer','painters',...
        'Toolbar','figure',...
        'NumberTitle','off',...
        'Name','Workspace Plotter',...
        'ResizeFcn',@figResize);

% 创建底部面板图形对象
botPanel = uipanel('BorderType','etchedin',...
    'BackgroundColor',panelColor,...
    'Units','characters',...
    'Position',[1/20 1/20 119.9 8],...
    'Parent',f,...
    'ResizeFcn',@botPanelResize);

% 创建右侧面板图形对象
rightPanel = uipanel('bordertype','etchedin',...
    'BackgroundColor',panelColor,...
    'Units','characters',...
    'Position',[88 8 32 27],...
    'Parent',f,...
    'ResizeFcn',@rightPanelResize);

% 创建中间面板图形对象
centerPanel = uipanel('bordertype','etchedin',...
    'Units','characters',...
    'Position', [1/20 8 88 27],...
    'Parent',f);

% 在当前面板添加坐标轴，中间面板
```

```
a = axes('parent',centerPanel);

% 添加列表框和标签
listBoxLabel = uicontrol(f,'Style','text','Units','characters',...
            'Position',[4 24 24 2],...
            'String','Select Two Variables in Current Workspace',...
            'BackgroundColor',panelColor,...
            'Parent',rightPanel);
listBox = uicontrol(f,'Style','listbox','Units','characters',...
            'Position',[4 2 24 20],...
            'BackgroundColor','white',...
            'Max',10,'Min',1,...
            'Parent',rightPanel,...
            'Callback',@listBoxCallback);

% 添加弹出菜单和标签
popUpLabel = uicontrol(f,'Style','text','Units','characters',...
            'Position',[80 4 24 2],...
            'String','Choose Plot Type',...
            'BackgroundColor',panelColor,...
            'Parent',botPanel);
popUp = uicontrol(f,'Style','popupmenu','Units','characters',...
            'Position',[80 2 24 2],...
            'BackgroundColor','white',...
            'String',{'Plot','Bar','Stem'},...
            'Parent',botPanel);

% 添加 hold 和 plot 对象
holdToggle = uicontrol(f,'Style','toggle','Units','characters',...
            'Position',[45 2 24 2],...
            'String','Hold State',...
            'Parent',botPanel,...
            'Callback',@holdToggleCallback);
plotButton = uicontrol(f,'Style','pushbutton','Units','characters',...
            'Position',[10 2 24 2],...
            'String','Create Plot',...
            'Parent',botPanel,...
            'Callback',@plotButtonCallback);

% 初始化列表框对象并保证 hold 按钮的属性值正确
    listBoxCallback(listBox,[])
    holdToggleCallback(holdToggle,[])
end
```

在上面的示例中，通过创建向量得到需要进行处理的数据，并编写了多个回调和调整函数。最后，在图形用户界面上创建相应的图形用户界面。在该图形界面中，包括绘图面板区域、右侧的绘图向量选择区域、创建绘图按钮、绘图属性 hold 的切换按钮，以及绘图方式的下拉列表选择。

可以看出该图形用户界面的基本创建过程为：在 M 脚本文件中，使用图形用户界面对象

uipanel 创建图形界面的容器，在该容器中通过使用 uicontrol 命令创建图形用户控件对象。这些外观界面的创建过程基本上决定了图形用户界面的最终外观形状；当创建完成图形用户界面后，需要创建回调函数来完成不同图形用户界面的回调过程，这些回调过程通过创建回调函数代码来完成。在该 M 脚本文件中，所使用的是内嵌函数。这些内嵌函数能够完成对函数回调过程的分析和处理。

只有实现了回调函数的代码执行过程后，所创建的图形用户界面才能够在比较大的程度上完成对函数执行和处理能力的扩展和分析。

如果需要处理其他更为复杂的图形用户界面，那么，用户需要充分理解和分析鼠标事件、事件队列等一系列的函数对象。当用户掌握了比较基本的创建原理之后，可以很方便地完成整个处理分析过程。

执行后的用户图形界面如图 10.5 所示。当选择需要进行绘图的数据后，单击 Create Plot 按钮可以完成函数的绘图，绘图后的结果如图 10.6 所示。

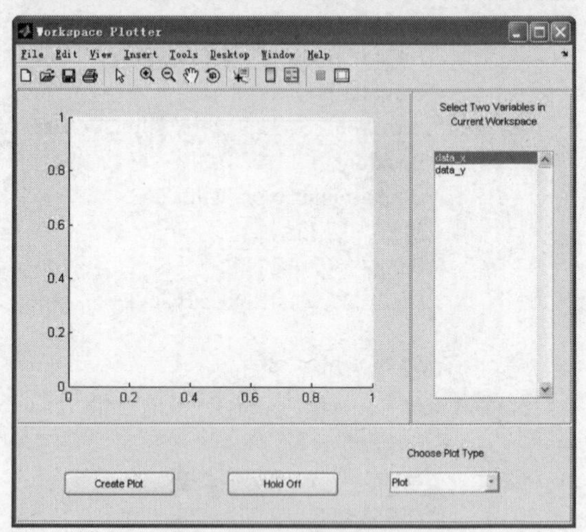

图 10.5　函数绘图图形用户界面创建

用户还可以选择其他的选项进行图形的绘制。如此处选择 stem 方式来绘制图形，绘制后的图形结果如图 10.7 所示。

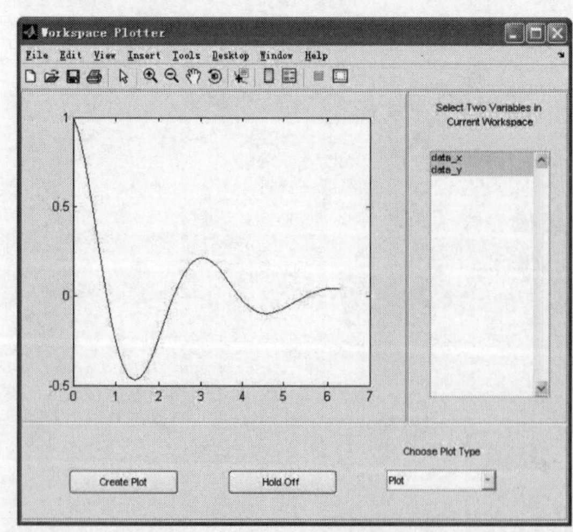

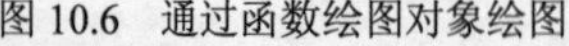

图 10.6　通过函数绘图对象绘图

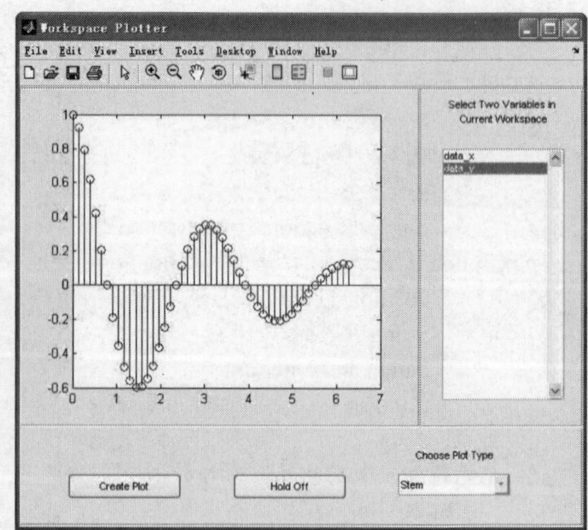

图 10.7　选择其他方式绘图

10.3　对话框对象

对话框对象是 MATLAB 7.x 中进行图形用户界面编程的另一大类图形用户对象。这些图形用户对象包括比较常见的对话框、消息框、输入框等。这些对话框是 MATLAB 7.x 预设的对话框对象，这些对话框对象大大丰富了图形用户界面的编程内容和范围。此处对这些对象进行简单的总结，如表 10.7 所示。

表 10.7　　常见的对话框函数

对话框函数	说　明
axlimdlg	生成坐标轴范围设置对话框
dialog	创建对话框或图形用户对象类型的图形窗口
errordlg	错误消息对话框
helpdlg	帮助消息对话框
inputdlg	提示用户输入对话框
listdlg	列表选择对话框
menu	菜单类型的选择对话框
msgbox	通用消息对话框
pagedlg	页面位置对话框
pagesetupdlg	页面设置对话框
printdlg	打印对话框
printpreview	打印预览对话框
questdlg	询问对话框
uigetfilg	标准的打开对话框
uiputfile	保存文件对话框
uisetcolor	颜色选择对话框
uisetfont	生成字体和字体属性选择对话框
waitbar	显示等待进度条
warndlg	生成警告消息对话框

这些预设的对话框对象的创建命令一般而言比较简单，同时也提供了比较标准的对话框界面和接口。下面对这几种对话框形式做以简单的介绍。

以 uigetfile、uiputfile 和 uigetdir 对话框为例，它们帮助用户打开或保存文件，返回文件名和正确的路径，但它们本身并不执行文件的打开或保存操作，而打开和操作任务则由底层文件 I/O 函数来执行。正常情况下，uigetfile、uiputfile 和 uigetdir 对话框执行与标准操作系统对话框相同的功能和任务。这些命令的具体调用格式，用户可以通过查阅帮助文件来获得。uigetfile 的常见调用格式如表 10.8 所示。

表 10.8　　uigetfile 的常见调用格式

格　式	说　明
uigetfile('FilterSpec')	显示当前目录下的文件列表对话框，参数 FilterSpec 可以指定显示的文件类型，可以使用*匹配符，如'*.m'可以列出所有当前目录下的 M 文件
uigetfile('FilterSpec','DialogTitle','DefaultName')	文件列表框显示，如果没有指定 DialogTitle 的字符串来说明对话框的标题，那么将会使用默认的字符串 DefaultName 来作为打开文件列表框的标题
[FileName,PathName] = uigetfile(…)	可以返回文件对话框中选择的文件名及其路径，如果选择后将会把文件名和路径返回到 FileName 和 PathName 中；如果在对话框中选择了 Cancel 或 Close，那么文件名和路径都将被设置为 0
[FileName,PathName,FilterIndex] = uigetfile(…)	和上个命令的选择相同，除返回文件名及路径外，还会返回所选择的过滤器的序号

例 10.3 打开文件对话框对象的使用。

```
>> % 通过对话框打开某种类型的文件
>> [fname,dirpath]=uigetfile('*.m')
fname =
ui_events.m
dirpath =
D:\Program Files\MATLAB71\work\chap_11\
>> openfile=[dirpath fname]
openfile =
D:\Program Files\MATLAB71\work\chap_11\ui_events.m
```

当输入命令行后，系统弹出打开文件对话框，如图 10.8 所示。选择其中的一个文件，系统返回选择打开的文件名及路径名。

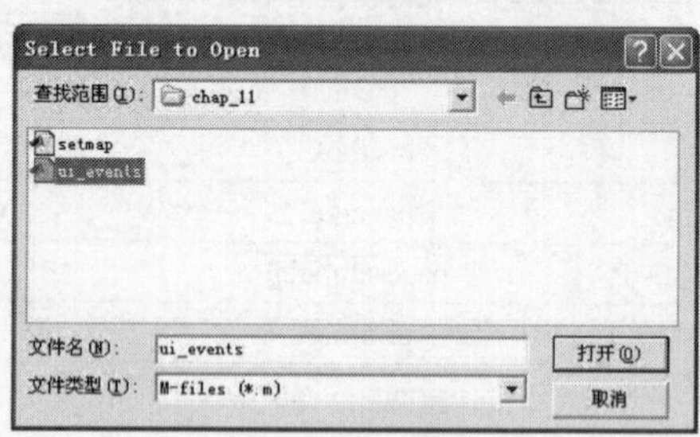

图 10.8 打开文件对话框

其他几个命令 uiputfile 和 uigetdir 等的使用方式与此大致相同。详细内容读者可以翻阅帮助文档，获得更为详细的帮助。

如果选择使用 uisetcolor、uisetfont 等，则会显示颜色或字体选择对话框。此处以字体选择对话框为例来简单介绍基本的命令情况。uisetfont 的基本使用格式如表 10.9 所示。

表 10.9 uisetfont 命令的常用格式

格　　式	说　　明
uisetfont	该命令可以使用户改变文本框（text）、坐标轴（axes）或 uicontrol 对象的字体属性，如（FontName, FontUnits, FontSize, FontWeight, FontAngle），该函数返回包含字体属性和值的结构体
uisetfont(h)	该命令可以设置句柄为 h 的对象的字体属性，所选择的字体属性值将会用于当前对象，如果提供第二个参数，那么将会指定对话框的名称
uisetfont(S, 'DialogTitle')	初始化制定结构体中的字体属性值，S 必须为合法的字符属性之一：FontName, FontUnits, FontSize, FontWeight, FontAngle。如果指定其他的字体属性，将会被忽略，同样提供第二个参数将会作为该对话框的标题显示
S = uisetfont(…)	将所设置的字体属性返回到 S 中，如果取消或关闭，那么返回 0

例 10.4 为标签文本设置字体。

```
>> % 在文本对话框中为文本标签选择字体
>> h = text(.25,.5,'Comment for this figure');
>> % 通过回调函数来改变字体显示
>> uisetfont(h,'Update Font')
ans =
      FontName: 'Arial'
     FontUnits: 'points'
      FontSize: 10
    FontWeight: 'normal'
     FontAngle: 'normal'
```

在上面的函数中，使用文本标签为图形添加标签，如图 10.9 所示。然后使用 uisetfont 函数为文本标签设置字体，在 uisetfont 对话框的标题上，提供标题 Update Font，对话框如图 10.10 所示。选择字体属性后，系统返回所选择字体的属性。

除上面介绍的一些预设对话框外，MATLAB 7.x 还提供了其他一些对话框用于 M 文件的编写。这些对话框可以帮助用户输入参数，如 axlimdlg、dialog、inputdlg、menu 和 msgbox。axlimdig 函数可以对坐标轴的范围进行设置，inputdlg 函数可以创建文本输入对话框，menu 函数为用户提供了使用按钮时的一些方式。

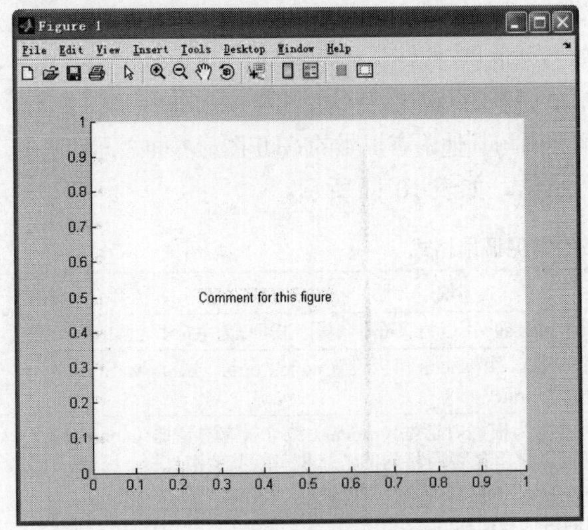

图 10.9 通过命令行产生文本标签

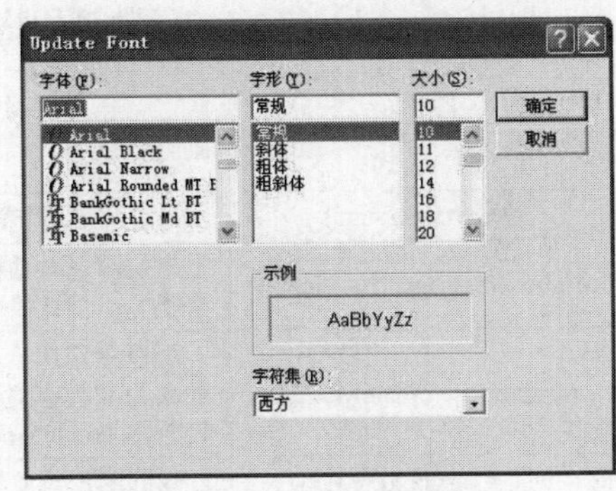

图 10.10 为文本标签改变字体

此处以 inputdlg 为例来说明这类输入对话框的使用，其他的使用方式用户同样可以查阅帮助文件获得帮助。inputdlg 函数的常用形式如表 10.10 所示。

表 10.10 inputdlg 函数的常用格式

格 式	说 明
answer = inputdlg(prompt)	产生模式对话框，将用户的输入返回到单元数组中，prompt 为包含提示字符串的单元数组
answer = inputdlg(prompt,dlg_title, num_lines)	dlg_title 为对话框的标题，num_lines 指定用户输入行的数目：如果 num_lines 是向量，那么将会用于所有的提示；如果 num_lines 为列向量，那么每个元素将会为输入自动输入行数；如果 num_lines 为矩阵，那么应当为 m×2 矩阵，其中 m 为对话框中的提示的数目，每行指定一个提示，第一列为每个提示指定行数，第二列则为字符指定字宽
answer = inputdlg(prompt, dlg_title, num_lines, defAns, Resize)	defAns 指定每个提示的默认显示值，所包含的元素数目和提示的元素数目相同，所有的元素都必须为字符串；Resize 指定对话框是否可以改变大小，可以选择使用 off 和 on，on 表示对话框可以调整大小，对话框为非模态对话框

例 10.5 输入对话框示例。

```
>> % 提示字符串 prompt
>> prompt={'Enter matrix size:','Enter colormap name:'};
>> % 对话框标题
>> dlg_title='Input for peaks function';
>> % 行数
>> num_lines=1;
>> % 显示的默认输入
>> def={'20','hsv'};
>> % 打开对话框
>> answer=inputdlg(prompt,dlg_title,num_lines,def)
answer =
    '50'
    'autum'
```

上面的示例中，设置了提示字符串、输入的行数、默认输入，以及其他的输入对话框输入选项，单击确定后，返回输入的数据结果。此处选择对话框为模态对话框，输入过程中不能进行其他的操作。输入对话框如图 10.11 所示。

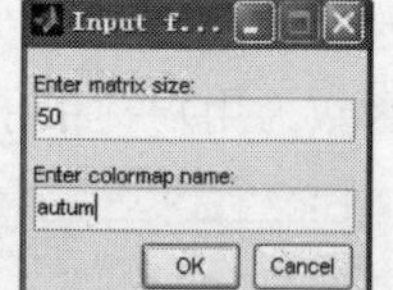

图 10.11　输入对话框

此外，在 MATLAB 7.x 中，还提供了其他一些标准消息对话框，如 msgbox、errordlg、helpdlg、questdlg、warndlg 等各种消息对话框。这些标准消息对话框和其他编程语言中的标准消息对话框所提供的功能以及界面都相同。因此，可以完成用户界面函数开发 GUI 图形界面与其他语言提供的 GUI 图形界面之间的匹配。

此处对 msgbox 常见的函数调用格式进行小结，如表 10.11 所示。

表 10.11　msgbox 函数的常见调用格式

格　式	说　明
msgbox(message)	自动产生一个消息对话框，message 可以为字符串向量，也可以为字符串矩阵或单元矩阵
msgbox(message, title, 'icon')	指定消息对话框的标题和图标，图标 icon 可以设置'none'、'error'、'help'、'warn'、'custom'等类型。默认情况下的设置为'none'
msgbox(…, 'createMode')	可以指定所产生消息对话框为模态对话框（modal）或非模态对话框（nonmodal）。如果为非模态对话框，还可以使用是否用相同的消息框替换其他消息框，因此，可以设置的 createMode 值为'modal'、'non-modal'和'replace'
h = msgbox(…)	返回图形对象句柄 h 中的对话框句柄

其他几个标准消息对话框实际上是上面 msgbox 对话框的一般具体化对话框形式，如 errordlg、helpdlg、questdlg、warndlg 等。

例 10.6　msgbox 警告对话框。

```
>> % 创建 msgbox
>> message='warning: attention to the gramma';
>> msgbox(message,'warning message','warn')
>> % 如果使用标准的警告对话框
>> warndlg(sprintf('No1: Forbide pets into dining room \nNo2: Drink clear water'),'Warning !!')
```

经过以上的设置之后，可以生成警告类型的消息对话框，如图 10.12 所示。

同时，在上面的示例中还是用了 warndlg 标准对话框来产生警告消息。警告消息除用字符串常量来表示外，还可以通过格式化字符串来表示，结果如图 10.13 所示。

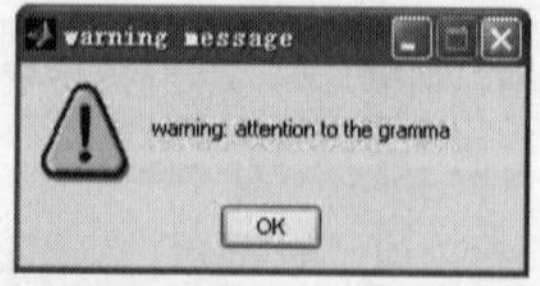

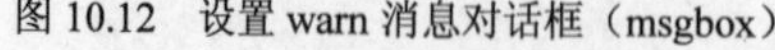

图 10.12　设置 warn 消息对话框（msgbox）

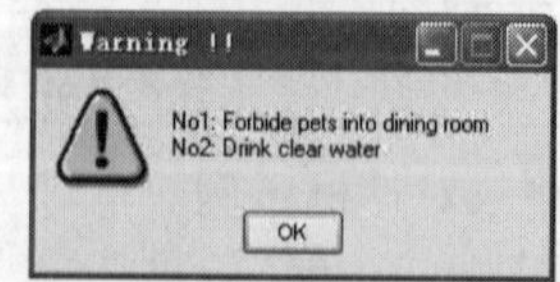

图 10.13　使用 warndlg 标准警告对话框

从上面两种方式可以看出，使用 msgbox 命令来设置和直接使用标准的预设置对话框产生的结果相同。因此，两者可以互换使用。

10.4　界 面 菜 单

使用 MATLAB 7.x 来创建图形用户界面时，常常需要产生界面菜单；或在编辑其他编辑对象中，需要产生弹出菜单，即上下文菜单。这两种菜单在 MATLAB 7.x 中可以通过 uimenu

或 uicontextmenu 来产生。通过 uimenu 来产生菜单常见的命令格式如表 10.12 所示。

表 10.12　　uimenu 的常见命令格式

格　式	说　明
uimenu('PropertyName',PropertyValue,…)	使用指定的属性值在当前图形窗口产生菜单，可以产生的属性值后面将作介绍
uimenu(parent,'PropertyName',PropertyValue,…)	在父菜单中产生子菜单，或在由父窗口指定的上下文菜单中产生菜单项。如果父句柄指向另一个 uimenu 对象或 uicontextmenu 对象的图形，那么将会产生新的菜单栏
handle = uimenu('PropertyName',PropertyValue,…)	可以返回菜单句柄，其余的设置同上
handle = uimenu(parent,'PropertyName',PropertyValue,…)	可以返回菜单句柄

在产生菜单中，属性名称和属性值对的常用设置如表 10.13 所示。

表 10.13　　uimenu 中的属性名称和属性值对

属性名称(PropertyName)	属性值(PropertyValue)	说　明
样式和外观		
Checked	Value: on, off Default: off	菜单项前是否添加复选框
ForegroundColor	Value: ColorSpec Default: [0 0 0]	文本颜色
Label	Value: string	菜单项的标签
Separator	Value: on, off Default: off	分割线
Visible	Value: on, off Default: on	uimenu 是否可见
对象信息		
Accelerator	Value: character	键盘加速键
Children	Value: vector of handles	子菜单句柄
Enable	Value: on, off Default: on	禁止或使用 uimenu
Parent	Value: handle	菜单对象的父对象
Tag	Value: string	用户指定的对象标识符
Type	Value: string (read-only) Default: uimenu	图形对象的类
UserData	Value: matrix	用户指定的数据
对象位置		
Position	Value: scalar Default: [1]	相对的 uimenu 位置
回调函数执行		
BusyAction	Value: cancel, queue Default: queue	回调函数中断
Callback	Value: string	控制动作
CreateFcn	Value: string	在对象生成过程中执行回调
DeleteFcn	Value: string	在对象删除过程中执行回调
Interruptible	Value: on, off Default: on	回调函数的中断方式
对象是否可见		
HandleVisibility	Value: on, callback, off Default: on	在命令行或 GUI 中是否可见

例 10.7 创建标准菜单或改变菜单属性。

```
>> % 创建标准菜单
>> h_fig1=figure
h_fig1 =
     1
>> % 通过设置 Menubar 属性来隐藏标准菜单
>> set(h_fig1,'Menubar','none')
```

通过上面的示例直接创建了带有标准菜单条的图形窗口，如图 10.14 所示。如果通过使用 set 函数，那么可以取消标准菜单条的显示，如图 10.15 所示。

图 10.14 包含标准菜单条的图形窗口

图 10.15 取消标准菜单条的显示

```
>> % 创建标准菜单
>> h_fig1=figure
h_fig1 =
     1
>> % 使用 gcf 来隐藏标准菜单条的显示
>> set(gcf,'menubar',menubar)
```

使用上面的标准的图形窗口创建命令以及 gcf 函数后，同样可以改变标准菜单条是否显示。结果如图 10.14 和图 10.15 所示。

例 10.8 通过 uimenu 方式来创建菜单条。

```
>> % 通过属性方式来定义菜单条
>> f= uimenu('Label','Workspace');
>> % 添加菜单项，其中包括相应的回调函数
>> uimenu(f,'Label','New Figure','Callback','figure');
>> uimenu(f,'Label','Save','Callback','save');
>> uimenu(f,'Label','Quit','Callback','exit','Separator','on','Accelerator','Q');
```

通过上面的命令在图形窗口的菜单中添加 Workspace 菜单，并增减了 New Figure、Save、Quit 3 个菜单项。运行后得到的图形窗口界面如图 10.16 所示。

例 10.9 创建弹出菜单。

```
% uicontextmenu_exp.m
% 创建弹出菜单示例
% 创建弹出菜单
uicm=uicontextmenu;
```

```
% 定义线型菜单条
iline=uimenu(uicm, 'Label', 'LineStyle');
% 定义线型回调函数
cb1=['set(hcos, "LineStyle", "--")'];
cb2=['set(hcos, "LineStyle", ":")'];
cb3=['set(hcos, "LineStyle", "-")'];
% 定义线型弹出菜单
item1=uimenu(iline, 'Label', 'dashed', 'Callback', cb1);
item2=uimenu(iline, 'Label', 'dotted', 'Callback', cb2);
item3=uimenu(iline, 'Label', 'solid', 'Callback', cb3);
% 添加分割线
item4=uimenu(uicm,'separator','on');

% 定义颜色菜单条
icolor=uimenu(uicm, 'Label', 'Color');
% 定义颜色回调函数
cb5=['set(hcos, "Color", "r")'];
cb6=['set(hcos, "Color", "b")'];
cb7=['set(hcos, "Color", "g")'];
% 定义颜色弹出菜单
item5=uimenu(icolor, 'Label', 'red', 'Callback', cb5);
item6=uimenu(icolor, 'Label', 'blue', 'Callback', cb6);
item7=uimenu(icolor, 'Label', 'green', 'Callback', cb7);

% 将弹出菜单作为 plot 函数的弹出菜单属性使用
t=0:pi/60:4*pi;
y=exp(-t/3).*cos(2*t);
hcos=plot(t,y,'UIContextMenu',uicm);
axis square;
grid on
```

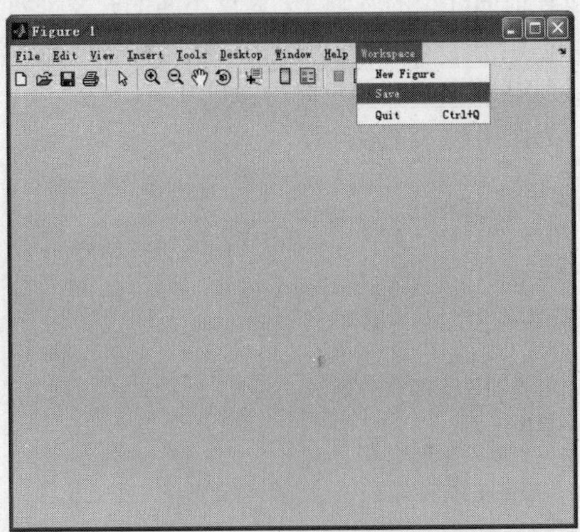

图 10.16　通过 uimenu 属性来添加菜单

在上面的示例中，通过 uicontextmenu 函数创建了弹出菜单。创建的弹出菜单主要包括两部分，一部分改变线型，作为菜单项 LineStyle 的子菜单项来进行选择和改变；而另一部分为改变曲线的颜色属性，此部分属性作为 Color 菜单的子菜单项来选择。为便于分辨在两个子菜单之间加入了分割线。一般情况下，如果弹出菜单项内容较多，则可以选择分割线，此处为演示分割线的使用而采用。

上面的脚本程序运行后得到的结果如图 10.17 所示。如果选择相应的菜单选项，则所绘制的曲线将会根据选择的菜单项来改变线型和颜色。改变后的曲线如图 10.18 所示。

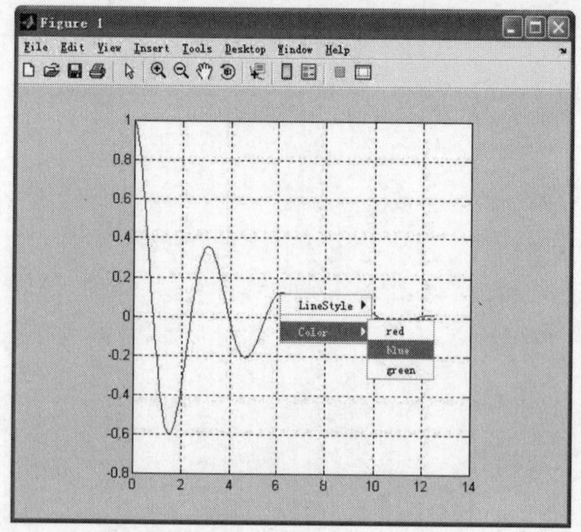

图 10.17　为绘制图形添加弹出菜单

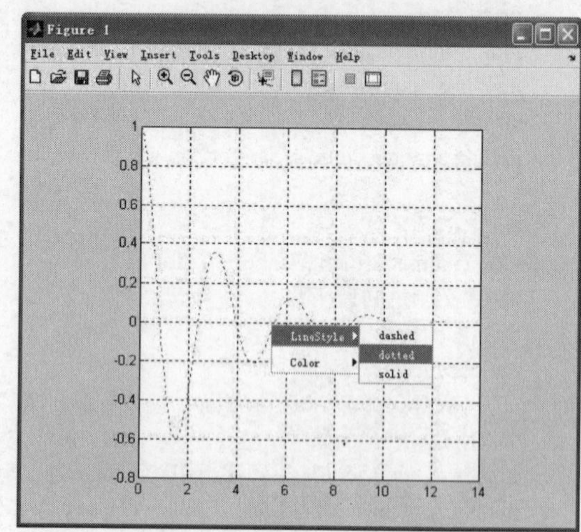

图 10.18　通过弹出菜单改变曲线的颜色和线型

10.5　编写 M 文件

通过前面几节的介绍，使用图形用户界面来创建图形界面的基本方法和命令已经得到比较详细的介绍。读者可以在前面介绍的基础上，通过不断的开发来熟悉和掌握使用 MATLAB 7.x 的图形用户界面函数来创建图形界面的方法。当然，这些创建方法都是通过编写 M 文件来实现的。下面通过一个比较简单的示例对此再做以介绍。

例 10.10　图形用户界面的 M 文件编写。

```
function guiexp
% 通过 M 文件编写方式来编写图形用户界面

% 设置图形用户界面的单位
set(0,'Units','pixels');

% 获取屏幕尺寸保证图形界面位于屏幕中央
screen_size=get(0,'ScreenSize');
% 通过对话框方式绘制用户图形界面
h.gui=dialog('WindowStyle','normal','Resize','on',...
            'Name','gui example',...
            'Units','pixels',...
            'Position',[(screen_size(3)-310)/3,(screen_size(4)-150)/3,310,150]);
```

```
% 获取图形窗口的属性
defoutpos=get(h.gui,'OuterPosition');
% 保存默认的外部尺寸
set(h.gui,'UserData',defoutpos);

% 创建顶层菜单
hm=uimenu('Parent',h.gui,'Label','File');
% 添加菜单项
uimenu('Parent',hm,'Label','Close','Callback','close(gcbf)');

% 在图形窗口中添加水平和垂直滑动条
h.hslider=uicontrol('Style','Slider','Parent',h.gui,'Units','pixels',...
                    'Position',[10,10,270,20],...
                    'Min',20,'Max',screen_size(3)-defoutpos(3)-20,...
                    'Value',defoutpos(1),...
                    'Callback',{@local_hslider,h});
h.vslider=uicontrol('Style','Slider','Parent',h.gui,'Units','pixels',...
                    'Position',[280,30,20,100],...
                    'Min',20,'Max',screen_size(4)-defoutpos(4)-20,...
                    'Value',defoutpos(2),...
                    'Callback',{@local_vslider,h});
% 添加更新 update 按钮
h.update=uicontrol('Style','PushButton','Parent',h.gui,'Units','pixels',...
                    'Position',[50,70,80,30],...
                    'String','update',...
                    'Callback',{@local_update,h});
% 添加默认 default 按钮
h.default=uicontrol('Style','PushButton','Parent',h.gui,'Units','pixels',...
                    'Position',[145,70,80,30],...
                    'String','Default',...
                    'Callback',{@local_default,h});

% 创建各控件的回调函数
% 水平滑动条的回调函数
function local_hslider(cbo,eventdata,h)
SliderValue=get(cbo,'Value');
pos=get(h.gui,'OuterPosition');
set(h.gui,'OuterPosition',[SliderValue pos(2:4)])

% 水平滑动条的回调函数
function local_vslider(cbo,eventdata,h)
SliderValue=get(cbo,'Value');
pos=get(h.gui,'OuterPosition');
set(h.gui,'OuterPosition',[pos(1) SliderValue pos(3:4)])

% 更新按钮的回调函数
function local_update(cbo,eventdata,h)
outpos=get(h.gui,'OuterPosition');
set(h.hslider,'Value',outpos(1));
set(h.vslider,'Value',outpos(2));
```

```
% 恢复到默认设置
function local_default(cbo,eventdata,h)
defoutpos=get(h.gui,'UserData');
set(h.gui,'OuterPosition',defoutpos);
set(h.hslider,'Value',defoutpos(1));
set(h.vslider,'Value',defoutpos(2));
```

在上面的函数中，创建了内嵌函数作为所加入的图形用户界面控件的回调函数。比较综合地使用了图形用户对象的创建方法、回调函数的创建以及使用方法。运行后的图形界面如图 10.19 所示。

当使用鼠标调节水平滑动条和竖直滑动条的位置时，所创建的 GUI 图形用户界面将会随之在屏幕上移动。单击默认按钮后，将会把该用户图形界面的位置恢复到默认的位置后进行调整和使用。

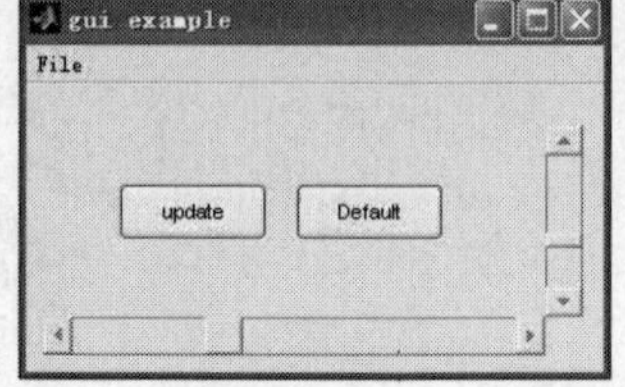

图 10.19　位置改变 GUI 用户界面

10.6　图形界面创建工具 GUIDE

前面章节中对用户图形界面的创建命令和方法进行了介绍，只涉及其中的一部分内容。通过这些内容的学习读者可以很容易掌握使用命令函数方式来创建用户界面的方法。关于这部分内容读者可以通过阅读相关的帮助文件获得更为详细的帮助内容。

此外，MATLAB 7.x 还提供了功能强大的 GUIDE 模板，用于创建各种用户图形对象（GUI）。同时，通过该 GUIDE 模板的使用，还可以自动生成相应的 M 文件框架，这样简化了编写用户图形界面程序的工作。如果读者需要更改相关的内容，则可以直接打开 M 文件进行修改或编写自己的代码。

因此，可以说，图形界面创建工具 GUIDE 大大增强了图形界面创建的能力。下面将通过实际的操作来说明图形界面创建工具 GUIDE 的使用方法。

10.6.1　GUIDE 的启动

用户可以在 MATLAB 7.x 的工具栏上，单击 GUIDE 命令图标，来启动图形界面创建工具 GUIDE，如图 10.20 所示。

启动后，系统弹出如图 10.21 所示的 GUIDE 启动对话框。该启动对话框中主要包括两个选项面板，其中一个为创建新的用户图形界面（Create New GUI）。在该页面中包含了 4 种类型的 GUI 模板：默认的空白 GUI 模板（Blank GUI），带有 uicocntrol 控件的 GUI 模板，带有坐标轴和菜单的 GUI 模板，以及模态对话框模板。

可以选择的另外一个选项面板为打开已有的 GUI 对象，或者单击该页面的浏览 Browse 按钮来浏览选择已经存在的 GUI 对象。

此处，选择使用空白的 GUI 模板来创建图形用户界面。选择该对象后，将会出现一个非常短暂的初始化过程，初始化完毕后将显示如图 10.22 所示的空白图形用户界面对象的编辑界面。

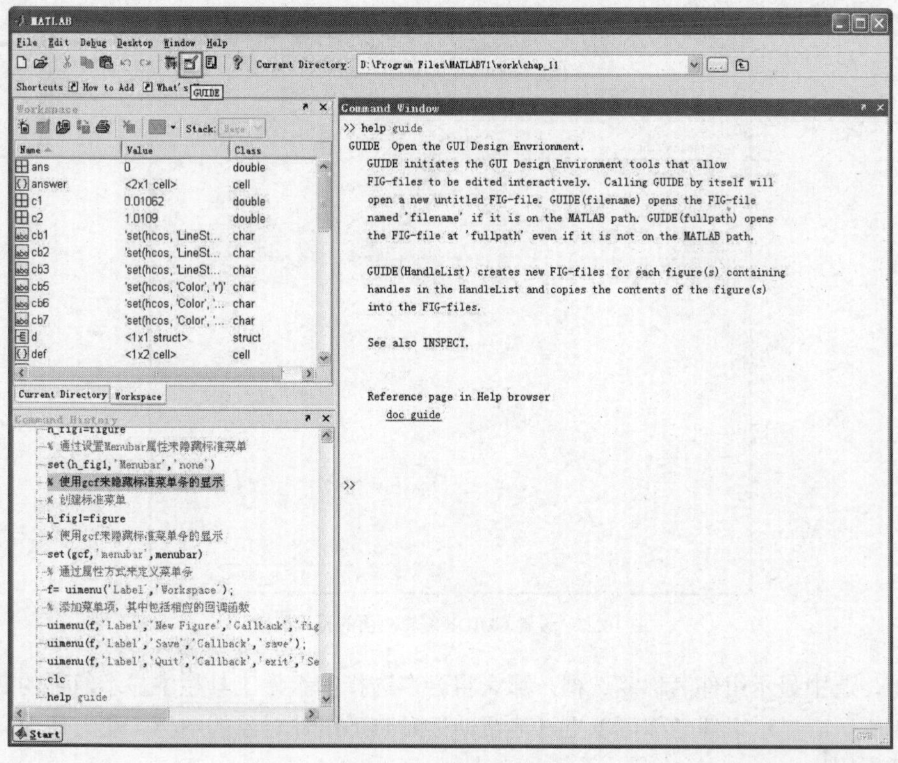

图 10.20　启动 GUIDE

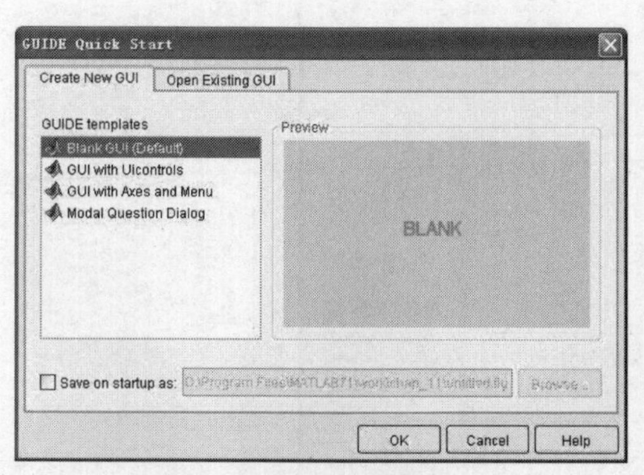

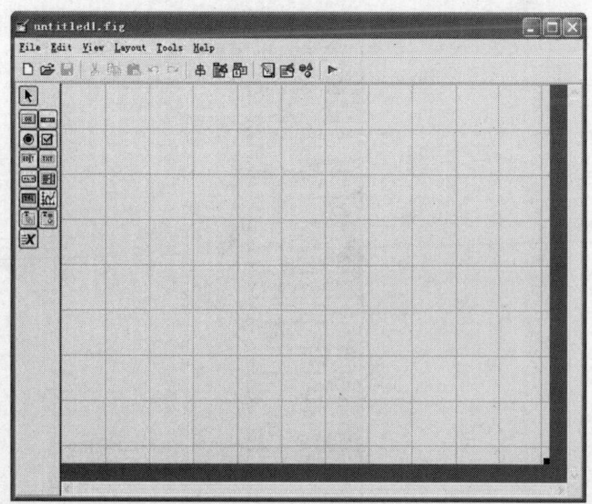

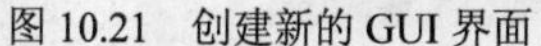
图 10.21　创建新的 GUI 界面

图 10.22　未命名新建空白 GUI 模板的编辑界面

如果用户需要对该编辑界面的显示属性进行修改或重新设置，则可以在该编辑界面的 File 菜单中选择预设值选项 Preference 进行设置。该预设属性设置对话框如图 10.23 所示，可以设置的属性包括显示工具条、显示组件对象名称、在窗口标题中显示文件后缀、在窗口标题中显示文件路径，以及为新生成的回调函数添加注释等。如果用户需要设置其中的一些选项，那么将对应的复选框选中即可。

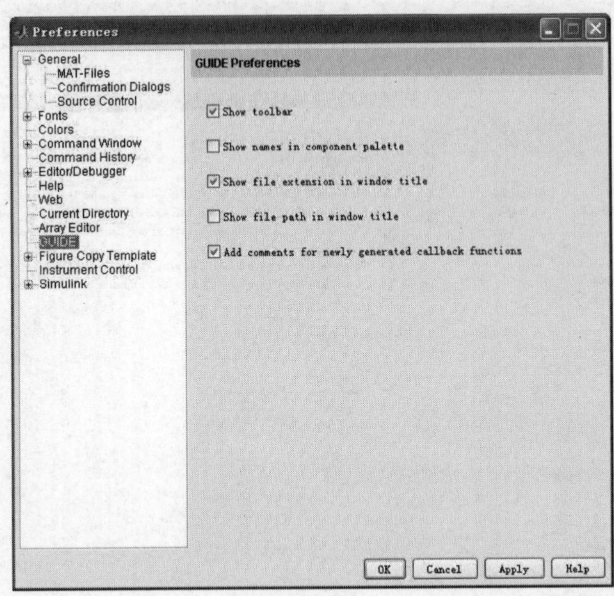

图 10.23 设置 GUIDE 编辑界面的预设属性

此处，选中显示组件名称复选框，那么将会在选择的组件工具栏中显示组件的名称，如图 10.24 所示。显示组件名称可以更好地帮助读者熟悉组件对象的图标，更方便地完成组件的选择和使用。

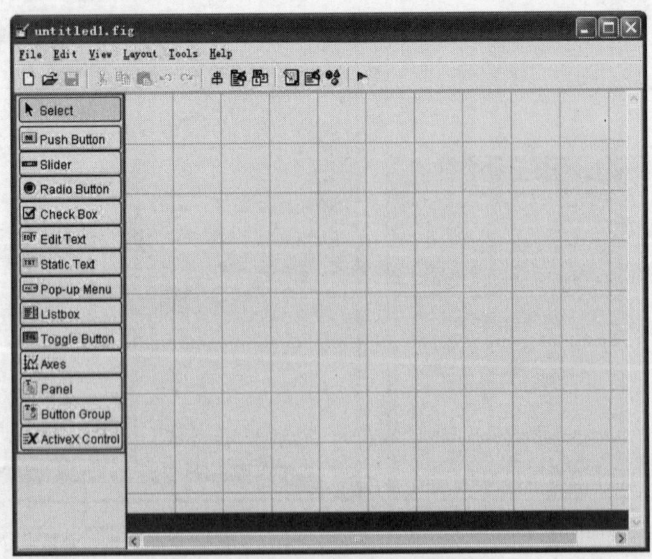

图 10.24 改变预设显示组件名称

10.6.2 创建图形用户界面对象

接下来可以在打开的图形用户界面上添加 uicontrol 控件来完成整个图形界面的布局和控制。此处将通过对不同函数的显示和处理方式来说明如何使用 GUIDE 来创建新的图形用户界面。

例 10.11　创建图形用户界面用于对不同的数据进行可视化显示。

在上面介绍的基础上，用户可以在图形界面编辑对话框中，单击该界面的右下角，用鼠标拖动改变界面的大小，如图 10.25 所示。

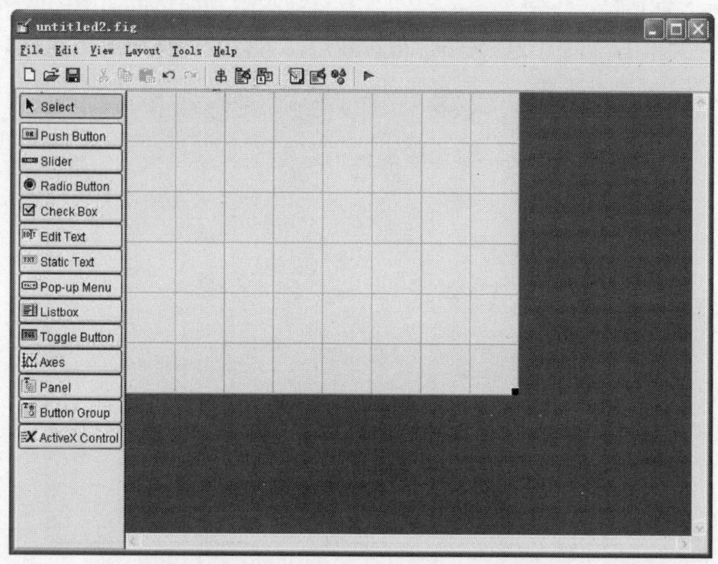

图 10.25　用鼠标直接拖动改变图形界面的大小

如果需要精确控制图形界面的大小和范围，则可以单击属性编辑器按钮，系统将弹出属性查看对话框，如图 10.26 所示。在该属性对话框中，选择 Units 属性，在弹出的列表中选择 Characters；然后在 Position 属性中，设置图形用户界面的宽和高为适当的大小。

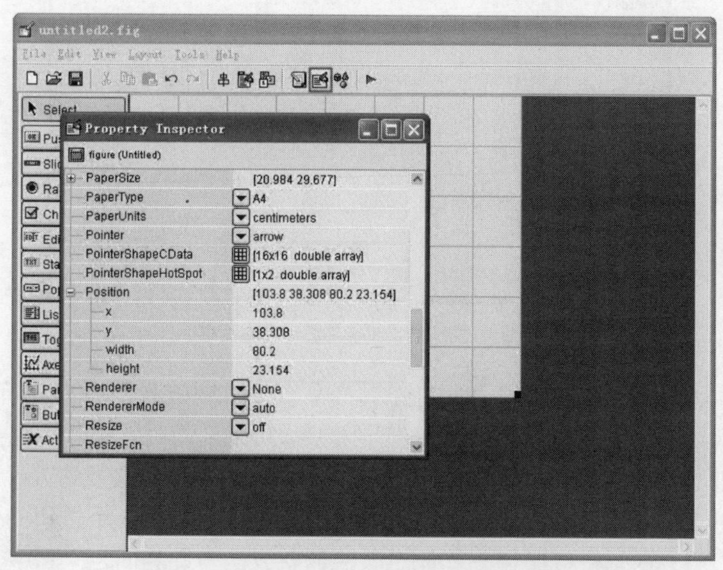

图 10.26　GUIDE 图形编辑界面的属性查看器

接下来，首先向图形编辑界面上添加 3 个按钮 PushButton 对象。添加时，直接在 GUIDE 编辑对话框的左侧单击组件后，在编辑界面上单击，即可将该对象放在边界界面上。添加其他对象的方式与此相同。添加完毕后，如图 10.27 所示。

在图形编辑界面中，添加面板对象 Panel，并将前面添加的 3 个按钮对象一起拖动到面板中。选择时，可以按下 Ctrl 键，同时用鼠标左键单击每个按钮可以将所有的按钮选中。选择放置完毕后如图 10.28 所示。默认情况下每个图形控件对象将被吸附到编辑界面中的网格线上。如果用户不需要，则可以在菜单 Layout 中选择 Snap to grid 后，可以取消将所选择的对象吸附到网格线。

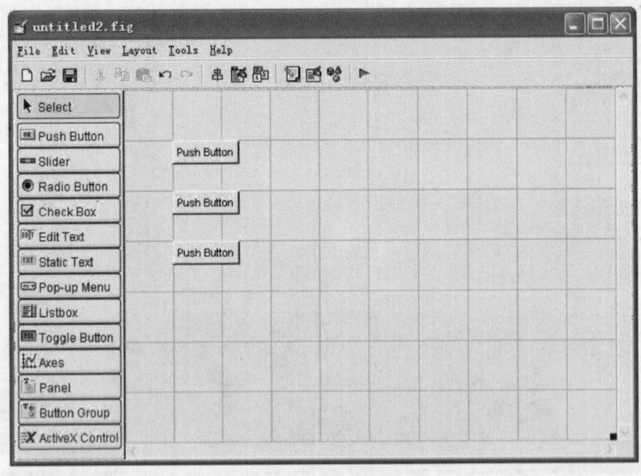

图 10.27　添加按钮控件

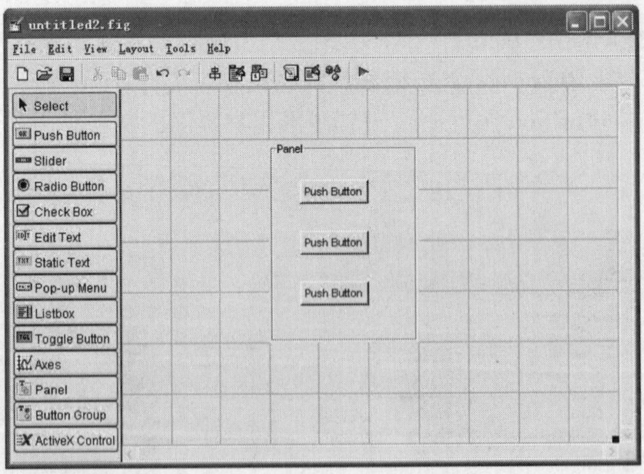

图 10.28　将按钮控件添加到面板中

如果按钮对象没有对齐，此时，可以在工具栏中单击对齐按钮对齐所选择的对象，系统会弹出对齐对象对话框，如图 10.29 所示。在该对话框中，可以设置水平方向和竖直方向的对齐方式以及对象的分布间隔。此时，可以按照对话框中的说明来选择和设置必要的对齐方式及分布间隔。

除上面的对齐调整外，用户还可以调整对象的位置。如调整 3 个按钮的位置时，可以选中 3 个按钮后，用方向键进行微调。其他对象的调整方法与此相同。

当对上述对象进行以上的调整之后，可以将面板及面板上的 3 个按钮一同移动到图形用户界面的适当位置。

同样的方式，从组件栏中，选择静态文本框（Static Text）以及下拉列表对象（Pop-up Menu）

来显示所需要处理的数据对象。此外，从组件栏中选择坐标轴组件（Axes）对象放在图形用户界面中。将以上几个组件都放置在图形用户界面后，可以调整这些对象的位置以及大小。调整完毕后的布局图，如图 10.30 所示。

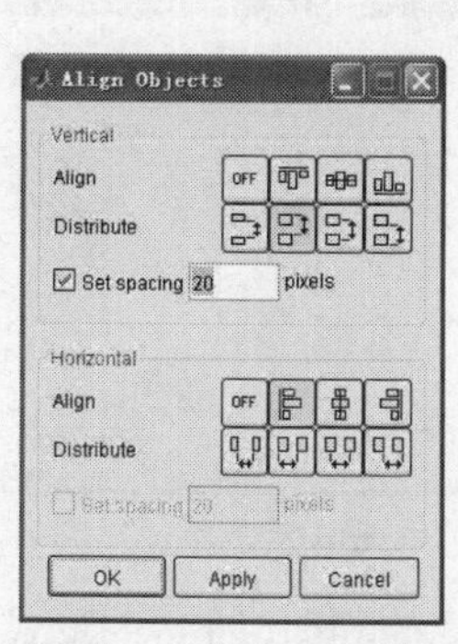

图 10.29　对齐对象对话框

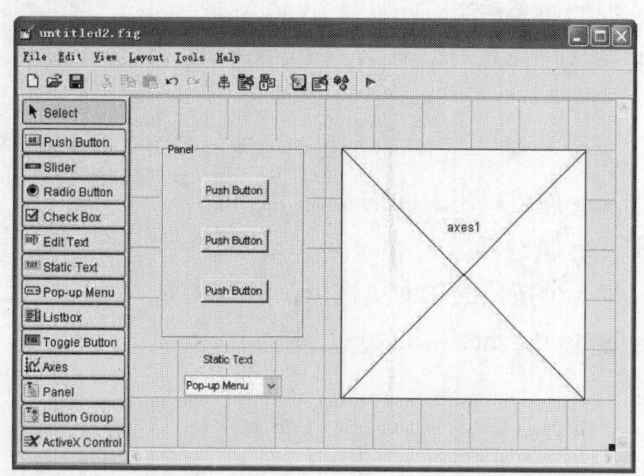

图 10.30　调整完毕后的用户图形界面

10.6.3　设置组件的属性

如果属性查看器已经关闭，则可以按照前面介绍的方法从工具栏中选择图标打开属性查看器。选择第一个按钮对象，在属性查看器中改变该按钮的属性。从属性查看器中找到第一个按钮的 String 属性，将其修改为 Surf，如图 10.31 所示。

同样的方式，将第二个按钮和第三个按钮的 String 属性分别修改为 Mesh 以及 Contour。选择面板后，将面板的 Title 属性修改为 Plot types。

此处还可以对所编辑的图形用户界面的标题进行修改。同样在属性查看器中，将用户图形界面的 Name 属性修改为 GUIDE example。

静态文本框的 String 属性修改为 Select Plot Data，表明用户进行处理时可以从下面的下拉列表中选择需要处理的数据。

通过上面的编辑修改后的图形界面，如图 10.32 所示。

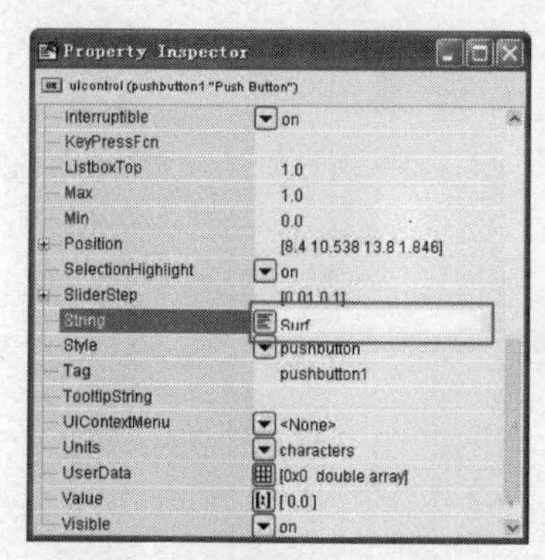

图 10.31　修改第一个组件的显示标签

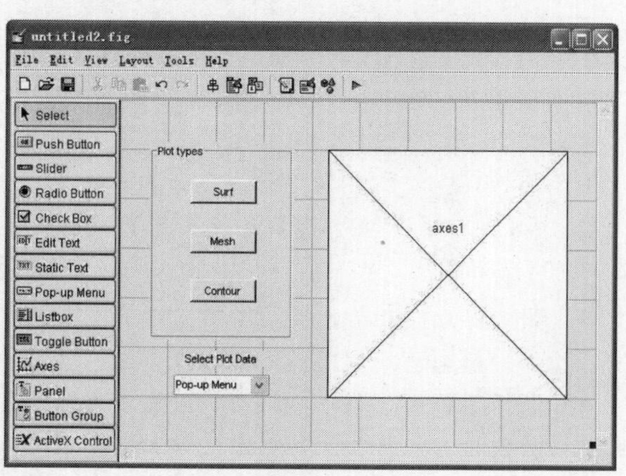

图 10.32　改变属性后的图形界面

下面对下拉列表进行设置。从属性查看器中选择 String 属性，将 Pop-up Menu 删除，输入可以处理的 3 个数据名称，即 peaks、membrane、sinc 3 个数据选项，作为后面进行数据处理的对象。输入后如图 10.33 所示，单击 OK 按钮可以完成对下拉列表的设置过程。

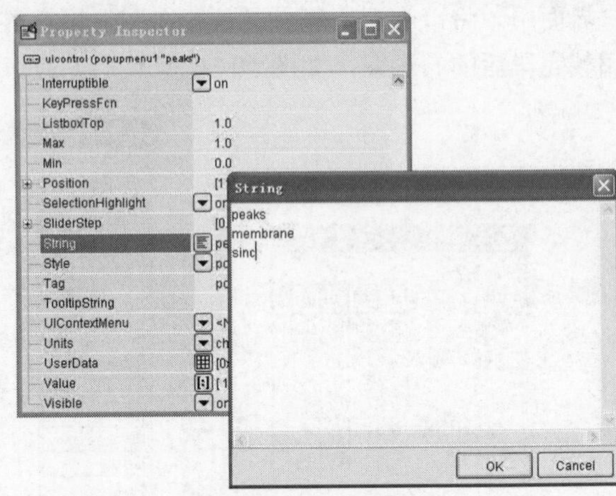

图 10.33　设置下拉列表项

接下来的步骤是修改按钮以及下拉数据列表的 Tag 属性。在上面的基础上，将下拉列表的 Tag 属性修改为 plot popup。同样的方式，将 3 个按钮的 Tag 属性依次修改为 surf pushbutton、mesh button 和 contour button。

此时，可以从图形用户编辑界面中选择运行按钮来运行编辑完成图形用户界面。此时，系统提示将所创建的界面以.fig 的形式保存，并打开保存对话框，输入名称 GUIDE_example 后保存。此时系统将会依次显示 M 文件编辑器，以及所编辑的用户图形界面，效果如图 10.34 所示。由于没有添加回调函数进行处理，因此，此时该图形用户界面并不能执行任何操作过程，需要添加回调函数后才能执行处理过程。

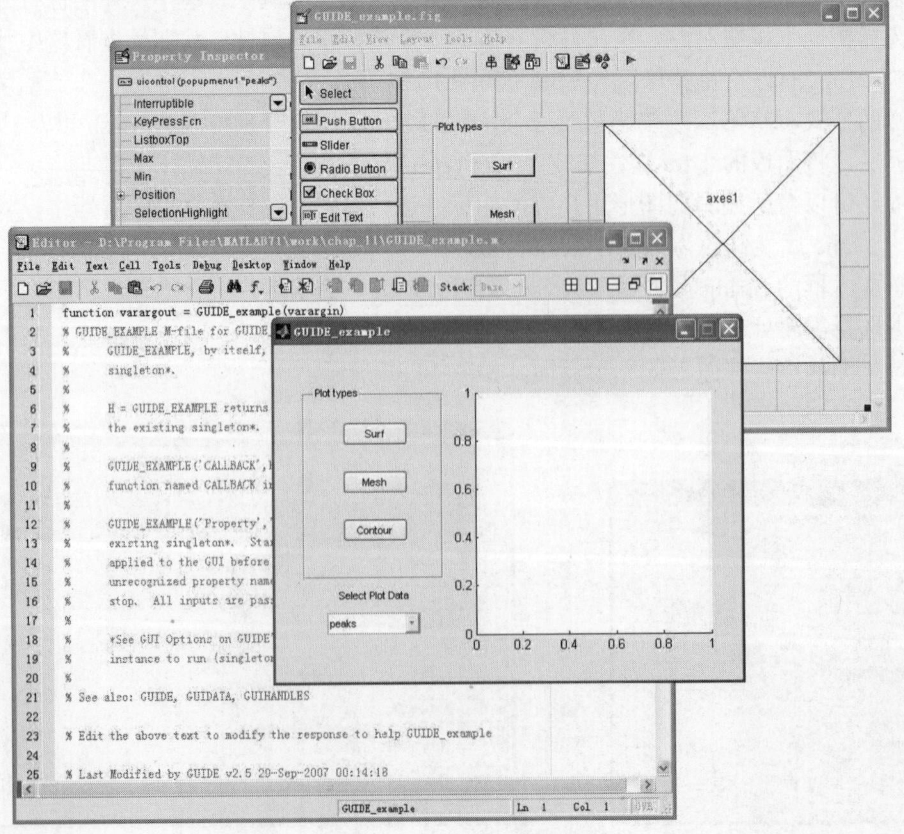

图 10.34　运行图形用户界面

10.6.4 编写回调函数

在完成上面的图形用户界面的编辑之后，需要添加回调函数以及一些相应的执行代码后所创建的图形用户界面才能完成图形函数的处理功能。因此，此时需要切换到 M 文件编辑器中来进行函数文件的编辑。

单击 M 文件编辑器的工具栏中的 show functions 按钮后会显示 M 文件中的所有函数列表。此处首先选择 GUIDE_example_OpeningFcn 函数来进行编辑和修改。这部分函数在程序执行 GUI 之前进行处理。因此，可以在该函数中设置初始化的一些数据或函数。从下拉列表中单击该函数名后会立即切换到该函数体，如图 10.35 所示。

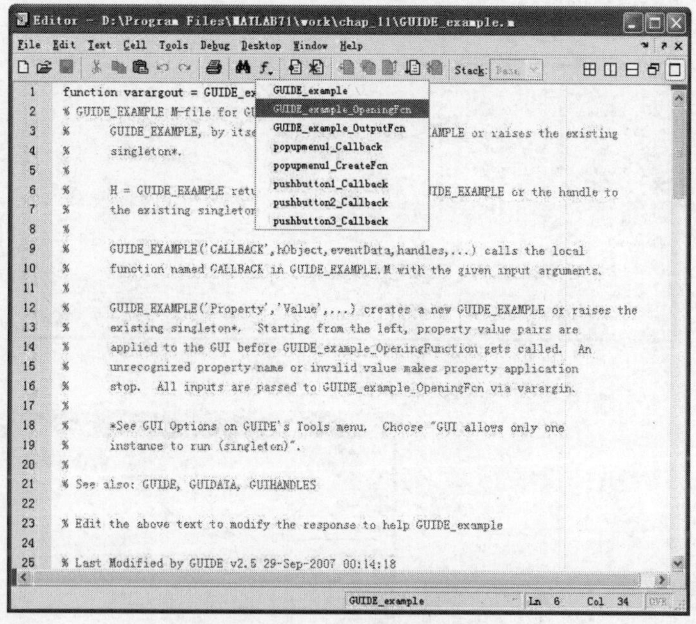

图 10.35 选择编辑的函数

当切换到该函数体后，可以输入以下一些语句来进行程序执行前的初始化。输入后的函数位置如图 10.36 所示。

```
% 产生初始化数据
handles.peaks = peaks(35);
handles.membrane = membrane;
[x,y] = meshgrid(-8:.5:8);
r=sqrt(x.^2+y.^2) + eps;
z=sin(r)./r;
handles.sinc = z;
handles.current_data = handles.peaks;
surf(handles.current_data);
```

此时，如果返回到 GUIDE 图形用户界面编辑窗口运行，那么系统将会显示 surf 对象数据，如图 10.37 所示。但不能选择数据。因此，还需要返回到 M 文件编辑器中继续修改其他函数来完成选择任务。

下面的任务是为 3 个绘图按钮编写回调函数代码。这 3 个函数的回调函数代码可以直接在 M 文件编辑器的函数显示列表中选择，此时对这些函数的选择如图 10.35 所示；或者在 GUIDE 编辑器中，在对应的按钮上单击鼠标右键，选择添加回调函数菜单来切换到相应的 M 文件编辑位置，选择过程如图 10.38 所示。

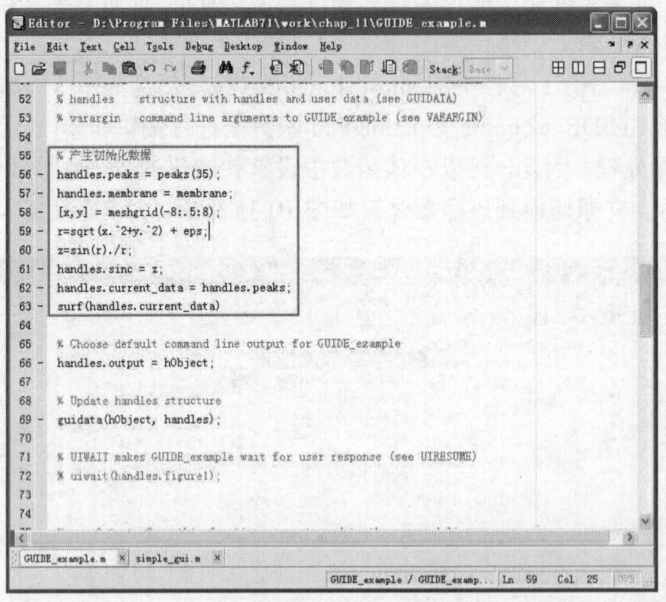

图 10.36　添加的初始化数据

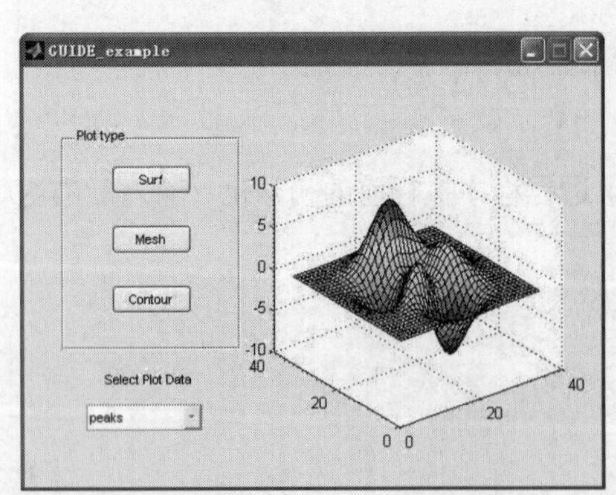

图 10.37　修改初始化函数后运行情况

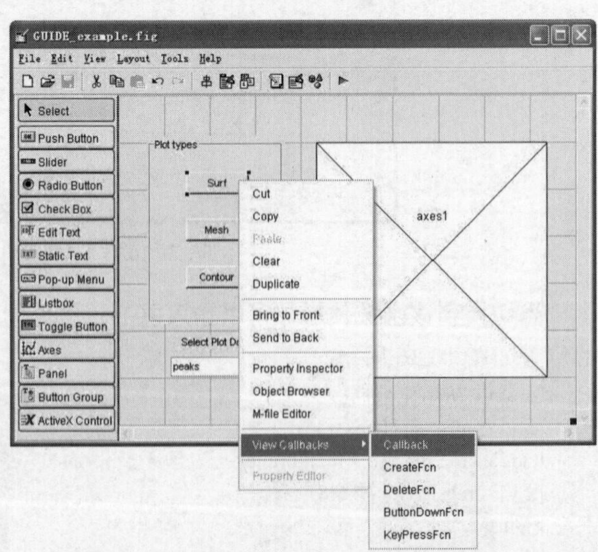

图 10.38　从编辑界面中选择添加回调函数

从图 10.38 可以看出，为按钮可以添加或编辑的回调函数包括 Callback、CreateFcn、Delete Fcn、ButtonDownFcn 和 KeypressFcn 等。此处只对 Callback 回调函数进行编辑。因此，单击该函数后得到结果。

在 M 文件编辑器的函数位置处添加以下的代码：

```
surf(handles.current_data);
```

同样的方式可以为其他两个按钮添加回调函数代码，代码如下：

```
mesh(handles.current_data);
contour(handles.current_data);
```

下面对下拉列表添加回调处理函数代码。同样的方式，可以选择在回调函数中添加如下代码。

```
val = get(hObject,'Value');
str = get(hObject, 'String');
switch str{val};
case 'peaks'
    handles.current_data = handles.peaks;
case 'membrane'
    handles.current_data = handles.membrane;
case 'sinc'
    handles.current_data = handles.sinc;
    end
guidata(hObject,handles)
```

上面的回调函数在选择下拉列表中的不同选项时将会把不同数据赋给当前的处理数据句柄。因此，在进行绘图时，将会按照要求进行处理。

10.6.5　图形用户界面的执行

此时，运行处理程序得到的结果如图 10.39 所示。当然用户可以选择使用其他的数据和绘图类型进行分析。

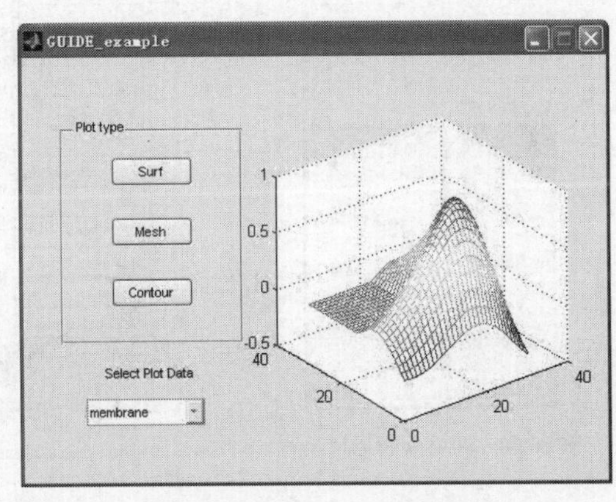

图 10.39　选择其他数据进行处理的结果显示（mesh）

在上面的创建步骤中，用户创建了图形界面文件 GUIDE_example.fig 和 GUIDE_example.m。这两个文件同时保存在了当前目录下的同一目录中。本节所修改的部分已经在前面分别列出。对于其他部分的代码由系统自动生成，因此，在一定程度上减小了用户程序编写的强度，可以把更多的精力放在界面绘制和重要部分代码的编写上。本节中的完整代码可以翻阅 GUIDE_example.m 来进行查看。

10.6.6　GUIDE 创建的工具

在使用 GUIDE 创建图形用户界面时，还有一些比较常用的功能，能够更好地帮助用户完成用户图形界面的绘制过程。此处，将对这些功能进行简单的介绍，读者在使用 GUIDE 创建时可以更方便地完成绘制过程。

1．排列对象（Align Objects）

如果在创建过程中已经在 GUIDE 编辑界面中添加了多个组件，那么常常需要排列这些组件对象以完成界面的布局和排布。此时，用户可以从菜单项中选择 Tools/Align Objects 菜单项，或者直接单击工具栏中的 Align Objects 图标，系统中将会弹出如图 10.29 所示的排列对象对话框。

使用该窗口中的排列布局功能可以很快完成排列方式，如水平和竖直方向的对齐、分布间距等。选择排列对象时可以同时按下 Ctrl 键，用鼠标左键来点选每个需要进行排列的对象。如果需要进行微调，则可以在选择对象后，通过键盘方向键来进行微调。

2．网格线和标尺（Grid and Rulers）

选择此功能后，用户可以改变网格线的间距或显示标尺进行调整。此功能可以通过选择 Tools/Grid and Rulers 菜单项，使系统弹出如图 10.40 所示的设置对话框。在该对话框中可以通过选中复选框控制是否显示标尺、显示向导、显示网格间隔，以及是否吸附到网格线（Snap to grid）。如果选择显示网格线，那么可以设置网格线之间的间隔，间隔的大小可以从下拉列表中选择，间隔大小的单位为像素（pixels）。

3．对象浏览器（Object Browser）

对象浏览器可以帮助用户查看放置在图形界面中对象的名称，以及相互之间的继承关系等。可以通过选择 View/Object Browser 菜单项，或者直接单击工具栏中的选择对象浏览器图标，来打开对象浏览器对话框，如图 10.41 所示。

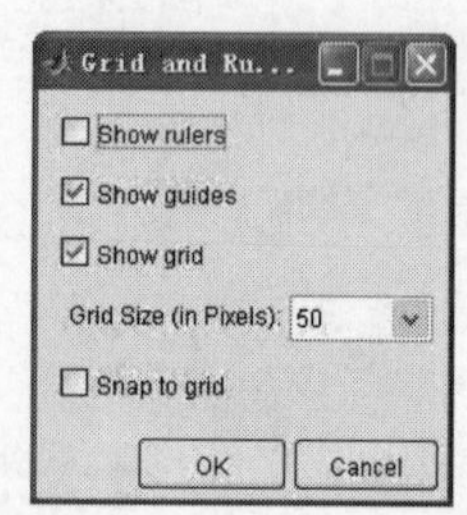

图 10.40　网格线和标尺设置

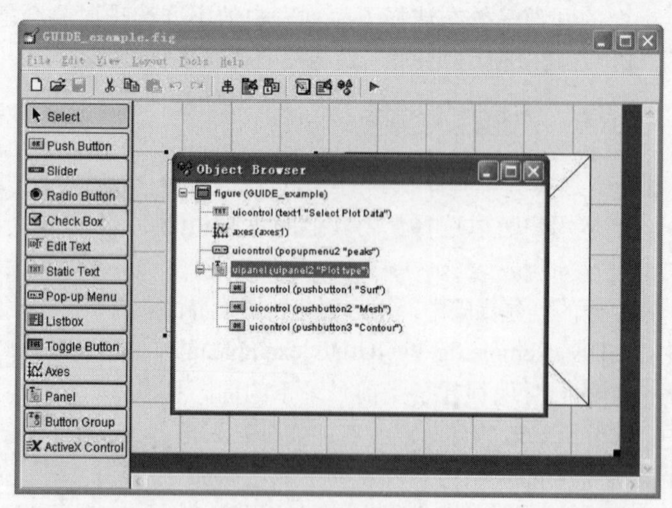

图 10.41　对象浏览器

在该对象浏览器中显示了当前所绘制的图形用户界面中的所有图形对象，以及相互之间的继承关系。此处所显示的为上个示例中的继承关系，可以看出 3 个按钮与面板之间形成一定的继承关系。如果没有打开，则这 3 个按钮对象将在面板对象的文件夹下，可以点击后形成。从图 10.41 可以看出，上面的示例相对比较简单。对于比较复杂的对象，对象浏览器会提供非常大的帮助。

4．GUI 组件选项（GUI Options）

GUI 组件对话框的属性设置可以从菜单栏中选择 Tools/GUI Options 菜单项，打开 GUI 组件属性对话框，如图 10.42 所示。

在该对话框中可以设置图形用户界面的一些属性，这些属性如下。

（1）调整行为（Resize behavior）。在下拉列表中包括不可重绘（Non-resizable）、比例缩放（Proportional），以及用户定义（Use ResizeFcn）3 种方式，分别表示可以调整图形界面的大小、比例缩放图形对象的大小，以及根据 ResizeFcn 来调整大小。

（2）命令行访问（Command-line accessiblity）。如图 10.43 所示，在创建图形对象的过程中，选择是否通过命令行方式来访问各种对象：off 方式禁止对 GUI 图形对象的访问，此时图形对象的句柄是隐藏的，通过对象句柄结构体来保存 GUI 中的所有用户控件对象句柄；on 方式表示可以在命令方式中对图形对象访问；Callback 方式则表明可以通过回调函数来调用；Other 方式表明可以使用属性查看器中的设定来访问。在属性查看器中可以设置的两个属性为 Handle Visibility 以及 IntergerHandle，前者决定图形窗口的句柄是否在命令行可见，如果设置为 off，那么句柄将从根对象列表中删除，但句柄仍然有效；后者表示运行的图形窗口句柄为整数还是浮点数，如果设置为 off，那么将会使用浮点数来代替整数。

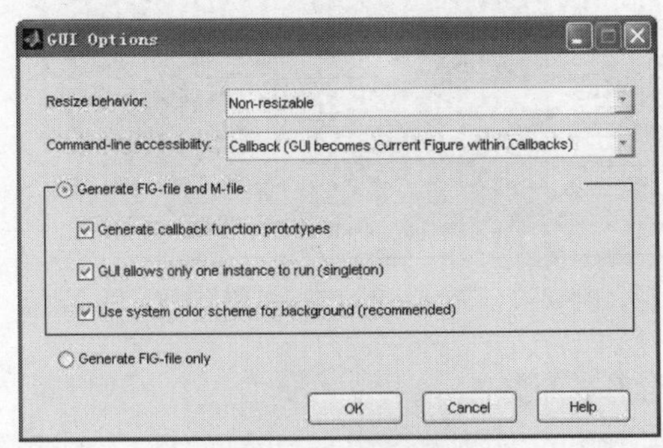

图 10.42　GUI 选项对话框

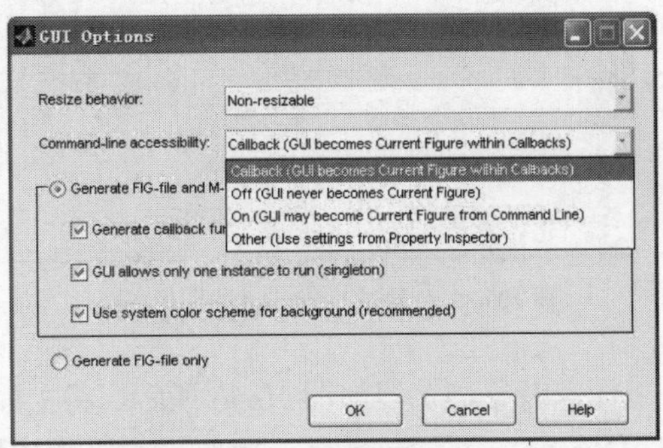

图 10.43　命令行访问的选择

（3）生成 FIG 文件和 M 文件。此项可以设置用户在创建 GUI 对象时，是否生成 FIG 文件和 M 文件，可以选择的设置选项主要有 3 个。

① 生成回调函数原型（Generate Callback Function Protypes）此时将会自动在 M 文件中为每个组件添加一个回调函数原型。

② GUI 只允许一个示例运行（GUI allows only one instance to run(singleton)），此选项表明每次运行时，只允许一个示例运行。如果对象示例已经存在，那么将会带到前台。如果取消该选项的选择，那么每个调用命令都将会产生一个 GUI 图形对象示例，因此，多次运行将会产生多个运行示例。

③ 使用系统颜色方案作为背景颜色（Use system scheme for backgroud (recommended)），此时将会使用系统的颜色方案，保持颜色一致。

（4）只生成 FIG 文件。此时用户仅仅创建 FIG 文件，用户可以使用 open 或 hgload 来显示该文件。一般在用户希望创建一个与 M 文件完全不同的示例时，可以选择此选项。

10.6.7　创建带 UIcontrol 控件的图形界面

此处介绍使用 GUIDE 的另一个模板方式创建的用户图形界面，即带 UIcontrol 控件的图形用户界面。同样的方式，打开 GUIDE 界面，选择 GUI with Uicontrols 方式来创建图形界面，如图 10.44 所示。此时在右侧出现模板图形预览。

在该对话框中单击 OK 按钮，打开如图 10.45 所示的图形用户界面。在该图形界面中可以根据输入的不同单位值数据计算质量。

单击对象浏览器，可以查看该图形界面的所有对象及其相互之间的继承关系，如图 10.45

所示。可以看出该图形界面由两个面板组成，分别为测量（Measures）面板和单位（Units）面板。这两个面板中可以输入需要计算的数据以及单位制的选择。此外，还包括两个按钮，计算（Calculate）和重置（Reset）。

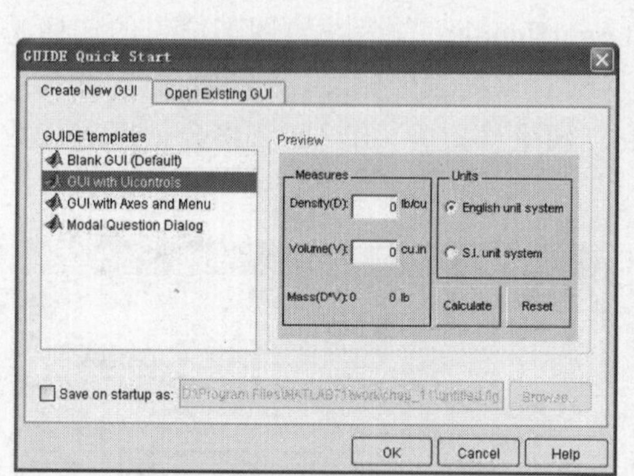
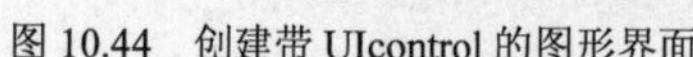

图 10.44　创建带 UIcontrol 的图形界面

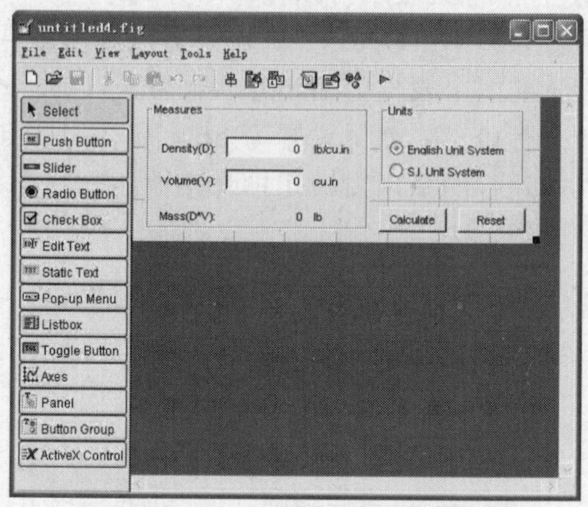

图 10.45　带 UIcontrol 对象的图形界面

图形对象浏览器如图 10.46 所示，将上面的图形界面及 M 函数文件同时保存，文件名为 GUIDE_uicontrol_example。此时，可以切换到 M 函数文件浏览器中来查看所有输入的函数文件，单击显示函数下拉列表可以看到所有的函数，如图 10.47 所示。

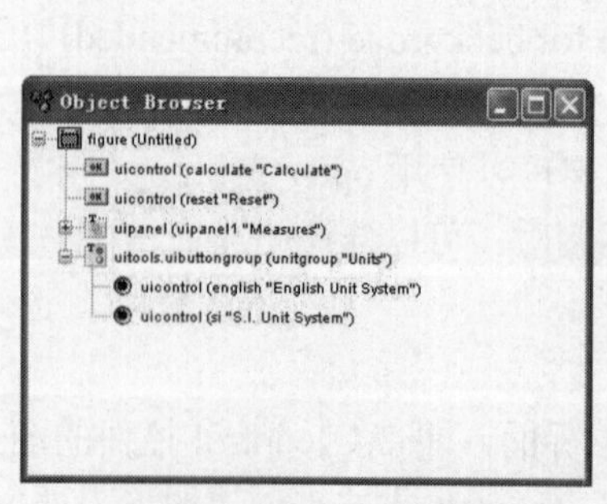

图 10.46　图形对象浏览器

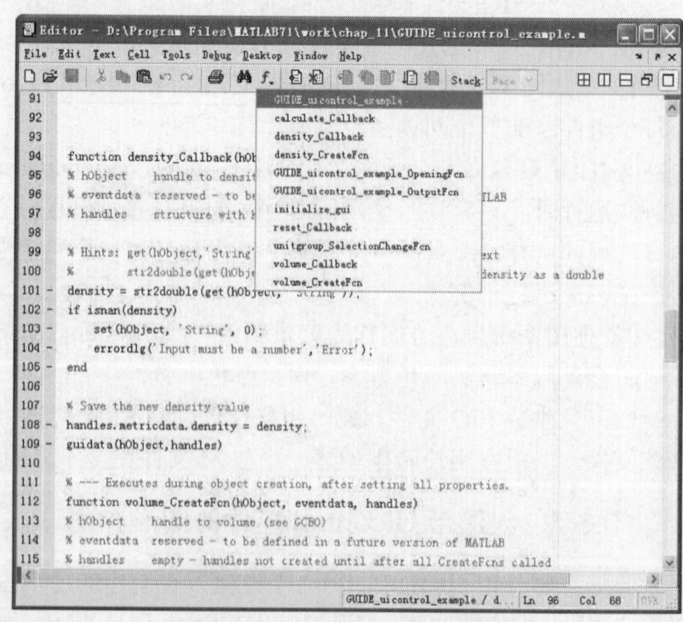

图 10.47　M 文件中的回调函数列表

在图形界面中，选择密度输入文本框后，单击鼠标右键弹出菜单，选择回调函数选项后可以到达该文本框对象的回调函数位置处。选择顺序如图 10.48 所示。

在该函数体中输入的函数语句如下：

```
density = str2double(get(hObject, 'String'));
if isnan(density)
    set(hObject, 'String', 0);
    errordlg('Input must be a number','Error');
end

% Save the new density value
handles.metricdata.density = density;
guidata(hObject,handles)
```

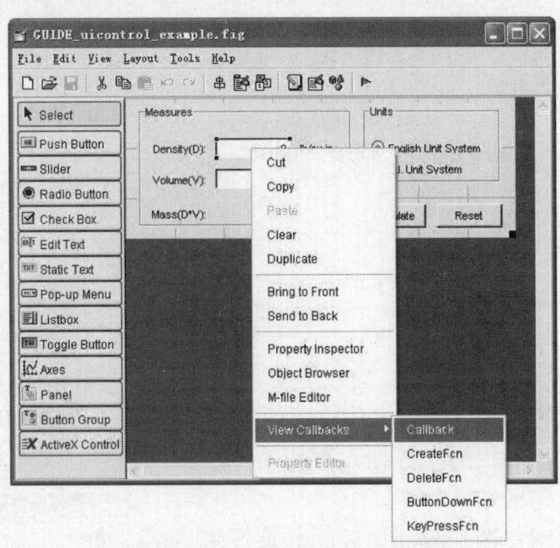

图 10.48　选择回调函数对话框

这段程序表明将所输入的文本保存到 GUIDE 函数的图形处理句柄中：首先将字符串转化为双精度数据；然后判断文本框中输入的数据是否为空，如果为空则弹出错误对话框；如果判断为输入的正确数据，那么将该数据结果赋予程序体的句柄结构体中。

同样的方式，查看体积文本输入框中程序段，所加入的内容如下：

```
volume = str2double(get(hObject, 'String'));
if isnan(volume)
    set(hObject, 'String', 0);
    errordlg('Input must be a number','Error');
end

% Save the new volume value
handles.metricdata.volume = volume;
guidata(hObject,handles)
```

从上面的程序中可以看出，与密度输入文本框中处理逻辑基本相同。

计算（Calculate）按钮的回调函数比较简单，程序块如下：

```
mass = handles.metricdata.density * handles.metricdata.volume;
set(handles.mass, 'String', mass);
```

对于重置按钮，那么输入执行的逻辑主要调用初始化过程，重新进行计算。程序段如下：

```
initialize_gui(gcbf, handles, true);
```

此处涉及初始块的程序段，这段程序主要对用户图形界面中的控件进行初始化，并给定初始化数据，程序段如下：

```
if isfield(handles, 'metricdata') && ~isreset
    return;
end

handles.metricdata.density = 0;
handles.metricdata.volume   = 0;

set(handles.density, 'String', handles.metricdata.density);
set(handles.volume,  'String', handles.metricdata.volume);
set(handles.mass, 'String', 0);

set(handles.unitgroup, 'SelectedObject', handles.english);

set(handles.text4, 'String', 'lb/cu.in');
set(handles.text5, 'String', 'cu.in');
set(handles.text6, 'String', 'lb');

% Update handles structure
guidata(handles.figure1, handles);
```

这段程序的执行逻辑主要为：通过单位选择单选按钮来判断输入的数据为 SI 单位，还是英制单位。然后对密度和体积两个数据设置初始值，其余为静态文本标签的执行语句。最后将所得到的数据存放在句柄结构体中。

以上简单介绍了该用户图形界面主要的处理逻辑。关于程序段更为详细的内容，读者可以参阅 M 文件。下面将对该界面进行运行。运行后输入数据，单击 Calculate 按钮进行计算，如图 10.49 所示，即可得到结果。

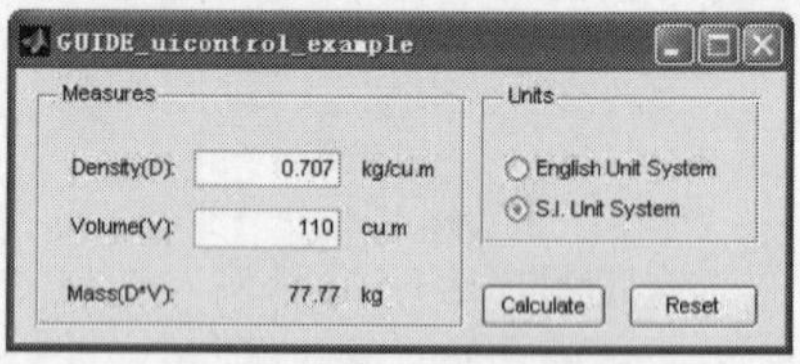

图 10.49　运行界面

本小节简单介绍了使用 GUIDE 的 UIcontrol 模板来创建用户图形界面的一些方法。实际上使用该模板来创建图形界面的方法和使用空白模板的创建方法相同，只是采用该模板后提供了一些控件，可以更方便地完成处理过程。

10.6.8　创建带菜单和坐标轴的图形界面

这类模板同样是一种比较简单的模板，在该模板上预设创建了菜单和坐标轴绘图区域。从 GUIDE 的启动菜单中选择 GUI with Axes and Menu 模板，那么可以创建此类模板，如图 10.50 所示。

单击该界面中的 OK 按钮，进入图形界面编辑窗口，如图 10.51 所示。在该界面中已经添加了菜单和坐标轴绘图区域，如图 10.51 所示。

首先来介绍图形界面中所布局的图形组件，主要包括下拉列表、Update 按钮以及 Axes 图形绘制区域。

下拉列表中设置了用于进行图形绘制的数据。在属性查看器中，设置下拉列表的 String 属性，设置可以显示的数据及其命令，如图 10.52 所示。实际上每个命令作为下拉列表的一个列表项来存在，这些内容包括：

```
plot(rand(5))
plot(sin(1:0.01:25))
bar(1:.5:10)
plot(membrane)
surf(peaks)
```

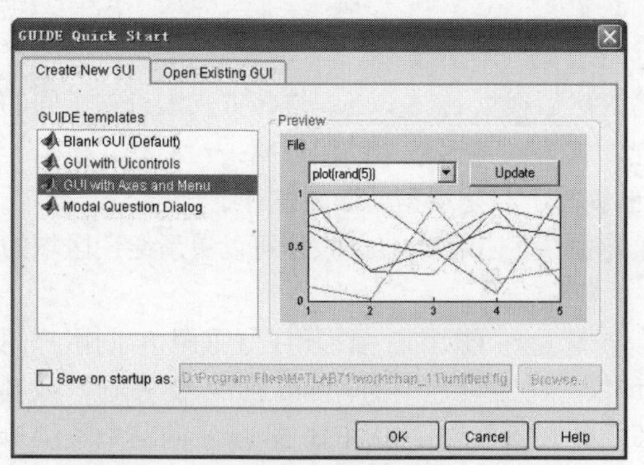

图 10.50　选择菜单和坐标轴组成的 GUI 模板

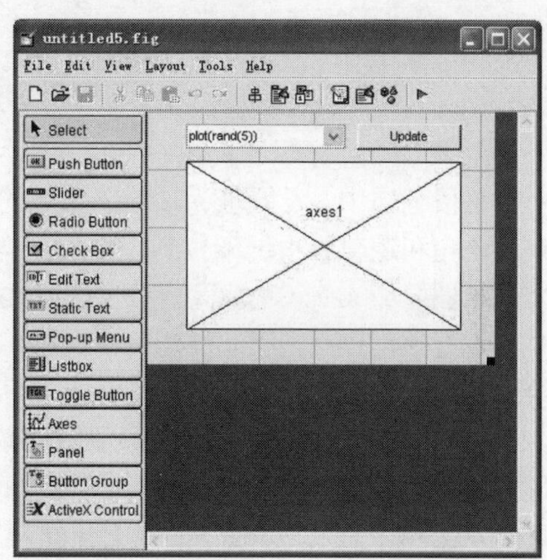

图 10.51　创建有菜单和绘图区域的图形界面

Update 更新按钮用于更新每次下拉列表选择不同的列表项后显示绘图结果，并在绘图区域中显示出来。主要的程序代码如下：

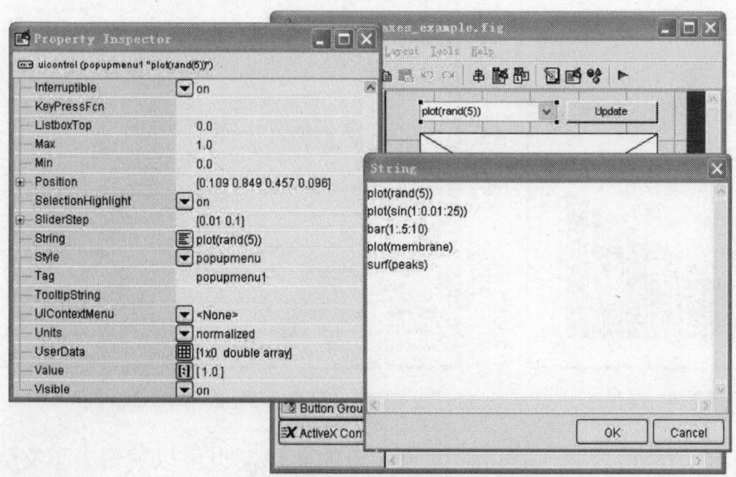

图 10.52　下拉列表项的列表项

```
axes(handles.axes1);
cla;

popup_sel_index = get(handles.popupmenu1, 'Value');
switch popup_sel_index
```

```
        case 1
            plot(rand(5));
        case 2
            plot(sin(1:0.01:25.99));
        case 3
            bar(1:.5:10);
        case 4
            plot(membrane);
        case 5
            surf(peaks);
    end
```

这段程序中，设置坐标轴绘图区域的内容，然后根据 case-switch 选择方式来设置不同的处理语句和逻辑。根据下拉列表中选择列表项更新在绘图区域中的图形结果。

绘图区域 axes 中实际没有进行回调函数的编写，只是根据前面的执行逻辑显示。

运行该程序后，从下拉列表中选择某个绘图命令，使用 Update 按钮可以更新绘图区域的绘图结果，如图 10.53 所示。

可以看出，在运行时才能够显示菜单项。实际上在 GUIDE 图形用户界面中绘制用户图形时，可以设置或改变菜单选项。设置时，可以单击工具栏中的 Menu Editor 按钮，或者直接从菜单中选择 Tools/Menu Editor 菜单项，此时系统弹出如图 10.54 所示的菜单项编辑窗口。

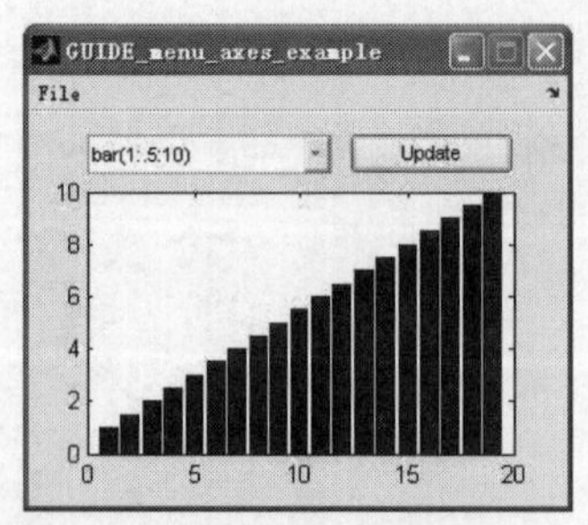

图 10.53　运行结果

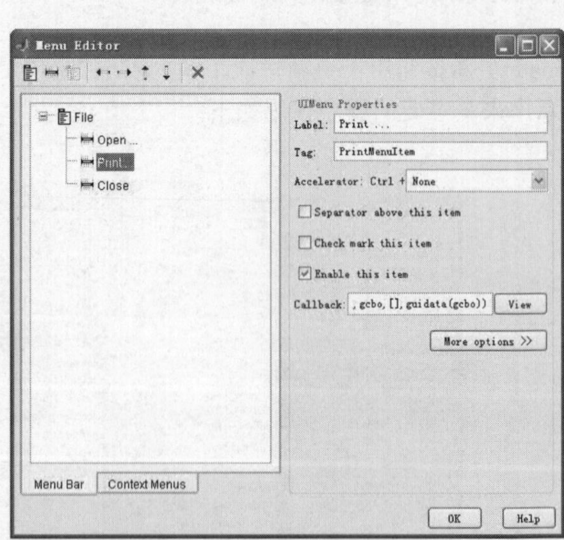

图 10.54　使用菜单编辑器编辑菜单

菜单编辑器的功能比较强大，可以编辑一般的菜单，也可以编辑上下文弹出菜单。这两种菜单的编辑方式可以通过图 10.54 所示对话框的选项卡切换来编辑。实际上两种菜单的编辑方式相同，此处以一般的菜单工具条的编辑为例来说明问题。

在该菜单编辑器中，工具条可以帮助完成菜单项的编辑和处理过程。这几个工具条按钮的功能依次为：创建新的菜单，创建新的菜单项，创建上下文菜单；向左、向右、向上、向下调整菜单项等调整命令。如果所创建的菜单项或菜单不符合要求，则可以使用最右侧的删除键将该菜单项或菜单删除。

此处只添加了 1 个菜单，包括 3 个菜单项，即 Open、Print 和 Close。

对于每个菜单项，可以通过图 10.54 所示窗口右侧的菜单项属性选项来进行设置。可以设置的内容包括菜单或菜单项标签（Label）、提示（Tag）、加速键（Accelerator）。选择加速键可以通过下拉列表来选择。

此外，还可以在菜单项中键入分割线（Separator above this item），用复选框形式的菜单项（Check mark this item），允许或禁止该菜单项（Enable this item）。这 3 个复选框用于设置分割线、使用复选框以及确定是否禁用等。

对于每个菜单项可以添加一些回调函数代码来执行一定的操作任务。这些代码可以在 Callback 右侧的文本框中输入。更为复杂的代码则可以通过单击 View 按钮进入到 M 函数文件编辑器中来进行编辑。此处加入的 3 个菜单项的回调处理函数的代码如下：

```
% --------------------------------------------------------------------
function OpenMenuItem_Callback(hObject, eventdata, handles)
% hObject      handle to OpenMenuItem (see GCBO)
% eventdata    reserved - to be defined in a future version of MATLAB
% handles      structure with handles and user data (see GUIDATA)
file = uigetfile('*.fig');
if ~isequal(file, 0)
    open(file);
end

% --------------------------------------------------------------------
function PrintMenuItem_Callback(hObject, eventdata, handles)
% hObject      handle to PrintMenuItem (see GCBO)
% eventdata    reserved - to be defined in a future version of MATLAB
% handles      structure with handles and user data (see GUIDATA)
printdlg(handles.figure1)

% --------------------------------------------------------------------
function CloseMenuItem_Callback(hObject, eventdata, handles)
% hObject      handle to CloseMenuItem (see GCBO)
% eventdata    reserved - to be defined in a future version of MATLAB
% handles      structure with handles and user data (see GUIDATA)
selection = questdlg(['Close ' get(handles.figure1,'Name') '?'],...
                     ['Close ' get(handles.figure1,'Name') '...'],...
                     'Yes','No','Yes');
if strcmp(selection,'No')
    return;
end

delete(handles.figure1)
```

如果需要设置菜单项更多的属性，可以单击 More options 按钮，系统将弹出该菜单项的属性查看器，可以设置其他的属性，如图 10.55 所示。

在运行图形用户界面时，如果选择菜单项，则可以执行一些操作功能，如此处选择 Print 属性，那么可以将当前用户界面中显示的图形打印出来，所调用的打印界面为标准的打印界面，如图 10.56 所示。

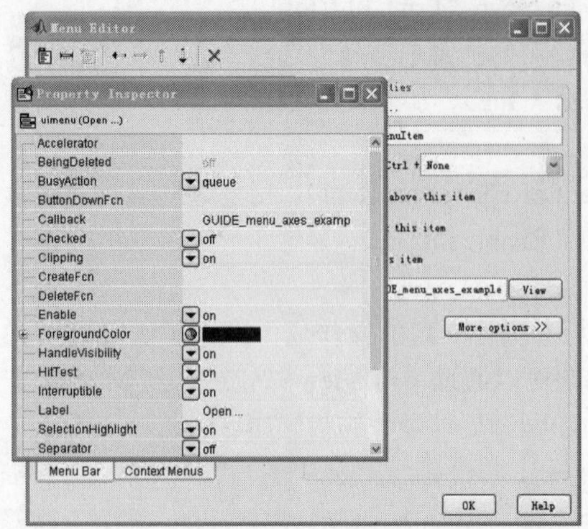

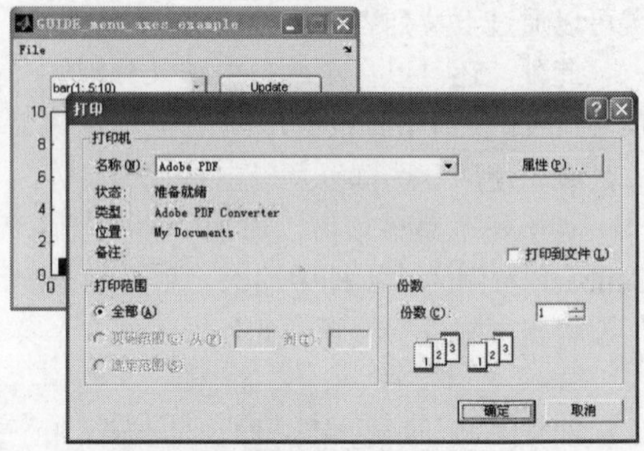

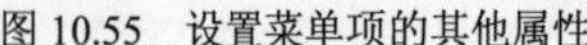

图 10.55　设置菜单项的其他属性

图 10.56　使用菜单中的打印命令

10.7　本 章 小 结

MATLAB 7.x 提供了大量的图形用户界面处理函数，能够帮助用户创建友好的图形用户界面，还能够帮助用户更好地和 MATLAB 7.x 的处理程序相互交互。在本章中，对使用函数方式创建图形用户界面的方法进行了介绍，包括图形界面控件的创建、鼠标动作执行、事件队列、回调函数编写以及对话框对象、界面菜单等。这些内容是使用函数来创建图形用户界面的基础，更为详细的内容读者可以在熟悉这些内容的基础上来提高。此外，MATLAB 7.x 还提供了用于图形用户界面创建的 GUIDE 界面，能够帮助用户使用多种不同的模板创建用户图形界面，从而大大增强了图形用户界面的编辑能力，也方便用户将注意力集中在图形用户界面的编辑和 M 回调函数的编写上。

第 11 章　文件读取 I/O

在 MATLAB 7.x 中，提供了一些命令，可以完成 MATLAB 7.x 与其他文件格式之间的交互操作，可以直接对磁盘文件进行访问，也可以对低层次的文件进行读写操作，从而增强了 MATLAB 7.x 程序设计的灵活性和兼容性。和其他格式文件进行访问、读取时，用户既可以通过图形用户接口，也可以通过命令窗口的命令来完成。此外，MATLAB 7.x 还可以对目录进行操作和管理。和大多数应用程序一样，MATLAB 7.x 将当前目录作为打开、保存数据文件和 M 文件的默认位置。本章的主要内容包括：

◆ 工作空间数据读取
◆ 一般数据文件读写
◆ 底层文件读取
◆ 二进制文件读取和导出
◆ 文本文件的读取和导出

11.1　工作空间数据读取

在 MATLAB 7.x 中，可以将工作空间的变量保存为文件，也可以从文件中导入数据保存为变量，命令格式比较简单。将工作空间的变量保存为文件，可以使用 save 命令，该命令的常见格式如表 11.1 所示。

表 11.1　　保存命令 save 的常见格式

格　式	说　明
save	将当前工作区的所有变量以二进制格式保存到文件 matlab.mat 文件中，不同类型的数据按照对应的最大精度保存，并保存对应的变量名称
save('filename')	将文件保存在当前目录下，文件名为 filename.mat，保存在其他目录需要添加文件路径
save('filename', 'var1', 'var2'，…)	将工作空间内的指定变量保存在文件 filename.mat 中，在指定变量名称时可以使用指定格式
save('filename', '-struct'，'s')	将标量结构体的所有域保存到文件 filename.mat 中
save('-regexp', expr1, expr2，…)	保存符合正则表达式的变量
Save(…, 'format')	将文件保存为指定的文件格式，包括 MAT、ASCII 等格式

由于在 MATLAB 7.x 中，函数和命令的二元性，即命令既可以作为函数方式来使用，也可以直接作为命令来使用，因此，在下面的示例中函数方式和命令方式都可以作为命令调用的方式来使用。

例 11.1 保存工作环境中的数据变量示例。

```
>> % 保存工作环境中的数据变量
>> whos
  Name        Size                    Bytes  Class

  ans         1x6                        12  char array
  i           1x1                         8  double array
  x           1x201                    1608  double array
  xp          1x50                      400  double array
  xt          1x50                      400  double array
  y           1x201                    1608  double array

Grand total is 509 elements using 4036 bytes

>> >> save
Saving to: matlab.mat
>> save('vars_test.mat','xp','xt')
>> % 使用正则表达式
>> save('mydata', '-regexp', '^x')
>> % 保存结构体数据
>> s1.a=12.7;s1.b={'peking univ', [4 5; 6 7]};    s1.c='good work';
>> save newstruct.mat -struct s1
>> dir
.               camara_axes.m   matlab.mat      mydata.mat      vars_test.mat
..              chap_9.rar      movecamera.m    newstruct.mat
>> % 查看文件
>> whos -file newstruct.mat
  Name        Size                    Bytes  Class

  a           1x1                         8  double array
  b           1x2                       174  cell array
  c           1x9                        18  char array

Grand total is 27 elements using 200 bytes
```

上面的示例中，将工作空间的变量保存在文件中。最后，通过 dir 函数可以查看保存在当前目录下的文件。同时，通过 whos 命令方式查看保存在文件中的数据。

从一个指定的文件中读取变量，可以使用 load 命令。常见的调见格式如表 11.2 所示。该命令实际上和 save 命令是相对应的。

表 11.2　　命令 load 的常见格式

命　令	说　明
Load	加载 matlab.mat 中的所有变量，如果文件不存在则返回错误
load filename	加载指定文件 filename 中的所有变量，加载时根据文件后缀确定文件的读入方式，即判断 MAT 和 ASCII 文件格式
load filename -regexp expr1 expr2…	加载符合正则表达式文件中的所有变量，变量符合正则表达式 expr1、expr2 等
load -mat filename	加载 MAT 格式的文件 filename，如果不是 MAT 格式的文件，则返回错误
S = load('arg1', 'arg2', 'arg3',…)	使用 MATLAB 的函数格式来调用文件，根据函数—命令二元性问题可以用以上任何形式调用文件

例 11.2　从当前文件夹中加载数据。

```
>> % 确定文件是否存在
>> whos -file mydata.mat
  Name        Size                    Bytes  Class
  x           1x201                   1608   double array
  xp          1x50                     400   double array
  xt          1x50                     400   double array
Grand total is 301 elements using 2408 bytes
>> load mydata
>> whos
  Name        Size                    Bytes  Class
  ans         1x6                       12   char array
  i           1x1                        8   double array
  s1          1x1                      572   struct array
  x           1x201                   1608   double array
  xp          1x50                     400   double array
  xt          1x50                     400   double array
  y           1x201                   1608   double array
Grand total is 539 elements using 4608 bytes
>> % 保存文件
>> a = magic(4);   b = ones(2, 4) * -5.7;   c = [8 6 4 2];
>> save
Saving to: matlab.mat
>> load
Loading from: matlab.mat
>> whos
  Name        Size                    Bytes  Class
  a           4x4                      128   double array
  b           2x4                       64   double array
  c           1x4                       32   double array
Grand total is 28 elements using 224 bytes
```

通过上面的示例演示了如何使用 load 函数来加载当前文件夹中 MAT 文件中的变量。

11.2　数据文件的导入和导出

上一节介绍了如何将工作空间的变量保存为文本文件和 MAT 格式的文件。实际上，在 MATLAB 7.x 中，还支持多种标准格式的文件及一些用户定义的文件格式。这些文件格式既包括图形文件、多媒体文件，也包括 Excel 文件格式等。在打开文件的方式上，可以按照只读方式打开，或按照只写方式打开。由于这些功能方面的支持，MATLAB 7.x 能够和许多其他应用程序之间进行数据交换。

当然，在保存文件时，可以通过图形菜单工作界面中 File 菜单下的 Save 选项将当前图形窗口中的文件保存为 FIG 格式的文件；也可以在图形工作界面中，选择图形窗口下的 Export 菜单命令将图形窗口的图形保存为其他格式的文件。此外，还可以通过 Save As 菜单项将上述文件进行保存。

除这些图形工作界面中的文件保存之外，还可以通过命令方式来保存文件。这些命令可以帮助用户在编写程序时有更大的读写自由度。下面将这些文件导入和导出函数进行小结，如表 11.3 所示。

表 11.3　　数据文件导入和导出函数

函　数	说　明
dlmread	从分隔文本文件中读入数据
dlmwrite	将数据写入分隔文本文件
textread	从文件中读入格式化文本
textscan	利用 fopen 函数将文件打开后，再读入格式化文本
wklread	从电子表格中读入数据
xlsread	将电子表格中的数据写入文本
aviread	从 AVI 文件中读入数据
imread	从图像文件中读入数据
imwrite	将数据写入图像文件
auread	从 SUN 声音文件中读入数据
auwrite	将数据写入 SUN 声音文件
wavread	从 Microsoft 声音文件 WAV 中读入数据
wavwrite	将数据写入 Microsoft 声音文件中
hdf	Matlab-HDF 网关函数
cdfepoch	创建用于导出通用数据格式（CDF）的对象
cdfinfo	获取一个 CDF 文件的信息
cdfread	从 CDF 文件中读入数据
cdfwrite	将数据写入到 CDF 文件中

表 11.3 中的 imread 和 imwrite 函数特别提供了多种图形或图像文件格式的支持，这些文件格式包括 JPEG、TIFF、BMP、PNG、HDF、PCX 以及 XWD 等。这些导入导出函数大大增加了 MATLAB 7.x 的数据交换和支持能力。如果读者对这些函数命令需要更详细的了解，可以通过 help 命令来查找相应的文件调用格式。

关于 MATLAB 7.x 中函数文件格式导入和导出的支持还可以通过 help fileformats 命令来查询。下面的示例将对此进行演示。

例 11.3　MATLAB 7.x 中支持的文件格式。

```
>> help fileformats
  Readable file formats.

   Data formats                                Command       Returns
    MAT    - MATLAB workspace                    load            Variables in file.
    CSV    - Comma separated numbers    csvread        Double array.
    DAT    - Formatted text                   importdata Double array.
    DLM    - Delimited text                   dlmread        Double array.
    TAB    - Tab separated text            dlmread        Double array.

   Spreadsheet formats
    XLS    - Excel worksheet                  xlsread        Double array and cell array.
```

```
  WK1   - Lotus 123 worksheet          wk1read      Double array and cell array.

Scientific data formats
  CDF    - Common Data Format                  cdfread      Cell array of CDF records
  FITS - Flexible Image Transport System   fitsread     Primary or extension table data
  HDF    - Hierarchical Data Format            hdfread      HDF or HDF-EOS data set

Movie formats
  AVI    - Movie                               aviread      MATLAB movie.

Image formats
  TIFF - TIFF image                      imread       Truecolor, grayscale or indexed image(s).
  PNG    - PNG image                      imread       Truecolor, grayscale or indexed image.
  HDF    - HDF image                      imread       Truecolor or indexed image(s).
  BMP    - BMP image                      imread       Truecolor or indexed image.
  JPEG - JPEG image                      imread       Truecolor or grayscale image.
  GIF    - GIF image                      imread       Indexed image.
  PCX    - PCX image                      imread       Indexed image.
  XWD    - XWD image                      imread       Indexed image.
  CUR    - Cursor image                   imread       Indexed image.
  ICO    - Icon image                     imread       Indexed image.
  RAS    - Sun raster image               imread       Truecolor or indexed.
  PBM    - PBM image                      imread       Grayscale image.
  PGM    - PGM image                      imread       Grayscale image.
  PPM    - PPM image                      imread       Truecolor image.

Audio formats
  AU     - NeXT/Sun sound                 auread       Sound data and sample rate.
  SND    - NeXT/Sun sound                 auread       Sound data and sample rate.
  WAV    - Microsoft Wave sound           wavread      Sound data and sample rate.

  See also imformats.


  Reference page in Help browser
     doc fileformats
```

在本章后面的章节中，将对 MATLAB 7.x 中所支持的一些文件格式的导入和导出进行介绍。其他文件格式的导入和导出与此大致相同。

11.3 底层文件读取 I/O

从上一节可以看到，MATLAB 7.x 支持多种格式的文件导入和导出。但 MATLAB 7.x 不可能为每种格式的文件都提供函数接口，因此，MATLAB 7.x 提供了一些底层的文件 I/O 命令，用于读取或写入二进制文件，或格式化的 ASCII 文件。从本质上来说，MATLAB 7.x 所支持的文件类型读取都属于这两种格式文件中的一种，因此，通过这些底层文件读取的函数，可以实现更高级的文件格式读取。

MATLAB 7.x 中的底层文件读取 I/O 函数和 C 语言的文件读取格式非常相近，因此，熟悉 C 语言的读者对此并不陌生。

下面对这些底层文件读取的函数进行小结，如表 11.4 所示。

表 11.4　　　　底层文件读取 I/O 函数

函数类别	函　数	说　明
打开或关闭文件	Fopen	打开文件 fid = fopen(filename，mode)
	fclose	关闭文件 status = fclose(fid)
二进制文件读写	fread	读入二进制文件 A = fread(fid，count，precision)
	fwrite	写为二进制文件 [count, errmsg] = fwrite(fid，A，precision)
格式化读写 I/O	fscanf	从文件中读格式化数据 [A,count] = fscanf(fid，format，size)
	fprintf	将格式化数据写入到文件中 count = fprintf(fid，format，A，…)
	fgetl	从文件中读取行，删除换行符号 [tline,count,msg] = fgetl(obj)
	fgets	从文件中读取行，保留换行符号 [tline,count,msg] = fgets(obj)
字符串转换	sprintf	将格式化数据写入字符串 [s, errmsg] = sprintf(format，A，…)
	sscanf	在格式控制下读取字符串 A = sscanf(s，format，size)
文件定位	ferror	查询文件读取 I/O 的状态信息 message = ferror(fid)
	feof	检测文件读取是否到文件末尾 eofstat = feof(fid)
	fseek	设置文件定位指针 status = fseek(fid，offset，origin)
	ftell	获取文件定位的位置 position = ftell(fid)
	frewind	将文件指针定位到文件开头 frewind(fid)

表 11.4 中的这些文件读取格式和 C 语言中的文件读取格式非常相似。这些读取函数中有一些参数的设置也与 C 语言中的比较相近。如表 11.5 中文件打开时的打开状态，和 C 语言中的很相近。

表 11.5　　　　文件打开的状态

状　态	说　明
'r'	为读取文件中的数据打开文件
'w'	为写文件打开或创建文件，丢弃文件中的原有内容
'a'	打开或创建文件，将内容追加在文件末尾
'r+'	打开文件用于读或写
'w+'	为读写打开或创建文件，如果文件中原有内容，那么将删除
'a+'	为读写打开或创建文件，将写入的内容追加在文件末尾
'A'	追加内容但不自动清空，用于磁带驱动器
'W'	写入内容但不自动清空，用于磁带驱动器

关于这行命令更为详细的使用说明和帮助，读者可以通过 help 命令来查询。下面通过简单的示例来说明这些底层命令。

例 11.4　文件读写示例。

```
>> % 读写文件
>> x = 0:.1:1;
>> y = [x; exp(x)];
>> fid = fopen('exp.txt', 'wt');
>> fprintf(fid, '%6.2f %12.8f\n', y);
>> fclose(fid)
ans =
     0
>> % 读入文件数据
>> fid = fopen('exp.txt', 'r');
>> a = fscanf(fid, '%g %g', [2 inf])
a =
          0    0.1000    0.2000    0.3000    0.4000    0.5000    0.6000    0.7000    0.8000
0.9000    1.0000
     1.0000    1.1052    1.2214    1.3499    1.4918    1.6487    1.8221    2.0138    2.2255
2.4596    2.7183
>> a = a';
>> fclose(fid)
ans =
     0
>> a
a =
          0    1.0000
     0.1000    1.1052
     0.2000    1.2214
     0.3000    1.3499
     0.4000    1.4918
     0.5000    1.6487
     0.6000    1.8221
     0.7000    2.0138
     0.8000    2.2255
     0.9000    2.4596
     1.0000    2.7183
```

在上面的示例中通过格式化方式输出文本文件，接着通过格式化读取函数读入文件内容。在读取和输出数据时，使用了底层的打开、关闭命令，以及格式化读写函数。在格式化字符串中的格式与 C 语言中的格式化字符串内容一样。关于此方面的详细内容，读者可以通过 help 命令查询 fprintf 和 fscanf。

11.4　文件名称处理

在 MATLAB 7.x 中，为实现不同格式的文件读取能力，需要能够处理文件路径或名称的函数。这些函数可以对文件路径进行各种处理，如分隔路径名称、组合路径名称、提取文件名称等。fileparts 函数能够实现对文件名称各部分的读取和分隔。该命令的格式如下：

```
[pathstr, name, ext, versn] = fileparts('filename')
```

该命令可以返回文件路径的各部分信息，如文件路径（pathstr）、文件名称（name）、文件扩展名（包括扩展名前的点号），文件版本号(versn)。在不同的系统中该命令返回的分隔符不同，在 MATLAB 7.x 中，可以用 filesep 函数来返回分隔符。在 Windows 操作系统中，返回“\”，在 UNIX 操作系统中，返回分隔符为“/”。

例 11.5 获取文件的路径信息。

```
>> %  查询当前目录下的文件
>> dir


.                camara_axes.m   exp.txt        movecamera.m    newstruct.mat
..               chap_9.rar      matlab.mat     mydata.mat      vars_test.mat

>> [pathstr, name, ext, versn] = fileparts('matlab.mat')
pathstr =
     ''
name =
matlab
ext =
.mat
versn =
     ''
```

通过上面的命令查询当前目录下的文件名，然后通过 fileparts 函数返回文件的各部分信息，返回的路径信息为相对于当前目录的相对路径。

此外，MATLAB 7.x 还提供创建文件的函数名称 fullfile。该函数能够通过所提供的字符串来提供不同的文件名。该函数的调用格式为：

```
fullfile('dir1', 'dir2',…'filename')
f = fullfile('dir1', 'dir2', …'filename')
```

下面通过示例对此做以说明。

例 11.6 创建完整的文件路径。

```
>> % 创建完整的文件路径
>> f1=fullfile(matlabroot, 'toolbox/matlab/general/Contents.m')
f1 =
D:\Program Files\MATLAB71\toolbox/matlab/general/Contents.m
>> f2=fullfile(matlabroot, 'toolbox', 'matlab', 'general', 'Contents.m')
f2 =
D:\Program Files\MATLAB71\toolbox\matlab\general\Contents.m
>> % 得到文件的各部分信息
>> [pathstr, name, ext, versn] = fileparts(f1)
pathstr =
D:\Program Files\MATLAB71\toolbox/matlab/general
name =
Contents
ext =
.m
versn =
     ''
```

通过上面的示例可以看出，通过 fullfile 函数能够创建完整的文件路径，然后通过 fileparts 命令得到该文件的各部分信息。可以看出，通过两种方式，即用完整的路径字符串或通过每个文件夹最后创建的文件信息都是相同的。

此外，在 MATLAB 7.x 中，还提供了 tempdir、tempname，用于查询临时路径的信息。

例 11.7　临时路径和临时文件名的查询。

```
>> % 返回临时路径和临时文件名称
>> tempdir
ans =
C:\DOCUME~1\Lab\LOCALS~1\Temp\
>> tempname
ans =
C:\DOCUME~1\Lab\LOCALS~1\Temp\tp102846
```

11.5　处理二进制文件

通过前面章节的介绍可以看出，在 MATLAB 7.x 中处理二进制文件是比较简单的，很容易实现文件的读取和导出。结合前面介绍的底层读取文件 I/O 函数，能够很方便地实现对二进制文件的读取和导出。

11.5.1　读取 M 文件

在 MATLAB 7.x 中，比较常见的二进制文件包括如.m、dat 文件，这些文件可以通过底层的文件读取命令 fread 进行读取。

例 11.8　读取 M 文件。

首先打开 peaks.m 文件，代码如下：

```
function   [xz,y,z] = peaks(arg1,arg2)
%PEAKS   A sample function of two variables.
%     PEAKS is a function of two variables, obtained by translating and
%     scaling Gaussian distributions, which is useful for demonstrating
%     MESH, SURF, PCOLOR, CONTOUR, etc.
%     There are several variants of the calling sequence:
%
%           Z = PEAKS;
%           Z = PEAKS(N);
%           Z = PEAKS(V);
%           Z = PEAKS(X,Y);
%
%           PEAKS;
%           PEAKS(N);
%           PEAKS(V);
%           PEAKS(X,Y);
%
%           [X,Y,Z] = PEAKS;
%           [X,Y,Z] = PEAKS(N);
```

```
%          [X,Y,Z] = PEAKS(V);
%
%    The first variant produces a 49-by-49 matrix.
%    The second variant produces an N-by-N matrix.
%    The third variant produces an N-by-N matrix where N = length(V).
%    The fourth variant evaluates the function at the given X and Y,
%    which must be the same size.   The resulting Z is also that size.
%
%    The next four variants, with no output arguments, do a SURF
%    plot of the result.
%
%    The last three variants also produce two matrices, X and Y, for
%    use in commands such as PCOLOR(X,Y,Z) or SURF(X,Y,Z,DEL2(Z)).
%
%    If not given as input, the underlying matrices X and Y are
%          [X,Y] = MESHGRID(V,V)
%    where V is a given vector, or V is a vector of length N with
%    elements equally spaced from -3 to 3.   If no input argument is
%    given, the default N is 49.

%    CBM, 2-1-92, 8-11-92, 4-30-94.
%    Copyright 1984-2003 The MathWorks, Inc.
%    $Revision: 5.10.4.2 $   $Date: 2004/04/10 23:25:03 $

if nargin == 0
    dx = 1/8;
    [x,y] = meshgrid(-3:dx:3);
elseif nargin == 1
    if length(arg1) == 1
        [x,y] = meshgrid(-3:6/(arg1-1):3);
    else
        [x,y] = meshgrid(arg1,arg1);
    end
else
    x = arg1; y = arg2;
end

z =  3*(1-x).^2.*exp(-(x.^2) - (y+1).^2) ...
   - 10*(x/5 - x.^3 - y.^5).*exp(-x.^2-y.^2) ...
   - 1/3*exp(-(x+1).^2 - y.^2);

if nargout > 1
    xz = x;
elseif nargout == 1
    xz = z;
else
    % Self demonstration
    disp(' ')
    disp('z =  3*(1-x).^2.*exp(-(x.^2) - (y+1).^2) ... ')
```

```
        disp('     - 10*(x/5 - x.^3 - y.^5).*exp(-x.^2-y.^2) ... ')
        disp('     - 1/3*exp(-(x+1).^2 - y.^2) ')
        disp(' ')
        surf(x,y,z)
        axis([min(min(x)) max(max(x)) min(min(y)) max(max(y)) ...
                min(min(z)) max(max(z))])
        xlabel('x'), ylabel('y'), title('Peaks')
end
接着通过读取文件将该文件读入
>> [fid,message] = fopen('peaks.m', 'r+')
fid =
     4
message =
     ''
>> data=fread(fid);
>> whos data
  Name        Size                    Bytes  Class
  data     2377x1                     19016  double array
Grand total is 2377 elements using 19016 bytes
```

11.5.2 读取文本文件

文本格式的 TXT 文件同样也是一种二进制文件。此处通过文件读取命令 fread 来读取。该命令的基本调用格式如表 11.6 所示。

表 11.6 fread 函数的常用格式

格 式	说 明
A=fread(fid)	通过文件指针读入二进制格式文件，读入的数据存放在数组 A 中，读入数据的过程中，文件指针从头到尾，可用 feof 检测
A=fread(fid, count)	读入 count 个数组元素，fread 读入后，文件指针定位于读入字节的下一字节处，后续读入的字节从此开始
A=fread(fid, count, precision)	根据字符串中指定的精度读入数据，通常包括类型标示如 int、float 带位精度的表示
A=fread(fid, count, precision, skip)	在该格式中，包括一个可选项，跳过若干字符的选项，在读入时，将会跳过指定的字节位 skip，如指定的精度为 bitN 或 ubitN，那么将会跳过指定字节位的位置

下面对 fread 中的一些选项进行介绍。读入字节数 count 通常有以下几种方式，此处做以小结，如表 11.7 所示。

表 11.7 选项 count 的可选项

选 项	说 明
n	从向量中读入 n 个元素
inf	读入整个文件中的内容，读入的数据得到一个向量，长度与文件中数据的长度相同，如果出现 out of memory 错误，那么指定数值 count 数据
[m, n]	读入足够的数据填充 m×n 的矩阵，数组元素按照列方式填充，如果读入的数据不足以填充，那么填入 0

在读入 fread 函数格式中的 precision 可以选择多种方式来描述，包括 C 和 FORTRAN 中的数据格式都可以使用。下面做以简单的小结，如表 11.8 所示。如果在指定精度时，没有指定任何精度，那么 MATLAB 7.x 将指定默认的精度 uchar。

表 11.8 格式 precision 的常用表示

MATLAB 格式	C 或 FORTRAN 格式	说　明
'schar'	'signed char'	带符号 8 位字符
'uchar'	'unsigned char'	无符号 8 位字符
'int8'	'integer*1'	8 位整数
'int16'	'integer*2'	16 位整数
'int32'	'integer*4'	32 位整数
'int64'	'integer*8'	64 位整数
'uint8'	'integer*1'	无符号 8 位整数
'uint16'	'integer*2'	无符号 16 位整数
'uint32'	'integer*4'	无符号 32 位整数
'uint64'	'integer*8'	无符号 64 位整数
'float32'	'real*4'	32 位浮点数
'float64'	'real*8'	64 位浮点数
'double'	'real*8'	64 位浮点数

此外，下面的精度方式将映射为位流，而非字节流，如表 11.9 所示。

表 11.9 字位方式读入数据

MATLAB 格式	C 或 FORTRAN 格式	说　明
'bitN'	—	N 位有符号整数，1≤N≤64
'ubitN'	—	N 位无符号整数，1≤N≤64

在通过 fread 函数读入二进制文件数据时，还可以在读入精度格式中直接进行数据类型转换。如果转换的目标类型和原始类型相同，那么可以使用如下方式：

```
*source
```

此转换格式表示：source=> source。

如果转换的数据类型不同，则需要注意转换方式。如：uint8=>char。

例 11.9 读入文本文件中的数据（文件为 alphabet.txt，内容为 26 个小写字母）。

```
>> % 读取文本文件中的数值
>> % 默认方式读入文本文件
>> fid = fopen('alphabet.txt', 'r')
fid =
     5
>> c = fread(fid, 5)'
c =
    97     98     99     100     101
>> fclose(fid)
ans =
     0
>> % 用无符号 8 位整数方式转化为字母
>> fid = fopen('alphabet.txt', 'r')
fid =
     5
>> c = fread(fid, 5, 'uint8=>char')'
```

```
c =
abcde
>> fclose(fid)
ans =
      0
>> % 或直接使用字母方式读入*char
>> fid = fopen('alphabet.txt', 'r')
fid =
      5
>> c = fread(fid, '*char')'
c =
abcdefghijklmnopqrstuvwxyz
>> fclose(fid)
ans =
      0
>> %   读入文件指针演示
>> fid = fopen('alphabet.txt', 'r');
>> c1 = fread(fid, 5, '*char')'
c1 =
abcde
>> c2 = fread(fid, 8, '*char')'
c2 =
fghijklm
>> c3 = fread(fid, 5, '*char')'
c3 =
nopqr
>> fclose(fid)
ans =
      0
>> % 跳过若干字符读入
>> fid = fopen('alphabet.txt', 'r');
>> c3 = fread(fid, 'char',3)'
c3 =
    97    101    105    109    113    117    121
>> fclose(fid);
>> sprintf('%c',c3)
ans =
aeimquy
```

在上面的例子中，比较综合地显示了如何通过 fread 方式读入文本文件中的数据。默认情况下，读入文件中字母的 ASCII 码，如果采用 ASCII 码到字符的转换，则可以直接读入字符。此外，fread 在读入文本文件的内容时，会产生一个文件指针，该指针在读入字符时，停留在字符后，因此，通过不同的读入时，读入的内容会发生变化。此外，通过 fread 还可以跳过字符读入文件。

11.5.3　写入文本文件

写入文本文件可以使用 fwrite 函数。该函数可以按照指定的二进制格式将数据写入文件中，fwrite 函数的常见格式如表 11.10 所示。

表 11.10　　　　fwrite 函数的常见格式

格　式	说　明
[count, errmsg] = fwrite(fid ,A, precision)	将矩阵 A 中的数据写入到指定的文件中，将 MATLAB 的数值按指定的精度进行转换，按列顺序写入文件，count 返回成功写入的元素个数，errmsg 为可选参数，返回错误信息
[count, errmsg] = fwrite(fid ,A, precision, skip)	和上个命令相同，但 skip 参数表示需要跳过的字节数，如果数据精度按照'bitN'或'ubitN'方式表示，那么 skip 按照字节位方式计算

fwrite 函数中的其他参数的意义和 fread 中的意义相同。

例 11.10　函数 fwrite 使用示例。

```
>> % 将数据写入文本文件
>> fid=fopen('bins.txt','wb')
fid =
     5
>> fwrite(fid,magic(5),'int32')
ans =
    25
>> fclose(fid)
ans =
     0
>> fid=fopen('bins.txt','r');
>> data=fread(fid,[5,5],'int32')
data =
    17    24     1     8    15
    23     5     7    14    16
     4     6    13    20    22
    10    12    19    21     3
    11    18    25     2     9
>> fclose(fid)
ans =
     0
```

在上面的示例中，通过 fwrite 语句按照 int32 方式将矩阵 magic(5)中的数据写入到文本文件中。接着通过 fread 语句读入该文件。

11.6　处理文本文件

在 MATLAB 7.x 中，用户可以使用多种函数或命令来完成对文本文件的读取。读取的文本文件格式比较多，本小节将介绍其中的一些读取命令，更详细的内容读者可以通过 help 命令来查询帮助文件。

11.6.1　使用 csvread 读取文本文件

csvread 函数读取的文本文件主要是以逗号为分隔符的文本文件。该命令使用比较简单，常见的调用格式如表 11.11 所示。

表 11.11　　csvread 函数的常见格式

格　式	说　明
M=csvread('filename')	读入文件 filename 中的数据，数据存入到 M 中，该文件中应当只包含通过逗号分隔的数据
M=csvread('filename', row, col)	从文件中读入以 row 和 column 开始的数据，默认情况下，row 和 column 均从 0 开始
M=csvread('filename', row, col, range)	读入指定范围内的数据。指定范围使用[R1 C1 R2 C2]方式，其中（R1,C1）为需要读入数据的左上角位置，而(R2,C2)为需要读入数据的右下角位置，当然也可以按照表单方式来指定读入的数据范围，如 range = 'A1..B7'

如果文件末尾以非空白字符结束，如以分号结束，那么将会导入新的一行数据。此外，通过该命令还可以导入复数数据，如：<real>±<imag>i|j 可以导入形式如 3.0+5.0j 的复数，而±<imag>i|j 导入形式如 7.0j 的复数。

例 11.11　使用 csvread 函数导入文本文件数据。

使用以逗号分隔的数据文件 csvlist.dat，文件内容如下：

```
    02, 04, 06, 08, 10, 12
    03, 06, 09, 12, 15, 18
    05, 10, 15, 20, 25, 30
    07, 14, 21, 28, 35, 42
    11, 22, 33, 44, 55, 66
>> % 使用 csvread 函数读入数据
>> M=csvread('csvlist.dat')
M =
     2     4     6     8    10    12
     3     6     9    12    15    18
     5    10    15    20    25    30
     7    14    21    28    35    42
    11    22    33    44    55    66
>> % 读入第二行第一列开始的数据
>> M1= csvread('csvlist.dat', 2, 0)
M1 =
     5    10    15    20    25    30
     7    14    21    28    35    42
    11    22    33    44    55    66
>> % 指定数据范围，将读入数据中范围(2,0)(4,3)存入 M2
>> M2=csvread('csvlist.dat', 2, 0, [2,0,4,3])
M2 =
     5    10    15    20
     7    14    21    28
    11    22    33    44
```

11.6.2　使用 dlmread 读入数据

使用 dlmread 函数读入文本数据时，用户可以自行指定数据之间的分隔符。此命令和 csvread 函数的读取方式大致相同，不同的地方在于此函数可以自行指定数据之间的分隔符。该函数常见的格式如表 11.12 所示。

表 11.12　　dlmread 函数的常见格式

格　式	说　明
M=dlmread('filename')	读入以 ASCII 分隔符分隔的数据文件，结果存入 M 矩阵，默认的分隔符为逗号
M=dlmread('filename', delimiter)	同上，可以使用\t 作为 tab 分隔符，如果从格式文件中自动推断出分隔符，那么连续空白将会认为是一个单独的分隔符，相反，如果指定分隔符，那么将会作为一个分隔符
M=dlmread('filename', delimiter, R, C)	指定读入数据范围
M=dlmread('filename', delimiter, range)	将读入数据中[R1 C1 R2 C2]范围的数值存入到矩阵 M 中

此外，用该命令导入数据，还可以使用 Import Wizard 来导入数据。

例 11.12　用 dlmread 读入数据示例（仍然使用 csvlist.dat 文本数据）。

```
>> M=dlmread('csvlist.dat', ',', 3, 2)
M =
     21    28    35    42
     33    44    55    66
>> M1=dlmread('csvlist.dat', 3, 2)
??? Error using ==> sprintf
Invalid format.

Error in ==> dlmread at 71
     delimiter = sprintf(delimiter); % Interpret \t (if necessary)
```

可以看出，如果不指定分隔符，那么将按照第一个碰到的分隔符来指定，同时后面的数据都按此方式来分隔读入。此处的文件中数据以逗号分隔，因此，读入出错。

当然，也可以使用 MATLAB 7.x 的导入数据向导来读入数据。该向导可以通过选择 File/Import Data 菜单项打开。导入数据格式如图 11.1 所示。

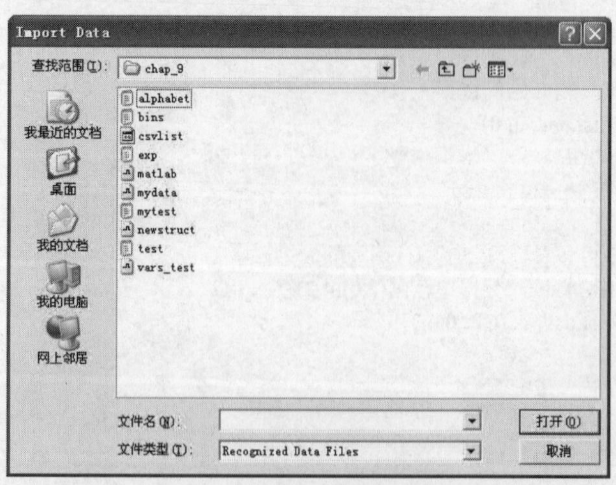

图 11.1　Import Data 对话框

从文件列表中选择需要打开的文件，此处选择 csvlist.dat 文件，系统弹出如图 11.2 所示的输入对话框。在该对话框中可以选择分隔符，如逗号、空格、分号、Tab 键以及其他指定的分隔符号。同时在对话框中形成数据预览表格，可以比较清楚地看到输入数据。

选定分隔符号后，单击 Next 按钮，则可以进入下一步向导，如图 11.3 所示。在该对话框中，可以选择将所导入的数据保存为工作空间的数据变量。默认情况下，创建的数组变量的名称为导入的文件名。如果用户需要将导入的数据改变为其他变量名称，则可以在变量名上单击后，输入需要更改的名称，单击完成按钮即可。此处将名称改变为 M4。

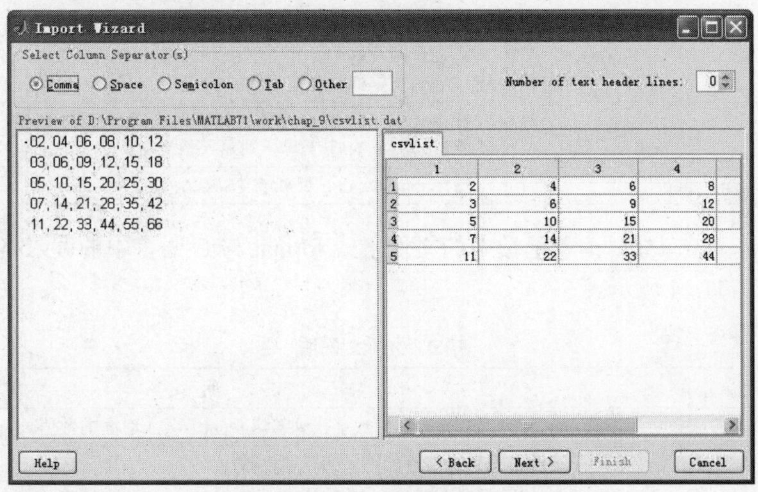

图 11.2　导入数据向导

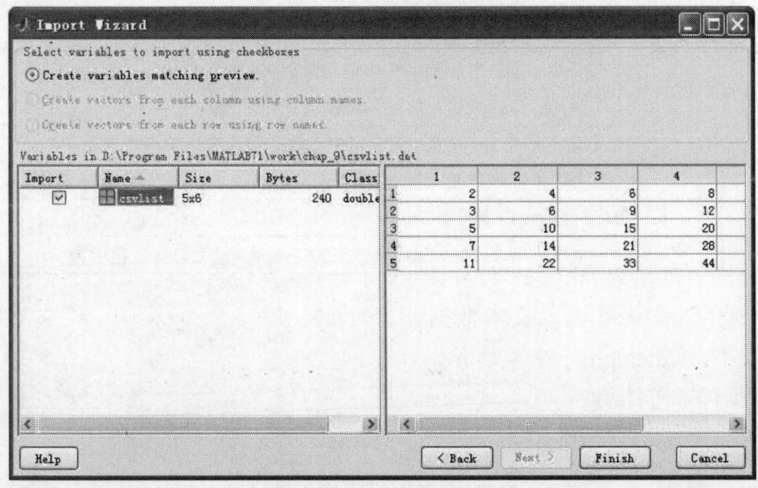

图 11.3　创建数据变量

在命令空间中输入 M4 后，直接单击 M4 可以在数组查看器中看到数据。

```
>> M4
M4 =
     2     4     6     8    10    12
     3     6     9    12    15    18
     5    10    15    20    25    30
     7    14    21    28    35    42
    11    22    33    44    55    66
```

11.6.3　使用 textread 读入文件

textread 函数可以从文本文件中读入数据，将数据写入多个输出中。textread 函数的常见格式如表 11.13 所示。对于比较大型或更一般的形式，可以使用 textscan 来读入文件。

表 11.13　　textread 函数的常见格式

格　　式	说　　明
[A,B,C,…]= textread('filename ','fo rmat')	使用指定格式，从文件 filename 中读入数据，并存放到变量 A、B、C 等，直到输入整个文件，textread 对已知格式的文本文件的读入很有用，可以处理指定格式和自由格式的文件
[A,B,C,…]= textread('filena me','for mat',N)	此格式中，textread 函数以指定格式读入字符串 N 次，N 为大于 0 的正整数，如果 N 小于零，则输入整个文件
[...]= textread(…'param','val ue',…)	使用 param/value 对来定义 text 函数

在上面的读入文件中，读入函数中的文件格式 format 与 C 语言中的读入格式相同，此处稍作小结，如表 11.14 所示。

表 11.14　　格式 format 说明

格　　式	说　　明
普通文本	忽略匹配字符，如 Dept 后接数字，则忽略 Dept，读入后面的数值
%d	读入符号化的整数值，输出结果为双精度数组
%u	读入整数数值到双精度数组
%f	读入浮点数值到双精度数组
%s	读入空格或其他字符分隔的字符串到单元数组中
%q	读入双引号字符串，到字符串单元数组中
%c	读入字符，包括空格，将读入数据保存在字符数组中
%[…]	读入长字符串，字符包含在[…]中，数据保存在字符串单元数组
%[^…]	与上面的格式形成互补
%*…	忽略*号指定的字符串
%w…	读入宽度为 w 的数据，%f 格式支持%w.pf，宽度为 w，精度为 wf

例 11.13　使用 textread 读入文本数据。

编写文本文件 mydata.txt，内容如下：

```
Sally      Level1 12.34 45 Yes
>> % 用 textread 读入所有数据
>> % 自由格式
>> [names, types, x, y, answer]=textread('mydata.dat','%s %s %f %d %s',1)
names =
    'Sally'
types =
    'Level1'
x =
   12.3400
y =
    45
answer =
    'Yes'
>> % 指定格式
>> [names, types, y, answer]=textread('mydata.dat','%9c %6s %*f %2d %3s',1)
names =
```

```
Sally
types =
    'Level1'
y =
    45
answer =
    'Yes'
```

在上面的示例中，通过指定宽度的格式和一般自由格式对读入数据进行了说明。一般的情况下，读入比较大型的数据时，可以使用 textscan 来读入文件中的数据。

11.6.4　使用 textscan 读入数据

textscan 函数读入数据时，可以从文本文件中读入，并进行数据转换，写入到单元数组中。函数 textscan 的常见格式如表 11.15 所示。使用 textscan 函数读取文本数据时，首先需要用 fopen 打开文件，得到文件指针 fid；读取结束后，用 fclose 函数来关闭文件。

表 11.15　　textscan 函数的常见格式

格　式	说　明
C=textscan(fid, 'format')	从 fid 文件中读入数据，命令将根据格式字符串中指定的转换格式进行转换，作为单元数组的域；数据格式的数目决定了单元数组单元的数目
C=textscan(fid, 'format', N)	从文件中按照格式读入数据 N 次，N 必须是正整数
C=textscan(fid, 'format', param,value, …)	从非默认的参数对设置中读入数据
C=textscan(str, …)	从字符串中读入数据，读入方式与上面的方式相同
[C, position] = textscan(…)	返回文件或字符串中指针的位置，和 ftell(fid)的输出结果相同

在 textscan 函数的数据格式中能够支持的数据格式除上面的 format 形式外，还支持其他一些数据格式。这些数据格式如表 11.16 所示。

表 11.16　　textscan 函数支持的数据格式

格　式	说　明
%n	读入数据并转换为双精度数据
%d	读入数据并转换为 int32 类型
%d8	读入数据并转换为 int8 类型
%d16	读入数据并转换为 int16 类型
%d32	读入数据并转换为 int32 类型
%d64	读入数据并转换为 int64 类型
%u	读入数据并转换为无符号 uint32 类型
%u8	读入数据并转换为无符号 uint8 类型
%u16	读入数据并转换为无符号 uint16 类型
%u32	读入数据并转换为无符号 uint32 类型
%u64	读入数据并转换为无符号 uint64 类型
%f	读入数据并转换为双精度类型
%f32	读入数据并转换为单精度类型
%f64	读入数据并转换为双精度类型
%s	读入字符串
%q	读入双引号字符串

续表

格　式	说　明
%c	读入一个字符，包括空白字符
%[…]	读入包括在[…]中字符的字符串，遇到空格后停止
%[^…]	读入不包括在[^…]中的字符，遇到第一个匹配字符串或空格停止

其他的注释和说明，读者可以通过 help 命令来查询。

例 11.14　使用 textscan 读入数据。

编写文本文件 textscan1.dat。文件内容如下：

```
Sally    Level1 12.34 45 1.23e10 inf NaN Yes
Joe      Level2 23.54 60 9e19 -inf 0.001 No
Bill     Level3 34.90 12 2e5 10 100 No
>> % 通过 textscan 读入数据
>> % 通过 textscan 读入数据，数据保存在单元数组中
>> fid = fopen('textscan1.dat');
>> C = textscan(fid, '%s %s %f32 %d8 %u %f %f %s');
>> fclose(fid);
>> whos C
  Name        Size                    Bytes  Class

  C           1x8                      1169  cell array

Grand total is 69 elements using 1169 bytes
>> for i=1:8
       disp(C{i}')
   end
    'Sally'    'Joe'    'Bill'
    'Level1'    'Level2'    'Level3'
   12.3400    23.5400    34.9000
   45    60    12
  4294967295   4294967295         200000
   Inf   -Inf     10
       NaN     0.0010   100.0000
    'Yes'     'No'     'No'
```

上面的示例中显示了如何使用 textscan 读入文本数据。对于比较大型的数组，用 textscan 也可以实现输入。

11.6.5　使用 csvwrite 输出文本数据

使用 csvwrite 函数可以写出以逗号为分隔符号的文本文件。该函数的使用比较简单，常见的格式如表 11.17 所示。

表 11.17　　csvwrite 函数的常见格式

格　式	说　明
csvwrite('filename', M)	将数组 M 写入到 filename 文件中，数据以逗号分隔
csvwrite('filename', M, row, col)	将数组 M 写入到文件 filename 中，需要指定行和列的偏移位置，默认情况下从 0 行和 0 列开始

例 11.15　使用 csvwrite 输出文本数据。

```
>> % 使用 csvwrite 输出文本数据
>> M=magic(5);
>> csvwrite('csmag.dat',M)
>> type csmag.dat

17,24,1,8,15
23,5,7,14,16
4,6,13,20,22
10,12,19,21,3
11,18,25,2,9

>> csvwrite('csmag_0.dat',M,2,2)
>> type csmag_0.dat

,,,,,,
,,,,,,
,,17,24,1,8,15
,,23,5,7,14,16
,,4,6,13,20,22
,,10,12,19,21,3
,,11,18,25,2,9
```

11.6.6　使用 dlmwrite 输出数据

使用 dimwreite 函数可以输出以文本字符分隔的文本数据。和 csvwrite 相比较，此函数提供了更为灵活的分隔符。常见的 dlmwrite 格式如表 11.18 所示。

表 11.18　　dlmwrite 函数的常见格式

格　式	说　明
dlmwrite('filename', M)	将矩阵写入到文本文件中，默认的分隔符为逗号
dlmwrite('filename', M, 'D', R, C)	将矩阵 M 写入到文本文件，用 D 符号分隔矩阵元素，矩阵元素从 R 行和 C 列开始，默认情况下，R=0，C=0
dlmwrite('filename', M, attribute1, value1, attribute2, value2, …)	上面格式的替代形式，可以指定属性/值对
dlmwrite('filename', M, '-append')	将数据追加到文件之后，如果没有设定此参数，那么将会覆盖原有文件内容

上面几种格式中的常见属性/值对如表 11.19 所示。

表 11.19　　常用的属性/值对

属　性	说　明
delimiter	用于分隔元素的字符串
newline	每行终止的终止字符
roffset	行偏移量
coffset	列偏移量
precision	数据的精度格式，与前面的介绍相同

例 11.16　使用 dlmwrite 函数输出数据。

```
>> % 使用 dlmwrite 函数来输出文本数据
>> M=randn(5);
>> dlmwrite('myfile.txt',M, 'delimiter', '\t', 'precision', 6)
>> type myfile.txt

-0.432565  1.19092   -0.186709  0.113931   0.294411
-1.66558   1.18916   0.725791   1.06677    -1.33618
0.125332   -0.0376333-0.588317  0.0592815  0.714325
0.287676   0.327292  2.18319    -0.0956484 1.62356
-1.14647   0.174639  -0.136396  -0.832349  -0.691776
>> A=magic(5);
>> dlmwrite('myfile.txt',A, '-append','roffset', 1, 'delimiter', ' ')
>> type myfile.txt

-0.432565  1.19092   -0.186709  0.113931   0.294411
-1.66558   1.18916   0.725791   1.06677    -1.33618
0.125332   -0.0376333-0.588317  0.0592815  0.714325
0.287676   0.327292  2.18319    -0.0956484 1.62356
-1.14647   0.174639  -0.136396  -0.832349  -0.691776

17 24 1 8 15
23 5 7 14 16
4 6 13 20 22
10 12 19 21 3
11 18 25 2 9
```

上面的示例中，比较综合地显示了如何使用属性/值对来完成文本数据的导出。

11.7　图像文件读入和输出

图像文件的读入和输出是 MATLAB 7.x 中进行文件读入和输出比较重要的一个部分。在使用 MATLAB 7.x 进行图像处理中，常常发挥比较重要的作用。此外，MATLAB 7.x 还提供了专门的图像处理工具箱进行图像处理和编辑操作。这里只对图像文件的读入和输出作比较简单的介绍，关于图像处理更为复杂的内容，读者可以翻阅 MATLAB 7.x 相关的图像处理书籍，或通过帮助文件来查阅。

11.7.1　图像文件读入

图像文件读入可以通过 imread 函数来进行。该函数支持多种格式的图像文件，常见的读入格式如表 11.20 所示。

表 11.20　图像读入 imread 函数常见格式

格　式	说　明
A = imread(filename,fmt)	从 filename 中读入图像文件，如果图像文件不在当前目录，则需要指出路径，FMT 为图像文件格式
[X,map] = imread(filename,fmt)	将位图文件读入到 X 中，相关的颜色数据读入到 map，颜色数据在[0, 1]之间变化

续表

格　式	说　明
[···] = imread(filename)	从图像文件的内容来推断图像文件的格式
[···] = imread(URL,···)	从网络导入图像，URL 为网络地址
[···] = imread(···,idx)	从多图像图标或光标文件中读入一个图像数据，idx 为文件中用于指定图像出现顺序的整数，此格式只能用于 CUR、GIF、ICO 和 TIFF 文件

图像读入函数 imread 支持的图像文件格式包括 BMP、CUR、GIF、HDF、ICO、JPG、PBM、PCX、PGM、PNG、PNM、PPM、RAS、TIF、XWD。此外，为更深入地进行不同图像的处理，MATLAB 7.x 还提供了专门的图像处理函数。这些函数大大提高了图像处理的能力和精度。

例 11.17　读入图像文件。

```
>> % 通过 imread 读入图像文件
>> pic1=imread('iceberg','jpg');
>> whos
  Name        Size                Bytes  Class    Attributes

  pic1        283x431x3           365919  uint8

>> imshow(pic1)
```

上面的示例中，显示了如何使用 imread 函数读入图像文件。同时，通过 whos 函数查询该图像的信息。最后，通过 imshow 函数显示读入的图像，结果如图 11.4 所示。通过 imread 读入图像文件后，图像数据通过三维数组的形式进行保存。所保存的数据类型取决于所读取的图像的内容。

图 11.4　显示读入的图像文件

当读入图像文件后，可以对该图像进行编辑和修改。下面将对此进行简单注释和部分图像的显示操作。

```
>> % 添加文本注释
>> >> text(50,50,'a picture for iceberg showing up','color','w','fontweight','bold');
```

添加文字注释后的图像如图 11.5 所示。

图 11.5　在图像上添加文字注释

11.7.2　图像文件输出

图像输出同样可以通过使用函数或命令来实现。在 MATLAB 7.x 中，图像输出的命令可以使用 imwrite。该函数可以输出各种文件格式，支持的图像文件格式包括 BMP、CUR、GIF、HDF、ICO、JPG、PBM、PCX、PGM、PNG、PNM、PPM、RAS、TIF、XWD 等。常见的使用格式如表 11.21 所示。

表 11.21　图像输出命令 imwrite 的常见格式

格　式	说　明
imwrite(A,filename,fmt)	将图像 A 以指定的图像格式 FMT 写入到 filename 中，A 可以是 M×N 的黑白图像，也可以是 M×N×3 的彩色图像，如果是 TIFF 图像，还可以为 M×N×4 格式
imwrite(X,map,filename,fmt)	将 X 中的位图和相关的色彩映像以指定格式 FMT 写入到文件中
imwrite(…,filename)	将图像写入到文件中，文件格式根据扩展名来推断
imwrite(…,Param1,Val1,Param2,Val2, …)	按照指定的控制属性来导出图像文件

关于图像输出中的更多选项涉及比较专业的图像处理方面的内容，读者可以翻阅相关的专业知识，对此做以更为深入的了解。

例 11.18　将图像输出到文件中。

首先通过 M 文件产生一个绘图图像进行保存，文件名为 imwrite_0.jpg。该 M 文件的内容如下：

```
% pic_example.m
x=0:pi/12:2*pi;
plot(sin(x),cos(x),'color','blue','linewidth',5,'marker','d');
axis square;
PS.Color=[0.7 0.7 0];
PS.LineWidth=2;
line(sin(7*x),cos(7*x),PS);
>> % 读入图像数据文件
```

```
>> [X,map]=imread('imwrite_0','jpg');
>> imshow(X,map)
>> % 将文件导出
>> imwrite(X,'im_res.jpg','jpg')
```

通过图像处理文件打开后，图像如图 11.6 所示。

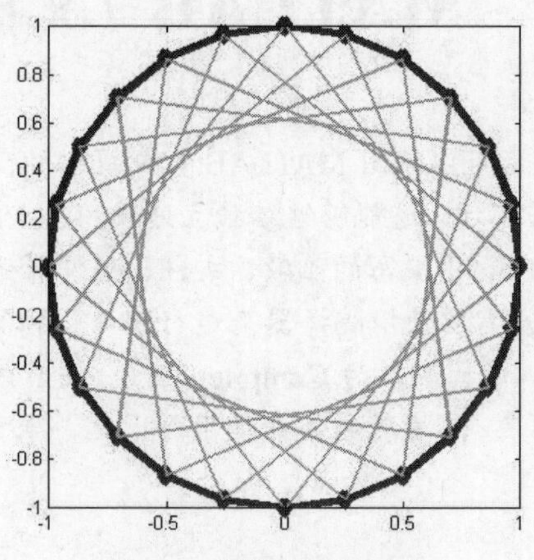

图 11.6　图像处理后的文件

11.8 本 章 小 结

在 MATLAB 7.x 中，文件读取和输出是一个很重要的内容。MATLAB 7.x 提供了多种函数和命令来实现文件的读取和输出，包括二进制文件、文本文件以及图像文件等多种格式。这些格式的文件读取和输出大大支持了 MATLAB 7.x 和其他部分进行交互的能力。本章对这些内容进行了介绍，包括工作空间的数据读入和导出，构成其他文件读取基础的底层文件 I/O 等。在此基础上，对二进制文件的读取和导出，文本文件的读取和导出，以及图像文件的读取和导出进行比较详细的介绍。

第 12 章　MATLAB 7.x 的编译器

在 MATLAB 7.x 中，读者可以使用 MATLAB 自身提供的函数或组件进行运算或工作。但如果脱离 MATLAB 的工作环境，还能够继续独立地使用 MATLAB 中编写的文件，那么就需要用户将这些在 MATLAB 7.x 中编写的函数、文件、组件等进行编译，能够通过多种方式供其他用户使用。这时，用户需要使用编译器来进行编译得到编译后的结果。

MATLAB 7.x 中提供的编译器版本为 Compiler V4.0。使用该编译器可以完成这些编译过程，从而得到脱离 MATLAB 7.x 环境的组件来使用。因此，本章主要介绍以下一些内容：

- 编译器概述
- 编译器安装
- 配置编译器
- 编译命令介绍
- 编译过程
- 创建应用程序

12.1　编译器概述

在 MATLAB 7.x 中使用的 Compiler V4.0 能够使用户将自己编写的 MATLAB 转换为自己包含的应用程序或软件组件。经过编译器编译得到的这些应用程序或软件组件，可以供给终端用户共享使用，而不需要运行 MATLAB 7.x 的工作环境。

MATLAB 7.x 的编译器 Compiler V4.0 将 MATLAB 7.x 的应用程序（M 文件、MEX 文件，或其他的 MATLAB 7.x 可执行代码）作为输入，编译生成可重新发布的独立应用程序或软件组件。这些应用程序或软件组件是和平台相关的。

通过 MATLAB 7.x 的编译器 Compiler V4.0，可以编译得到以下类型的一些应用程序或软件组件。

（1）独立的应用程序：独立应用程序在运行时不需要运行 MATLAB 7.x 环境，即使最终用户的操作系统中没有安装 MATLAB 7.x 都可以运行。

（2）C 和 C+ +共享库（即 Windows 操作系统中使用的动态链接库，或 DLL）：同样可以在没有安装 MATLAB 7.x 的最终用户的操作系统中运行和使用。

（3）Excel 的附件：需要安装 MATLAB 7.x Builder for Excel 组件。

（4）COM 对象：需要安装 MATLAB Builder for COM 组件。

MATLAB 7.x 编译器支持 MATLAB 7.x 的各种功能，包括对象。此外，对于私有函数和方法函数也没有过多的限制。这些功能的编译处理都是通过 MATLAB 7.x 的编译器 Compiler

V4.0 来进行编译处理的。

但需要注意的是，有些工具箱或工具箱的某些功能并不能通过 MATLAB 7.x 的编译器 Compiler V4.0 进行编译。关于这方面的限制，读者可以阅读工具箱相关的兼容性信息。这些在 MATLAB 7.x 的编译器页面上可以找到。

实际上，在 MATLAB 7.x 版本不断升高的过程中，编译器 Compiler 的功能不断地进行更新和完善。对于这方面功能和性能的完善，用户可以阅读编译器的更新说明。如果已经安装完毕，则可以从 MATLAB 7.x 的帮助文件中查找到 Compiler，进而查看 Release notes。

12.2　编译器的安装和配置

读者如果需要使用编译器对所产生的 MATLAB 7.x 函数或文件进行编译就需要安装编译器。如果在安装 MATLAB 7.x 的过程中没有安装编译器，那么此时需要从源安装文件中选择进行安装。

12.2.1　安装前提

在安装前需要确定已经安装 ANSI C 和 C+ + Windows Compiler。在 MATLAB 7.x 中支持的编译器可以选择以下 32 位 C/C+ +编译器中的一个，能够编译得到 Windows 动态链接库（DLL）或 Windows 应用程序。

（1）Lcc C version 2.4.1：该版本的 C 编译器只能编译 C，而不能编译 C+ +，该编译器是 MATLAB 7.x 的自带编译器。

（2）Borland C+ + versions 5.5 5.6 和 free 5.5：可以参阅 Borland C+ +Builder versions 5.0、6.0，以及 Borland C/C+ +命令行工具，更多的相关工具可以浏览 Borland 公司的网页得到更多的信息 http://community.borland.com。

（3）Microsoft Visual C/C+ +（MSVC）versions 6.0 和 7.1。

从上面的说明可以看出，只有当需要编译 C+ +代码时，才需要使用后面的两个编译器，但为了使用方便，建议用户全部安装。

12.2.2　编译器的安装

在安装 MATLAB 7.x 时，要选择安装组件，无论选择典型（Typical）安装还是定制（Custom）安装，默认情况下，安装系统都会提示用户选择安装组件。此时，可以选择安装编译器组件，如图 12.1 所示。

当然如果用户没有安装该组件，则可以将光盘再次放入光驱中进行更新安装，在更新安装过程中将该组件选中，完成安装过程即可。

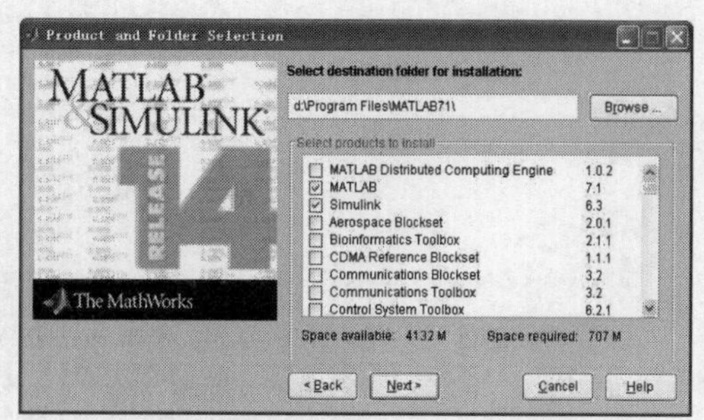

图 12.1　选择编译器组件安装

12.2.3　配置编译器

经过前面两个步骤的安装之后，可以在 MATLAB 7.x 环境中使用编译器进行安装。此时需要用户根据需要来对系统内已经安装的编译器进行配置。关于这方面的配置方法，下面将通过示例进行介绍。

例 12.1 配置 MATLAB 7.x 的编译器。

在 MATLAB 7.x 的命令窗口中，输入以下命令，系统将会显示相关的提示和说明。

```
>> % 通过 mex 命令对编译器进行配置
>> mex -setup
Please choose your compiler for building external interface (MEX) files:
Would you like mex to locate installed compilers [y]/n?
```

此时提示用户是否需要将 mex 定位到已经安装的编译器中。选择 y 后来查看已经安装的编译器，如果有多个编译器，那么会按照顺序依次显示：

```
Select a compiler:
[1] Digital Visual FORTRAN version 6.0 in C:\Program Files\Microsoft Visual Studio
[2] Lcc C version 2.4.1 in D:\PROGRAM FILES\MATLAB71\sys\lcc
[3] Microsoft Visual C/C+ + version 6.0 in C:\Program Files\Microsoft Visual Studio
[0] None
```

可以看出在系统中已经安装了 3 个编译器，此处选择第 3 个编译器，此编译器为 C/C+ +编译器，既可以进行 C 的编译，也可以进行 C+ +的编译。

```
Compiler: 3
Please verify your choices:
Compiler: Microsoft Visual C/C+ + 6.0
Location: C:\Program Files\Microsoft Visual Studio
Are these correct?([y]/n):
```

此时，需要确认编译器的位置是否正确，如果正确，则选择 y。系统将会继续进行显示编译器的一些信息。这些配置完毕后可以一直作为 MATLAB 7.x 的编译器来使用。如果需要更改编译器，那么可以安装上述步骤进行重新配置和选择。上面选择 y 选项后，系统显示的编译器信息如下：

```
Are these correct?([y]/n): y


Try    to    update options file:    C:\Documents    and    Settings\Lab\Application
Data\Math Works\MATLAB\R14SP3\mexopts.bat
From    template:    D:\PROGRAM
FILES\MATLAB71\BIN\win32\mexopts\msvc60opts.bat


Done . . .


**************************************************************************
  Warning: The file extension of 32-bit Windows MEX-files was changed
           from ".dll" to ".mexw32" in MATLAB 7.1 (R14SP3). The generated
           MEX-file will not be found by MATLAB versions prior to 7.1.
           Use the -output option with the ".dll" file extension to
           generate a MEX-file that can be called in previous versions.
           For more information see:
           MATLAB 7.1 Release Notes, New File Extension for MEX-Files on Windows
**************************************************************************
```

例 12.2 通过配置的编译器来创建 mex 文件。

将安装后的自带文件\MATLAB71\extern\examples\mex\yprim.c 从文件夹复制到当前工作目录下，并将该文件名更改为 myprime.c。文件的代码如下：

```
/*=================================================================
 *
 * YPRIME.C    Sample .MEX file corresponding to YPRIME.M
 *             Solves simple 3 body orbit problem
 *
 * The calling syntax is:
 *
 *         [yp] = yprime(t, y)
 *
 *   You may also want to look at the corresponding M-code, yprime.m.
 *
 * This is a MEX-file for MATLAB.
 * Copyright 1984-2004 The MathWorks, Inc.
 *
 *=================================================================*/
/* $Revision: 1.10.6.2 $ */
#include <math.h>
#include "mex.h"

/* Input Arguments */

#define     T_IN     prhs[0]
#define     Y_IN     prhs[1]


/* Output Arguments */

#define    YP_OUT plhs[0]

#if !defined(MAX)
#define    MAX(A, B)    ((A) > (B) ? (A) : (B))
#endif

#if !defined(MIN)
#define    MIN(A, B)    ((A) < (B) ? (A) : (B))
#endif

static double        mu = 1/82.45;
static double        mus = 1 - 1/82.45;


static void yprime(
              double    yp[],
              double    *t,
              double    y[]
              )
```

```
{
    double      r1,r2;

    r1 = sqrt((y[0]+mu)*(y[0]+mu) + y[2]*y[2]);
    r2 = sqrt((y[0]-mus)*(y[0]-mus) + y[2]*y[2]);

    /* Print warning if dividing by zero. */
    if (r1 == 0.0 || r2 == 0.0 ){
    mexWarnMsgTxt("Division by zero!\n");
    }

    yp[0] = y[1];
    yp[1] = 2*y[3]+y[0]-mus*(y[0]+mu)/(r1*r1*r1)-mu*(y[0]-mus)/(r2*r2*r2);
    yp[2] = y[3];
    yp[3] = -2*y[1] + y[2] - mus*y[2]/(r1*r1*r1) - mu*y[2]/(r2*r2*r2);
    return;
}

void mexFunction( int nlhs, mxArray *plhs[],
          int nrhs, const mxArray*prhs[] )

{
    double *yp;
    double *t,*y;
    unsigned int m,n;

    /* Check for proper number of arguments */

    if (nrhs != 2) {
    mexErrMsgTxt("Two input arguments required.");
    } else if (nlhs > 1) {
    mexErrMsgTxt("Too many output arguments.");
    }

    /* Check the dimensions of Y.   Y can be 4 X 1 or 1 X 4. */

    m = mxGetM(Y_IN);
    n = mxGetN(Y_IN);
    if (!mxIsDouble(Y_IN) || mxIsComplex(Y_IN) ||
    (MAX(m,n) != 4) || (MIN(m,n) != 1)) {
    mexErrMsgTxt("YPRIME requires that Y be a 4 x 1 vector.");
    }

    /* Create a matrix for the return argument */
    YP_OUT = mxCreateDoubleMatrix(m, n, mxREAL);

    /* Assign pointers to the various parameters */
    yp = mxGetPr(YP_OUT);

    t = mxGetPr(T_IN);
    y = mxGetPr(Y_IN);
```

```
    /* Do the actual computations in a subroutine */
    yprime(yp,t,y);
    return;

}
```

而文件自带的 mex 文件 yprime.c 的代码内容如下：

```
function yp = yprime(t,y)
% Differential equation system for restricted three body problem.
% Think of a small third body in orbit about the earth and moon.
% The coordinate system moves with the earth-moon system.
% The 1-axis goes through the earth and the moon.
% The 2-axis is perpendicular, in the plane of motion of the third body.
% The origin is at the center of gravity of the two heavy bodies.
% Let mu = the ratio of the mass of the moon to the mass of the earth.
% The earth is located at (-mu,0) and the moon at (1-mu,0).
% y(1) and y(3) = coordinates of the third body.
% y(2) and y(4) = velocity of the third body
%.
% Copyright 1984-1996 The MathWorks, Inc.
% All Rights Reserved.

mu = 1/82.45;
mus = 1-mu;
r1 = norm([y(1)+mu, y(3)]);      % Distance to the earth
r2 = norm([y(1)-mus, y(3)]);    % Distance to the moon
yp(1) = y(2);
yp(2) = 2*y(4) + y(1) - mus*(y(1)+mu)/r1^3 - mu*(y(1)-mus)/r2^3;
yp(3) = y(4);
yp(4) = -2*y(2) + y(3) - mus*y(3)/r1^3 - mu*y(3)/r2^3;
% yp = yp';
```

在命令窗口中输入以下命令：

```
>> mex myprime.c
>> mex myprime.c -output myprime.dll
   Warning: Renaming "myprime.mexw32" to "myprime.mexw32.old" to avoid name conflicts.
```

经过第一条命令后，系统生成 32 位的新版链接文件 myprime.mexw32。而选择在 MEX 中使用-output 参数后生成 DLL 文件。运行生成的 DLL 文件如下：

```
>> myprime(2,1:4)
ans =
    2.0000      8.9685      4.0000     -1.0947
>> which myprime
D:\Program Files\MATLAB71\work\chap_11\myprime.dll
```

例 12.3　将 MATLAB 7.x 中的 M 文件转换为 EXE 文件。

将同一文件夹下的文件复制到当前工作目录下，并将其命名为 myprime0.m。将文件内容稍作修改，如下所示：

```
function myprime0
t=3;
y=1:4;
mu = 1/82.45;
```

```
mus = 1-mu;
r1 = norm([y(1)+mu, y(3)]);     % Distance to the earth
r2 = norm([y(1)-mus, y(3)]);    % Distance to the moon
yp(1) = y(2);
yp(2) = 2*y(4) + y(1) - mus*(y(1)+mu)/r1^3 - mu*(y(1)-mus)/r2^3;
yp(3) = y(4);
yp(4) = -2*y(2) + y(3) - mus*y(3)/r1^3 - mu*y(3)/r2^3;
yp = yp'
```

在命令窗口中运行下面的命令可以得到可执行文件。

```
>> mcc -m myprime0.m
```

经过上面的编译后，得到可执行文件 myprime0.exe。在 Windows 的命令行中，将路径调整到当前 EXE 文件所在文件夹后，运行命令得到结果，如图 12.2 所示。

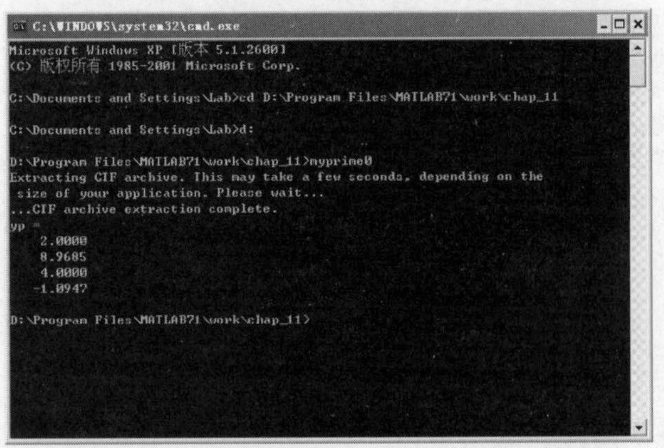

图 12.2　在 Windows 命令行中执行 EXE 文件

此时，可以查看上面几个步骤编译得到的结果。

```
>> dir

.                              myprime.m                  myprime0_main.c
..                                                        myprime.mexw32.old
myprime0_mcc_component_data.c
mccExcludedFiles.log           myprime0.ctf               myprime0_mcr
myprime.c                      myprime0.exe
myprime.dll                    myprime0.m
```

如果使用 mbuild 命令，则也可以进行编译器的配置。关于该命令的使用说明，用户可以查询帮助文件。

12.3　编译过程

MATLAB Compiler 4 使用 MATLAB Component Runtime （MCR）来编译 M 文件的独立共享库文件，MCR 对所有的 MATLAB 语言提供了支持。MCR 使用线程锁定技术保证在执行过程中只有一个线程可以运行。因此，对于由 MATLAB Compiler 编译器产生的库文件或 COM 对象，在调用时都在线程上是安全的。

由于 MATLAB Compiler 4 在执行编译的过程中，使用了 MCR 技术，因此，此处将介绍 MATLAB Component Runtime 的安装和编译过程。

12.3.1　安装 MCR

如果用户需要安装 MCR，那么，可以将文件 MCRInstaller 从已经安装的文件目录 D:\Program Files\MATLAB71\toolbox\compiler\deploy\win32 中，复制到当前工作的环境下，如软件的工作路径中 D:\Program Files\MATLAB71\work\chap_12（根据安装路径不同用户可以选择不同位置）。双击该安装文件，系统将显示安装向导界面，如图 12.3 所示。

单击 Next 按钮后，进入下一步安装步骤，将会显示一些警告信息。接着进入下一界面选择安装路径，可以选择安装路径及其相应的硬盘占用量。硬盘检查及其相应步骤的安装界面如图 12.4 所示。

图 12.3　MCR 安装向导

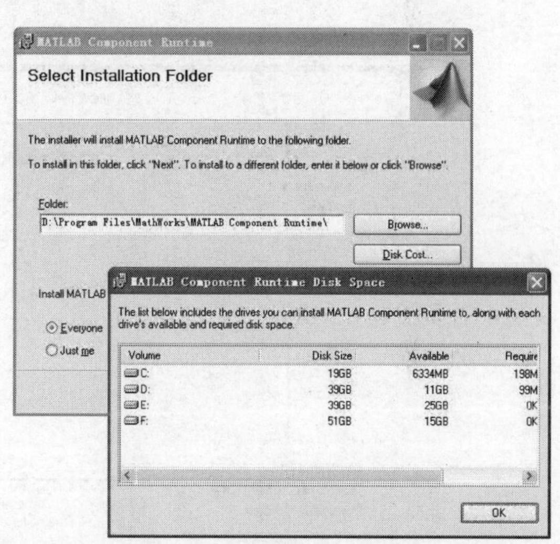

图 12.4　选择安装路径并检查硬盘情况

确定后可以进入下一步骤，确定后即可完成安装过程。安装最后一步如图 12.5 所示。

如果用户希望修复或卸载 MCR，那么同样可以单击选择前面的安装文件，此时将会自动检测是否安装过 MCR，运行的向导界面如图 12.6 所示。

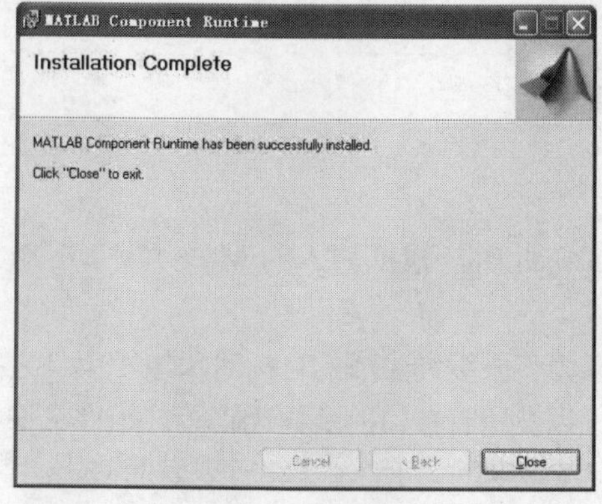

图 12.5　安装完成

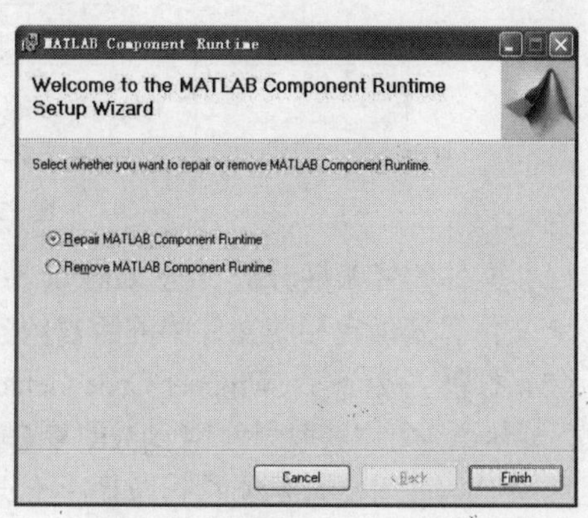

图 12.6　修复或卸载已经安装的 MCR

12.3.2 MCR 编译过程

在 MATLAB 中，编译器 Compiler 4 采用了 Component Technology File（CTF）技术将文件存档打包配置和组织文件包。所有的 M 文件都使用高级加密标准（Advanced Encryption Standard，AES）技术对 CTF 文档进行加密，采用的密钥是 1024 位的 RSA 对成键对加密。

由 Compiler 4 编译产生的应用程序或共享库都和 CTF 文档相关。这些文档包括所有与组件相关的 MATLAB 文档，如 M 文件、MEX 文件等。当 CTF 文档在用户系统中解压时，文件仍然保持加密。

在 MATLAB 中，文档的编译过程如图 12.7 所示。图中以 foo.m 和 bar.m 为例演示了如何使用编译器编译得到 EXE 文件或 DLL 库函数，主要分为以下几个步骤。

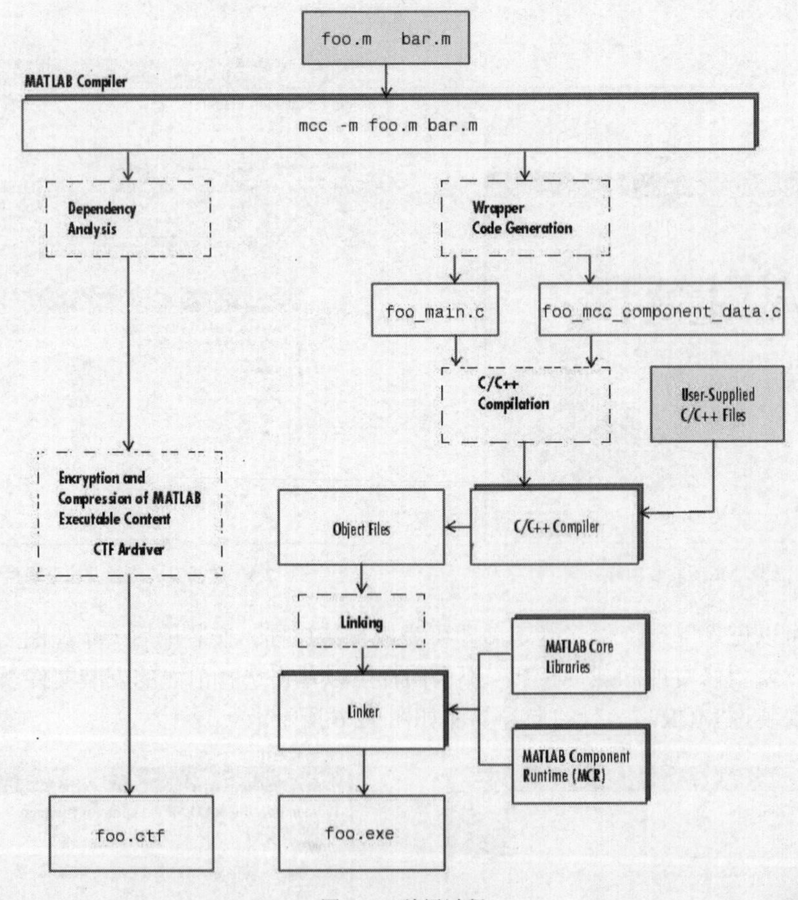

图 12.7　编译过程

（1）文件的依赖性分析（Dependency Analysis）：此时，根据输入的 M 文件、MEX 文件以及 P 文件等来确定相应文件中的函数依赖关系。

（2）打包生成代码（Wrapper Code Generation）：为将要编译生成的目标对象组织组件之间的代码，如从命令行中获取相关 M 函数的 C/C++接口，以及所有接口的函数代码等。组件文件中包含运行 M 代码时需要的数据文件，如路径信息、在 CTF 文档中存档 M 文件所需要的密钥信息等。

（3）生成包文件（Archive Creation）：在依赖性分析中生成的 MATLAB 可执行文件列表（M

文件、MEX 文件）将会被用于生成组件正确运行时所需要文件的 CTF 包。这些文件进行加密并压缩到一个单独的文件中用于发布。同样，路径信息也包含在内以便在目标机器中进行正确安装。

（4）编译过程（C/C+ + Compilation）：这个步骤将从打包代码生成对象代码。对于在 mcc 命令行中用户提供的 C/C+ +代码此时也将进行编译。

（5）链接（Linking）：将生成的目标文件和必要的 MATLAB 库相链接生成最终的组件。C/C+ +的编译和链接步骤使用了包含在编译过程中的 mbuild 功能。

12.4 编译命令

在 MATLAB 中，可以使用 mcc 命令来进行编译过程。编译命令的基本格式如下：

```
mcc [-options] mfile1            [mfile2 ... mfileN]
                                 [C/C+ +file1 ... C/C+ +fileN]
```

mcc 命令是调用 MATLAB 编译器的命令，可以在 MATLAB 命令提示符下输入编译，或在 DOS 或 UNIX 命令行中进行编译。使用该命令可以将所有准备发布给 MATLAB 之外环境中使用的 M 文件，生成 C/C+ +中的打包文件，或者生成独立的二进制文件。生成的结果文件将保存在当前的工作目录下。如果在命令行中指定多于一个的 M 文件，那么编译器将会为每个 M 文件生成 C/C+ +函数。如果指定 C 或目标文件，那么都将会和其他生成的 C 文件一同传递到 mbuild 中。

此外，在编译器命令使用时，还有一些选项可供使用。用户可以查询相关的帮助文件来获得更多的帮助说明。此处对常见的几种格式进行简单介绍，如表 12.1 所示。

表 12.1　常见的几种 mcc 格式

命　令	说　明
mcc -m myfun	为 myfun.m 创建独立执行的文件
mcc -m -I /files/source -d /files/target myfun	创建可执行文件，在文件夹\files\source 中寻找 myfun.m，并将生成的 C 文件和可执行文件存放在文件夹\files\target 中
mcc -m myfun1 myfun2	将 myfun1.m 和 myfun2.m 创建成为独立执行的 myfun1 可执行文件
mcc -W lib:liba -T link:lib a0 a1	从 a0.m 和 a1.m 中生成共享链接库或动态链接库文件，文件名为 liba

例 12.4　将 M 脚本文件编译为可执行文件。

```
% scripts_mcc.m
% 数值矩阵的行列式
for i=1:3
A=magic(i+2);
a(i)=det(A);
disp('矩阵：');
disp(A);
disp('矩阵的行列式：');
disp(a(i));
end
% 符号矩阵的行列式
disp('符号矩阵的行列式')
syms t;
B=[cos(-t),sin(t);-sin(t+2),cos(t+1)]
C=det(B)
```

运行该脚本函数可以得到矩阵 A 和符号矩阵 B 的行列式。运行结果如下：

```
矩阵：
     8     1     6
     3     5     7
     4     9     2
矩阵的行列式：
  -360
矩阵：
    16     2     3    13
     5    11    10     8
     9     7     6    12
     4    14    15     1
矩阵的行列式：
     0
矩阵：
    17    24     1     8    15
    23     5     7    14    16
     4     6    13    20    22
    10    12    19    21     3
    11    18    25     2     9
矩阵的行列式：
     5070000
符号矩阵的行列式
B =
[      cos(t),      sin(t)]
[ -sin(t+2),   cos(t+1)]
C =
cos(t)*cos(t+1)+sin(t)*sin(t+2)
```

但实际上，在 MATLAB 7.x 中，并不能将脚本函数生成可执行文件，只有 M 函数文件才可以生成脚本文件。因此，可以在上面的脚本文件中添加以下一行程序代码，将该脚本文件改变为函数文件后，再执行编译。

```
function scripts_mcc
```

编译该脚本文件，采用比较简单的编译命令，可以得到可执行文件：

```
>> mcc -m scripts_mcc.m
```

运行生成的可执行文件，得到如图 12.8 所示的结果。

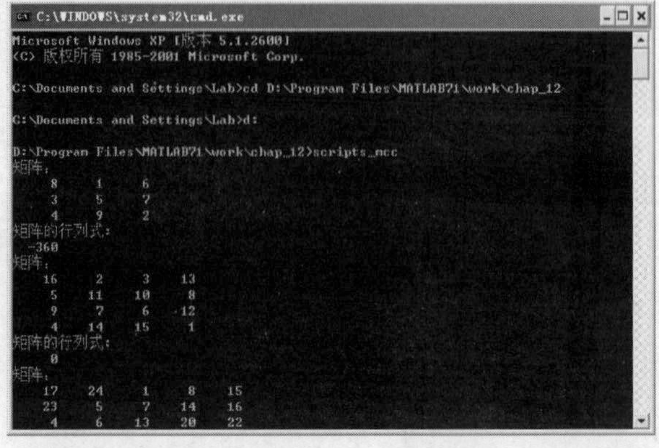

图 12.8　执行后得到的可执行文件结果

12.5 编译生成独立运行程序

通过前面章节的介绍，我们已经清楚，使用 MATLAB 7.x 提供的编译器 Compiler 4 可以很方便地生成独立运行的程序，这可以帮助读者很方便地将所编写的 MATLAB 程序转换为不依赖于 MATLAB 运行环境的独立应用程序。下面通过几个示例来分别介绍不同情况下的独立运行程序的编译方式。

12.5.1 编译 M 文件

生成独立运行的应用程序的方法之一就是将所有的源代码写入一个或多个 M 文件或 MEX 文件中。在 M 文件中编写应用程序可以帮助读者充分利用 MATLAB 的交互发展环境。如果所编写的 M 文件程序可以正确执行，那么此时可以将所编写的代码编译成为独立运行的应用程序。此处的示例为在 MATLAB 中编写 mrank.m 文件和 main.m 文件后，编译生成 C 代码文件。

例 12.5 通过 M 文件编写后编译为 C 文件。

编写两个简单的文件 mrank.m 文件和 main.m 文件，分别作为子程序和主程序以便使用。这两个程序文件的代码如下：

```
function r = mrank(n)
r = zeros(n,1);
for k = 1:n
    r(k) = rank(magic(k));
end


function main
r = mrank(5)
```

下面在命令空间的命令行中输入以下的编译命令，可以生成编译后的 C 文件。如果使用命令 mcc -m main mrank，那么可以直接生成适用于独立应用程序的 C 源程序代码。如果在符号中添加其他选项，则可以限制或查看一些编译代码。如果使用 mcc -mc main mrank，则由选项-c 禁止触发 mbuild，此时选择使用该选项的主要原因在于使用 mcc 编译其他代码。如果读者使用 mcc -mv main mrank 命令，那么可以详细显示编译过程中所使用的 mbuild 选项。

```
>> mcc -mv main mrank
Compiler version: 4.3 (R14SP3)
Depfun main loop, iteration 1
Processing D:\Program Files\MATLAB71\toolbox\matlab\mcc.enc
1 item(s) added.
Processing dependencies...
0 item(s) added.
Depfun main loop, iteration 2
Processing dependencies...
0 item(s) added.
Processing include files...
2 item(s) added.
Processing exclude list...
```

```
0 item(s) removed. You can review the mccExcludedFiles.log file for the list of functions not
included in the CTF archive.
Processing directories installed with MCR...
59 item(s) removed. You can review the mccExcludedFiles.log file for the list of functions not
included in the CTF archive.
2 item(s) added.
Generating MATLAB path for the compiled application...
Created 35 path items.
Depfun main loop converged in 2 iterations, total number of files = 12
Begin validation of MEX files: Sat Sep 29 21:45:28 2007
End validation of MEX files: Sat Sep 29 21:45:28 2007

Parsing file "D:\Program Files\MATLAB71\work\chap_12\main.m"
    (Referenced from: "Compiler Command Line").
Parsing file "D:\Program Files\MATLAB71\work\chap_12\mrank.m"
    (Referenced from: "Compiler Command Line").
Parsing file "D:\Program Files\MATLAB71\toolbox\compiler\deploy\matlabrc.m"
    (Referenced from: "Compiler Command Line").
Parsing file "D:\Program Files\MATLAB71\toolbox\compiler\dirname.m"
    (Referenced from: "Compiler Command Line").
Parsing file "D:\Program Files\MATLAB71\toolbox\compiler\deploy\deployprint.m"
    (Referenced from: "Compiler Command Line").
Parsing file "D:\Program Files\MATLAB71\toolbox\matlab\elmat\magic.m"
    (Referenced from: "D:\Program Files\MATLAB71\work\chap_12\mrank.m").
Parsing file "D:\Program Files\MATLAB71\toolbox\matlab\matfun\rank.m"
    (Referenced from: "D:\Program Files\MATLAB71\work\chap_12\mrank.m").
Parsing file "D:\Program Files\MATLAB71\toolbox\compiler\deploy\hgrc.m"
    (Referenced from: "D:\Program Files\MATLAB71\toolbox\compiler\deploy\matlabrc.m").
Parsing file "D:\Program Files\MATLAB71\toolbox\matlab\strfun\str2double.m"
    (Referenced from: "D:\Program Files\MATLAB71\toolbox\compiler\deploy\matlabrc.m").
Parsing file "D:\Program Files\MATLAB71\toolbox\matlab\general\usejava.m"
    (Referenced from: "D:\Program Files\MATLAB71\toolbox\compiler\deploy\matlabrc.m").
Parsing file "D:\Program Files\MATLAB71\toolbox\matlab\iofun\fileparts.m"
    (Referenced from: "D:\Program Files\MATLAB71\toolbox\compiler\dirname.m").
Parsing file "D:\Program Files\MATLAB71\toolbox\matlab\general\addpath.m"
    (Referenced from: "D:\Program Files\MATLAB71\toolbox\compiler\deploy\deployprint.m").
Parsing file "D:\Program Files\MATLAB71\toolbox\matlab\graphics\gcbf.m"
    (Referenced from: "D:\Program Files\MATLAB71\toolbox\compiler\deploy\deployprint.m").
Parsing file "D:\Program Files\MATLAB71\toolbox\matlab\general\ispc.m"
    (Referenced from: "D:\Program Files\MATLAB71\toolbox\compiler\deploy\deployprint.m").
Parsing file "D:\Program Files\MATLAB71\toolbox\matlab\datatypes\num2cell.m"
    (Referenced from: "D:\Program Files\MATLAB71\toolbox\compiler\deploy\deployprint.m").
Parsing file "D:\Program Files\MATLAB71\toolbox\matlab\strfun\num2str.m"
    (Referenced from: "D:\Program Files\MATLAB71\toolbox\compiler\deploy\deployprint.m").
Parsing file "D:\Program Files\MATLAB71\toolbox\matlab\graphics\orient.m"
    (Referenced from: "D:\Program Files\MATLAB71\toolbox\compiler\deploy\deployprint.m").
Parsing file "D:\Program Files\MATLAB71\toolbox\matlab\general\path.m"
    (Referenced from: "D:\Program Files\MATLAB71\toolbox\compiler\deploy\deployprint.m").
Parsing file "D:\Program Files\MATLAB71\toolbox\compiler\deploy\printdlg.m"
    (Referenced from: "D:\Program Files\MATLAB71\toolbox\compiler\deploy\deployprint.m").
```

```
Parsing file "D:\Program Files\MATLAB71\toolbox\matlab\general\rmpath.m"
    (Referenced from: "D:\Program Files\MATLAB71\toolbox\compiler\deploy\deployprint.m").
Parsing file "D:\Program Files\MATLAB71\toolbox\matlab\strfun\str2num.m"
    (Referenced from: "D:\Program Files\MATLAB71\toolbox\compiler\deploy\deployprint.m").
Parsing file "D:\Program Files\MATLAB71\toolbox\matlab\iofun\tempname.m"
    (Referenced from: "D:\Program Files\MATLAB71\toolbox\compiler\deploy\deployprint.m").
Generating file "main_main.c".
Generating file "main_mcc_component_data.c".
Executing command: mbuild -O -v -output "main" "main_main.c" "main_mcc_component_data.c"
-link exe
 This is mbuild Copyright 1984-2004 The MathWorks, Inc.

-> Default options filename found in C:\Documents and Settings\Lab\Application
Data\MathWorks\MATLAB\R14SP3
----------------------------------------------------------------
->      Options file             = C:\Documents     and     Settings\Lab\Application
Data\MathWorks\MATLAB\R14SP3\compopts.bat
->    COMPILER                   = cl
->    Compiler flags:
          COMPFLAGS                = -c -Zp8 -G5 -GX -W3 -nologo
          OPTIMFLAGS               = -O2 -DNDEBUG
          DEBUGFLAGS               = -Zi -Fd"main.pdb"
          arguments                =
          Name switch              = /Fo
->    Pre-linking commands     =
->    LINKER                     = link
->    Link directives:
          LINKFLAGS                = kernel32.lib user32.lib gdi32.lib advapi32.lib oleaut32.lib
ole32.lib  /LIBPATH:"D:\Program Files\MATLAB71\extern\lib\win32\microsoft\msvc60" /nologo
mclmcrrt.lib
          LINKFLAGSPOST            =
          Name directive          = "/out:main.exe"
          File link directive =
          Lib. link directive =
          Rsp file indicator    = @
->    Resource Compiler          = rc /fo ".res"
->    Resource Linker            =
----------------------------------------------------------------


--> "cl   -c -Zp8-G5 -GX -W3 -nologo /FoC:\DOCUME~1\Lab\LOCALS~1\Temp\main_main.obj
- I"D:\Program              Files\MATLAB71"\extern\include              -I"D:\Program
Files\MATLAB71"\simulink\include -O2 -DNDEBUG main_main.c"

main_main.c

-->      "cl              -c      -Zp8       -G5       -GX          -W3    –nologo
/FoC:\DOCUME~1\Lab\LOCALS~1\Temp\main_mcc_component_data.obj       -I"D:\Program
Files\MATLAB71"\extern\include   -I"D:\Program    Files\MATLAB71"\simulink\include  -O2
    -DNDEBUG main_mcc_component_data.c"
```

```
main_mcc_component_data.c
    Contents of 1977_tmp.rsp:
  C:\DOCUME~1\Lab\LOCALS~1\Temp\main_main.obj
C:\DOCUME~1\Lab\LOCALS~1\Temp\main_mcc_component_data.obj


 --> "link    "/out:main.exe" kernel32.lib  user32.lib  gdi32.lib   advapi32.lib  oleaut32.lib   ole32.lib
/LIBPATH:"D:\Program        Files\MATLAB71\extern\lib\win32\microsoft\msvc60"            /nologo
 mclmcrrt.lib   @1977_tmp.rsp   "


 -> "if exist _lib1977.def del _lib1977.def"
```

通过以上命令的编译可以详细查看编译过程中的编译代码的选项。同时，在编译完成之后可以生成 C 语言类型的文件 main_main.c，以及 main_mcc_component_data.c 文件。这两个文件中，前者包含一个 C 类型的 main 函数，后者则包含 MCR 运行过程需要使用的数据。同时，编译结果生成了 main.exe 文件。从 Windows 的命令窗口中运行该 EXE 文件，得到的结果如图 12.9 所示。

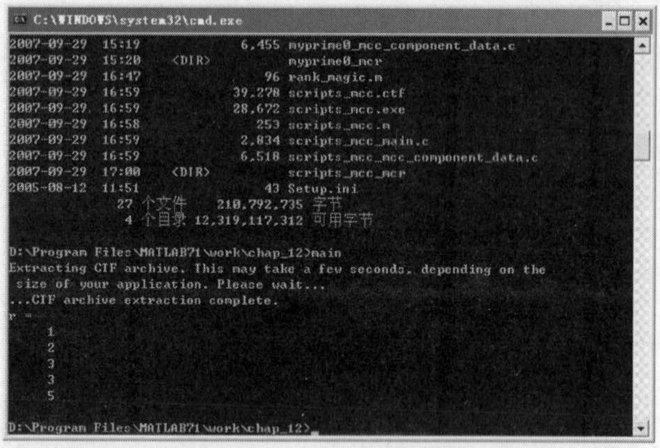

图 12.9　在 Windows 命令行中执行编译后的 EXE 文件

12.5.2　M 文件和 C 文件的混合编译

此处将通过示例来介绍如何使用 MATLAB 编译器对 M 文件和 C 语言编写的文件进行混合编译，生成独立运行的 C 语言程序。

例 12.6　编译 M 文件和 C 文件。

此处混合编程的文件主要包括两部分：一部分为 M 文件编写的求秩代码 marnk.m；另一部分为 mrankp.c，调用 mrank 文件中函数，并将该函数定义的输出参数输出。这几个函数的内容如下，并做了一些注释。

文件一：mrank.m

```
function r = mrank(n)
r = zeros(n,1);
for k = 1:n
    r(k) = rank(magic(k));
end
```

文件二：mrankp.c

```
#include <stdio.h>
#include <math.h>
#include "libPkg.h"

main( int argc, char **argv )
{
    mxArray *N;             /* Matrix containing n. */
    mxArray *R = NULL; /* Result matrix. */
    int         n;              /* Integer parameter from command line. */

    /* 从命令行中获取参数 */
    if (argc >= 2) {
        n = atoi(argv[1]);
    } else {
        n = 12;
    }
    //  定义和获得 mlfrank 函数的输入参数

    mclInitializeApplication(NULL,0);
    libPkgInitialize();/* Initialize the library of M-Functions */

    //  初始化 MCR 参数并产生 libPkg 共享库

    /* 创建包含 n 的矩阵 */
    N = mxCreateScalarDouble(n);

    /* 调用 mlfMrank 的编译版本（mrank.m） */
    mlfMrank(1, &R, N);

    /* 打印输出结果 */
    mlfPrintmatrix(R);

    /* 清空运行过程中分配的矩阵 */
    mxDestroyArray(N);
    mxDestroyArray(R);

    libPkgTerminate(); /* Terminate the library of M-functions */
    mclTerminateApplication();

    //  输出计算结果并释放编译过程中分配的矩阵，终止 M 函数的编译
}
```

文件三：输出数据

```
function printmatrix(m)
    disp(m);
```

输入下面的命令行可以进行 M 文件和 C 文件的混合编译过程。

```
>> mcc -W lib:libPkg -T link:exe mrank printmatrix mrankp.c
```

使用系统提供的默认编译器编译后，可以生成以下 C 语言类型的源文件 libPkg.c、libPkg.h、libPkg_mcc_component_data.c。同时，还可以生成可执行文件 mrank.exe。实际上，

在进行混合编译过程中，进行的编译过程如图 12.10 所示。读者可以很清楚地看出程序进行混合编译的过程。

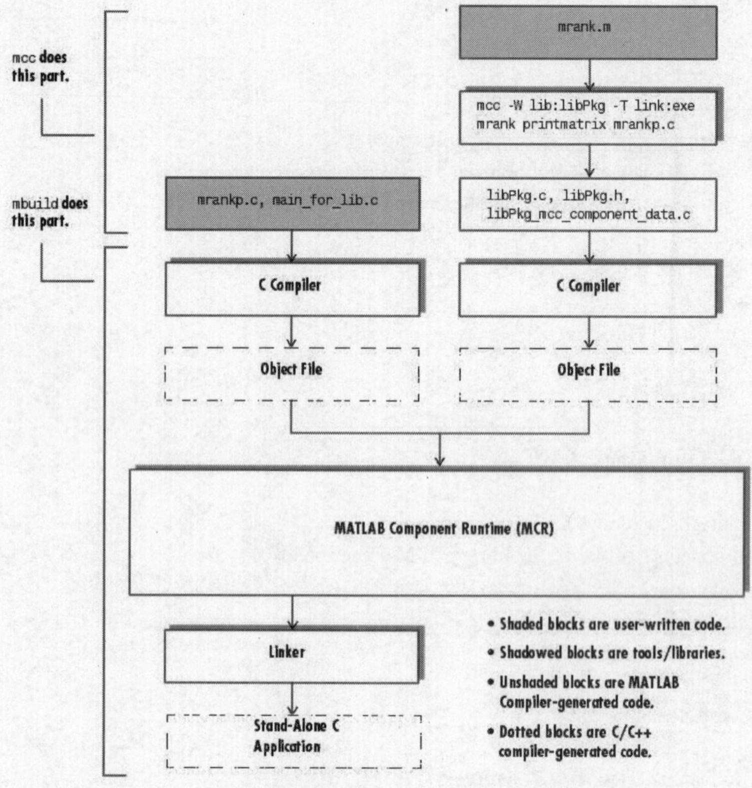

图 12.10　M 文件和 C 文件的混合编译过程

如果从 Windows 命令行中运行 mrank.exe 文件，得到的结果如图 12.11 所示。

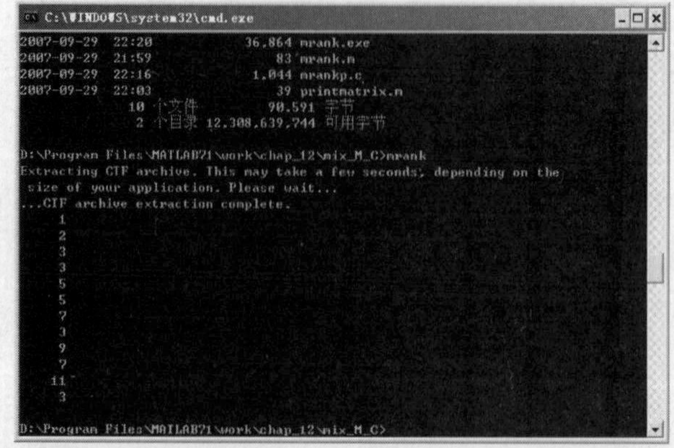

图 12.11　在 Windows 命令行中执行可执行文件

12.5.3　编译图形绘制 M 文件

如果在编译过程中，所编译的 M 文件中包含绘图命令，那么在编译过程中将会自动调用

MCR 运行库中的图形库。因此，在编译时也将会包含图形库函数。此处，通过简单的示例来说明编译过程中如何加入图形库函数。

例 12.7　编译图形绘制内容的 M 文件。

首先编写 M 文件，绘制图形，代码如下：

```
function plot_mcc
load('topo.mat','topo','topomap1');
whos topo topomap1
[x,y,z] = sphere(50);
cla reset
axis square off
props.AmbientStrength = 0.1;
props.DiffuseStrength = 1;
props.SpecularColorReflectance = .5;
props.SpecularExponent = 20;
props.SpecularStrength = 1;
props.FaceColor= 'texture';
props.EdgeColor = 'none';
props.FaceLighting = 'phong';
props.Cdata = topo;
surface(x,y,z,props);
light('position',[-1 0 1]);
light('position',[-1.5 0.5 -0.5], 'color', [.6 .2 .2]);
view(3)
```

为了显示编译过程中如何加入图形库函数，此处使用 mcc -mv plot_mcc 命令对编译过程进行详细的显示。编译过程如下：

```
>> mcc -mv plot_mcc
Compiler version: 4.3 (R14SP3)
Depfun main loop, iteration 1
Processing D:\Program Files\MATLAB71\toolbox\matlab\mcc.enc
1 item(s) added.
Processing dependencies...
0 item(s) added.
Depfun main loop, iteration 2
Processing dependencies...
0 item(s) added.
Processing include files...
2 item(s) added.
Processing exclude list...
0 item(s) removed. You can review the mccExcludedFiles.log file for the list of functions not
included in the CTF archive.
Processing directories installed with MCR...
113 item(s) removed. You can review the mccExcludedFiles.log file for the list of functions not included in
the CTF archive.
2 item(s) added.
Generating MATLAB path for the compiled application...
Created 35 path items.
Depfun main loop converged in 2 iterations, total number of files = 11
Begin validation of MEX files: Sat Sep 29 22:44:14 2007
```

```
End validation of MEX files: Sat Sep 29 22:44:14 2007

Parsing file "D:\Program Files\MATLAB71\work\chap_12\plot_mcc\plot_mcc.m"
    (Referenced from: "Compiler Command Line").
Parsing file "D:\Program Files\MATLAB71\toolbox\compiler\deploy\matlabrc.m"
    (Referenced from: "Compiler Command Line").
Parsing file "D:\Program Files\MATLAB71\toolbox\compiler\dirname.m"
    (Referenced from: "Compiler Command Line").
Parsing file "D:\Program Files\MATLAB71\toolbox\compiler\deploy\deployprint.m"
    (Referenced from: "Compiler Command Line").
Parsing file "D:\Program Files\MATLAB71\toolbox\matlab\graph2d\axis.m"
    (Referenced from: "D:\Program Files\MATLAB71\work\chap_12\plot_mcc\plot_mcc.m").
Parsing file "D:\Program Files\MATLAB71\toolbox\matlab\graphics\cla.m"
    (Referenced from: "D:\Program Files\MATLAB71\work\chap_12\plot_mcc\plot_mcc.m").
Parsing file "D:\Program Files\MATLAB71\toolbox\matlab\specgraph\sphere.m"
    (Referenced from: "D:\Program Files\MATLAB71\work\chap_12\plot_mcc\plot_mcc.m").
Parsing file "D:\Program Files\MATLAB71\toolbox\matlab\graph3d\view.m"
    (Referenced from: "D:\Program Files\MATLAB71\work\chap_12\plot_mcc\plot_mcc.m").
Parsing file "D:\Program Files\MATLAB71\toolbox\compiler\deploy\hgrc.m"
    (Referenced from: "D:\Program Files\MATLAB71\toolbox\compiler\deploy\matlabrc.m").
Parsing file "D:\Program Files\MATLAB71\toolbox\matlab\strfun\str2double.m"
    (Referenced from: "D:\Program Files\MATLAB71\toolbox\compiler\deploy\matlabrc.m").
Parsing file "D:\Program Files\MATLAB71\toolbox\matlab\general\usejava.m"
    (Referenced from: "D:\Program Files\MATLAB71\toolbox\compiler\deploy\matlabrc.m").
Parsing file "D:\Program Files\MATLAB71\toolbox\matlab\iofun\fileparts.m"
    (Referenced from: "D:\Program Files\MATLAB71\toolbox\compiler\dirname.m").
Parsing file "D:\Program Files\MATLAB71\toolbox\matlab\general\addpath.m"
    (Referenced from: "D:\Program Files\MATLAB71\toolbox\compiler\deploy\deployprint.m").
Parsing file "D:\Program Files\MATLAB71\toolbox\matlab\graphics\gcbf.m"
    (Referenced from: "D:\Program Files\MATLAB71\toolbox\compiler\deploy\deployprint.m").
Parsing file "D:\Program Files\MATLAB71\toolbox\matlab\general\ispc.m"
    (Referenced from: "D:\Program Files\MATLAB71\toolbox\compiler\deploy\deployprint.m").
Parsing file "D:\Program Files\MATLAB71\toolbox\matlab\datatypes\num2cell.m"
    (Referenced from: "D:\Program Files\MATLAB71\toolbox\compiler\deploy\deployprint.m").
Parsing file "D:\Program Files\MATLAB71\toolbox\matlab\strfun\num2str.m"
    (Referenced from: "D:\Program Files\MATLAB71\toolbox\compiler\deploy\deployprint.m").
Parsing file "D:\Program Files\MATLAB71\toolbox\matlab\graphics\orient.m"
    (Referenced from: "D:\Program Files\MATLAB71\toolbox\compiler\deploy\deployprint.m").
Parsing file "D:\Program Files\MATLAB71\toolbox\matlab\general\path.m"
    (Referenced from: "D:\Program Files\MATLAB71\toolbox\compiler\deploy\deployprint.m").
Parsing file "D:\Program Files\MATLAB71\toolbox\compiler\deploy\printdlg.m"
    (Referenced from: "D:\Program Files\MATLAB71\toolbox\compiler\deploy\deployprint.m").
Parsing file "D:\Program Files\MATLAB71\toolbox\matlab\general\rmpath.m"
    (Referenced from: "D:\Program Files\MATLAB71\toolbox\compiler\deploy\deployprint.m").
Parsing file "D:\Program Files\MATLAB71\toolbox\matlab\strfun\str2num.m"
    (Referenced from: "D:\Program Files\MATLAB71\toolbox\compiler\deploy\deployprint.m").
Parsing file "D:\Program Files\MATLAB71\toolbox\matlab\iofun\tempname.m"
    (Referenced from: "D:\Program Files\MATLAB71\toolbox\compiler\deploy\deployprint.m").
Generating file "plot_mcc_main.c".
Generating file "plot_mcc_mcc_component_data.c".
```

```
Executing command: mbuild -O -v -output "plot_mcc" "plot_mcc_main.c"
"plot_mcc_mcc_component_data.c" -link exe
This is mbuild Copyright 1984-2004 The MathWorks, Inc.

-> Default options filename found in C:\Documents and Settings\Lab\Application
Data\MathWorks\MATLAB\R14SP3
----------------------------------------------------------------
-> Options file = C:\Documents and Settings\Lab\ApplicationData\MathWorks\
MATLAB\R14SP3\compopts.bat
-> COMPILER = cl
-> Compiler flags:
      COMPFLAGS = -c -Zp8 -G5 -GX -W3 -nologo
      OPTIMFLAGS = -O2 -DNDEBUG
      DEBUGFLAGS = -Zi -Fd"plot_mcc.pdb"
      arguments =
      Name switch = /Fo
-> Pre-linking commands =
-> LINKER = link
-> Link directives:
      LINKFLAGS = kernel32.lib user32.lib gdi32.lib advapi32.lib oleaut32.lib
ole32.lib /LIBPATH:"D:\Program Files\MATLAB71\extern\lib\win32\microsoft\msvc60" /nologomclmcrrt.lib
      LINKFLAGSPOST =
      Name directive = "/out:plot_mcc.exe"
      File link directive =
      Lib. link directive =
      Rsp file indicator = @
-> Resource Compiler = rc /fo ".res"
-> Resource Linker =
----------------------------------------------------------------


--> "cl -c -Zp8 -G5 -GX -W3 -nologo
/FoC:\DOCUME~1\Lab\LOCALS~1\Temp\plot_mcc_main.obj -I"D:\Program
Files\MATLAB71"\extern\include -I"D:\Program Files\MATLAB71"\simulink\include -O2
-DNDEBUG plot_mcc_main.c"

plot_mcc_main.c

--> "cl -c -Zp8 -G5 -GX -W3 –nologo
/FoC:\DOCUME~1\Lab\LOCALS~1\Temp\plot_mcc_mcc_component_data.obj
-I"D:\Program
Files\MATLAB71"\extern\include -I"D:\Program Files\MATLAB71"\simulink\include -O2
-DNDEBUG plot_mcc_mcc_component_data.c"

plot_mcc_mcc_component_data.c
    Contents of 4628_tmp.rsp:
  C:\DOCUME~1\Lab\LOCALS~1\Temp\plot_mcc_main.obj
 C:\DOCUME~1\Lab\LOCALS~1\Temp\plot_mcc_mcc_component_data.obj
```

```
--> "link "/out:plot_mcc.exe" kernel32.lib user32.lib gdi32.lib advapi32.lib oleaut32.lib ole32.lib
/LIBPATH:"D:\Program      Files\MATLAB71\extern\lib\win32\microsoft\msvc60"      /nologo
mclmcrrt.lib   @4628_tmp.rsp   "


--> "if exist _lib4628.def del _lib4628.def"
```

经过上面的编译之后，得到包含库函数的 M 函数文件的 C 语言源程序 plot_mcc_main.c 和 plot_mcc_mcc_component_data.c。同时，生成了可以独立执行的文件 plot_mcc.exe。C 语言源程序的内容和说明与前面的介绍相同。运行可执行文件，得到的输出结果如图 12.12 和图 12.13 所示。

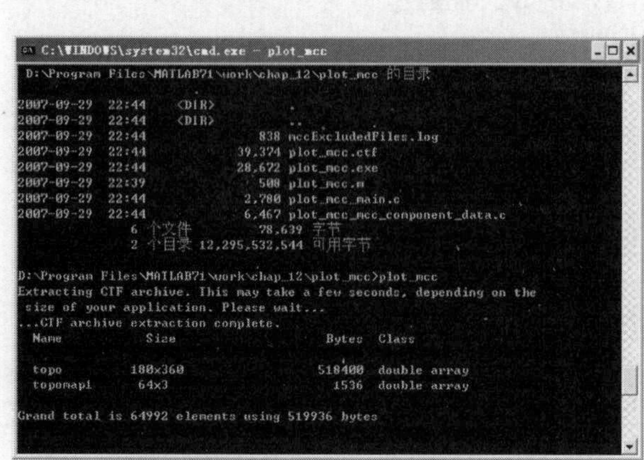

图 12.12　执行可执行文件后的结果

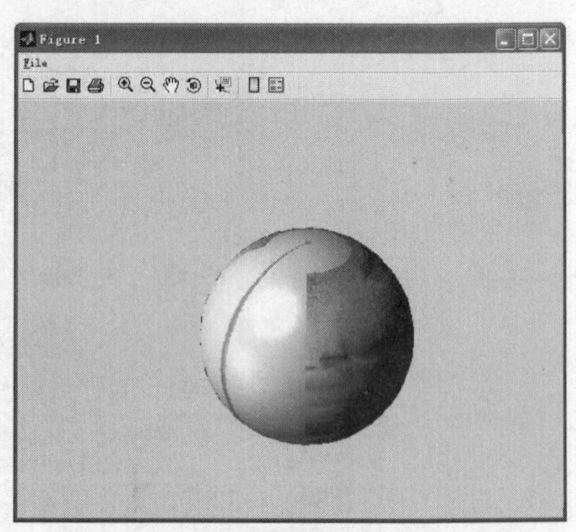

图 12.13　可执行文件生成的绘图结果

从图 12.12 和图 12.13 可以看出，在命令行中输出的内容可以在 Windows 命令行中继续输出。而经过编译可执行文件生成的图形文件中，同样可以生成部分绘图内容。当可以发现所绘制的图形中，图形和 MATLAB 中绘制的内容一致，而菜单项中只保留了 File 菜单，其他菜单则已经不再保留。工具栏中的其他调整命令和 MATLAB 中一样都已经完整地保留下来了，可以进行一些调整和简单编辑输出等。

12.6　调用 M 文件中的函数接口

MATLAB 编译器也支持任意的 C/C+ +函数来调用 M 函数中的代码。此时只要提供 M 函数标签就可以确定如何在 M 文件中执行情况。接着可以在 C/C+ +中实现函数体的执行。下面通过简单的示例来说明如何使用这种方法来创建函数接口。

例 12.8　调用 M 文件中的函数接口。

假设此处通过 M 函数文件中的代码来模拟测量仪器，提供 sine 波形的输出，而 C 函数 measure_from_device()则从该 M 文件中调用数据并返回数据，即返回测量结果。

波形模拟为 M 文件：

```
function collect


y = zeros(1, 100);
```

```
for i = 1:100
    y(i) = collect_one;
end
disp (y)

function y = collect_one

% 产生外部函数
%#external
persistent t;
if (isempty(t))
    t = 0;
end
t = t + 0.05;
y = sin(t);
```

当使用 MATLAB 编译器编译后，编译器将会产生附加的头文件 collect_one_external.h。该文件中包含通过编译器产生的代码以及原始代码之间的接口。因此，在使用该接口的 C 函数中可以使用以下声明：

```
extern void collect_one(int nlhs, mxArray *plhs[],
                        int nrhs, mxArray *prhs[]);
```

编写用于测量的 C 文件 measure.c。该文件中包含函数 double measure_from_device(void) 用于测量数据。文件代码如下：

```
#include "collect_one_external.h"
#include <math.h>

extern double measure_from_device(void);

void collect_one(int nlhs, mxArray *plhs[],
                 int nrhs, mxArray *prhs[])

{
    plhs[0] = mxCreateDoubleMatrix(1,1,mxREAL);
    *(mxGetPr(plhs[0])) = measure_from_device();
}

double measure_from_device(void)
{
    static double t = 0.0;
    t = t + 0.05;
    return sin(t);
}
```

使用命令 mcc -mv collect.m measure.c，可以看出编译过程。

```
>> mcc -mv collect.m measure.c
Compiler version: 4.3 (R14SP3)
Depfun main loop, iteration 1
Processing D:\Program Files\MATLAB71\toolbox\matlab\mcc.enc
1 item(s) added.
Processing dependencies...
0 item(s) added.
```

```
Depfun main loop, iteration 2
Processing dependencies...
0 item(s) added.
Processing include files...
2 item(s) added.
Processing exclude list...
0 item(s) removed. You can review the mccExcludedFiles.log file for the list of functions not
included in the CTF archive.
Processing directories installed with MCR...
56 item(s) removed. You can review the mccExcludedFiles.log file for the list of functions not
included in the CTF archive.
2 item(s) added.
Generating MATLAB path for the compiled application...
Created 35 path items.
Depfun main loop converged in 2 iterations, total number of files = 11
Begin validation of MEX files: Sat Sep 29 23:09:52 2007
End validation of MEX files: Sat Sep 29 23:09:52 2007

Parsing file "D:\Program Files\MATLAB71\work\chap_12\interface_M_C\collect.m"
    (Referenced from: "Compiler Command Line").
Parsing file "D:\Program Files\MATLAB71\toolbox\compiler\deploy\matlabrc.m"
    (Referenced from: "Compiler Command Line").
Parsing file "D:\Program Files\MATLAB71\toolbox\compiler\dirname.m"
    (Referenced from: "Compiler Command Line").
Parsing file "D:\Program Files\MATLAB71\toolbox\compiler\deploy\deployprint.m"
    (Referenced from: "Compiler Command Line").
Parsing file "D:\Program Files\MATLAB71\toolbox\compiler\deploy\hgrc.m"
    (Referenced from: "D:\Program Files\MATLAB71\toolbox\compiler\deploy\matlabrc.m").
Parsing file "D:\Program Files\MATLAB71\toolbox\matlab\strfun\str2double.m"
    (Referenced from: "D:\Program Files\MATLAB71\toolbox\compiler\deploy\matlabrc.m").
Parsing file "D:\Program Files\MATLAB71\toolbox\matlab\general\usejava.m"
    (Referenced from: "D:\Program Files\MATLAB71\toolbox\compiler\deploy\matlabrc.m").
Parsing file "D:\Program Files\MATLAB71\toolbox\matlab\iofun\fileparts.m"
    (Referenced from: "D:\Program Files\MATLAB71\toolbox\compiler\dirname.m").
Parsing file "D:\Program Files\MATLAB71\toolbox\matlab\general\addpath.m"
    (Referenced from: "D:\Program Files\MATLAB71\toolbox\compiler\deploy\deployprint.m").
Parsing file "D:\Program Files\MATLAB71\toolbox\matlab\graphics\gcbf.m"
    (Referenced from: "D:\Program Files\MATLAB71\toolbox\compiler\deploy\deployprint.m").
Parsing file "D:\Program Files\MATLAB71\toolbox\matlab\general\ispc.m"
    (Referenced from: "D:\Program Files\MATLAB71\toolbox\compiler\deploy\deployprint.m").
Parsing file "D:\Program Files\MATLAB71\toolbox\matlab\datatypes\num2cell.m"
    (Referenced from: "D:\Program Files\MATLAB71\toolbox\compiler\deploy\deployprint.m").
Parsing file "D:\Program Files\MATLAB71\toolbox\matlab\strfun\num2str.m"
    (Referenced from: "D:\Program Files\MATLAB71\toolbox\compiler\deploy\deployprint.m").
Parsing file "D:\Program Files\MATLAB71\toolbox\matlab\graphics\orient.m"
    (Referenced from: "D:\Program Files\MATLAB71\toolbox\compiler\deploy\deployprint.m").
Parsing file "D:\Program Files\MATLAB71\toolbox\matlab\general\path.m"
    (Referenced from: "D:\Program Files\MATLAB71\toolbox\compiler\deploy\deployprint.m").
Parsing file "D:\Program Files\MATLAB71\toolbox\compiler\deploy\printdlg.m"
    (Referenced from: "D:\Program Files\MATLAB71\toolbox\compiler\deploy\deployprint.m").
Parsing file "D:\Program Files\MATLAB71\toolbox\matlab\general\rmpath.m"
```

```
        (Referenced from: "D:\Program Files\MATLAB71\toolbox\compiler\deploy\deployprint.m").
  Parsing file "D:\Program Files\MATLAB71\toolbox\matlab\strfun\str2num.m"
        (Referenced from: "D:\Program Files\MATLAB71\toolbox\compiler\deploy\deployprint.m").
  Parsing file "D:\Program Files\MATLAB71\toolbox\matlab\iofun\tempname.m"
        (Referenced from: "D:\Program Files\MATLAB71\toolbox\compiler\deploy\deployprint.m").
  Generating file "collect_one_external.h".
  Generating file "collect_main.c".
  Generating file "collect_mcc_component_data.c".
  Executing command: mbuild -O -v -output "collect" "measure.c" "collect_main.c"
  "collect_mcc_component_data.c" -link exe
   This is mbuild Copyright 1984-2004 The MathWorks, Inc.

  -> Default options filename found in C:\Documents and Settings\Lab\Application
  Data\MathWorks\MATLAB\R14SP3
  ----------------------------------------------------------------
  ->      Options file                 = C:\Documents and Settings\Lab\Application
  Data\MathWorks\MATLAB\R14SP3\compopts.bat
  ->      COMPILER                     = cl
  ->      Compiler flags:
              COMPFLAGS                = -c -Zp8 -G5 -GX -W3 -nologo
              OPTIMFLAGS               = -O2 -DNDEBUG
              DEBUGFLAGS               = -Zi -Fd"collect.pdb"
              arguments                =
              Name switch              = /Fo
  ->      Pre-linking commands         =
  ->      LINKER                       = link
  ->      Link directives:
              LINKFLAGS                = kernel32.lib user32.lib gdi32.lib advapi32.lib oleaut32.lib
  ole32.lib /LIBPATH:"D:\Program Files\MATLAB71\extern\lib\win32\microsoft\msvc60" /nologo
  mclmcrrt.lib
              LINKFLAGSPOST            =
              Name directive           = "/out:collect.exe"
              File link directive =
              Lib. link directive =
              Rsp file indicator   = @
  ->      Resource Compiler            = rc /fo ".res"
  ->      Resource Linker              =
  ----------------------------------------------------------------


  --> "cl -c -Zp8 -G5 -GX -W3 -nologo /FoC:\DOCUME~1\Lab\LOCALS~1\Temp\measure.obj
  -I"D:\Program Files\MATLAB71"\extern\include -I"D:\Program
  Files\MATLAB71"\simulink\include -O2 -DNDEBUG measure.c"

  measure.c

  --> "cl -c -Zp8 -G5 -GX -W3 -nologo
  /FoC:\DOCUME~1\Lab\LOCALS~1\Temp\collect_main.obj -I"D:\Program
  Files\MATLAB71"\extern\include -I"D:\Program Files\MATLAB71"\simulink\include -O2
  -DNDEBUG collect_main.c"
```

```
collect_main.c

--> "cl -c -Zp8 -G5 -GX -W3 –nologo
/FoC:\DOCUME~1\Lab\LOCALS~1\Temp\collect_mcc_component_data.obj
-I"D:\Program
 Files\MATLAB71"\extern\include -I"D:\Program Files\MATLAB71"\simulink\include -O2
-DNDEBUG collect_mcc_component_data.c"

collect_mcc_component_data.c
    Contents of 972_tmp.rsp:
  C:\DOCUME~1\Lab\LOCALS~1\Temp\measure.obj
C:\DOCUME~1\Lab\LOCALS~1\Temp\collect_main.obj
C:\DOCUME~1\Lab\LOCALS~1\Temp\collect_mcc_component_data.obj


--> "link "/out:collect.exe" kernel32.lib user32.lib gdi32.lib advapi32.lib oleaut32.lib ole32.lib
/LIBPATH:"D:\Program Files\MATLAB71\extern\lib\win32\microsoft\msvc60" /nologo
mclmcrrt.lib @972_tmp.rsp "


--> "if exist _lib972.def del _lib972.def"
>> dir

.                 collect.m                       mccExcludedFiles.log
..                collect_main.c                  measure.c
collect.ctf       collect_mcc_component_data.c
collect.exe       collect_one_external.h
```

运行后生成的文件和前面编译生成的文件相似。如果从 Windows 命令行中来运行 collect.exe 文件，得到的输出结果如图 12.14 所示。

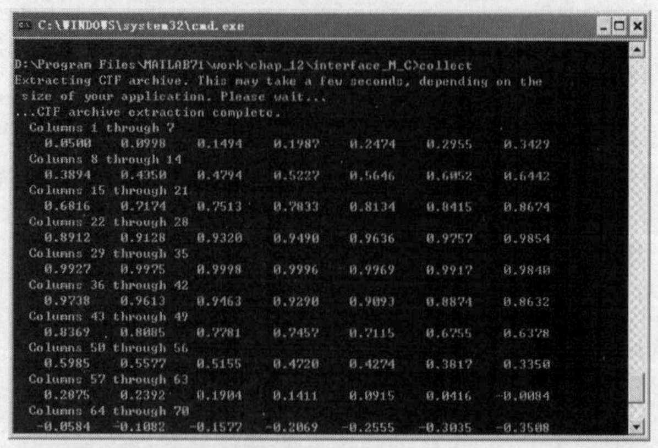

图 12.14 输出的测量结果

12.7 编译生成共享库函数

MATLAB 7.x 中的编译器也能够通过使用编译器将几个 M 文件生成 C/C++共享库函数，

此时还能够生成用于调用共享库函数的驱动应用程序。下面通过简单的示例来说明共享库函数的生成和创建过程。所用的示例可以从<matlabroot>\etern\camples\compiler 目录下复制到当前的工作目录。需要复制的文件包括 addmatrix.m，multiplymatrix.m，eigmatrix.m 和 matrixdriver.c 文件。

例 12.9　生成共享库函数。

复制后的文件内容如下：

```
addmatrix.m
function a = addmatrix(a1, a2)
a = a1 + a2;



multiplymatrix.m
function m = multiplymatrix(a1, a2)
m =   a1*a2;



eigmatrix.m
function e = eigmatrix(a1)
e = eig(a1);
```

此处为生成共享库函数，可以在命令行中输入下列命令：

```
mcc -B csharedlib:libmatrix addmatrix.m multiplymatrix.m eigmatrix.m -v
```

其中，-B csharedlib 选项可以展开为-W lib:<libname> -T link:lib。在这个展开命令中，-W lib:<libname>选项告诉 MATLAB 编译器为共享库函数生成函数，并将其名称定义为 libname。而-T link:lib 选项则指明了共享库函数的输出目标位置。注意编译器生成共享库函数的目录，在后面编写 C 语言的调用函数时需要使用该库函数。

```
>> mcc -B csharedlib:libmatrix addmatrix.m multiplymatrix.m eigmatrix.m -v
Compiler version: 4.3 (R14SP3)
Depfun main loop, iteration 1
Processing D:\Program Files\MATLAB71\toolbox\matlab\mcc.enc
1 item(s) added.
Processing dependencies...
0 item(s) added.
Depfun main loop, iteration 2
Processing dependencies...
0 item(s) added.
Processing include files...
2 item(s) added.
Processing exclude list...
0 item(s) removed.  You can review the mccExcludedFiles.log file for the list of functions not
included in the CTF archive.
Processing directories installed with MCR...
56 item(s) removed.   You can review the mccExcludedFiles.log file for the list of functions not
included in the CTF archive.
2 item(s) added.
Generating MATLAB path for the compiled application...
Created 35 path items.
Depfun main loop converged in 2 iterations, total number of files = 13
```

```
Begin validation of MEX files: Sat Sep 29 23:30:15 2007
End validation of MEX files: Sat Sep 29 23:30:15 2007

Parsing file "D:\Program Files\MATLAB71\work\chap_12\share_dll\addmatrix.m"
    (Referenced from: "Compiler Command Line").
Parsing file "D:\Program Files\MATLAB71\work\chap_12\share_dll\multiplymatrix.m"
    (Referenced from: "Compiler Command Line").
Parsing file "D:\Program Files\MATLAB71\work\chap_12\share_dll\eigmatrix.m"
    (Referenced from: "Compiler Command Line").
Parsing file "D:\Program Files\MATLAB71\toolbox\compiler\deploy\matlabrc.m"
    (Referenced from: "Compiler Command Line").
Parsing file "D:\Program Files\MATLAB71\toolbox\compiler\dirname.m"
    (Referenced from: "Compiler Command Line").
Parsing file "D:\Program Files\MATLAB71\toolbox\compiler\deploy\deployprint.m"
    (Referenced from: "Compiler Command Line").
Parsing file "D:\Program Files\MATLAB71\toolbox\compiler\deploy\hgrc.m"
    (Referenced from: "D:\Program Files\MATLAB71\toolbox\compiler\deploy\matlabrc.m").
Parsing file "D:\Program Files\MATLAB71\toolbox\matlab\strfun\str2double.m"
    (Referenced from: "D:\Program Files\MATLAB71\toolbox\compiler\deploy\matlabrc.m").
Parsing file "D:\Program Files\MATLAB71\toolbox\matlab\general\usejava.m"
    (Referenced from: "D:\Program Files\MATLAB71\toolbox\compiler\deploy\matlabrc.m").
Parsing file "D:\Program Files\MATLAB71\toolbox\matlab\iofun\fileparts.m"
    (Referenced from: "D:\Program Files\MATLAB71\toolbox\compiler\dirname.m").
Parsing file "D:\Program Files\MATLAB71\toolbox\matlab\general\addpath.m"
    (Referenced from: "D:\Program Files\MATLAB71\toolbox\compiler\deploy\deployprint.m").
Parsing file "D:\Program Files\MATLAB71\toolbox\matlab\graphics\gcbf.m"
    (Referenced from: "D:\Program Files\MATLAB71\toolbox\compiler\deploy\deployprint.m").
Parsing file "D:\Program Files\MATLAB71\toolbox\matlab\general\ispc.m"
    (Referenced from: "D:\Program Files\MATLAB71\toolbox\compiler\deploy\deployprint.m").
Parsing file "D:\Program Files\MATLAB71\toolbox\matlab\datatypes\num2cell.m"
    (Referenced from: "D:\Program Files\MATLAB71\toolbox\compiler\deploy\deployprint.m").
Parsing file "D:\Program Files\MATLAB71\toolbox\matlab\strfun\num2str.m"
    (Referenced from: "D:\Program Files\MATLAB71\toolbox\compiler\deploy\deployprint.m").
Parsing file "D:\Program Files\MATLAB71\toolbox\matlab\graphics\orient.m"
    (Referenced from: "D:\Program Files\MATLAB71\toolbox\compiler\deploy\deployprint.m").
Parsing file "D:\Program Files\MATLAB71\toolbox\matlab\general\path.m"
    (Referenced from: "D:\Program Files\MATLAB71\toolbox\compiler\deploy\deployprint.m").
Parsing file "D:\Program Files\MATLAB71\toolbox\compiler\deploy\printdlg.m"
    (Referenced from: "D:\Program Files\MATLAB71\toolbox\compiler\deploy\deployprint.m").
Parsing file "D:\Program Files\MATLAB71\toolbox\matlab\general\rmpath.m"
    (Referenced from: "D:\Program Files\MATLAB71\toolbox\compiler\deploy\deployprint.m").
Parsing file "D:\Program Files\MATLAB71\toolbox\matlab\strfun\str2num.m"
    (Referenced from: "D:\Program Files\MATLAB71\toolbox\compiler\deploy\deployprint.m").
Parsing file "D:\Program Files\MATLAB71\toolbox\matlab\iofun\tempname.m"
    (Referenced from: "D:\Program Files\MATLAB71\toolbox\compiler\deploy\deployprint.m").
Generating file "libmatrix.h".
Generating file "libmatrix.c".
Generating file "libmatrix.exports".
Generating file "libmatrix_mcc_component_data.c".
Executing command: mbuild -O -v -output "libmatrix" "libmatrix.c" "libmatrix.exports"
```

```
"libmatrix_mcc_component_data.c" -link shared
 This is mbuild Copyright 1984-2004 The MathWorks, Inc.

-> Default   options   filename   found   in   C:\Documents   and   Settings\Lab\Application
Data\MathWorks\MATLAB\R14SP3
----------------------------------------------------------------
->      Options file                              = C:\Documents   and   Settings\Lab\Application
Data\MathWorks\MATLAB\R14SP3\compopts.bat
->      COMPILER                    = cl
->      Compiler flags:
            COMPFLAGS                   = -c -Zp8 -G5 -GX -W3 -nologo -DMSVC -DIBMPC -DMSWIND
            OPTIMFLAGS                  = -O2 -DNDEBUG
            DEBUGFLAGS                  = -Zi -Fd"libmatrix.pdb"
            arguments               =
            Name switch             = /Fo
->      Pre-linking commands    =
->      LINKER                      = link
->      Link directives:
            LINKFLAGS                       =   kernel32.lib    user32.lib    gdi32.lib    advapi32.lib
oleaut32.lib                    ole32.lib                           /LIBPATH:"D:\Program
Files\MATLAB71\extern\lib\win32\microsoft\msvc60"       /nologo          mclmcrrt.lib         /dll
/implib:"libmatrix.lib" /def:_lib1754.def
            LINKFLAGSPOST           =
            Name directive          = "/out:libmatrix.dll"
            File link directive =
            Lib. link directive =
            Rsp file indicator   = @
->      Resource Compiler           = rc /fo ".res"
->      Resource Linker             =
----------------------------------------------------------------


--> "cl     -c    -Zp8    -G5    -GX    -W3    -nologo    -DMSVC    -DIBMPC    -DMSWIND
/FoC:\DOCUME~1\Lab\LOCALS~1\Temp\libmatrix.obj                               -I"D:\Program
Files\MATLAB71"\extern\include   -I"D:\Program   Files\MATLAB71"\simulink\include       -O2
-DNDEBUG libmatrix.c"

libmatrix.c

--> "cl     -c    -Zp8    -G5    -GX    -W3    -nologo    -DMSVC    -DIBMPC    -DMSWIND
/FoC:\DOCUME~1\Lab\LOCALS~1\Temp\libmatrix_mcc_component_data.obj          -I"D:\Program
Files\MATLAB71"\extern\include  -I"D:\Program   Files\MATLAB71"\simulink\include        -O2
-DNDEBUG libmatrix_mcc_component_data.c"

libmatrix_mcc_component_data.c

--> "type 1754_tmp.exports | "D:\Program Files\MATLAB71\sys\perl\win32\bin\perl.exe" -e "print
\"LIBRARY libmatrix.dll\nEXPORTS\n\"; while (<>) {print;}" > _lib1754.def"

    Contents of 1754_tmp.rsp:
```

```
C:\DOCUME~1\Lab\LOCALS~1\Temp\libmatrix.obj
C:\DOCUME~1\Lab\LOCALS~1\Temp\libmatrix_mcc_component_data.obj


--> "link "/out:libmatrix.dll"   kernel32.lib user32.lib gdi32.lib advapi32.lib oleaut32.lib ole32.lib
/LIBPATH:"D:\Program      Files\MATLAB71\extern\lib\win32\microsoft\msvc60"     /nologo
mclmcrrt.lib /dll /implib:"libmatrix.lib" /def:_lib1754.def   @1754_tmp.rsp   "

   Creating library libmatrix.lib and object libmatrix.exp

--> "if exist _lib1754.def del _lib1754.def"

>> dir

.                        libmatrix.dll                 matrixdriver.c
..                       libmatrix.exp                 mccExcludedFiles.log
addmatrix.m              libmatrix.exports             multiplymatrix.m
eigmatrix.m              libmatrix.h
libmatrix.c              libmatrix.lib
libmatrix.ctf            libmatrix_mcc_component_data.c
```

通过上面的编译后生成可供使用库函数。编写调用的库函数文件时，需要通过以下几个步骤。

（1）声明变量，处理或验证输入参数。

（2）调用 mclInitializeApplication，并验证是否成功。该函数建立全局 MCR 状态，并保证对 MCR 示例进行创建。

（3）按照库函数的要求使用<libraryname>Initialize 来初始化每个 MCR 示例。

（4）触发库函数，处理结果，这部分为程序的主体；注意，如果应用程序包括 MATLAB 图形窗口，那么需要包含对 mclWaitForFiguresToDie(NULL)的调用，以及 mclTerminateApplication 函数。

（5）对每个库函数，<libraryname>Terminate 销毁相关的 MCR。

（6）调用 mclWaitForFiguresToDie 来释放全局 MCR 状态的相关资源。

（7）清除变量，关闭文件。

下面编写的调用 C 函数文件内容如下：

```
matrixdriver.c
#include <stdio.h>

#ifdef __APPLE_CC__
#include <CoreFoundation/CoreFoundation.h>
#endif

/* Include the MCR header file and the library specific header file
 * as generated by MATLAB Compiler */
#include "libmatrix.h"

/* This function is used to display a double matrix stored in an mxArray */
```

```
void display(const mxArray* in);

void *run_main(void *x)
{
  int *err = x;
    mxArray *in1, *in2; /* Define input parameters */
    mxArray *out = NULL;/* and output parameters to be passed to the library functions */

    double data[] = {1,2,3,4,5,6,7,8,9};

    /* Call the mclInitializeApplication routine. Make sure that the application
     * was initialized properly by checking the return status. This initialization
     * has to be done before calling any MATLAB API's or MATLAB Compiler generated
     * shared library functions.   */
    if( !mclInitializeApplication(NULL,0) )
    {
        fprintf(stderr, "Could not initialize the application.\n");
    *err = -1;
        return(x);
    }

    /* Create the input data */
    in1 = mxCreateDoubleMatrix(3,3,mxREAL);
    in2 = mxCreateDoubleMatrix(3,3,mxREAL);
    memcpy(mxGetPr(in1), data, 9*sizeof(double));
    memcpy(mxGetPr(in2), data, 9*sizeof(double));

    /* Call the library intialization routine and make sure that the
     * library was initialized properly. */
    if (!libmatrixInitialize()){
        fprintf(stderr,"Could not initialize the library.\n");
        *err = -2;
    }
    else
    {
        /* Call the library function */
        mlfAddmatrix(1, &out, in1, in2);
    /* Display the return value of the library function */
    printf("The value of added matrix is:\n");
    display(out);
    /* Destroy the return value since this varaible will be resued in
    * the next function call. Since we are going to reuse the variable,
    * we have to set it to NULL. Refer to MATLAB Compiler documentation
    * for more information on this. */
    mxDestroyArray(out); out=0;
    mlfMultiplymatrix(1, &out, in1, in2);
    printf("The value of the multiplied matrix is:\n");
    display(out);
```

```
        mxDestroyArray(out); out=0;
        mlfEigmatrix(1, &out, in1);
        printf("The eigenvalues of the first matrix are:\n");
        display(out);
        mxDestroyArray(out); out=0;

        /* Call the library termination routine */
        libmatrixTerminate();

        /* Free the memory created */
        mxDestroyArray(in1); in1=0;
        mxDestroyArray(in2); in2 = 0;
        }
/* On MAC, you need to call mclSetExitCode with the appropriate exit status
 * Also, note that you should call mclTerminate application in the end of
 * your application. mclTerminateApplication terminates the entire
 * application and exits with the exit code set using mclSetExitCode. Note
 * that this behavior is only on MAC platform.
 */
#ifdef __APPLE_CC_
        mclSetExitCode(*err);
#endif
        mclTerminateApplication();
        return 0;
}


/*DISPLAY This function will display the double matrix stored in an mxArray.
 * This function assumes that the mxArray passed as input contains double
 * array.
 */
void display(const mxArray* in)
{
        int i=0, j=0; /* loop index variables */
        int r=0, c=0; /* variables to store the row and column length of the matrix */
        double *data; /* variable to point to the double data stored within the mxArray */

        /* Get the size of the matrix */
        r = mxGetM(in);
        c = mxGetN(in);
        /* Get a pointer to the double data in mxArray */
        data = mxGetPr(in);

        /* Loop through the data and display the same in matrix format */
        for( i = 0; i < c; i+ + ){
                for( j = 0; j < r; j+ +){
                        printf("%4.2f\t",data[j*c+i]);
                }
```

```
            printf("\n");
        }
        printf("\n");
    }

int main()
{
    int err = 0;
#ifdef __APPLE_CC__
        pthread_t id;
        pthread_create(&id, NULL, run_main, &err);

        CFRunLoopSourceContext sourceContext;
        sourceContext.version              = 0;
        sourceContext.info                 = NULL;
        sourceContext.retain               = NULL;
        sourceContext.release              = NULL;
        sourceContext.copyDescription = NULL;
        sourceContext.equal                = NULL;
        sourceContext.hash                 = NULL;
        sourceContext.schedule             = NULL;
        sourceContext.cancel               = NULL;
        sourceContext.perform              = NULL;

        CFRunLoopSourceRef sourceRef = CFRunLoopSourceCreate(NULL, 0, &sourceContext);
        CFRunLoopAddSource(CFRunLoopGetCurrent(), sourceRef, kCFRunLoopCommonModes);
        CFRunLoopRun();
#else
        run_main(&err);
#endif
        return err;
}
```

接着使用 mbuild matrixdriver.c libmatrix.lib 来编译程序代码。

```
>> mbuild matrixdriver.c libmatrix.lib
```

在 Windows 命令窗口中运行编译后的可执行文件，结果如图 12.15 所示。

图 12.15　在 Windows 中执行编译后的文件

12.8 本 章 小 结

在 MATLAB 7.x 中编写 M 文件、MEX 文件等，可以通过使用 MATLAB 7.x 所提供的编译器来生成独立运行的程序、函数接口以及共享库函数等。通过编译得到的这些文件可以不依赖于 MATLAB 7.x 而独立执行或运行，同时也可以通过编译后生成 C/C+ +等源程序，从而大大提高了所编写程序的成本。本章主要介绍的内容包括编译器概述、编译器安装与配置、编译命令、生成独立运行的程序、生成函数接口以及生成共享库函数等。

第 13 章　应用程序接口

第 12 章介绍了如何使用 MATLAB 7.x 编译器将 M 文件、MEX 文件等通过编译后生成独立运行的程序、共享库文件、文件接口等。通过这种方式增强了 MATLAB 7.x 的运行能力。此外，MATLAB 7.x 还提供了和多种语言之间的接口，将其他语言直接在 MATLAB 7.x 中使用,这些使用都是通过所提供的 API 函数来实现的。这些接口(如 MEX 文件接口)使 MATLAB 7.x 能够直接使用 C 或 FORTRAN 编写的程序代码; 或使用 MAT 数据级数实现数据的输入输出接口； MATLAB 7.x 的计算引擎函数库，可以帮助 MATLAB 7.x 和其他应用程序之间建立客户机/服务器的关系，将 MATLAB 7.x 作为计算引擎来使用；此外，还可以使用与 COM 技术相关的标准，以及和 Java 语言之间的接口。本章主要介绍的内容包括:

- MEX 文件的创建与使用
- MAT 文件的创建与使用
- MATLAB 7.x 的引擎技术
- MATLAB 7.x 中的 Java 接口

13.1　C 语言 MEX 文件

尽管 MATLAB 提供了一个可以进行编程或处理数据的独立完整的运行环境，但常常还需要和其他外部程序之间进行数据交换，如 C 和 FORTRAN 语言类型编写的外部程序。实际上，通过 C 语言或 FORTRAN 语言编写的 MEX 程序代码，经过编译后可以被 MATLAB 使用。此时，MATLAB 调用 C 或 FORTRAN 语言编写的子程序，能够自动加载和执行，像调用自己的内建函数一样。MATLAB 调用的 C 或 FORTRAN 程序通常称为 MEX 文件。

13.1.1　MEX 文件的数据

在用户编写 MEX 文件进行函数调用时，需要首先了解 MEX 文件中的数据类型，以及和 MATLAB 数据类型之间的联系。

在 MATLAB 中，能够支持的语言只有一种类型，即 MATLAB 矩阵（Array）。因此，所有的 MATLAB 变量，如标量、向量、矩阵、字符串、单元数组、结构体以及对象等，都以 MATLAB 矩阵的形式存储。而在 C 语言中，这些 MATLAB 矩阵都可以声明为 mxArray 类型。mxArray 类型结构中应当包含以下内容：类型；维数；和矩阵相关的数据；如果是数值型数据，那么需要说明是实数还是复数；如果是稀疏矩阵，那么需要说明变量下标以及最大的非零元素；如果是结构体或对象，那么需要说明变量的字段名及其数值。

在 MATLAB 中支持的数据包括以下一些类型。

（1）双精度复数矩阵：这种矩阵的类型为双精度类型，维数为 m × n。数据以两个双精度向量保存，其中一个存放实部，另一个存放虚部。这两个向量的访问的指针分别为 pr 和 pi。如果是实数，那么指针 pi 为 NULL。

（2）数值矩阵：MATLAB 支持的数值矩阵包括单精度浮点数，8 位、16 位和 32 位有符号和无符号整数，单精度浮点数的存储方式和双精度浮点数一样。

（3）逻辑矩阵：矩阵中存放 1 和 0 来表示逻辑真和假。

（4）字符串：字符串的存放方式和 16 位无符号整数的存储方式相同，和 C 不同的地方在于，MATLAB 字符串并不以 null 结束。

（5）单元数组：每个 mxArray 都作为一个单元数组使用，可以保证把不同类型的数据存放在一个矩阵内；单元数组的存放方式和数值数组的存放方式相同，但数组部分还包括一个指针向量来指向数组。

（6）结构体：一个 1 × 1 结构体的存储方式和 1 × n 单元数组的存储方式相同，n 为结构体中的数值字段的数目。数值向量的成员为调用区字段。每个数值字段都存放在名为 mxArray 的结构体中。

（7）对象：对象的存取方式和结构体的存取方式相同。MATLAB 中，对象为注册了方法的命名结构体；在 MATLAB 之外，对象是包含对象类名的存储区字段。

（8）多维数组：多维数组中整数向量存储每个元素的对应维数，数据的存储方式和矩阵的存储方式相同。

13.1.2 C-MEX 文件的调用

对于 C 语言类型的 MEX 文件主要包括两个部分：计算子函数（computational routine ）和接口函数（gateway routine）。其中计算子函数部分包含了需要在 MEX 文件中实现的计算功能，如数值计算、输入输出数据；接口函数部分在通过入口点函数 mexFunction 及其参数 prhs、nrhs、plhs、nlhs 对计算子函数部分进行调用，来实现和计算子函数之间的接口部分，其中，prhs 为右侧输入的参数矩阵，nrhs 为右侧输入的参数数目，plhs 为左侧输出的参数矩阵，nlhs 为左侧输出的参数数目。

在接口函数内，可以访问 mxArray 结构体中的数据，也可以在 C 语言编写的计算子程序部分对数据进行操作。如表达式 mxGetPr (prhs[0])返回 mxArray 中由 prhs[0] 指向的 duoble *类型的指针。当在接口函数中调用计算子程序后，可以将 mxArray 类型的指针指向返回的数据。MATLAB 能够从计算子程序中识别输出，并作为 MEX 文件的输出。

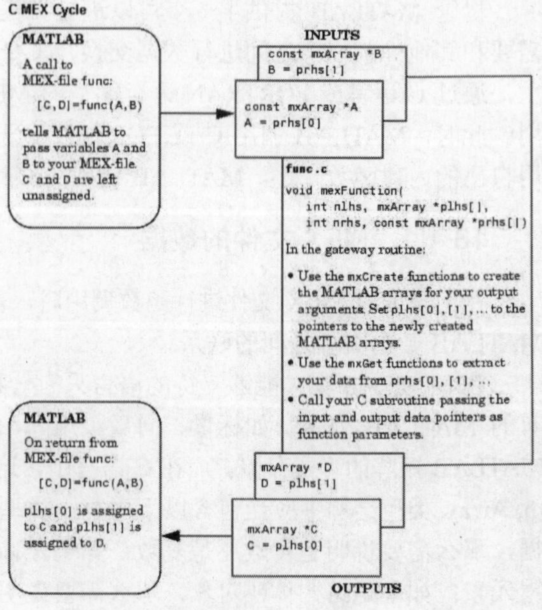

图 13.1　MATLAB 调用 C 语言 MEX 文件的过程

图 13.1 所示为 MATLAB 调用 MEX 函数文件的一个示意图。该图说明了 MATLAB 调用 C 语言编写的子函数的整个过程。图中调用名为 func 的 MEX 文件中的函数[C,D] =

func(A,B)。调用命令告诉 MATLAB 将参数 A 和 B 传递到 MEX 文件，C 和 D 为计算结束后的返回数据，没有赋值。

在文件 func.c 中，接口函数使用 mxCreate 函数产生 MATLAB 矩阵作为输出参数，该函数设置 plhs[0], [1], …到新产生的 MATLAB 矩阵中。通过使用 mxGet 方程从 prhs[0], [1], …提取输入的参数。

最后，该接口函数调用 C 语言的子函数，并将输入和输出数据指针作为函数参数进行传递。在返回到 MATLAB 时，plhs[0]赋值给 C，而 plhs[1]赋值给 D。

下面通过一个简单的示例来说明 MEX 文件的结构及其调用过程。

例 13.1　传递标量计算后返回数据（将输入数据乘 2 返回）。

如果直接使用 C 语言来编写该函数，编写完毕后，只要直接使用 C 语言编译器完成编译后，就可以实现函数的调用和计算功能。C 语言版本的处理代码如下：

```
#include <math.h>
void timestwo(double y[], double x[])
{
  y[0] = 2.0*x[0];
  return;
}
```

当然，可以用 C 语言方式编写为 MEX 文件供给 MATLAB 直接调用后使用。如果使用这种方式，那么在编写 MEX 文件的过程中需要注意文件的结构以及编写的引用头文件等。以下代码为 C 语言编写的 MEX 文件，其中对相应的部分做了一些注释。

```
// 编写 C-MEX 文件必须包含该头文件
#include "mex.h"

// C 语言编写的计算子函数部分
void timestwo(double y[], double x[])
{
  y[0] = 2.0*x[0];
}

// C-MEX 函数的接口函数
// int nlhs, mxArray *plhs[]为函数左侧的输出参数个数及参数矩阵
// int nrhs, mxArray *prhs[]为函数右侧的输入参数个数及参数矩阵
void mexFunction(int nlhs, mxArray *plhs[], int nrhs,
                 const mxArray *prhs[])
{
  double *x, *y;
  int mrows, ncols;

  /*  检查输入参数是否正确 */
  if (nrhs != 1) {
    mexErrMsgTxt("One input required.");
  } else if (nlhs > 1) {
    mexErrMsgTxt("Too many output arguments");
  }

  /*  保证输入参数必须为非复数的浮点数*/
```

```
    mrows = mxGetM(prhs[0]);
    ncols = mxGetN(prhs[0]);
    if (!mxIsDouble(prhs[0]) || mxIsComplex(prhs[0]) ||
        !(mrows == 1 && ncols == 1)) {
      mexErrMsgTxt("Input must be a noncomplex scalar double.");
    }

    /* 创建输出参数矩阵 */
    plhs[0] = mxCreateDoubleMatrix(mrows,ncols, mxREAL);

    /* 为输入和输出参数分配指针 */
    x = mxGetPr(prhs[0]);
    y = mxGetPr(plhs[0]);

    /* 调用 C 语言计算子程序 timestwo */
    timestwo(y,x);
}
```

在 MATLAB 的命令行中编译上面编写的 MEX 函数，可以得到可执行的文件。此时，只要在 MATLAB 命令行中按照 MATLAB 常见命令的调用方式，输入命令后就可以调用上面编译生成的文件。

```
>> % 指定输出名称，编译 C-MEX 函数
>> mex times2.c -output times2.dll
>> dir

.              ..              chap_12.rar    times2.c       times2.dll
>> % 调用编译得到的文件
>> x=13;
>> y=times2(x)
y =
    26
```

在 MATLAB 中提供了比较多的 MEX 的 API 函数，可以供编写 C-MEX 文件，以编译生成所需要的文件。如上面的例子中，通过使用指针方式来调用数据，但实际上由于只是一个标量的计算过程，因此，可以直接使用 mxGetScalar 函数而省去大量的指针操作过程。下面给出这个版本的 C-MEX 文件清单。这也就从一个方面说明，尽管 MEX 文件的创建方法比较简单，但 MATLAB 系统本身已经经过优化能够进行非常高效的数据处理，除非必要，不建议使用 MEX 方式来进行计算。

```
// 使用 mxGetScalar 函数版本的文件
#include "mex.h"

void timestwo_alt(double *y, double x)
{
  *y = 2.0*x;
}

void mexFunction(int nlhs, mxArray *plhs[],
                 int nrhs, const mxArray *prhs[])
{
```

```
    double *y;
    double x;

    /* 创建 1x1 矩阵用于数据输出 */
    plhs[0] = mxCreateDoubleMatrix(1, 1, mxREAL);

    /* 使用 mxGetScalar 来得到输入数据，而不是使用指针 */
    x = mxGetScalar(prhs[0]);

    /* 为输入分配指针 */
    y = mxGetPr(plhs[0]);

    /* 调用计算函数 */
    timestwo_alt(y,x);
}
```

同样的方式编译和执行上面的 C-MEX 文件，结果如下：

```
>> % 编译另一版本的 MEX 文件
>> mex times2_scalar.c -output times2_scalar.dll
>> % 计算数值
>> x=17;
>> y=times2_scalar(x)
y =
    34
```

13.1.3　创建 MEX 文件

MEX 文件的编写实际上大大方便了用户在 MATLAB 中使用不同语言来编写文件。MEX 文件实际上就是通过编译后得到的 C 和 FORTRAN 版本的函数，可以像 MATLAB 的函数一样使用。尽管存在执行效率的问题，但使用 MEX 文件还是在一定程度上大大改进了 MATLAB 的功能。

MEX 文件的功能比较强大，只要是 MATLAB 支持的数据类型，都可以实现数据的传递功能。和其他数据类型相比较，传递结构体或单元体数据时，数据本身就是 mxArray 类型的数据。实际上，mxGetField（用于结构体）和 mxGetCell（用于单元数组）都能够返回 mxArray 类型的指针。在处理时，这些指针和其他类型的指针一样。但是，如果需要将保存在 mxArray 中的数据传递给 C 函数，那么需要使用 mxGetData 等 API 函数来读取数据。

下面通过一个示例来介绍读取结构体和单元体数据的 MEX 文件。

例 13.2　传递结构体和单元数组的 MEX 文件示例。

```
// 头文件
#include "mex.h"
#include "string.h"

#define MAXCHARS 80    /* 指定每个域可以包含的最大字符数 */

/* 接口函数 */
void mexFunction(int nlhs, mxArray *plhs[],
                 int nrhs, const mxArray *prhs[])
{
```

```
const char **fnames;           /* 指向域名的指针 */
const int   *dims;
mxArray      *tmp, *fout;
char         *pdata;
int          ifield, jstruct, *classIDflags;
int          NStructElems, nfields, ndim;

/* 检查输入输出是否正确 */
if (nrhs != 1)
  mexErrMsgTxt("One input required.");
else if (nlhs > 1)
   mexErrMsgTxt("Too many output arguments.");
else if (!mxIsStruct(prhs[0]))
  mexErrMsgTxt("Input must be a structure.");

/* 获取输入数据 */
nfields = mxGetNumberOfFields(prhs[0]);
NStructElems = mxGetNumberOfElements(prhs[0]);

/* 为 classIDflags 分配内存 */
classIDflags = mxCalloc(nfields, sizeof(int));

/* 检查区域是否空白，数据类型是否正确和一致，为每个域获取 classID */
for (ifield = 0; ifield < nfields; ifield++) {
   for (jstruct = 0; jstruct < NStructElems; jstruct++) {
      tmp = mxGetFieldByNumber(prhs[0], jstruct, ifield);
      if (tmp == NULL) {
         mexPrintf("%s%d\t%s%d\n",
               "FIELD:", ifield+1, "STRUCT INDEX :", jstruct+1);
         mexErrMsgTxt("Above field is empty!");
      }
      if (jstruct == 0) {
         if ((!mxIsChar(tmp) && !mxIsNumeric(tmp)) ||
               mxIsSparse(tmp)) {
            mexPrintf("%s%d\t%s%d\n",
                  "FIELD:", ifield+1, "STRUCT INDEX :", jstruct+1);
            mexErrMsgTxt("Above field must have either "
                  "string or numeric non-sparse data.");
         }
         classIDflags[ifield] = mxGetClassID(tmp);
      } else {
         if (mxGetClassID(tmp) != classIDflags[ifield]) {
            mexPrintf("%s%d\t%s%d\n",
                  "FIELD:", ifield+1, "STRUCT INDEX :", jstruct+1);
            mexErrMsgTxt("Inconsistent data type in above field!");
         }
         else if (!mxIsChar(tmp) && ((mxIsComplex(tmp) ||
               mxGetNumberOfElements(tmp) != 1))) {
            mexPrintf("%s%d\t%s%d\n",
                  "FIELD:", ifield+1, "STRUCT INDEX :", jstruct+1);
```

```
                mexErrMsgTxt("Numeric data in above field "
                    "must be scalar and noncomplex!");
            }
        }
    }
}

/* 为保存指针分配内存 */
fnames = mxCalloc(nfields, sizeof(*fnames));
/* 获得每个字段名指针 */
for (ifield = 0; ifield < nfields; ifield++) {
    fnames[ifield] = mxGetFieldNameByNumber(prhs[0],ifield);
}

/* 创建输出的 1×1 结构体矩阵 */
plhs[0] = mxCreateStructMatrix(1, 1, nfields, fnames);
mxFree(fnames);
ndim = mxGetNumberOfDimensions(prhs[0]);
dims = mxGetDimensions(prhs[0]);
for (ifield = 0; ifield < nfields; ifield++) {
    /* 创建单元或数值矩阵 */
    if (classIDflags[ifield] = = mxCHAR_CLASS) {
        fout = mxCreateCellArray(ndim, dims);
    } else {
        fout = mxCreateNumericArray(ndim, dims,
            classIDflags[ifield], mxREAL);
        pdata = mxGetData(fout);
    }

    /* 从输入结构体矩阵中复制数据 */
    for (jstruct = 0; jstruct < NStructElems; jstruct++) {
        tmp = mxGetFieldByNumber(prhs[0],jstruct,ifield);
        if (mxIsChar(tmp)) {
            mxSetCell(fout, jstruct, mxDuplicateArray(tmp));
        } else {
            size_t      sizebuf;
            sizebuf = mxGetElementSize(tmp);
            memcpy(pdata, mxGetData(tmp), sizebuf);
            pdata += sizebuf;
        }
    }

    /* 为每个输出结构体设置字段 */
    mxSetFieldByNumber(plhs[0], 0, ifield, fout);
}
mxFree(classIDflags);
return;
}
```

在本例中，输入 m × n 的结构体矩阵，返回包含以下数值字段的新的 1 × 1 结构体：字符串输入生成 m × n 维的单元矩阵，数值输入（非复数，标量）产生同样类型的 m × n 个向量。在编写文件的过程中使用了 mxGetField 函数用于获得结构体数据的信息，而 mxGetCell 则获得单元体数据的信息，分别都返回 mxArray 数据。

下面对该文件进行编译并进行测试。

```
>> % 编译 C-MEX 文件
>> mex contactinfo.c -output contactinfo.dll
>> dir


.                   ..                  contactinfo.c       contactinfo.dll
>> % 测试数据
>> colleages(1).name='John Smith';
colleages(1).phone='85001';
colleages(2).name='Bob Gay';
colleages(2).phone='83021';
colleages(3).name='Cone Seed';
colleages(3).phone='79251';
colleages(4).name='Omat Joe';
colleages(4).phone='15468';
colleages(5).name='Land Bridge';
colleages(5).phone='95467';
>> contactinfo(colleages)
ans =
     name: {'John Smith'   'Bob Gay'   'Cone Seed'   'Omat Joe'   'Land Bridge'}
    phone: {'85001'   '83021'   '79251'   '15468'   '95467'}
```

13.2 FORTRAN 语言的 MEX 文件

实际上，FORTRAN 语言也是大多数工程技术人员广泛使用的一种编程语言。编写 FORTRAN 语言的 MEX 文件同样可以使用户能够处理函数过程。FORTRAN 语言的 MEX 文件和 C 语言的版本一样，都支持 MATLAB 中的任何数据类型。当编译完成后，FORTRAN MEX 文件同样像使用 M 函数文件一样来使用。

13.2.1 FORTRAN-MEX 函数的调用

编写 FORTRAN-MEX 函数时，同样需要注意包括两个部分，即计算函数（computational routine）和接口函数（gateway routine）。这两个部分的意义和 C 语言版本的 MEX 函数一样，但在接口函数中入口点函数 mexFunction 及其参数 prhs、nrhs、plhs、nlhs 中，prhs 和 plhs 分别用矩阵表示，而不是指针。同样，接口函数调用计算函数进行处理。

MATLAB 调用 FORTRAN-MEX 函数的过程如图 13.2 所示。实际上，该调用过程和 C 语言版的 MEX 函数调用格式一样，此处不再赘述。

此处需要强调的是 FORTRAN 函数中的指针概念。由于在 FORTRAN 中不能产生新的数据类型，因此，MATLAB 将称为指针的特殊标识符传递到 FORTRAN 程序中，将该数据通过 mxArray 传递到各种 API 函数中，以获得指针信息。这种访问过程能够获得 FORTRAN 中的数据信息，如 mxArray 的大小、是否为字符串或数据内容等。

在 FORTRAN 中使用指针，有以下两种形式。

（1）%val 结构体。如果 FORTRAN 编译器支持%val 结构体，那么可以使用指针来得到数据，即返回 mxGetPr 或 mxGetPi 数据。因此，可以使用%val 将该指针内容传递到子函数中，声明为双精度矩阵。如果 FORTRAN 版本不支持%val 结构体，那么可以使用 mx Copy 函数，如 mxCopyPtrToReal8 来访问指针内容。

（2）变量声明。如果要正确使用指针，则必须按照正确的大小来进行声明。将指针声明为 integer *4。如果 FORTRAN 编译器支持 C 预处理器，那么可以使用预处理阶段的映射指针来进行正确的声明。

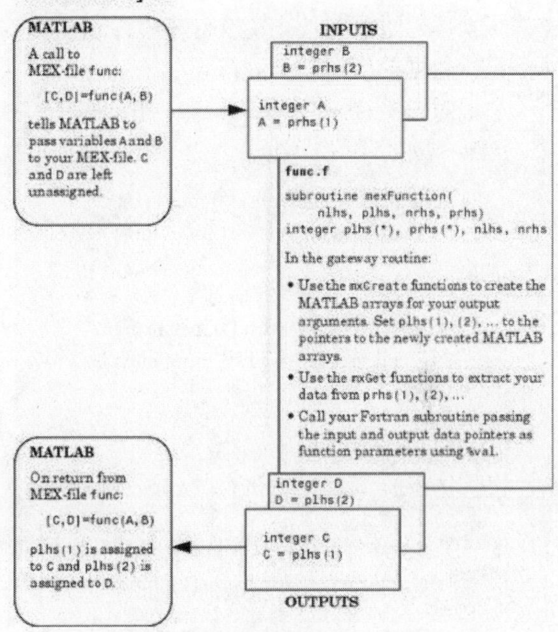

图 13.2　FORTRAN-MEX 函数的调用过程

FORTRAN 语言对类型非常敏感，因此，在声明接口函数时需要使用以下形式：

```
subroutine mexFunction(nlhs, plhs, nrhs, prhs)
integer plhs(*), prhs(*)
integer nlhs, nrhs
```

下面通过一个简单的示例来介绍如何使用 FORTRAN 语言编写 MEX 文件。

例 13.3　将字符串传递到 MEX 文件处理后反方向返回。

```
%       revod.f
%       计算子程序
        subroutine revord(input_buf, strlen, output_buf)
        character   input_buf(*), output_buf(*)
        integer i, strlen

        do 10 i=1,strlen
           output_buf(i) = input_buf(strlen-i+1)
 10     continue
        return
        end
%       接口子程序
        subroutine mexFunction(nlhs, plhs, nrhs, prhs)

        integer   mxGetM, mxGetN, mxIsChar
        integer mxCreateString, mxGetString
        integer plhs(*), prhs(*)
        integer nlhs, nrhs
        integer   status, strlen
        character*100 input_buf, output_buf
```

```
%       检查参数数目是否正确
        if (nrhs .ne. 1) then
            call mexErrMsgTxt('One input required.')
        elseif (nlhs .gt. 1) then
            call mexErrMsgTxt('Too many output arguments.')

%       确定输入必须为字符串
        elseif(mxIsChar(prhs(1)) .ne. 1) then
            call mexErrMsgTxt('Input must be a string.')

%       确定输入必须为行向量字符串
        elseif (mxGetM(prhs(1)) .ne. 1) then
            call mexErrMsgTxt('Input must be a row vector.')
        endif

%       获取输入字符串的长度
        strlen = mxGetM(prhs(1))*mxGetN(prhs(1))

%       得到字符串的内容，与整数输入不同
        status = mxGetString(prhs(1), input_buf, 100)

%       检查 mxGetString 是否成功
        if (status .ne. 0) then
            call mexErrMsgTxt('String length must be less than 100.')
        endif

%       初始化 outbuf_buf 为空，这对某些编译器是必须的

        output_buf = ''

%       调用计算子程序
        call revord(input_buf, strlen, output_buf)

%       将 output_buf 设置为 MATLAB mexFunction 的输出
        plhs(1) = mxCreateString(output_buf)

        return
        end
```

通过 mex 命令将上面的程序进行编译后，可以输入命令行进行处理，结果如下：

```
>> x = 'hello world';
>> y = revord(x)
y =
dlrow olleh
```

13.2.2 MEX 函数

上面介绍的采用 MEX 函数来编写 C 或 FORTRAN 函数时，使用了其中的一些 MEX 函数，读者可以通过帮助文件获得更多关于 MEX 函数的介绍。这些函数位于帮助文件的 MATLAB\External Interfaces Reference 目录下。这些目录介绍了各种 MEX 形式的外部接口的

目录，如表 13.1 所示。

表 13.1　MATLAB 的外部接口参考

名　称	说　明
Dynamic Link Libraries	访问外部共享库函数 DLL 文件中的函数
Java	使用 Java API 和第三方包创建的对象
Component Object Model and ActiveX	将 COM 组件放到应用程序中
Dynamic Data Exchange	通过创建 DDE 对话来实现应用程序之间的通信
Web Services	使用 SOAP 和 WSDL 网络的应用程序进行通信
Serial Port Devices	从连接到计算机的硬件上读写
MEX-Files (C)	在 MATLAB 环境中使用 C MEX 文件中的操作
MATLAB Engine (C)	从 C 程序中调用 MATLAB
MX Array Manipulation (C)	从 C MEX 和引擎程序中创建或操作 MATLAB 数组
MAT-File Access (C)	在 C 程序中产生或使用 MATLAB 数据
MEX-Files (FORTRAN)	在 MATLAB 环境中使用 FORTRAN MEX 文件中的操作
MATLAB Engine (FORTRAN)	在 FORTRAN 程序中使用 MATLAB
MX Array Manipulation (FORTRAN)	从 FORTRAN MEX 和引擎中创建或操作 MATLAB 数组
MAT-File Access (FORTRAN)	在 FORTRAN 程序中产生或使用 MATLAB 数据

表 13.1 中所列的是 MATLAB 所提供的与外部程序之间的所有接口链接。单击每个链接后可以到达每个接口的所有 MEX 函数。如果查阅本章前两节介绍的 MEX 函数，可以分别点击 MEX-Files (C)和 MEX-Files (FORTRAN)链接。此处对 C 和 FORTRAN 中常用的一些 MEX 函数进行小结，如表 13.2 所示。

表 13.2　常用的 MEX 函数

函　数	C	F	说　明
mexAtExit	C	F	注册在 MEX 文件被清除时调用的函数
mexCallMATLAB	C	F	调用 MATLAB 函数、M 文件或 MEX 文件
mexFunction	C	F	MEX 文件的入口点函数
mexFunctionName	C	F	当前 MEX 函数的函数名
mexGetVariable	C	F	从另一个工作区复制一个变量
mexGetVariablePtr	C	F	从另一工作区获取指向一个变量的只读指针
mexPutVariable	C	F	将一个 mxArray 复制到 MATLAB 工作空间
mexEvalString	C	F	在调用工作区中执行一条 MATLAB 命令
mexErrMsgTxt	C	F	发出一条错误信息，并返回到 MATLAB 中
mexErrMsgIdAndTxt	C	F	发出一条错误信息和标识符，并返回到 MATLAB
mexWarnMsgTxt	C	F	发出警告信息
mexWarnMsgIdAndTxt	C	F	发出警告信息和标识符
mexLock	C	F	锁定 MEX 文件，使其不被从内存中清除
mexUnlock	C	F	为 MEX 文件解锁，可以被从内存中清除
mexIsLocked	C	F	如果 MEX 文件被锁定，则返回 true
mexIsGlobal	C	F	如果 mxArray 是全局变量，则返回 true
mexPrintf	C	F	ANSI C 的 printf 类型输出示例
mexPrintf	—	F	FORTRAN 中的输出语句，不支持可选参数
mexSetTrapFlag	C	F	控制 mexCallMatlab 函数对错误的响应

续表

函　数	C	F	说　明
mexMakeArrayPersistent	C	F	使 mxArray 在 MEX 文件完成后仍然存在
mexMakeMemoryPersistent	C	F	使由 mxMalloc 和 mxCalloc 分配的内存持续存在
mexGet	C	—	获得句柄图形属性的值
mexSet	C	—	设置句柄图形属性的值

创建 MEX 文件时，C 语言和 FORTRAN 语言中的有些命令是相同的，但具体的调用形式可能不同。因此，读者在使用这些函数调用时，应当查阅帮助文件来确定具体的调用方法和选项。此处限于篇幅，故不进行详细介绍。

13.3　MAT 文件

MATLAB 输入输出数据最重要的方式就是使用 MAT 文件格式。使用 MAT 文件格式可以帮助 MATLAB 在不同平台之间移动数据，或从其他独立于 MATLAB 的应用程序中输入输出数据。实际上，MAT 文件本身已经包含了可以识别平台差别的信息。因此，MATLAB 在装载 MAT 文件时，可以自动将数据格式转化为本地操作系统需要的形式。用户只要在程序中提供读写 MAT 文件所需要的头文件和库文件，就可以在 C 和 FORTRAN 程序中使用 MATLAB 提供的 MAT 文件，从而完成数据交换的过程。

13.3.1　MAT 函数

创建的 MAT 函数同样可以根据表 13.1 中所列的项目，通过帮助文件系统中的链接来查看。此处为方便起见，将其中的一些函数列出来，如表 13.3 所示。MAT 函数通常带有 mat 前缀，可以对 MAT 数据进行操作。对于 C 语言或 FORTRAN 语言而言，有些函数是相同的，表中对这些进行了标注。

表 13.3　　常见的 MAT 函数

函　数	C	F	说　明
matOpen	C	F	打开一个 MAT 文件
matClose	C	F	关闭一个 MAT 文件
matGetDir	C	F	获取 MAT 文件中的 MATLAB 数组列表
matGetFp	C	—	获取一个指向 MAT 文件的 ANSI C 文件指针
matGetVariable	C	F	从 MAT 文件中读取一个 MATLAB 数组
matGetVariableInfo	C	F	从 MAT 文件中装载一个 MATLAB 数组头
matGetNextVariable	C	F	从 MAT 文件中读取下一个 MATLAB 数组
matGetNextVariableInfo	C	F	从 MAT 文件中读取下一个 MATLAB 数组头
matPutVariable	C	F	将一个 MATLAB 数组写入 MAT 文件
matPutVariableAsGlobal	C	F	将 MATLAB 数组作为全局变量写入 MAT 文件
matDeleteVariable	C	F	将 MATLAB 数组从 MAT 文件中删除

这些函数的详细说明和使用示例读者可以查阅 MATLAB 的帮助文件系统来获得。下面

将通过两节的示例来说明如何使用 C 语言和 FORTRAN 语言创建 MAT 文件。

13.3.2　C 语言创建 MAT 文件

此处通过一个示例来说明如何使用 C 语言创建 MAT 文件。在该文件中已经做了一些文字注释，读者阅读这些注释以及程序可以了解 MAT 文件的基本结构和应用程序。

例 13.4　使用 C 语言创建 MAT 文件。

```
// filename: matcreat.c
/*
 * MAT-file creation program
 *
 * Calling syntax:
 *
 *     matcreat
 *
 * This program demonstrates the use of the following functions:
 *
 *   matClose
 *   matGetVariable
 *   matOpen
 *   matPutVariable
 *   matPutVariableAsGlobal
 */
#include <stdio.h>
#include <string.h> /*  字符串比较 strcmp() */
#include <stdlib.h> /*  用于 EXIT_FAILURE, EXIT_SUCCESS */
#include "mat.h"

#define BUFSIZE 256

int main() {
  //为 MAT 文件定义指针
  MATFile *pmat;
  //定义结构体指针
  mxArray *pa1, *pa2, *pa3;
  //定义双精度变量
  double data[9] = { 1.0, 4.0, 7.0, 2.0, 5.0, 8.0, 3.0, 6.0, 9.0 };
  const char *file = "mattest.mat";
  char str[BUFSIZE];
  int status;

  // 以标准的 C 输出格式输出数据
  printf("Creating file %s...\n\n", file);
  // 打开写文件
  pmat = matOpen(file, "w");
  if (pmat == NULL) {
    printf("Error creating file %s\n", file);
    printf("(Do you have write permission in this directory?)\n");
    return(EXIT_FAILURE);
  }
```

```
pa1 = mxCreateDoubleMatrix(3,3,mxREAL);
if (pa1 == NULL) {
      printf("%s : Out of memory on line %d\n", __FILE__,
                  __LINE__);
      printf("Unable to create mxArray.\n");
      return(EXIT_FAILURE);
}

pa2 = mxCreateDoubleMatrix(3,3,mxREAL);
if (pa2 == NULL) {
      printf("%s : Out of memory on line %d\n", __FILE__,
                 __LINE__);
      printf("Unable to create mxArray.\n");
      return(EXIT_FAILURE);
}
//将 data 缓冲区中的内容复制到 pa2 所指的实部缓冲区内
memcpy((void *)(mxGetPr(pa2)), (void *)data, sizeof(data));

//为 pa3 创建字符串的指针
pa3 = mxCreateString("MATLAB: the language of technical
                              computing");
if (pa3 == NULL) {
      printf("%s :   Out of memory on line %d\n", __FILE__,
                  __LINE__);
      printf("Unable to create string mxArray.\n");
      return(EXIT_FAILURE);
}

status = matPutVariable(pmat, "LocalDouble", pa1);
if (status != 0) {
      printf("%s :   Error using matPutVariable on line %d\n",
                  __FILE__, __LINE__);
      return(EXIT_FAILURE);
}

status = matPutVariableAsGlobal(pmat, "GlobalDouble", pa2);
if (status != 0) {
      printf("Error using matPutVariableAsGlobal\n");
      return(EXIT_FAILURE);
}

status = matPutVariable(pmat, "LocalString", pa3);
if (status != 0) {
      printf("%s :   Error using matPutVariable on line %d\n",
                  __FILE__, __LINE__);
      return(EXIT_FAILURE);
}

memcpy((void *)(mxGetPr(pa1)), (void *)data, sizeof(data));
```

```
status = matPutVariable(pmat, "LocalDouble", pa1);
if (status != 0) {
      printf("%s :   Error using matPutVariable on line %d\n",
                  __FILE__, __LINE__);
      return(EXIT_FAILURE);
}

/* 释放 3 个指针 */
mxDestroyArray(pa1);
mxDestroyArray(pa2);
mxDestroyArray(pa3);

if (matClose(pmat) != 0) {
   printf("Error closing file %s\n",file);
   return(EXIT_FAILURE);
}

/* 用 matGetVariable 再次打开文件检查内容 */
pmat = matOpen(file, "r");
if (pmat == NULL) {
   printf("Error reopening file %s\n", file);
   return(EXIT_FAILURE);
}

/* 读入刚才所写的每个矩阵 */
pa1 = matGetVariable(pmat, "LocalDouble");
if (pa1 == NULL) {
   printf("Error reading existing matrix LocalDouble\n");
   return(EXIT_FAILURE);
}
if (mxGetNumberOfDimensions(pa1) != 2) {
   printf("Error saving matrix: result does not have two
               dimensions\n");
   return(EXIT_FAILURE);
}

pa2 = matGetVariable(pmat, "GlobalDouble");
if (pa2 == NULL) {
   printf("Error reading existing matrix GlobalDouble\n");
   return(EXIT_FAILURE);
}
if (!(mxIsFromGlobalWS(pa2))) {
   printf("Error saving global matrix: result is not global\n");
   return(EXIT_FAILURE);
}

pa3 = matGetVariable(pmat, "LocalString");
if (pa3 == NULL) {
   printf("Error reading existing matrix LocalString\n");
   return(EXIT_FAILURE);
```

```
    }

    status = mxGetString(pa3, str, sizeof(str));
    if(status != 0) {
         printf("Not enough space. String is truncated.");
         return(EXIT_FAILURE);
    }
    if (strcmp(str, "MATLAB: the language of technical
                computing")) {
      printf("Error saving string: result has incorrect
                contents\n");
      return(EXIT_FAILURE);
    }

    /* 在程序前释放所有内存 */
    mxDestroyArray(pa1);
    mxDestroyArray(pa2);
    mxDestroyArray(pa3);

    if (matClose(pmat) != 0) {
      printf("Error closing file %s\n",file);
      return(EXIT_FAILURE);
    }
    printf("Done\n");
    return(EXIT_SUCCESS);
}
```

编译上面的程序，输入下面的命令：

```
mex -f $MATLAB\bin\win32\mexopts\msvc71engmatopts.bat matcreat.c
```

由于在本机的操作系统中安装了 Microsoft Visual .Net 系统，编译的 C++为 7.0，因此上面的批处理中选择使用了 msvc71engmatopts.bat。不同的安装系统将会显示不同的批处理文件。因此，读者在编译之前需要确认。编译完毕后在 MATLAB 工作空间中输入下面的命令检查：

```
whos -file mattest.mat
  Name               Size          Bytes  Class
  GlobalDouble       3x3              72  double array (global)
  LocalDouble        3x3              72  double array
  LocalString        1x43             86  char array

Grand total is 61 elements using 230 bytes
```

13.3.3 FORTRAN 语言创建 MAT 文件

在 MATLAB 中，同样支持使用 FORTRAN 语言编写读取 MAT 文件的内容。此处同样通过比较简单的示例对此做以介绍。在文件中添加了文字注释，读者可以通过阅读注释以及程序熟悉这方面的内容。

例 13.5 使用 FORTRAN 语言编写 MAT 文件。

```
//      matdemo1.f
//      This is a simple program that illustrates how to call'the
//      MATLAB MAT-file functions from a FORTRAN program.   This
```

```
//       demonstration focuses on writing MAT-files.
//
//       matdemo1 - Create a new MAT-file from scratch.

         program matdemo1

         integer matOpen, matClose
         integer matGetVariable, matPutVariable
         integer matPutVariableAsGlobal, matDeleteVariable
         integer mxCreateDoubleMatrix, mxCreateString
         integer mxIsFromGlobalWS, mxGetPr

         integer mp, pa1, pa2, pa3, pa0, status
         double precision dat(9)
         data dat / 1.0, 2.0, 3.0, 4.0, 5.0, 6.0, 7.0, 8.0, 9.0 /

//       打开 MAT 文件用于写文件
         write(6,*) 'Creating MAT-file matdemo.mat ...'
         mp = matOpen('matdemo.mat', 'w')
         if (mp .eq. 0) then
            write(6,*) 'Can''t open ''matdemo.mat'' for writing.'
            write(6,*) '(Do you have write permission in this
                               directory?)'
            stop
         end if

//       创建变量
         pa0 = mxCreateDoubleMatrix(3,3,0)
         call mxCopyReal8ToPtr(dat, mxGetPr(pa0), 9)

         pa1 = mxCreateDoubleMatrix(3,3,0)

         pa2 = mxCreateString('MATLAB: The language of computing')

         pa3 = mxCreateString('MATLAB: The language of computing')

         status = matPutVariableAsGlobal(mp, 'NumericGlobal', pa0)
         if (status .ne. 0) then
            write(6,*) 'matPutVariableAsGlobal ''Numeric Global''
                              failed'
            stop
         end if
         status = matPutVariable(mp, 'Numeric', pa1)
         if (status .ne. 0) then
            write(6,*) 'matPutVariable ''Numeric'' failed'
            stop
         end if
         status = matPutVariable(mp, 'String', pa2)
         if (status .ne. 0) then
            write(6,*) 'matPutVariable ''String'' failed'
```

```
        stop
    end if
    status = matPutVariable(mp, 'String2', pa3)
    if (status .ne. 0) then
        write(6,*) 'matPutVariable "String2" failed'
        stop
    end if

   call mxCopyReal8ToPtr(dat, mxGetPr(pa1), 9)
    status = matPutVariable(mp, 'Numeric', pa1)
    if (status .ne. 0) then
        write(6,*) 'matPutVariable "Numeric" failed 2nd time'
        stop
    end if

//      从 MAT 文件中删除 String2

    status = matDeleteVariable(mp, 'String2')
    if (status .ne. 0) then
        write(6,*) 'matDeleteVariable "String2" failed'
        stop
    end if

//      重新读入 MAT 文件以确定写入的内容

    status = matClose(mp)
    if (status .ne. 0) then
        write(6,*) 'Error closing MAT-file'
        stop
    end if

    mp = matOpen('matdemo.mat', 'r')
    if (mp .eq. 0) then
        write(6,*) 'Can''t open "matdemo.mat" for reading.'
        stop
    end if

    pa0 = matGetVariable(mp, 'NumericGlobal')
    if (mxIsFromGlobalWS(pa0) .eq. 0) then
        write(6,*) 'Invalid non-global matrix written to MAT-file'
        stop
    end if
    pa1 = matGetVariable(mp, 'Numeric')
    if (mxIsNumeric(pa1) .eq. 0) then
        write(6,*) 'Invalid non-numeric matrix written to
                        MAT-file'
        stop
    end if

    pa2 = matGetVariable(mp, 'String')
```

```
        if (mxIsString(pa2) .eq. 0) then
            write(6,*) 'Invalid non-string matrix written to MAT-file'
            stop
        end if

        pa3 = matGetVariable(mp, 'String2')
        if (pa3 .ne. 0) then
            write(6,*) 'String2 not deleted from MAT-file'
            stop
        end if

//      清空内存
        call mxDestroyArray(pa0)
        call mxDestroyArray(pa1)
        call mxDestroyArray(pa2)
        call mxDestroyArray(pa3)

        status = matClose(mp)
        if (status .ne. 0) then
            write(6,*) 'Error closing MAT-file'
            stop
        end if

        write(6,*) 'Done creating MAT-file'
        stop
        end
```

编译上面的文件，输入以下命令：

```
mex matdemo1.f
```

在 MATLAB 工作空间中输入 matdemo1 后得到的结果如下：

```
Creating MAT-file matdemo.mat ...
Done creating MAT-file
```

如果使用 whos -file matdemo.mat 方式查询，则可以看到文件中的内容：

```
Name            Size            Bytes   Class

 Numeric         3x3             72      double array
 String         1x33             66      char array

Grand total is 42 elements using 138 bytes
```

13.4 MATLAB 的引擎技术

如果用户在编写 C 语言文件或 FORTRAN 语言文件时，调用 MATLAB 提供的数学函数，如矩阵转置或计算 FFT 等过程使用 MATLAB 所提供的程序来进行处理，那么此时 MATLAB 就作为一个强大的可编程的数学函数库。例如，创建一个为满足某种任务的系统，如雷达信号分析时，可以用 C 语言编写前端可视化（GUI）交互界面，而由 MATLAB 中的方法执行后台操作，这样就可以大大缩短程序发展的时间。MATLAB 的这一功能可以被称为 MATLAB 引擎。

13.4.1 MATLAB 引擎技术简介

实际上，对于用 C 还是 FORTRAN 语言来说，使用 MATLAB 引擎技术进行工作的原理是相同的，因此，在下面的介绍中主要以 C 语言形式的引擎技术介绍为主。关于 FORTRAN 形式的引擎技术，用户可以查阅相关的帮助文件来获得详细的说明。

MATLAB 提供的引擎技术主要通过一个小型的通信库和可链接过程库组成。可链接过程库可以将 MATLAB 作为服务器过程来调用，而无需链接 MATLAB 的其他所有组件。使用 MATLAB 引擎可以完成以下一些操作过程：

（1）启动一个 MATLAB 过程；

（2）向 MATLAB 传递数据；

（3）执行 MATLAB 命令；

（4）捕获 MATLAB 的命令窗口输出；

（5）将数据从 MATLAB 传递到用户程序；

（6）关闭 MATLAB 过程。

这些过程都可以在 C 或 FORTRAN 语言中完成。

实际上，MATLAB 引擎是一个后台工作过程，可以和当前运行的所有交互式 MATLAB 过程相互独立，不会干扰用户正在运行的任何 MATLAB 过程。当引擎启动时，创建一个新的 MATLAB 示例，计算机中要求访问 MATLAB 引擎过程的程序都可以共享这个过程。通常 C 语言中会独占一个引擎过程，而在 FORTRAN 语言中则共享引擎过程。在 Windows 操作系统中，使用组件模型对象（COM）与 C 或 FORTRAN 程序进行交互。

在 MATLAB 中，引擎函数是以 eng 前缀开始的。此处给出一些在 C 和 FORTRAN 语言中都可以使用的 MATLAB 引擎函数，如表 13.4 所示。更详细的内容读者可以查阅相关的帮助文件。

表 13.4　　MATLAB 中的引擎函数

函　数	C	F	说　明
engOpen	C	F	启动或共享一个 MATLAB 引擎示例
engOpenSingleUse	C	—	启动一个独占的 MATLAB 引擎周期
engPutVariable	C	F	将一个 MATLAB 数组（mxArray）发送到引擎
engGetVariable	C	F	从 MATLAB 引擎中获取一个 MATLAB 数组（mxArray）
engOutputBuffer	C	F	创建一个存储 MATLAB 文本输出的缓冲区
engEvalString	C	F	在 MATLAB 引擎中执行一条 MATLAB 命令
engGetVisible	C	—	获取一个 MATLAB 引擎周期的可视化设置，将以桌面窗口形式显示运行，和用户可以交互；不可视引擎周期则在后台执行，不能交互使用
engSetVisible	C	—	设置一个 MATLAB 引擎周期的可视化属性
engClose	C	F	关闭 MATLAB 引擎

编写引擎程序时，需要注意文件的结构和执行过程。基本的过程如下。

（1）首先通过 engOpen 或 engOpenSingleUse 打开一个引擎周期。

（2）然后，使用恰当的 MX 函数，如 mxCreateDoubleMatrix 函数创建一个 mxArray 结构，使用 engPutVariable 函数将 mxArray 移植到 MATLAB 环境中。如果需要使用 engOutputBuffer 函数创建一个捕捉命令窗口输出的缓冲区，则使用 engEvalString 执行捕捉到的 MATLAB 命令。

（3）使用 engGetVariable 函数从 MATLAB 环境中重新获取一个 mxArray 输出，并继续在 C 或 FORTRAN 程序中使用。

（4）当完成任务后，使用 engClose 来结束引擎过程，并使用 mxDestroyArray 函数释放分配给 mxArray 的内存。

最后，还需要注意，无论是 C 语言，还是 FORTRAN 语言编写调用 MATLAB 引擎的程序时，都需要将引擎头文件包含在内，如用 C 语言编写时，需要包含 engine.h 头文件。

13.4.2　创建使用引擎技术程序

下面通过一个示例来说明如何使用 C 语言编写文件，利用 MATLAB 引擎技术，来创建应用程序示例。当然，FORTRAN 语言与此大致相同。但语言上的差异会造成比较小的差别。因此，此处不予介绍，感兴趣的读者可以翻阅帮助文件来获得这方面的详细说明信息。

例 13.6　用 C 语言编写程序，使用 MATLAB 的引擎技术。

```
>> 将 MATLAB 自带示例文件复制到当前工作目录
>> demofile = [matlabroot '\extern\examples\eng_mat\engwindemo.c'];
>> copyfile(demofile, '.');
>> 设置编译命令
>> optsfile = [matlabroot '\bin\win32\mexopts\lccengmatopts.bat'];
>> mex('-f', optsfile, 'engwindemo.c');
>> dir engwindemo.exe
engwindemo.exe
```

示例文件的主要内容如下：

```
/*
 *    engwindemo.c
 */


#include <windows.h>
#include <stdlib.h>
#include <stdio.h>
#include <string.h>
#include "engine.h"

#define BUFSIZE 256

static double Areal[6] = { 1, 2, 3, 4, 5, 6 };

int PASCAL WinMain (HINSTANCE hInstance,
                    HINSTANCE hPrevInstance,
                    LPSTR       lpszCmdLine,
                    int         nCmdShow)

{
```

```
Engine *ep;
mxArray *T = NULL, *a = NULL, *d = NULL;
char buffer[BUFSIZE+1];
double *Dreal, *Dimag;
double time[10] = { 0, 1, 2, 3, 4, 5, 6, 7, 8, 9 };
/*
   启动 MATLAB 引擎
 */
if (!(ep = engOpen(NULL))) {
     MessageBox ((HWND)NULL, (LPSTR)"Can't start MATLAB engine",
            (LPSTR) "Engwindemo.c", MB_OK);
     exit(-1);
}

/*
 * PART I
   将数据传送到 MATLAB，分析数据绘制结果
 */

/*
   创建变量
 */
T = mxCreateDoubleMatrix(1, 10, mxREAL);
memcpy((char *) mxGetPr(T), (char *) time, 10*sizeof(double));

/*
   将变量 T 输出到 MATLAB 工作空间
 */
engPutVariable(ep, "T", T);

/*
   计算时间函数 distance = (1/2)g.*t.^2
 * (g is the acceleration due to gravity)
 */
engEvalString(ep, "D = .5.*(-9.8).*T.^2;");

/*
   绘制结果
 */
engEvalString(ep, "plot(T,D);");
engEvalString(ep, "title('Position vs. Time for a falling object');");
engEvalString(ep, "xlabel('Time (seconds)');");
engEvalString(ep, "ylabel('Position (meters)');");

/*
 * PART II
   创建另一个 mxArray，并将其存入到 MATLAB，计算特征值
 */

 a = mxCreateDoubleMatrix(3, 2, mxREAL);
```

```
    memcpy((char *) mxGetPr(a), (char *) Areal, 6*sizeof(double));
    engPutVariable(ep, "A", a);

    /*
      计算特征值
    */
    engEvalString(ep, "d = eig(A*A')");

    /*
      使用 engOutputBuffer 捕获 MATLAB 输出，保证缓冲区以 NULL 结束
    */
    buffer[BUFSIZE] = '\0';
    engOutputBuffer(ep, buffer, BUFSIZE);

    /*
      计算字符串，并将结果返回到输出缓冲区
    */
    engEvalString(ep, "whos");
    MessageBox ((HWND)NULL, (LPSTR)buffer, (LPSTR) "MATLAB - whos", MB_OK);

    /*
      获得 mxArray 的特征值
    */
    d = engGetVariable(ep, "d");
    engClose(ep);

    if (d == NULL) {
            MessageBox ((HWND)NULL, (LPSTR)"Get Array Failed", (LPSTR)"Engwindemo.c", MB_OK);
        }
   else {
        Dreal = mxGetPr(d);
        Dimag = mxGetPi(d);
        if (Dimag)
            sprintf(buffer,"Eigenval 2: %g+%gi",Dreal[1],Dimag[1]);
        else
            sprintf(buffer,"Eigenval 2: %g",Dreal[1]);
        MessageBox ((HWND)NULL, (LPSTR)buffer, (LPSTR)"Engwindemo.c", MB_OK);
        mxDestroyArray(d);
   }

   /*
     释放内存，关闭 MATLAB 引擎
    */
   mxDestroyArray(T);
   mxDestroyArray(a);

   return(0);
}
```

在 MATLAB 工作区中输入!engwindemo 后，将会启动 C 调用函数的执行过程。系统弹

出计算数据的结果，如图 13.3 所示。

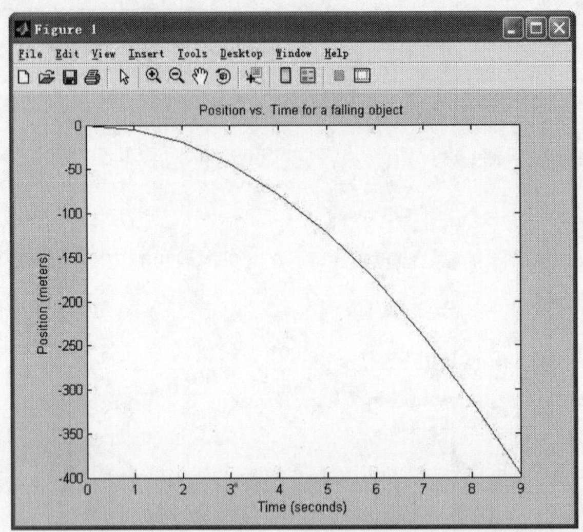

图 13.3 调用引擎绘制的自由落体位置时间曲线

同时，系统启动 MATLAB 的一个引擎示例，在该示例中，只包括 MATLAB 的命令窗口，如图 13.4 所示。此时，可以在该命令窗口中输入如下命令来查询数据。

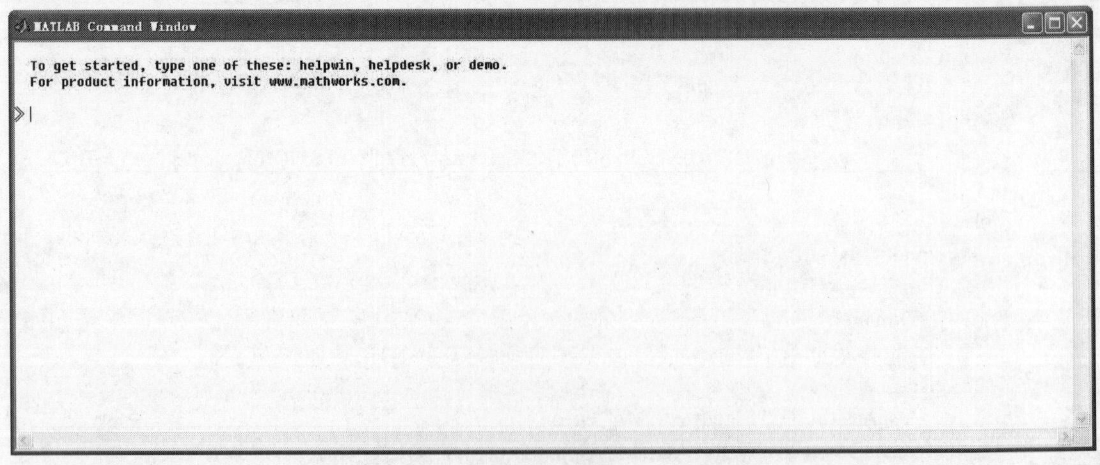

图 13.4 启动 MATLAB 引擎的一个命令窗口

```
》whos
  Name         Size                    Bytes  Class

  A            3x2                        48  double array
  D            1x10                       80  double array
  T            1x10                       80  double array
  d            3x1                        24  double array

Grand total is 29 elements using 232 bytes

》A
```

```
A =
     1     4
     2     5
     3     6
» D
D =
     0  -4.9000  -19.6000  -44.1000  -78.4000  -122.5000  -176.4000  -240.1000  -313.6000  -396.9000
» T
T =
     0     1     2     3     4     5     6     7     8     9
» d'
ans =
   -0.0000    0.5973   90.4027
»
```

在弹出命令窗口时，也会弹出对话框来显示变量的信息，如图 13.5 所示。

单击确定按钮后，弹出特征值显示消息框，显示另一个矩阵的特征值信息，如图 13.6 所示。

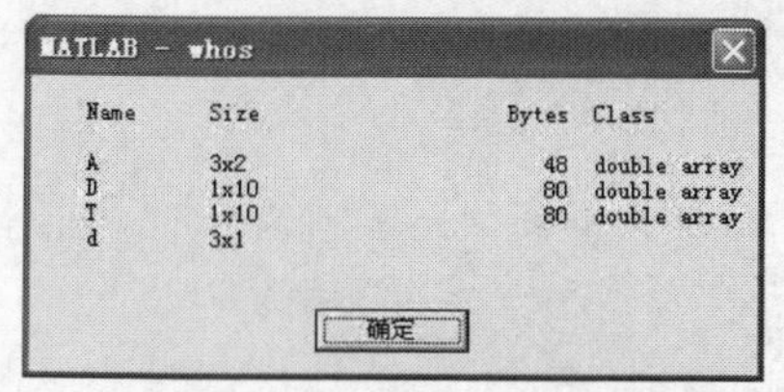

图 13.5 对话框显示变量信息

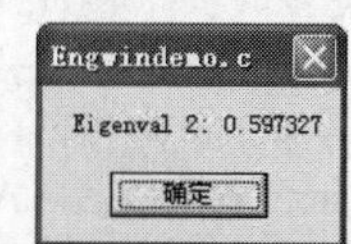

图 13.6 所创建的矩阵的特征值信息

13.5 Java 语言接口

在 MATLAB 7.x 中，对 Java 编程进行了扩展，每次安装时都将 Java 虚拟机（JVM）安装或集成到 MATLAB 中。Java 解释器已经被广泛应用于 MATLAB 7.x 的环境中，并构成了 MATLAB 用户界面的基础。本节主要对 MATLAB 和 Java 之间的集成进行介绍，而不对 Java 语言进行介绍。读者可以自己翻阅 Java 编程方面的书籍来学习 Java 编程。

Java 语言是一种可以用于跨平台，能在不同类型的计算机分布环境中使用的语言。在编译时，Java 编写的程序都被编译成与平台无关的 Java 字节的代码，任何安装 Java 虚拟机的计算机都可以使用。Java 虚拟机实际上可以将一段字节代码编译为实际计算机硬件上运行的机器代码。机器代码在执行时能够识别不同的计算机操作系统而加以区别。因此，Java 语言得到了相当广泛的引用。

13.5.1 MATLAB 中的 Java 接口

用户可以在 MATLAB 中使用的 Java 类来自于 3 个部分：Java 语言自身提供的类；第三方提供的类；用户自己编写的 Java 类。Java 是一种面向对象的高级语言，因此，类、对象等面向对象语言中的概念在 Java 中都存在。读者在 MATLAB 环境中可以直接使用 Java 语言提供的类来创建对象或创建新类。本节主要对一些基础接口通过示例来加以说明，读者可以查阅帮助文件或查看相关的数据获得更详细的资料。

例 13.7 确认当前 MATLAB 运行环境中的 Java 环境。

```
>> % 确定 Java 的版本
>> version -java
ans =
Java 1.5.0 with Sun Microsystems Inc. Java HotSpot(TM) Client VM mixed mode
>> % 确定可以使用的 Java 类
>> javaclasspath

        STATIC JAVA PATH

    D:\Program Files\MATLAB71\java\patch
    D:\Program Files\MATLAB71\java\jar\util.jar
    D:\Program Files\MATLAB71\java\jar\widgets.jar
    D:\Program Files\MATLAB71\java\jar\activation.jar
    D:\Program Files\MATLAB71\java\jar\agent.jar
    D:\Program Files\MATLAB71\java\jar\beans.jar
    D:\Program Files\MATLAB71\java\jar\download.jar
    D:\Program Files\MATLAB71\java\jar\hg.jar
    D:\Program Files\MATLAB71\java\jar\ice.jar
    D:\Program Files\MATLAB71\java\jar\ide.jar
    D:\Program Files\MATLAB71\java\jar\jmi.jar
    D:\Program Files\MATLAB71\java\jar\mde.jar
    D:\Program Files\MATLAB71\java\jar\mlservices.jar
    D:\Program Files\MATLAB71\java\jar\mlwidgets.jar
    D:\Program Files\MATLAB71\java\jar\mwswing.jar
-----------------------------------------------------------------------------------------------
    D:\Program Files\MATLAB71\java\jarext\tar.jar
    D:\Program Files\MATLAB71\java\jarext\vb20.jar
    D:\Program Files\MATLAB71\java\jarext\wsdl4j.jar
    D:\Program Files\MATLAB71\java\jarext\xalan.jar
    D:\Program Files\MATLAB71\java\jarext\xercesImpl.jar

        DYNAMIC JAVA PATH

        <empty>
```

可以看出，默认情况下，Java 的类路径可以分为静态路径和动态路径，静态路径用于保存稳定和静态的 Java 类，而对于需要编辑的 Java 类，则保存在动态路径中。实际上，在 MATLAB 程序运行时，就会自动加载 Java 的内置函数类。

例 13.8 确定 Java 运行时自动加载的类。

```
>> [M,X,J] = inmem
M =
    'matlabrc'
    'pathdef'
    'userpath'
    'ispc'
    'general\private\openother'
    'filesep'
    'pwd'
```

```
'usejava'
'hgrc'
'opaque.char'
'colordef'
'whitebg'
'isunix'
'jet'
'dot'
'initprefs'
'initdesktoputils'
'path'
'mdbstatus'
'mex'
'fileparts'
'strtok'
'fullfile'
'cell.strmatch'
'strmatch'
'tempname'
'tempdir'
'workspacefunc'
'mat2str'
'edit'
'iscellstr'
'javachk'
'uiopen'
'cell.strcat'
'open'
'cellstr'
'finfo'
'imfinfo'
'imagesci\private\isxwd'
'imagesci\private\istif'
'imagesci\private\isras'
'imagesci\private\isppm'
'imagesci\private\ispnm'
'imagesci\private\ispng'
'imagesci\private\ispgm'
'imagesci\private\ispcx'
'imagesci\private\ispbm'
'imagesci\private\isjpg'
'imagesci\private\isico'
'imagesci\private\isgif'
'imagesci\private\isfits'
'imagesci\private\iscur'
'imagesci\private\isbmp'
'imagesci\private\ishdf'
'imagesci\private\imftype'
'imformats'
'javaclasspath'
```

```
    'pathsep'
    'strvcat'
X =
   Empty cell array: 0-by-1
J =
    'java.util.Locale'
    'GObject'
    'schema.class'
    'figure'
    'schema.method'
    'java.lang.String'
    'java.lang.CharSequence'
    'javahandle.com.mathworks.hg.peer.Echo'
    'com.mathworks.jmi.ClassLoaderManager'
```

在上面的调用中，M 表示系统加载的 M 文件，X 表示系统加载的 MEX 文件，而 J 则表示系统加载的 Java 函数类。

例 13.9 在 MATLAB 中创建 Java 对象。

```
>> % 创建窗口对象
>> frame = java.awt.Frame('Frame A')
frame =
java.awt.Frame[frame0,0,0,0x0,invalid,hidden,layout=java.awt.BorderLayout,title=Frame A,resizable,normal]
>> % 创建 url 对象
>> url = java.net.URL('http://archive.ncsa.uiuc.edu/demoweb/')
url =
http://archive.ncsa.uiuc.edu/demoweb/
>> % 创建字符串对象
>> strObj = javaObject('java.lang.String','hello')
strObj =
hello
>> %  通过引用创建对象
>> origFrame = java.awt.Frame;
setSize(origFrame, 800, 400);
newFrameRef = origFrame
newFrameRef =
java.awt.Frame[frame1,0,0,800x400,invalid,hidden,layout=java.awt.BorderLayout,title=,resizable,normal]
>> whos
  Name              Size            Bytes  Class

  J                 9x1               870  cell array
  M                59x1              4948  cell array
  X                 0x1                 0  cell array
  ans               1x75              150  char array
  frame             1x1                    java.awt.Frame
  newFrameRef       1x1                    java.awt.Frame
  origFrame         1x1                    java.awt.Frame
  strObj            1x1                    java.lang.String
  url               1x1                    java.net.URL

Grand total is 1017 elements using 5968 bytes
```

例 13.10　对 MATLAB 中创建的 Java 对象进行操作。

```
>> % 将同类对象进行合并
>> point1 = java.awt.Point(24,127);
point2 = java.awt.Point(114,29);
>> cat(1, point1, point2)
ans =
java.awt.Point[]:
    [java.awt.Point]
    [java.awt.Point]

>> % 按照 MATLAB 方式合并对象
>> byte = java.lang.Byte(127);
integer = java.lang.Integer(52);
double = java.lang.Double(7.8);
>> [byte; integer; double]
ans =
java.lang.Number[]:
    [    127]
    [     52]
    [7.8000]

>> % 不同层次的对象合并
>> byte = java.lang.Byte(127);
point = java.awt.Point(24,127);
>> [byte; point]
ans =
java.lang.Object[]:
    [                    127]
    [java.awt.Point]
```

例 13.11　在 MATLAB 中设置对象的属性。

```
>> % 在 MATLAB 中设置生成的 Java
>> % 在 MATLAB 中设置生成的 Java 对象的属性
>> frame.setTitle('Sample Frame')
>> title = frame.getTitle
title =
Sample Frame
>> % 使用 MATLAB 方式设置 Java 对象属性
>> setTitle(frame, 'Sample Frame')
>> title = getTitle(frame)
title =
Sample Frame
>> %  获得属性信息
>> methods java.awt.Dimension -full

Methods for class java.awt.Dimension:

Dimension(java.awt.Dimension)
Dimension(int,int)
Dimension()
```

```
java.lang.Object clone()    % Inherited from java.awt.geom.Dimension2D
boolean equals(java.lang.Object)
java.lang.Class getClass()    % Inherited from java.lang.Object
double getHeight()
java.awt.Dimension getSize()
double getWidth()
int hashCode()
void notify()    % Inherited from java.lang.Object
void notifyAll()    % Inherited from java.lang.Object
void setSize(int,int)
void setSize(double,double)
void setSize(java.awt.Dimension)
void setSize(java.awt.geom.Dimension2D)    % Inherited from java.awt.geom.Dimension2D
java.lang.String toString()
void wait() throws java.lang.InterruptedException    % Inherited from java.lang.Object
void wait(long,int) throws java.lang.InterruptedException    % Inherited from java.lang.Object
void wait(long) throws java.lang.InterruptedException    % Inherited from java.lang.Object
```

例 13.12　在 MATLAB 中创建 Java 类型的数据。

```
>> % 使用 javaArray 函数创建 JAVA 数据
>> dblArray = javaArray('java.lang.Double', 4, 5);
>> for m = 1:4
    for n = 1:5
      dblArray(m,n) = java.lang.Double((m*10) + n);
    end
end
>> dblArray
dblArray =
java.lang.Double[][]:
    [11]    [12]    [13]    [14]    [15]
    [21]    [22]    [23]    [24]    [25]
    [31]    [32]    [33]    [34]    [35]
    [41]    [42]    [43]    [44]    [45]

>> % 另一种方式创建 Java 数组
>> matlabArray(4,5) = 0;
>> javaArray(4,5) = java.lang.Double(0)
javaArray =
java.lang.Double[][]:
     []     []     []     []     []
     []     []     []     []     []
     []     []     []     []     []
     []     []     []     []    [0]
```

例 13.13　将 Java 对象转化为 MATLAB 数组。

```
>> % 将对象转化为 MATLAB 结构体
>> polygon = java.awt.Polygon([14 42 98 124], [55 12 -2 62], 4);
>> pstruct = struct(polygon)
pstruct =
    npoints: 4
```

```
        xpoints: [4x1 int32]
        ypoints: [4x1 int32]
>> pstruct.xpoints
ans =
              14
              42
              98
             124
>> % 将数据转化为单元数组
>> import java.lang.* java.awt.*;
>> % Create a Java array of double
dblArray = javaArray('java.lang.Double', 1, 10);
for m = 1:10
    dblArray(1, m) = Double(m * 7);
end
>> % Create a Java array of points
ptArray = javaArray('java.awt.Point', 3);
ptArray(1) = Point(7.1, 22);
ptArray(2) = Point(5.2, 35);
ptArray(3) = Point(3.1, 49);
>> % Create a Java array of strings
strArray = javaArray('java.lang.String', 2, 2);
strArray(1,1) = String('one');      strArray(1,2) = String('two');
strArray(2,1) = String('three');    strArray(2,2) = String('four');
>> % Convert each to cell arrays
cellArray = {cell(dblArray), cell(ptArray), cell(strArray)}
cellArray =
     {1x10 cell}      {3x1 cell}      {2x2 cell}
>> cellArray{1,1}
ans =
     [7]     [14]     [21]     [28]     [35]     [42]     [49]     [56]     [63]     [70]
>> cellArray{1,2}
ans =
     [1x1 java.awt.Point]
     [1x1 java.awt.Point]
     [1x1 java.awt.Point]
>> cellArray{1,3}
ans =
     'one'        'two'
     'three'      'four'
```

13.5.2 Java 接口程序应用

此处通过一个示例来说明 Java 接口在 MATLAB 中的应用示例。用户可以在该程序的基础上，根据需要来编写更为实用的程序，满足 MATLAB 中的编程需要。本程序通过一个 M 文件函数 resolveip 来返回 IP 域名或地址，如果送入一个域名，那么返回 IP 地址；反之输入 IP 地址，则返回域名。在程序中使用 InetAddress 类来得到 InetAddress 对象，接着根据输入数据，通过访问操作符来获得域名或 IP。

例 13.14 IP 地址访问应用程序。

```
% 创建 InetAddress 对象
function resolveip(input)
try
  address = java.net.InetAddress.getByName(input);
catch
  error(sprintf('Unknown host %s.', input));
end
% 获取域名或 IP
hostname = char(address.getHostName);
ipaddress = char(address.getHostAddress);
% 显示域名或 IP
if strcmp(input,ipaddress)
  disp(sprintf('Host name of %s is %s', input, hostname));
else
  disp(sprintf('IP address of %s is %s', input, ipaddress));
end
在 MATLAB 命令行中输入进行测试：
>> resolveip('127.0.0.1')
Host name of 127.0.0.1 is localhost
>> resolveip('localhost')
IP address of localhost is 127.0.0.1
```

例 13.15 在 MATLAB 中使用 Java 来编写电话本程序。

所编写的示例中，主程序部分 phonebook 可以判断用户使用电话本文件的目录。如果电话本文件存在，则可以使用 java.io.FileOutputStream 创建对象，然后关闭 Java 输出流。接着使用 java.util.Properties 创建一个数据字典对象，该字典对象使用 java.util.Hashtable 创建对象，在一个 hash 表中存储 key/value 对，即 key 存储姓名，而 value 存储一个或多个电话号码。

电话本函数也可以使用 java.io.FileInputStream 的对象，来创建和打开一个输入流，用于读取数据。在调用时，如果 hash 表内容存在，那么可以查询用户输入的 key 关键字，通过 pb_lookup 函数来查询数据，并显示查询结果。如果用户在调用 phonebook 时，没有参数，那么将会显示一个功能目录。

下面通过程序注释及程序内容，来说明此处编写的示例的功能和内容。由于这里涉及一些 Java 语言方面的库函数，因此读者如果对此感兴趣，则可以翻阅 Java 编程方面的介绍书籍以获得更详细的介绍。当然这里会介绍其中的一些内容。

（1）主调用函数

```
function phonebook(varargin)
% 确定数据的目录和完整文件名
% 电话本文件名称 myphonebook
% 调用 java.lang.System 的静态方法 getProperty 来获取电话本的目录
% 默认情况下为用户的当前工作目录
% 否则，使用 MATLAB 的 getenv 函数来确定目录，使用系统变量 HOME 来确定文件名
pbname = 'myphonebook';
if ispc
    datadir = char(java.lang.System.getProperty('user.dir'));
else
    datadir = getenv('HOME');
```

```
    end;
    pbname = fullfile(datadir, pbname);
    % 如果文件不存在，则通过 java.io.FileOutputStream 创建一个新的输出文件流
    if ~exist(pbname)
        disp(sprintf('Data file %s does not exist.', pbname));
        r = input('Create a new phone book (y/n)?','s');
        if r == 'y',
            try
                FOS = java.io.FileOutputStream(pbname);
                FOS.close
            catch
                error(sprintf('Failed to create %s', pbname));
            end;
        else
            return;
        end;
    end;
    % 利用 java.util.Properties 创建一个电话本的 hash 表
    pb_htable = java.util.Properties;
    % 创建文件输入流
    try
        FIS = java.io.FileInputStream(pbname);
    catch
        error(sprintf('Failed to open %s for reading.', pbname));
    end;
    % 加载电话本中的电话，并关闭文件输入流
    pb_htable.load(FIS);
    FIS.close;
    % 显示操作菜单，捕获用户的选择
    while 1
        disp ' '
        disp ' Phonebook Menu:'
        disp ' '
        disp ' 1. Look up a phone number'
        disp ' 2. Add an entry to the phone book'
        disp ' 3. Remove an entry from the phone book'
        disp ' 4. Change the contents of an entry in the phone book'
        disp ' 5. Display entire contents of the phone book'
        disp ' 6. Exit this program'
        disp ' '
        s = input('Please type the number for a menu selection: ','s');
    % 触发操作函数进行电话本操作
    switch s
         % 查找用户输入的姓名
        case '1',
            name = input('Enter the name to look up: ','s');
            if isempty(name)
                disp 'No name entered'
            else
                pb_lookup(pb_htable, name);
```

```
        end;
    % 添加一个用户
    case '2',
        pb_add(pb_htable);
    % 删除一个用户
    case '3',
        name=input('Enter the name of the entry to remove: ', 's');
        if isempty(name)
            disp 'No name entered'
        else
            pb_remove(pb_htable, name);
        end;
    % 改变电话本记录
    case '4',
        name=input('Enter the name of the entry to change: ', 's');
        if isempty(name)
            disp 'No name entered'
        else
            pb_change(pb_htable, name);
        end;
    % 显示所用电话本用户记录
    case '5',
        pb_listall(pb_htable);
    % 关闭操作
     case '6',
        try
            FOS = java.io.FileOutputStream(pbname);
        catch
            error(sprintf('Failed to open %s for writing.',...
                                    pbname));
        end;
        pb_htable.save(FOS,'Data file for phonebook program');
        FOS.close;
        return;
    otherwise
        disp 'That selection is not on the menu.'
    end;
end;
```

（2）根据输入查找用户

```
function pb_lookup(pb_htable,name)
% 查找函数 pb_lookup，根据输入的用户姓名，利用 hash 表函数来查找
entry = pb_htable.get(pb_keyfilter(name));
if isempty(entry),
    disp(sprintf('The name %s is not in the phone book',name));
else
    pb_display(entry);
end
```

（3）向电话本中添加用户记录

```
function pb_add(pb_htable)
% 向电话本中添加记录、姓名和电话号码
disp 'Type the name for the new entry, followed by Enter.'
disp 'Then, type the phone number(s), one per line.'
disp 'To complete the entry, type an extra Enter.'
name = input(':: ','s');
entry=[name '^'];
while 1
    line = input(':: ','s');
    if isempty(line)
        break;
    else
        entry=[entry line '^'];
    end;
end;

if strcmp(entry, '^')
    disp 'No name entered'
    return;
end;

pb_htable.put(pb_keyfilter(name),entry);
disp ' '
disp(sprintf('%s has been added to the phone book.', name));
```

（4）删除电话本中的电话记录

```
function pb_remove(pb_htable,name)
% 从电话本中删除记录
% 检查用户是否存在
if ~pb_htable.containsKey(pb_keyfilter(name))
    disp(sprintf('The name %s is not in the phone book',name))
    return
end;
% 如果用户存在，确定后删除电话
r = input(sprintf('Remove entry %s (y/n)? ',name), 's');
if r == 'y'
    pb_htable.remove(pb_keyfilter(name));
    disp(sprintf('%s has been removed from the phone book',name))
else
    disp(sprintf('%s has not been removed',name))
end;
```

（5）改变电话记录

```
function pb_change(pb_htable,name)
% 改变电话本中的记录
% 如果找到用户，那么通过 else 块来显示
entry = pb_htable.get(pb_keyfilter(name));
if isempty(entry)
```

```
    disp(sprintf('The name %s is not in the phone book', name));
    return;
else
    pb_display(entry);
    r = input('Replace phone numbers in this entry (y/n)? ','s');
    if r ~= 'y'
        return;
    end;
end;
% 输入新的电话号码
disp 'Type in the new phone number(s), one per line.'
disp 'To complete the entry, type an extra Enter.'
disp(sprintf(':: %s', name));
entry=[name '^'];
while 1
    line = input(':: ','s');
    if isempty(line)
        break;
    else
        entry=[entry line '^'];
    end;
end;
pb_htable.put(pb_keyfilter(name),entry);
disp ' '
disp(sprintf('The entry for %s has been changed', name));
```

（6）列表显示所有电话记录

```
function pb_listall(pb_htable)
% 列表显示所有电话记录
enum = pb_htable.propertyNames;
while enum.hasMoreElements
    key = enum.nextElement;
    pb_display(pb_htable.get(key));
end;
```

（7）显示一个用户的所有电话

```
function pb_display(entry)
% 显示一个用户的所有电话
disp ' '
disp '-------------------------'
[t,r] = strtok(entry,'^');
while ~isempty(t)
    disp(sprintf(' %s',t));
    [t,r] = strtok(r,'^');
end;
disp '-------------------------'
```

（8）关键字过滤

```
function out = pb_keyfilter(key)
% 通过使用过滤，使 key 能够被 java.util.Properties 对象使用
if ~isempty(findstr(key,' '))
```